MO HAYDER
DIEP

UITGEVERIJ LUITINGH

Uitgeverij Luitingh en Drukkerij HooibergHaasbeek vinden het belangrijk om op milieuvriendelijke en verantwoorde wijze met natuurlijke bronnen om te gaan

Copyright © 2010 Mo Hayder
All rights reserved
© 2010 Nederlandse vertaling
Uitgeverij Luitingh ~ Sijthoff B.V., Amsterdam
Alle rechten voorbehouden
Oorspronkelijke titel: *Gone*
Vertaling: Yolande Ligterink
Omslagontwerp: T.B. Bone
Omslagfotografie: Hollandse Hoogte

ISBN 978 90 245 8798 8
NUR 332

www.uitgeverijluitingh.nl
www.boekenwereld.com
www.watleesjij.nu

I

Inspecteur Jack Caffery van de afdeling Zware Misdrijven keek tien minuten naar de plaats delict in het centrum van Frome. Hij liep langs de wegblokkade, de blauwe zwaailichten, het politielint en de toeschouwers, die met hun tassen vol zaterdagse boodschappen in groepjes bij elkaar stonden om een glimp op te vangen van de technisch rechercheurs met hun borstels en zakjes, en bleef een hele tijd staan op de plek waar het allemaal gebeurd was, tussen de olieplasjes en achtergelaten winkelwagentjes op het ondergrondse parkeerdek, om alles in zich op te nemen en te beslissen hoeveel zorgen hij zich moest maken. Toen hij het ondanks zijn overjas koud kreeg, ging hij naar boven, waar de plaatselijke agenten en de technische recherche in het kantoortje van de bedrijfsleider de bewakingsbeelden bekeken op een kleine kleurenmonitor.

Ze stonden in een halve kring, met bekers koffie uit een automaat in de hand. Sommigen hadden nog steeds hun beschermende overalls aan, met de capuchon naar achteren. Iedereen keek op toen Caffery binnenkwam, maar hij schudde zijn hoofd, spreidde zijn handen om te laten zien dat hij geen nieuws had en ze draaiden zich met gesloten en ernstige gezichten weer om naar het beeldscherm.

Het beeld had de kenmerkende korreligheid van goedkope bewakingscamera's en toonde de ingang van het parkeerdek. De zwarte cijfers van de tijdsaanduiding vervaagden naar wit en werden toen langzaam weer zwart. Op het beeldscherm waren auto's te zien die in de gemarkeerde vakken stonden. Daarachter kwam het winterse zonlicht door de ingang naar binnen, zo fel als een zoeklicht. Achter een van de auto's, een Toyota Yaris, stond een vrouw met haar rug naar de camera boodschappen uit een karretje in de kofferbak te laden. Jack Caffery was inspecteur en had achttien harde politiejaren achter de rug bij Moordzaken in een van de zwaarste stadskorpsen in het land. Maar zelfs hij had geen verweer tegen de koude angstrilling die het beeld hem bezorgde, wetend wat er vervolgens op de film zou gebeuren.

Hij was al een heleboel te weten gekomen uit de verklaringen die de plaatselijke politie had afgenomen: de vrouw heette Rose Bradley. Ze was de vrouw van een predikant van de Anglicaanse Kerk en was achter in de veertig, hoewel ze op de beelden ouder leek. Ze droeg een kort, donker jasje van een zware stof – chenille misschien – en een kuitlange tweedrok met daaronder pumps met een klein hakje. Haar kapsel was kort en netjes. Ze was het type dat verstandig genoeg is om een paraplu te gebruiken of een sjaal om haar hoofd te binden als het regende, maar het was een heldere, koude dag en ze was blootshoofds. Rose had de hele middag in de kledingwinkeltjes in het centrum van Frome doorgebracht en had haar uitstapje beëindigd in Somerfield voor de wekelijkse gezinsboodschappen. Voordat ze de tassen in de auto was gaan zetten, had ze haar sleutels en het kaartje van de parkeergarage op de bestuurdersstoel van de Yaris gelegd.

Het zonlicht achter haar flikkerde en ze keek op en zag een man via de inrit naar binnen rennen. Hij was lang en breed en had een spijkerbroek en een gewatteerde jas aan. Hij had een rubbermasker op. Een Kerstmanmasker. Dat was voor Caffery nog het griezeligst: het op en neer bewegende rubbermasker terwijl de man naar Rose toe rende. De grijns veranderde of verbleekte niet toen hij dichterbij kwam.

'Hij zei twee woorden.' De plaatselijke inspecteur, een lange, strenge man in uniform, die te oordelen naar zijn rode neusvleugels ook buiten in de kou moest hebben gestaan, knikte naar het beeldscherm. 'Op dat moment, als hij bijna bij haar is. Hij zegt: "Liggen, teef." Ze herkende de stem niet en ze is er niet zeker van of hij een accent had of niet, omdat hij schreeuwde.'

De man greep Rose bij de arm en rukte haar weg van de auto. Haar rechterarm schoot omhoog, een sieraad knapte en er vlogen kralen in het rond, die het licht vingen. Ze sloeg met haar heup tegen de kofferbak van de auto naast haar, en haar bovenlichaam schoot eroverheen alsof ze van rubber was. Haar haar vloog omhoog, haar elleboog raakte het dak en ze schoot als een zweep terug, viel van de auto en kwam op haar knieën terecht. De man met het masker zat inmiddels achter het stuur van de Yaris. Rose zag wat hij deed en krabbelde overeind. Ze wist bij het raampje van de auto te komen en trok verwoed aan het portier terwijl de man de sleutels in het contact stak. De auto schokte even toen de handrem omlaag werd gedaan en schoot met een ruk naar achteren. Rose struikelde mee, viel half en werd meegesleept, en toen remde de man abrupt, schakelde en schoot weer naar voren. De beweging verbrak haar greep en ze viel log op de grond, rolde een keer om en bleef toen met onelegant gespreide armen en benen liggen. Ze herstelde zich en hief haar hoofd, net op tijd om de auto naar de uitgang te zien racen.

'En daarna?' vroeg Caffery.

'Niet veel. We hebben hem opgepikt via een andere camera.' De inspecteur richtte de afstandsbediening op de videorecorder en zapte langs de beelden van verschillende camera's. 'Hier verlaat hij de parkeergarage. Hij gebruikt haar kaartje om buiten te komen. Maar het beeld van deze camera is niet zo best.'

Op het scherm was de Yaris van achteren te zien. De remlichten gingen aan toen hij voor de slagboom tot stilstand kwam. Het raampje ging open en de hand van de man kwam naar buiten om het kaartje in de gleuf te steken. Na een paar tellen ging de slagboom open. De remlichten gingen uit en de Yaris reed weg.

'Geen afdrukken bij de slagboom,' zei de inspecteur. 'Hij draagt handschoenen. Zie je wel?'

'Zet het beeld eens stil,' zei Caffery.

De inspecteur drukte op de pauzeknop. Caffery boog zich dichter naar het scherm en draaide zijn hoofd om de achterruit boven de verlichte nummerplaat te bekijken. Toen de zaak gemeld werd bij de afdeling Zware Misdrijven had het hoofd daarvan, een meedogenloze schoft die een oude vrouw nog de grond in zou boren als ze informatie had die zijn succescijfers zou opkrikken, tegen

Caffery gezegd dat hij allereerst moest controleren of de melding echt was. Caffery bestudeerde de schaduwen en de weerspiegelingen in de achterruit. Hij zag iets op de zitting liggen. Iets lichts en vaags.

'Is ze dat?'

'Ja.'

'Weet je het zeker?'

De inspecteur draaide zich om en bleef hem even aankijken, alsof hij dacht dat hij getest werd. 'Ja,' zei hij langzaam. 'Hoezo?'

Caffery gaf geen antwoord. Hij ging niet hardop zeggen dat zijn hoofdinspecteur zich zorgen maakte over alle gekken die in het verleden een kind op de achterbank hadden verzonnen nadat hun auto was gestolen in de hoop dat de politie er dan harder naar zou zoeken. Die dingen gebeurden. Maar het zag er niet naar uit dat Rose Bradley er zo een was.

'Laat me haar zien. Eerder.'

De inspecteur richtte de afstandsbediening op de tv en zocht in het menu naar eerdere beelden tot op negentig seconden voor de aanval op Rose. Er was niets te zien op het parkeerdek, op het binnenstromende zonlicht bij de ingang en de geparkeerde auto's na. Toen de tijdsaanduiding op 16.31 sprong gingen de deuren van de supermarkt open en kwam Rose Bradley naar buiten achter een winkelwagentje. Naast haar liep een meisje in een bruine duffelse jas. Bleek, blond haar met een pony, pastelkleurige Mary Jane-schoenen en een roze maillot. Ze liep met haar handen in haar zakken. Rose deed de Yaris van het slot en het meisje trok het achterportier open en kroop naar binnen. Rose deed het portier achter haar dicht, legde haar sleutels en het parkeerkaartje op de bestuurdersstoel en liep naar de kofferbak.

'Oké. Dat is wel genoeg.'

De inspecteur zette de tv uit en ging rechtop staan. 'Zware Misdrijven is erbij gehaald. Wie doet dus het onderzoek? Jij? Ik?'

'Niemand.' Caffery haalde zijn sleutels uit zijn zak. 'Zover komt het helemaal niet.'

De inspecteur trok een wenkbrauw op. 'Wie zegt dat?'

'Dat zeggen de statistieken. Hij heeft een fout gemaakt – hij wist niet dat ze in de auto zat. Hij zet haar eruit zodra de gelegenheid zich voordoet. Dat heeft hij waarschijnlijk al gedaan. Het wachten is op de doorkomst van het telefoontje.'

'Er is al bijna drie uur verstreken.'

Caffery keek hem recht aan. De inspecteur had gelijk; die drie uur viel niet binnen de statistieken en dat stond hem niet aan. Maar hij deed dit werk lang genoeg om niet meer op te kijken van de uitzonderingen die zich van tijd tot tijd voordeden. De plotselinge afwijkingen, die buiten het patroon vielen. Ja, die drie uur voelde niet goed, maar er was waarschijnlijk een goede reden voor. Misschien probeerde die vent eerst zo ver mogelijk weg te komen. Een plek te zoeken waar niemand zou zien dat hij haar uit de auto zette.

'Ze komt wel terug. Daar geef ik mijn woord op.'

'Echt?'

'Echt.'

Caffery knoopte zijn jas dicht toen hij de kamer uit liep en haalde zijn autosleutels uit zijn zak. Zijn dienst was al een halfuur afgelopen. Er waren een paar dingen die hij die avond kon gaan doen: een quiz van de vereniging voor politiemensen in de bar in Staple Hill, een vleesverloting in de pub, vlakbij kantoor, of in zijn eentje thuis gaan zitten. Geen van alle erg aantrekkelijk. Maar beter dan wat hij nu moest gaan doen. Wat hij nu moest gaan doen, was met de Bradleys praten. Uitzoeken of er behalve de statistische afwijking een andere reden was waarom hun jongste dochter Martha nog niet terug was.

2

Het was halfzeven toen ze bij de woonwijk net buiten het dorpje Oakhill in de Mendips aankwamen. Het was een keurige villawijk die een jaar of twintig geleden moest zijn aangelegd, met een brede, niet-doorgaande weg en grote, met laurier en taxus afgezette glooiende gazons. Het huis was niet wat hij verwacht had van een pastorie. Hij had zich een vrijstaand huis voorgesteld met blauweregen en een tuin en de woorden THE VICARAGE op de zuilen van het hek. In plaats daarvan was het een halfvrijstaande woning met een oprit die bestond uit teer met steentjes erdoor, nep schoorstenen en PVC-ramen. Hij zette de auto voor het huis en schakelde de motor uit. Dit onderdeel van het werk vond hij verschrikkelijk – het contact met de slachtoffers. Even dacht hij erover niet het pad naar de deur op te lopen. Niet op de deur te kloppen. Hij overwoog rechtsomkeert te maken en gewoon weg te gaan.

De familierechercheur die aan de Bradleys was toegewezen deed de deur open. Ze was een lange vrouw van in de dertig met een glanzend zwart bobkapsel, die zich misschien wat al te bewust was van haar lengte: ze droeg platte schoenen onder de broek met wijde pijpen en stond voortdurend iets voorovergebogen, alsof het plafond te laag was.

'Ik heb ze verteld van welke eenheid je bent.' Ze deed een stap achteruit om hem binnen te laten. 'Ik wilde ze niet bang maken, maar ze moesten weten dat we dit ernstig opvatten. En ik heb ook verteld dat je nog geen nieuws hebt. Dat je alleen nog wat vragen wilt stellen.'

'Hoe is het met ze?'

'Hoe denk je?'

Hij haalde zijn schouders op. 'Je hebt gelijk. Stomme vraag.'

Ze deed de deur dicht en leek Caffery even op te nemen. 'Ik heb van je gehoord. Ik weet het een en ander.'

Het was warm binnen, dus deed Caffery zijn jas uit. Hij vroeg de familierechercheur wat ze dan wel van hem wist, of het goed of slecht was. Hij was gewend aan de argwaan van een bepaald type vrouw. Op de een of andere manier had hij een reputatie die helemaal van zijn oude betrekking in Londen was meegetrokken naar het westen. Die reputatie was een van de redenen waarom hij alleen bleef. Waardoor hij zinloze dingen moest plannen om zijn avonden te vullen, zoals vleesverlotingen en quizzen.

'Waar zijn ze?'

'In de keuken.' Ze schopte een tochtrol tegen de onderkant van de deur. Het was koud buiten. Vrieskoud. 'Maar kom eerst even met mij mee. Ik wil je de foto's laten zien.'

De familierèchercheur nam hem mee naar een zijkamer waar de gordijnen half dicht waren. Het meubilair was sleets, maar van goede kwaliteit: een piano van donker hout tegen een muur, een tv in een kast met inlegwerk, twee gehavende banken waarover iets hing dat kon doorgaan voor twee oude, aan elkaar gestikte Navajo-dekens. Alles – de vloerkleden, de muren, de meubels – zag er sjofel uit na jaren van kinderen en dieren. Op een van de banken lagen twee honden, een zwart-witte collie en een spaniël. Ze hieven allebei hun kop om naar Caffery te kijken. Weer werd hij getaxeerd. Weer wilde iemand weten wat hij in godsnaam ging doen.

Hij bleef staan bij een laag tafeltje waarop een stuk of twintig foto's lagen uitgespreid. Uit een album gehaald – in de haast had de familie de zelfklevende hoekjes van de pagina's gescheurd. Martha was klein en bleek en had fijn blond haar met een pony. Een bril – het soort waarmee een kind gepest werd. De politie wist uit ervaring dat het kiezen van de juiste foto voor publicatie een van de belangrijkste dingen was bij het vinden van een vermist kind. De foto moest goed duidelijk maken hoe het kind eruitzag, maar het kind moest er ook aantrekkelijk uitzien. Hij schoof met zijn vinger de kiekjes over de tafel. Er waren schoolfoto's, vakantiefoto's, verjaardagsfoto's. Bij een ervan bleef hij hangen. Martha droeg een meloenroze T-shirt en haar haar zat in twee vlechtjes. Achter haar was de hemel blauw en de heuvels leken donzig door de bomen in zomertooi. Te oordelen naar de achtergrond was hij in een van de tuinen in de wijk genomen. Hij draaide hem, zodat de familierechercheur hem kon zien. 'Is dit de foto die je gekozen hebt?'

Ze knikte. 'Ik heb hem naar het persbureau gemaild. Is het de goede?'

'Het is de foto die ik ook gekozen zou hebben.'

'Wil je nu naar de ouders?'

Hij zuchtte. Keek naar de deur die ze aanwees. Hij haatte wat hij

11

nu moest doen. Het was net alsof hij voor het hol van de leeuw stond. Hij wist gewoon nooit hoe hij tegenover de slachtoffers de juiste balans moest vinden tussen professionaliteit en medeleven. 'Vooruit dan maar. Dan hebben we dat maar gehad.'

Hij liep naar de keuken, waar de drie leden van het gezin Bradley onmiddellijk ophielden met wat ze aan het doen waren en hem verwachtingsvol aankeken. 'Geen nieuws.' Hij stak zijn handen op. 'Ik heb niets nieuws te melden.'

Ze slaakten een collectieve zucht en vielen terug in hun houding van verslagenheid en ellende. Hij ging ze stuk voor stuk langs, afgaand op de informatie die het politiebureau van Frome hem had gegeven: dat was eerwaarde Jonathan Bradley daar bij het aanrecht, halverwege de vijftig, lang en met dik blond haar dat golvend vanaf een hoog voorhoofd naar achteren viel en een rechte neus die er boven een priesterboordje net zo zelfverzekerd uit zou zien als boven de paarse trui en de spijkerbroek die hij nu aan had. Onder een harp op de borst van zijn trui was het woord 'Iona' geborduurd.

De oudste dochter van de Bradleys, Philippa, zat aan tafel. Ze was op-en-top de rebellerende tiener met die ring in haar neus en dat zwart geverfde haar. In normale omstandigheden zou ze op de bank achter in de kamer hangen en met één been over de armleuning en een vinger in haar mond wezenloos naar de tv liggen staren. Maar nu niet. Ze zat met haar handen tussen haar knieën en gebogen schouders en zag er bleekjes en doodsbang uit.

En dan was Rose er nog, die ook aan tafel zat. Toen ze die morgen het huis had verlaten, moest ze er hebben uitgezien als iemand die op weg was naar een vergadering van de kerkenraad, met parels en zorgvuldig gekapt haar. Maar een gezicht kon in een paar uur onherroepelijk veranderen, wist hij uit ervaring, en nu leek Rose Bradley hard op weg naar de dwangbuis in haar vormeloze vest en synthetische jurk. Haar dunner wordende blonde haar was vies en zat tegen haar hoofd geplakt, ze had dikke wallen onder haar ogen en tegen de zijkant van haar gezicht zat verband. Ze had een kalmerend middel gehad. Dat zag hij aan haar onnatuurlijk afhangende mond. Jammer. Hij had haar liever scherp gehad.

12

'We zijn blij dat u gekomen bent.' Jonathan Bradley probeerde te glimlachen. Hij kwam naar voren en raakte Caffery's arm aan. 'Gaat u zitten. Ik zal een kop thee inschenken – er staat een pot klaar.'

De keuken was net zo aftands als de rest van het huis, maar het was er warm. Op de vensterbank boven het aanrecht stond een rij verjaardagskaarten. Een plankje bij de deur was volgestouwd met cadeautjes. Op een rekje stond een taart te wachten op het glazuur. Midden op de tafel lagen drie mobiele telefoons, alsof de leden van het gezin ze daar hadden neergelegd in de verwachting dat er elk moment een kon gaan rinkelen en nieuws kon doorgeven. Caffery zag alles, de plekken waar Martha aanwezig leek te zijn in de ruimte, maar hij liet niet merken dat hij er speciaal op lette. Hij koos een stoel tegenover Rose, ging zitten en glimlachte even naar haar. Haar mond trok in een reactie. Heel even maar. Haar wangen zaten vol kapotte adertjes van het huilen en de rode randen van haar ogen lagen vochtig en slap tegen het wit. Zo zagen de ogen van mensen met hoofdwonden er soms uit. Hij moest eraan denken de familierechercheur te vragen waar de kalmeringsmiddelen vandaan kwamen. Nagaan of er een huisarts was ingeschakeld en of Rose niet gewoon het medicijnkastje had geplunderd.

'Ze is morgen jarig,' fluisterde ze. 'Is ze voor haar verjaardag terug?'

'Mevrouw Bradley,' zei hij, 'ik wil uitleggen wat ik hier kom doen zonder u aan het schrikken te brengen. Ik heb de vaste overtuiging dat de man die uw auto heeft meegenomen vanaf het moment dat hij zijn fout bemerkte – dat Martha achterin zat – plannen heeft zitten maken om haar te laten gaan. Denk eraan dat hij ook bang is. Hij wilde de auto hebben en zit niet te wachten op een aanklacht wegens ontvoering boven op autodiefstal. Dat gebeurt altijd in dergelijke gevallen. Ik heb er gegevens over op kantoor. Die heb ik gelezen voordat ik hierheen kwam en ik kan er kopieën van maken, als u dat wilt. Aan de andere kant...'

'Ja? Aan de andere kant?'

'Mijn eenheid moet het beschouwen als een ontvoering, omdat

we verantwoordelijk te werk moeten gaan. Dat is volkomen normaal en het betekent niet dat we ons zorgen maken.' Hij voelde de blikken van de familierechercheur terwijl hij sprak. Hij wist dat mensen als zij extra letten op bepaalde woorden als ze te maken hadden met gezinnen die het slachtoffer waren van een gewelddaad, dus ging hij lichtjes over het woord 'ontvoering' heen en zei het met de amper hoorbare stem die de generatie van zijn ouders zou hebben gereserveerd voor het woord 'kanker'. 'Het kenteken is ingevoerd in het ANPR-systeem. Dat is de automatische nummerherkenning, en het systeem bestaat uit camera's die alle grote wegen afzoeken naar uw auto. Als hij een hoofdweg in deze streek neemt, pikken we hem op. We hebben extra teams ingezet om mensen te ondervragen. De media hebben een persbericht ontvangen, dus zijn we praktisch verzekerd van plaatselijke en waarschijnlijk ook nationale publiciteit. Als u nu de tv aanzet, ziet u het waarschijnlijk in de journaals. Ik laat iemand van de technische recherche komen. Hij zal zich bemoeien met uw telefoons.'

'Voor het geval er iemand belt?' Rose keek hem met wanhopige ogen aan. 'Bedoelt u dat iemand ons zou kunnen bellen? Het klinkt nu net alsof u denkt dat ze echt ontvoerd is.'

'Alstublieft, mevrouw Bradley, ik meende wat ik net zei. Het is allemaal routine. Echt. U moet niet denken dat er iets vreselijks aan de hand is of dat we theorieën hebben, want dat is echt niet zo. Ik geloof geen moment dat het onderzoek bij de afdeling Zware Misdrijven zal blijven, want ik denk dat Martha morgen op haar verjaardag veilig en wel weer thuis is. Maar toch moet ik u wat vragen stellen.' Hij haalde een kleine mp3-recorder uit zijn binnenzak en legde hem naast de telefoons op tafel. Het rode lampje knipperde. 'U wordt nu opgenomen. Net als eerder. Is dat goed?'

'Ja. Het is...' Haar stem stierf weg. Er viel een stilte en toen glimlachte ze vluchtig en verontschuldigend naar Caffery, alsof ze niet alleen vergeten was wie hij was, maar ook waarom ze daar rond de tafel zaten. 'Ik bedoel... ja. Dat is prima.'

Jonathan Bradley zette een beker thee voor Caffery neer en ging naast Rose zitten. 'We hebben zitten praten en denken over de reden dat we nog niets gehoord hebben.'

'Het is nog vroeg.'

'Maar we hebben wel een theorie,' zei Rose. 'Martha zat op haar knieën op de achterbank toen het gebeurde.'

Jonathan knikte. 'We hebben haar al ontelbare keren gezegd dat ze dat niet mag doen, maar ze doet het steeds weer. Zodra ze in de auto zit, buigt ze zich naar voren en speelt ze met de radio. Dan probeert ze er iets op te krijgen dat zij mooi vindt. We vroegen ons af of hij misschien zo snel is weggereden dat ze achterover is gevallen, tussen de stoelen in, en toen haar hoofd heeft gestoten. Misschien weet hij niet eens dat ze daar is. Ze zou bewusteloos kunnen zijn, ze zou daar kunnen liggen en hij zou gewoon verder kunnen rijden. Misschien heeft hij de auto zelfs al in de steek gelaten en ligt ze daar nog, bewusteloos.'

'De tank is vol. Ik had onderweg naar Bath nog getankt. Dus hij zou al heel ver weg kunnen zijn. Verschrikkelijk ver weg.'

'Ik kan er niet meer tegen.' Philippa duwde haar stoel achteruit, ging naar de bank en begon in de zakken van een spijkerjasje te zoeken. 'Mam, pap.' Ze haalde een pakje Benson & Hedges voor de dag en zwaaide ermee naar haar ouders. 'Ik weet dat dit niet het moment en ook niet de plek is, maar ik rook. Al maanden. Het spijt me.'

Rose en Jonathan keken haar na toen ze naar de achterdeur liep. Geen van beiden zei iets toen ze hem opengooide en onhandig met de aansteker in de weer ging. Haar adem was wit in de koude nachtlucht en achter haar dreven de wolken uiteen onder de sterren. In de verte twinkelden lichtjes in de vallei. Het was te koud voor november, dacht Caffery. Veel te koud. Hij voelde de bevroren weidsheid van het landschap. Het gewicht van duizend weggetjes waarop Martha kon zijn achtergelaten. Een Yaris was een kleine auto met een relatief grote benzinetank en een behoorlijke actieradius – misschien wel achthonderd kilometer. Maar Caffery geloofde niet dat de autodief steeds dezelfde richting uit was gereden. Hij hoorde hier thuis – hij had precies geweten waar de bewakingscamera's hadden gehangen. Hij zou te nerveus zijn om zich buiten bekend terrein te wagen. Hij was nog ergens in de buurt, op een plek die hij kende. Waarschijnlijk probeerde hij een locatie te vinden die afgelegen genoeg was om haar te laten gaan. Caffery was er zeker van dat het zo was gegaan, maar de verstreken tijd was toch een stille bron van onrust. Drieënhalf uur. Inmiddels bijna vier. Hij roerde in zijn thee. Keek naar de lepel om te voorkomen dat de Bradleys zouden zien hoe zijn ogen naar de klok aan de muur gingen.

'En, meneer Bradley,' zei hij. 'Ik heb gehoord dat u pastoor bent?'

'Ja. Vroeger was ik schoolhoofd, maar ik ben drie jaar geleden gewijd.'

'Dit lijkt een gelukkig gezin.'

'Dat is het ook.'

'Kunt u een beetje rondkomen? Als dat geen al te brutale vraag is.'

Jonathan glimlachte somber. 'We kunnen ons redden. Heel goed, dank u. We hebben geen schulden. Ik ben geen stiekeme gokker of drugsverslaafde. En we hebben niemand boos gemaakt. Was dat uw volgende vraag?'

'Pa,' mompelde Philippa. 'Doe niet zo onbeschoft.'

Hij sloeg geen acht op zijn dochter. 'Als u daarheen wilt, meneer Caffery, kan ik u vertellen dat u in de verkeerde richting denkt. Er is geen enkele reden waarom iemand haar bij ons weg zou willen halen. Geen enkele reden. Zo'n gezin zijn wij gewoon niet.'

'Uw frustratie is begrijpelijk. Ik probeer alleen een helder beeld te krijgen.'

'Er is geen beeld. Er ís geen beeld. Mijn dochter is meegenomen en we zitten te wachten tot u er iets aan doet...' Hij onderbrak zichzelf alsof hij opeens tot het besef kwam dat hij schreeuwde. Hij leunde zwaar ademend en met een felrood gezicht achterover. 'Neem me niet kwalijk.' Hij haalde een hand door zijn haar. Hij zag er vermoeid uit. Verslagen. 'Het spijt me, echt. Het was niet mijn bedoeling om me op u af te reageren. Het is alleen dat u zich met geen mogelijkheid kunt voorstellen hoe dit voelt.'

Een paar jaar eerder, toen hij nog een jonge heethoofd was, zou

Caffery woedend geworden zijn bij een dergelijke uitspraak – die veronderstelling dat hij niet wist hoe het voelde – maar zijn leeftijd had het voordeel dat hij nu rustig kon blijven. Jonathan Bradley wist niet wat hij zei, had geen idee – hoe zou dat ook kunnen? Dus legde Caffery zijn handen op tafel. Plat. Om te laten zien dat hij volkomen kalm was. Volkomen beheerst. 'Hoor eens, meneer Bradley, mevrouw Bradley. Niemand kan het voor honderd procent zeker weten en ik kan niet in de toekomst zien, maar ik ben bereid mijn nek uit te steken en te zeggen dat ik het gevoel heb – een heel sterk gevoel – dat dit goed zal aflopen.'

'Goeie god.' Er liep een traan over Rose' gezicht. 'Meent u dat? Meent u dat echt?'

'Dat meen ik echt. Het is zelfs zo...' Hij glimlachte geruststellend – en zei toen een van de stomste dingen die ooit uit zijn mond was gekomen. 'Het is zelfs zo dat ik me verheug op een foto van Martha als ze de kaarsjes uitblaast. Ik hoop dat u me een exemplaar wilt sturen om op te hangen.'

3

De groeve in de Mendip Hills was in geen zestien jaar gebruikt en de eigenaren hadden er een hek omheen gezet om te voorkomen dat mensen het terrein op kwamen en om de ondergelopen gaten heen reden. Flea Marley had haar auto honderd meter van het hek aan de rand van een pad tussen wat gaspeldoorns neergezet. Ze brak een paar takken van een naburige boom en legde die zo neer dat de auto vanaf de weg niet te zien was. Er kwam hier nooit iemand, maar het kon geen kwaad om voorzichtig te zijn.

Het was de hele dag al koud. Een grijs wolkendek dreef vanaf de Atlantische Oceaan langs de hemel. Het was ook winderig, dus Flea droeg een parka en een muts. De pofzak, de bundel friends en de knie- en elleboogstukken zaten in haar rugzak. Haar Boreal-klimschoenen konden op het eerste gezicht doorgaan voor normale wandelschoenen. Als ze iemand tegenkwam was ze gewoon een wandelaar die van het voetpad was afgedwaald.

Ze wrong zich door een opening in het hek en liep het pad af. Het weer verslechterde. Tegen de tijd dat ze aan de rand van het water stond, was het gaan stormen. Onder het witte wolkendek bewogen kleinere en donkerder wolken in regelmatige eskaders, zo snel als vogelzwermen. Op een dag als deze waagde niemand zich buiten. Toch probeerde ze zo min mogelijk op te vallen en liep ze snel door.

De rotswand was aan de andere kant, buiten het zicht van de groeve. Ze bleef onderaan staan, keek nog een laatste keer om zich heen om te controleren of ze alleen was en dook weg achter een rotsblok. Ze vond de plek waar ze wilde zijn, liet haar rugzak vallen en haalde de paar dingen eruit die ze nodig had. Het kwam aan op snelheid en vastberadenheid. Niet denken, gewoon doen. Dan is het maar voorbij.

Ze ramde de eerste friend in de kalksteen. Haar vader, die al lang dood was, was een allround avonturier geweest. Zo'n held uit jongensboeken – duiker, grotonderzoeker, bergbeklimmer. Die avontuurlijke inslag was op haar overgegaan, maar het klimmen was nooit een tweede natuur geworden. Ze was niet zo'n klimfanaat die zich aan twee vingers kon optrekken. De kalksteen moest gemakkelijk te beklimmen zijn met zijn verticale en horizontale scheuren, maar zij vond het een hels karwei – haar handen leken altijd op de verkeerde plek te zitten – en nu zaten de scheuren vol met de hard geworden kalk die ze in het verleden had gebruikt. Onder het klimmen pauzeerde ze voortdurend om handenvol witte troep uit de spleten te schrapen. Het was niet handig om sporen na te laten. Nooit.

Flea was klein, maar ze was zo sterk als een beer. Als je in je leven nooit wist wat er om de volgende hoek lag, loonde het om fit te blijven, dus trainde ze elke dag. Minstens twee uur. Hardlopen, gewichtheffen. Ze was op de top van haar kunnen. Ondanks haar waardeloze klimtechniek was ze in nog geen tien minuten boven.

Ze hijgde niet eens toen ze er aankwam.

Op deze hoogte huilde de wind om haar heen en blies hij de parka tegen haar lichaam. Haar haren wapperden in haar ogen. Ze zette haar vingers in de grond, draaide haar hoofd en keek naar de door regen geteisterde vallei onder haar. Het grootste deel van de rots lag verborgen, behalve dit kleine stuk dat als ze heel veel pech had kon worden gezien door passerende automobilisten. Maar de weg was zo goed als verlaten; er reden slechts een of twee auto's voorbij, met koplampen en ruitenwissers aan. Toch bleef ze dicht bij de rots en zorgde ervoor dat haar profiel niet tegen de hemel afstak.

Ze zette haar tenen in de grond, draaide haar bovenlichaam iets naar links tot ze de juiste plek had gevonden, greep de broze wortels van een gaspeldoorn met beide handen en trok ze uit elkaar. Ze aarzelde omdat ze het eigenlijk liever niet deed. Toen duwde ze haar gezicht in het gat. Haalde diep adem. Hield die vast. Proefde.

Ze liet de lucht met een lange, hese kuch ontsnappen, liet de struik los, draaide haar gezicht weg en drukte hijgend de rug van haar hand tegen haar neus.

Het lijk was er nog. Ze kon het ruiken. De bittere, misselijkmakende stank van verrotting vertelde haar alles wat ze moest weten. Overweldigend, maar zwakker dan eerst. Vager, wat betekende dat het lichaam deed wat het moest doen. Afgelopen zomer was de stank echt heel erg geweest. Er waren dagen geweest dat ze de geur beneden op het voetpad al had opgevangen, waar zelfs een toevallige voorbijganger hem zou hebben geroken. Dit was beter. Veel beter. Het betekende dat het lijk van de vrouw al een heel eind vergaan was.

De spleet waar Flea haar neus tegen had gehouden, kwam uit in een scheur die de rots in kronkelde. Heel, heel ver daar beneden, bijna acht meter onder haar, bevond zich een grot. Die grot had maar één ingang en die lag onder water. De route was vrijwel niet te vinden zonder een specialistische duikuitrusting en een encyclopedische kennis van de contouren van de groeve. Zij had hem gevonden en was in de zes maanden dat het lijk daar lag tweemaal in de grot geweest, gewoon om zichzelf ervan te verzekeren dat niemand het had gevonden. Het zat nu in een gat in de grond, bedekt met rotsblokken. Niemand zou ooit ontdekken dat het er was. De enige aanwijzing voor wat Flea had gedaan was de onmiskenbare stank die door het natuurlijke ventilatiesysteem van de grot door ongeziene spleten omhoogkwam en zich hier, hoog op de klip, manifesteerde.

Er kwam een geluid van de andere kant van de groeve: het hek ging open. Ze spreidde haar armen en benen en liet zich snel naar beneden glijden, zodat ze haar knieën schaafde en een lange oranje streep aarde op de voorkant van haar regenkleding kreeg. Ze kwam op handen en voeten neer en hield haar oren gespitst. In de wind en de regen was het moeilijk om er zeker van te zijn, maar ze dacht dat ze een auto hoorde.

Ze kroop steels naar de rand van het rotsblok. Stak haar hoofd om de hoek. Rukte het weer terug.

Een auto. Koplampen aan. Hij kwam op zijn gemak in de regen door het hek. En er was nog iets ergers. Ze draaide haar hoofd tegen de natte rots en keek nog eens om de hoek. Ja. Het was een politiewagen.

O, help. Wat nu, slimmerik?

Ze ontdeed zich snel van de kniestukken, de pofzak en de handschoenen. Ze kon niet bij de friends die hoger in de rots zaten, maar de dichtstbijzijnde maakte ze snel los. Ze klapte ze uit en propte ze samen met de andere spullen in een ruimte onder de gaspeldoorn waar ze vlak naast stond. Toen ging ze op haar hurken zitten en kroop als een krab weg onder de beschutting van de gaspeldoorns, tot ze bij een ander rotsblok kwam, waar ze weer rechtop kon gaan staan om eromheen te kijken.

De politiewagen was aan de andere kant van de groeve gestopt, waar al het materiaal stond dat het bedrijf had achtergelaten. De koplampen zaten vol modderspatten. Misschien moest die agent even plassen. Of telefoneren. Of een boterham eten. Hij zette de motor uit, deed het raampje open, stak zijn hoofd naar buiten en tuurde naar de regen. Toen boog hij zich over de passagiersstoel en zocht iets.

Een boterham? Laat het in godsnaam een boterham zijn. Een telefoon?

Nee. Het was een zaklamp. Verdomme.

Hij deed het portier open. De regen en de wolken maakten het zo donker dat de straal sterk genoeg was om de regendruppels op te pikken. De auto weerkaatste het licht toen hij ging staan en een regenjack aantrok. Het stuiterde over de bomen aan de rand van het spoor. Hij sloeg het portier dicht, ging naar de rand van het water en liet het licht op het oppervlak van de groeve vallen. Het water spatte en kolkte door de harde regen. Achter het hek, verder op het spoor, was een van de takken die ze had gebruikt om haar auto te verbergen weggetrokken. De agent wist dat hier iemand was.

Daar zit je nou, dacht ze. Tot aan je nek in de problemen.

Opeens draaide hij zich om, alsof hij een geluid had gehoord, en richtte de zaklamp op de plek waar zij stond. Ze trok zich terug achter de rots, met haar zij ertegenaan, en de wind deed haar ogen tranen. Haar hart bonsde. De agent deed een paar stappen vooruit en zijn voeten kraakten op het grind. Een, twee, drie, vier. Toen doelbewuster. Vijf, zes zeven. Recht op haar af.

Ze haalde diep adem, trok de capuchon van haar hoofd en stapte in de lichtstraal. Hij bleef op een afstandje staan, met de zaklamp naar voren, en de regen droop van de capuchon van zijn jas. 'Hallo,' zei hij.

'Hallo.'

Hij liet het licht over haar lichaam gaan. 'Je weet dat dit privéterrein is? Het is van de steenhouwerij.'

'Dat weet ik.'

'Ben jij een steenhouwer?'

Ze glimlachte zuinig. 'Je doet dit nog niet lang, hè? Politiewerk.'

'Vertel eens,' zei hij, 'wat betekent het woord privéterrein voor jou? *Privéterrein?*'

'Dat ik hier niet hoor te zijn? Niet zonder toestemming.'

Hij trok zijn wenkbrauwen op. 'Fijn. Je krijgt het door.' Hij liet het licht over het spoor achter hem glijden. 'Is dat jouw auto? Daar op het weggetje?'

'Ja.'

'Je probeerde hem toch niet te verbergen, hè? Onder die takken?'

Ze lachte. 'God. Natuurlijk niet. Waarom zou ik?'

'Dus jij hebt die takken er niet voor gelegd?'

Ze bracht haar hand omhoog om haar ogen te beschutten tegen de regen en deed alsof ze eens goed naar de auto keek. 'De wind moet al die zooi eromheen hebben geblazen. Maar ik zie wat je bedoelt, wat je wilt zeggen. Het lijkt inderdaad net of iemand heeft geprobeerd hem te verbergen, hè?'

De agent richtte de lamp weer op haar en bestudeerde haar parka. Als hij de klimschoenen opmerkte, zei hij er niets over. Hij kwam een paar stappen dichter naar haar toe.

Ze stak haar hand in de binnenzak van haar jas. De agent reageerde bliksemsnel; binnen een seconde had hij zijn zaklamp onder zijn arm gestoken, en had hij zijn rechterhand aan de radio en de linker aan het busje traangas in zijn holster.

'Niets aan de hand.' Ze ritste de jas open en hield de panden opzij, zodat hij de voering kon zien. 'Hier.' Ze wees naar de binnenzak. 'Hierin. Mijn vergunning om hier te zijn. Mag ik je die laten zien?'

'Vergunning?' De agent verloor de zak niet uit het oog. 'Wat voor vergunning?'

'Hier.' Ze deed een stap naar voren en stak de jas naar voren. 'Pak jij hem maar. Als dat je geruststelt.'

De agent likte langs zijn lippen. Hij haalde zijn hand van de radio en stak hem uit. Zijn vingers rustten op de rand van de zak.

'Er zit toch niets scherps in, hè? Iets waaraan ik me zou kunnen snijden?'

'Niets.'

'Ik hoop maar dat je de waarheid spreekt, jongedame.'

'Dat doe ik.'

Hij liet langzaam zijn hand in de zak glijden en voelde wat erin zat. Hij liet zijn vingers eroverheen gaan. Er ging een frons over zijn gezicht. Hij trok het voorwerp eruit en bestudeerde het.

Een identiteitskaart van de politie. In een standaard zwartleren mapje.

'Een agent?' zei hij langzaam. Hij sloeg het mapje open en las de naam. 'Hoofdagent Marley? Ik heb van je gehoord.'

'Ah. Ik leid het duikteam.'

Hij gaf haar de kaart terug. 'Wat doe je hier in godsnaam?'

'Ik denk erover volgende week een oefening te doen in de groeve. Dit is een verkenning.' Ze keek weifelend op naar de wolken. 'Met dit weer kun je net zo goed onder water doodgaan van de kou als erboven.'

De agent deed zijn zaklamp uit en trok zijn schouders een beetje op. 'Het duikteam?' vroeg hij.

'Precies.'

'Ik heb veel gehoord over jouw eenheid. Jullie hebben het zwaar gehad, nietwaar?'

Ze gaf geen antwoord, maar voelde een harde, koude klik in haar achterhoofd toen hij over de problemen van de eenheid begon.

'Bezoekjes van de hoofdinspecteur, heb ik vernomen. Er wordt een onderzoek gedaan door Interne Zaken, toch?'

Flea trok een luchtig gezicht. Aardig. Ze sloeg het mapje dicht en deed het weer in haar zak. 'We kunnen niet blijven stilstaan bij gemaakte fouten. We moeten ons werk blijven doen. Net als jij.'

De agent knikte. Hij leek iets te willen zeggen, maar bedacht zich blijkbaar. Hij tikte met een vinger tegen zijn pet, draaide zich om en liep langzaam terug naar de auto. Hij stapte in, reed een meter of tien achteruit, voerde een strakke draai uit en reed het hek weer door. De auto ging wat langzamer rijden toen hij Flea's wagen passeerde, die in de bosjes verborgen stond. Hij keek er eens goed naar, maar toen gaf hij gas en was hij weg.

Ze bleef roerloos staan in de gutsende regen.

Ik heb veel gehoord over jouw eenheid. Jullie hebben het zwaar gehad, nietwaar?

Ze huiverde, ritste haar jas dicht en keek naar de verlaten groeve. De regen liep als tranen over haar wangen. Niemand had in haar gezicht iets gezegd over de eenheid. Tot dusver. Toen ze bij zichzelf naging wat voor gevoel het haar gaf, was ze verbaasd. Het deed pijn dat het team in de problemen zat. Er gaf iets mee in haar borst.

Iets wat daar was gekomen in de tijd dat ze het lijk in de grot had verborgen. Ze haalde diep adem, trok dat iets weer op zijn plek. Hield het stevig vast. Ze bleef langzaam ademen tot het gevoel wegging.

4

Om halfnegen die avond was er nog steeds geen spoor van Martha. Maar het onderzoek was inmiddels in volle gang. Er was een aanwijzing binnengekomen. Een vrouw in Frome had via het plaatselijke nieuws gehoord over de autodiefstal en was tot de conclusie gekomen dat ze de politie iets te vertellen had. Ze gaf een verklaring af aan de plaatselijke agenten, die haar doorgaven aan de afdeling Zware Misdrijven.

Caffery reed erheen over B-wegen, de landweggetjes waar hij snel kon rijden zonder teruggefloten te worden door een verveelde verkeersagent. Het regende niet meer, maar het stormde nog steeds. Elke keer dat de wind leek weg te sterven, kwam hij uit het niets weer tevoorschijn, stormde over de weg en schudde regendruppels uit de bomen door de lichtstralen van zijn koplampen. Het huis van de vrouw had centrale verwarming, maar hij bleef het koud hebben. Hij bedankte voor een kop thee, sprak tien minuten met haar, ging weer weg, haalde een cappuccino bij een tankstation, nam die mee naar haar straat en bleef hem voor haar huis staan opdrinken, zijn jas stevig dichtgeknoopt tegen de wind. Hij wilde een gevoel krijgen voor de weg en de buurt.

Tegen lunchtijd, ongeveer een uur voordat Rose Bradley was mishandeld, was hier een man gestopt in een donkerblauwe auto. De vrouw had hem vanuit haar raam in de gaten gehouden omdat hij er zenuwachtig uitzag. Hij had zijn kraag opgezet, zodat ze zijn gezicht niet gezien had, maar ze was er vrij zeker van dat hij blank was en donker haar had. Hij droeg een zwart gewatteerd jack en had in zijn linkerhand iets dat ze op dat moment niet herkend had, maar waarvan ze achteraf dacht dat het een rubbermasker kon zijn geweest. Ze had hem zien uitstappen, maar was toen afgeleid door een telefoontje en toen ze terugkwam, was hij er niet meer. Maar de auto was daar blijven staan. De hele dag. Pas toen ze het nieuws zag en naar buiten keek, zag ze dat hij weg was. Hij moest ergens in de avond zijn opgehaald.

Ze was er vrij zeker van dat de auto een Vauxhall was geweest – ze was niet heel goed in automerken, maar er had een draak op gezeten, daar was ze zeker van – en toen Caffery met haar naar buiten was gegaan en haar een paar huizen verder een Vauxhall onder een straatlantaarn had laten zien, had ze naar het embleem gekeken en geknikt. Ja. In donkerblauw. Niet erg schoon. En het kon zijn dat er ww aan het eind van het kenteken had gestaan, maar daar kon ze geen eed op doen. Verder kon ze zich niets herinneren, hoe graag ze ook wilde helpen.

Caffery stond op de plek waar de auto had gestaan en probeerde er een beeld van te krijgen, uit te vinden wie hem verder nog gezien kon hebben. Helemaal aan het eind van de donkere, winderige straat wierp een supermarkt licht de avond in. Boven het raam zat een plastic naambord, tegen het glas waren posters met aanbiedingen geplakt en er stond een afvalbak met onder het gaas een opwaaiende poster van de plaatselijke krant. Hij stak de straat over terwijl hij het laatste restje van de koffie opdronk en liet de beker in de bak vallen voordat hij het gebouw binnenliep.

'Hallo,' zei hij terwijl hij zijn identiteitskaart omhooghield voor de Aziatische vrouw achter de toonbank. 'Is de bedrijfsleider aanwezig?'

'Dat ben ik.' Ze tuurde naar de kaart. 'Hoe heet je?'

'Caffery – Jack, als je me liever met de voornaam aanspreekt.'

'En wat ben je? Een rechercheur?'

'Zo kun je het ook omschrijven.' Hij knikte naar de camera boven de toonbank. 'Zit er een film in dat ding?'

Ze keek op. 'Krijg ik mijn kaart terug?'

'Wat?'

25

'Van de beroving.'

'Ik weet niets over een beroving. Ik ben van een centrale eenheid. Dat soort informatie krijg ik niet door. Wat voor beroving?'

Er stond een rij klanten te wachten. De bedrijfsleider wenkte een jonge man die vakken aan het vullen was om het van haar over te nemen. Ze trok haar sleutel uit de kassa, hing hem aan een roze elastiek om haar nek en wenkte Caffery haar te volgen. Ze liepen langs de balie waar loten werden verkocht en langs twee postloketten, allebei met de jaloezieën naar beneden, naar een voorraadkamer achter de winkel. Daar stonden ze tussen de dozen met chips en de onverkochte tijdschriften, die samengebundeld waren om te worden teruggestuurd.

'Vorige week kwamen hier lui binnen die een mes trokken. Een paar jongens, weet je wel, met van die capuchons op. Ik was er niet. Ze hebben niet meer dan veertig pond buitgemaakt.'

'Jongens, dus. Geen mannen?'

'Nee. Ik denk dat ik wel weet wie het geweest zijn. Het is gewoon een kwestie van de politie overtuigen dat ik gelijk heb. Ze zijn nog steeds de beelden aan het bekijken.'

In de hoek was op een zwart-witscherm het achterhoofd van de verkoper te zien die een lot aansloeg op de kassa, met daarachter de schappen met snoep en daar weer achter de straat, waar het afval ronddwarrelde in het donker. Caffery bekeek het scherm goed. In de linkerbenedenhoek, achter alle posters en tijdschriften en geparkeerde auto's, bevond zich de plek waar volgens de vrouw de blauwe Vauxhall had gestaan. 'Er is vanmorgen een auto gestolen.'

'Dat weet ik.' De bedrijfsleider schudde haar hoofd. 'In de stad. Met dat kleine meisje erin. Verschrikkelijk. Gewoon verschrikkelijk. Iedereen heeft het erover. Kom je daarvoor?'

'Iemand die we daar graag over willen spreken, zou daar geparkeerd kunnen hebben.' Hij tikte tegen het scherm. 'De auto heeft er de hele dag gestaan. Kun je de beelden tevoorschijn halen?'

De vrouw maakte met een andere sleutel aan het roze elastiek een kastje open dat in de muur verzonken was. Toen het deurtje openging, bleek er een videorecorder achter te staan. Ze liet de sleutel los en drukte op een knop. Ze fronste en drukte op een andere knop. Er verschenen woorden op het scherm: *voer videokaart in*. Ze vloekte zachtjes en drukte op weer een andere knop. Het scherm werd een seconde of twee helder en toen kwamen de woorden weer voor de dag. *Voer videokaart in.* Ze zweeg. Ze bleef een paar seconden roerloos met haar rug naar Caffery staan. Toen ze zich naar hem omdraaide, was er iets veranderd in haar gezicht.

'Wat?' zei hij. 'Wat is er mis?'

'Hij loopt niet.'

'Hoe bedoel je, hij loopt niet?'

'Hij staat niet aan.'

'Waarom niet?'

'Dat weet ik niet. Nee.' Ze wuifde de woorden weg. 'Dat is niet waar. Ik weet het wel. Toen de politie die kaart heeft meegenomen, weet je wel?'

'Ja?'

'Ze zeiden dat ze er een andere kaart in hadden gedaan en hem weer aan hadden gezet. Ik heb het niet gecontroleerd. Maar hij zit er niet in. Ik ben de enige die de sleutels heeft, dus er is sinds maandag, toen de politie de beelden van de beroving kwam halen, niets opgeslagen.'

Caffery deed de deur open en keek de winkel door, langs de klanten met hun tijdschriften en flessen goedkope wijn naar de weg en de auto's die in de lichtkringen van de straatlantaarns stonden.

'Ik kan je één ding wel vertellen.' De bedrijfsleider kwam naast hem staan en keek ook naar de weg. 'Als hij daar geparkeerd heeft om naar de stad te lopen, moet hij uit Buckland zijn gekomen.'

'Buckland? Ik ben hier nieuw. Waar ligt Buckland?'

'De kant van Radstock uit. Midsomer Norton. Ken je dat?'

'Het zegt me niets.'

'Nou, daar moet hij vandaan zijn gekomen. Radstock, Midsomer Norton.' Ze speelde met de sleutels aan het elastiek om haar nek. Ze rook naar een bloemig parfum, licht en zomers, maar goedkoop. Het soort spul dat je bij de drogist op de hoek haalt. Caffery's vader was een racist geweest, op de nonchalante wijze van alledaagse kroeggesprekken, zoals zoveel mensen in die tijd. Futloos en zonder erbij na te denken. Hij had zijn zoons geleerd dat 'die Paki's' beste, hardwerkende mensen waren, maar dat ze naar curry roken. Zo eenvoudig lag het. Curry en uien. Caffery besefte dat hij ergens in zijn achterhoofd nog steeds verwachtte dat het waar was. En iets in hem was nog steeds verbaasd als het niet zo bleek te zijn. Dat was het bewijs hoe groot de invloed van ouders was, dacht hij. Hoe weerloos en beïnvloedbaar een kinderziel was.

'Mag ik je iets vragen?' Haar gezicht leek in elkaar te krimpen en de mond en neus tot een klein punt te beperken. 'Eén vraag maar.'

'Natuurlijk.'

'Dat meisje. Martha. Wat denk je dat hij met haar gaat doen? Wat voor verschrikkelijke dingen gaat die man met haar uithalen?'

Caffery haalde diep adem en dwong zijn gezicht tot een geruststellende, rustige glimlach. 'Niets. Hij gaat niets doen. Hij gaat haar ergens afzetten, op een veilige plek, waar ze gevonden kan worden. En dan gaat hij ervandoor.'

5

De nacht was gevallen met een zekere wraakzuchtige bestendigheid. Caffery besloot dat hij niet nog eens naar de Bradleys hoefde. Er was niets dat hij hun kon vertellen en volgens de familierechercheur werd de deur platgelopen door goedbedoelende mensen: buren en vrienden en leden van de parochie die bloemen en cake en flessen wijn brachten om de moed erin te houden. Caffery zorgde ervoor dat de gegevens van de Vauxhall werden doorgegeven aan alle ANPR-posten en daarna reed hij terug naar de kantoren van de eenheid achter het politiebureau in Kingswood, aan de meest noordoostelijke arm van de uitdijende octopus die Bristols buitenwijken vormden, omdat hij nog een hele berg papierwerk had liggen.

Hij stopte voor het elektronische hek en stapte in de volle gloed van de veiligheidslampen, trok de mouw van zijn overhemd omhoog en bekeek het nummer dat hij met pen op de binnenkant van zijn pols had gekrabbeld. Drie weken geleden was er een auto gestolen van het parkeerterrein – een van de wagens van de eenheid was onder hun neus weggehaald. Overal rode gezichten en nieuwe toegangscodes voor iedereen, en hij had nog steeds moeite zich deze code te herinneren. Hij had de helft van het nummer op zijn pols ingetoetst toen hij besefte dat er iemand naar hem keek.

Zijn hand viel stil op het toetsenbordje en hij draaide zich om. Het was hoofdagent Flea Marley. Ze stond naast een auto, met het portier open. Ze sloeg het dicht en begon op hem toe te lopen. De veiligheidslamp, die op een timer was aangesloten, ging uit. Hij liet zijn hand zakken en trok zijn mouw naar beneden, met het irrationele gevoel dat hij in de val zat.

Caffery was bijna veertig en had jaren gedacht dat hij wist wat hij van vrouwen wilde. Het grootste deel van de tijd braken ze zijn hart zowat, dus had hij geleerd er heel zakelijk tegenaan te kijken. Maar de vrouw die de straat overstak, had bij hem de vraag doen rijzen of het niet zozeer zakelijkheid was, maar eerder een gehavende, harde bal eenzaamheid. Zes maanden geleden had hij op het punt gestaan actie te ondernemen, tot het moment dat alles wat hij dacht over haar te weten aan gruzelementen was geslagen doordat hij haar iets had zien doen dat betekende dat ze in niets leek op de persoon die hij in haar had gezien. De toevallige ontdekking die hij had gedaan, was door hem heen gegaan als een storm en had alles wat hij dacht voor haar te voelen weggenomen, zodat hij verward, beduusd en onzeker was achtergebleven. Geschokt en teleurgesteld, op een manier die eerder bij een kind dan bij een volwassene paste. In een tijd dat Paki's naar curry roken en alles heel hard aankwam. Zoals verliezen met voetbal. Of met Kerstmis niet de fiets krijgen die hij had willen hebben. Daarna was hij Flea een paar keer bij het werk tegengekomen en hij wist dat hij haar eigenlijk moest vertellen wat hij had gezien, maar hij had de woorden nog niet kunnen vinden. Omdat hij er nog steeds niet achter was waarom ze gedaan had wat ze gedaan had.

Ze bleef op een paar meter afstand staan. Ze droeg de standaard-winterkleding voor de ondersteunende diensten: een zwarte werk-broek, een trui en een regenjack. Haar wilde blonde haar, dat meest-al naar achteren was gebonden, hing los op haar schouders. De leider van een ondersteunende eenheid hoorde er niet zo uit te zien. 'Jack,' zei ze.

Hij sloeg het portier van de Mondeo dicht. Zette brede en hoge schouders op. Trok een hard gezicht. Zijn ogen deden pijn van de inspanning om haar niet echt aan te kijken.

'Hallo,' zei hij toen ze dichterbij kwam. 'Dat is lang geleden.'

6

Flea was nog steeds van streek en op haar hoede na wat er eerder bij de groeve was gebeurd. En toen was het nieuws over de auto-diefstal doorgesijpeld in het korps. Het had haar afgezonderde een-heid net voor het eind van de werkdag bereikt en had haar heel wat hoofdbrekens bezorgd. Realistisch gezien was er maar één persoon met wie ze erover kon praten: inspecteur Caffery. Aan het eind van haar late dienst reed ze rechtstreeks naar de kantoren van de afde-ling Zware Misdrijven in Kingswood.

Hij stond bij het hek naast zijn auto, omringd door gele lichtvlek-ken die afkomstig waren uit de kantoorramen achter hem en die weer-spiegeld werden door de plassen. Hij droeg een dikke jas en bleef heel stil staan kijken toen ze naderde. Hij had donker haar, was van gemiddelde lengte en was mager onder de jas, en zelfs als je het niet uit ervaring wist, zoals zij, kon je aan zijn houding zien dat hij zijn mannetje stond. Hij was een goede rechercheur, volgens sommigen zelfs briljant, maar er werd over hem gepraat. Omdat er iets vreemds aan Caffery was. Iets wilds en eenzaams. Dat zag je aan zijn ogen.

Hij leek niet blij haar te zien. Helemaal niet. Ze aarzelde. Glim-lachte onzeker.

Hij haalde zijn hand van het toetsenbordje waarop hij cijfers had staan intikken. 'Hoe is het ermee?'

'Goed.' Ze knikte, nog steeds een beetje aangeslagen door de uitdrukking op zijn gezicht. Er was een tijd geweest, maanden geleden, dat hij heel anders naar haar had gekeken – zoals een man behoort te kijken naar een vrouw. Een of twee keer. Dat deed hij nu niet. Nu keek hij alsof ze hem had teleurgesteld. 'En met jou?'

'Ach, je weet wel. Niets nieuws onder de zon. Ik heb gehoord dat jouw eenheid wat problemen heeft.'

Het nieuws deed snel de ronde in dit korps. De duikeenheid had de laatste tijd wat fouten gemaakt – een operatie in Bridgewater waarbij ze een zelfmoordslachtoffer hadden moeten zoeken in een rivier en vlak langs het lichaam waren gezwommen. Plus het akkefietje van duizend pond aan duikuitrusting die nu op de bodem van de haven van Bristol lag. En nog andere dingen, kleine vergissingen en onvolkomenheden die samen de dikke, lelijke waarheid vormden van een duikeenheid die diep door het stof moest, doelstellingen die niet gehaald waren en bonussen die niet werden uitgekeerd. En er was maar één persoon, de hoofdagent, die de verantwoordelijkheid moest dragen. Dit was de tweede keer die dag dat iemand het nodig vond haar daarop te wijzen.

'Ik ben het zat om dat steeds te moeten horen,' zei ze. 'We hebben problemen gehad, maar we zijn weer op de goede weg. Daar ben ik zeker van.'

Hij knikte, maar niet erg overtuigd, en toen keek hij de weg af alsof hij een goede reden zocht waarom ze daar nog steeds stonden. 'Nou?' zei hij. 'Wat zit je dwars, hoofdagent Marley?'

Ze haalde diep adem en hield de lucht vast. Even dacht ze erover het hem niet te vertellen, gewoon omdat hij zo lusteloos en totaal onverschillig deed. Het was alsof al zijn teleurstelling in de hele wereld op haar schouders terechtkwam. Ze ademde uit. 'Oké dan. Ik heb op het nieuws over die autodief gehoord.'

'En?'

'Ik vond dat je het moest weten. Hij heeft het eerder gedaan.'

'Wat heeft hij eerder gedaan?'

31

'Die vent die die Yaris heeft meegenomen. Die heeft het eerder gedaan. En hij is niet zomaar een autodief.'

'Waar heb je het over?'

'Een vent, ja? Met een Kerstmanmasker op? Die heeft een auto gestolen. Waar een kind in zat. Nou, dit is de derde keer.'

'Ho, ho, ho. Wacht even.'

'Hoor eens, ik heb je dit niet verteld. Ik heb er de eerste keer al problemen mee gekregen. Ik stak mijn neus er te ver in en uiteindelijk werd ik teruggefloten door mijn inspecteur, die me bevel gaf de zaak te laten rusten en niet meer bij het bureau in Bridewell rond te hangen. Er was niemand vermoord of zo, dus ik verspilde mijn tijd. Je hebt dit niet van mij. Oké?'

'Ik hoor je luid en duidelijk.'

'Een paar jaar geleden, voordat jij uit Londen werd overgeplaatst, was er een gezin bij de haven. Ze worden overvallen door een kerel die de sleutels pakt en de auto meeneemt. En dit voorjaar weer. Weet je nog dat ik die dode hond heb gevonden in de groeven bij de Elfengrotten? De hond van die vrouw? Die vermoord was?'

'Dat weet ik nog.'

'Maar weet je ook waarom mijn eenheid eigenlijk in die groeve aan het duiken was?'

'Nee. Ik geloof niet dat ik ooit...' Zijn stem stierf weg. 'Ja, toch wel. Het ging om een gestolen auto. Jullie dachten dat die vent de auto de groeve in had gereden, toch?'

'We waren gebeld via een publieke telefoon langs de snelweg. Een getuige meldde dat hij de auto erin had zien rijden. Het was een Lexus die ergens bij Bruton was gestolen. Maar het bleek geen getuige te zijn die belde. Het was de autodief zelf. Er was geen auto in de groeve.'

Caffery zweeg even en zijn ogen stonden afwezig, alsof hij dingen herschikte in zijn hoofd. 'En je denkt dat het dezelfde man was omdat...'

'Omdat er een kind op de achterbank zat.'

'Een kind?'

'Ja. Beide keren zat er een kind in de gestolen auto. De dief werd allebei de keren bang en zette het kind ergens af. Ik wist dat het dezelfde man was omdat de kinderen ongeveer dezelfde leeftijd hadden. Allebei meisjes. Allebei onder de tien.'

'Martha is elf,' zei hij terughoudend.

Flea voelde zich opeens moe – moe en rillerig. Ze had een zekere weerzin tegen het idee dat ze Caffery aan de hand ging doen. Ze wist dat het een klap in zijn gezicht zou zijn. Hij had reden om meer tegen pedofielen te hebben dan anderen. Zijn eigen broer was bijna dertig jaar geleden verdwenen door toedoen van een pedofiel. Ze hadden het lichaam nooit gevonden. 'Nou, dan,' zei ze met een iets zachtere stem. 'Ik denk dat dit zo'n beetje de kern van de zaak is. Hij is niet uit op de auto's, maar op de meisjes. Jonge meisjes.'

Stilte. Caffery zei niets en verroerde zich niet. Hij keek haar alleen maar uitdrukkingsloos aan. Er reed een auto voorbij die licht over hun gezichten wierp. Er vielen een paar druppels regen.

'Oké.' Ze stak een hand op. 'Ik heb mijn zegje gezegd. Je moet zelf weten of je er iets mee wilt doen.'

Ze zweeg om te kijken of hij antwoord zou geven. Dat deed hij niet, dus ging ze terug naar haar auto, stapte in en bleef even naar hem zitten kijken. Zijn roerloze gestalte werd half verlicht door een straatlantaarn en half door de lampen van het parkeerterrein achter hem. Ze dacht eraan hoe hij haar van top tot teen bekeken had. Er was niets over van de aandacht die eens in zijn ogen gelegen had. De aandacht die zes maanden eerder haar hart half had geopend en haar tegelijkertijd een gevoel van nietigheid en warmte had gegeven.

Geef het een dag, dacht ze terwijl ze de motor startte. Als hij morgenavond nog niets had gedaan aan de autodief, ging ze naar zijn hoofdinspecteur.

7

Die avond was er op elk journaal een item over Martha. Elk heel uur, tot diep in de nacht. Het netwerk van mensen die haar zochten strekte zich over het hele district uit – over het hele land. Op de ANPR-posten zaten slapeloze verkeersagenten constant naar hun beeldscherm te kijken en elke donkerblauwe Vauxhall die door het systeem werd opgepikt na te zoeken in de database. Andere agenten sliepen af en toe een paar uur, met hun mobiel op 'luid' voor het geval er een oproep doorkwam. Bezorgde burgers die het nieuws hadden gehoord, deden hun jassen en schoenen aan om hun schuren en garages open te maken. Ze keken in de greppels langs hun terrein, bij de wegbermen in de buurt van hun huis. Niemand bracht onder woorden wat hij dacht – dat Martha al dood kon zijn. Op zo'n koude avond. Een klein meisje met alleen een T-shirt, een trui en een regenjas aan. En heel verkeerde schoenen. De fotografische dienst had afbeeldingen verspreid van het paar dat ze aan had gehad. Kleine bedrukte schoentjes met een bandje en een gesp. Niet bedoeld om in een vrieskoude nacht in de winter mee buiten te lopen.

De uren gingen voorbij zonder dat er nieuws was. De nacht ging over in de dageraad, de dageraad werd een volgende dag. Een winderige, waterige dag. Een zondag. Martha Bradley zou vandaag geen kaarsjes uitblazen. In Oakhill zei Jonathan Bradley haar feestje af. Hij liet een andere priester komen om hem te vervangen bij zijn diensten en de familie bleef thuis in de keuken op nieuws zitten wachten. Aan de andere kant van Bristol, in de straten van Kingswood, trotseerden een paar mensen het weer om naar hun plaatselijke kerk te gaan. Ze haastten zich langs de kantoren van de afdeling Zware Misdrijven, weggedoken in sjaals en onder hoeden, en tornden tegen de ijskoude wind op die de hele nacht was blijven waaien.

In het gebouw was het een ander verhaal. De mensen liepen in hemdsmouwen van de ene kamer naar de andere. De ramen dropen van de condens. Het was er een drukte van belang. Niemand kon nog verlof krijgen en iedereen onder de rang van inspecteur maakte zonder klagen overuren. De recherchekamer had wel iets van een beursvloer, met mensen die staand stonden te telefoneren en door het kantoor riepen. De autodief had hen samen met alle andere zaken die de eenheid in onderzoek had een migraine van bijbelse proporties gegeven en niemand had veel geslapen. In een reeks spoedvergaderingen had Caffery die ochtend de taken verdeeld. Hij had een behoorlijke staf tot zijn beschikking, de vrije hand bij het kiezen van zijn team en een flinke wensenlijst: een stuk of wat ondersteunende mensen uit de computerkamer en aanspraak op vijf rechercheurs. Toen koos hij een kernteam. Twee mannen en een vrouw. Samen bezaten ze ongeveer de vaardigheden die hij volgens hem nodig zou hebben.

Bijvoorbeeld rechercheur Prody. Een grote, netjes geklede nieuwe aanwinst van ergens in de dertig, die nog niet lang bij de recherche was. Hij was vier jaar verkeersagent geweest en hoewel niemand het hem in zijn gezicht zou zeggen, bevond hij zich door dat feit onder aan de voedselketen in de politiehiërarchie. Maar Caffery was bereid hem een kans te geven. Zijn eerste indruk was dat Prody het in zich had om een heel gedegen rechercheur te worden. Bovendien had hij ervaring in de verkeersdienst. Dat was een belangrijk punt voor Caffery in een zaak die met auto's te maken had. Vervolgens was er hoofdagent Paluzzi, die altijd zei dat ze liever had dat de mannen in het team er recht voor uitkwamen en haar in haar gezicht Lollapalooza noemden als ze dat toch al achter haar rug deden. Dus gebeurde dat ook. Lollapalooza was een echt stuk met haar olijfkleurige huid, slaperige ogen en obsessie voor hoge hakken. Ze kwam iedere dag op het werk in een lipstickrode Ka die ze af en toe ondeugend op het onofficiële plekje van de hoofdinspecteur parkeerde, alleen om hem op de kast te jagen. Lollapalooza zou eigenlijk een storende factor moeten zijn in het team, maar ze was een harde werker en Caffery had een vrouw nodig als er inderdaad een pedofiel aan het werk zou blijken, zoals Flea Marley had gezegd.

De laatste op het lijstje was hoofdagent Turner. Turner was een oude rot in het vak, maar als rechercheur had hij hoogte- en dieptepunten. Hij had twee standen – de 'interessant geval-stand' waarin hij een echte buffelaar was die hele nachten doorhaalde en leefde op zijn zenuwen, en de 'saai geval-stand', waarin hij een luie schooier was die gedreigd moest worden met disciplinaire maatregelen om hem uit bed te krijgen. Turner had twee kinderen. Caffery wist in welke stand deze zaak hem zou zetten. Tegen tien uur in de morgen was Turner al hard aan het werk. Hij had al twee slachtoffers van eerdere autodiefstallen opgetrommeld en ze naar het kantoor gehaald, waar Caffery ze van hem overnam. De twee hadden misschien apart ondervraagd moeten worden, maar Caffery was bereid de procedures wat te versoepelen als het hem een paar uur tijdwinst opleverde. Hij nam ze mee naar de enige plek in het hele gebouw met wat geluidsisolatie, een zijkamer aan het eind van een gang op de benedenverdieping.

'Neem me niet kwalijk.' Hij schopte de deur dicht om het lawaai buiten te sluiten, deed de flikkerende tl-buizen aan en legde een stapel papieren op het bureau, samen met zijn mp3-speler. 'Ga zitten. Ik weet dat dit er niet erg indrukwekkend uitziet.'

Ze namen alle twee een stoel.

'Damien?' Caffery stak zijn hand uit naar de jonge zwarte man aan de rechterkant. 'Dank je dat je hier tijd voor vrijmaakt.'

'Graag gedaan.' Hij kwam half overeind en schudde Caffery de hand. 'Hallo.'

Damien Graham had de bouw van een beroepsvoetballer en droeg een rood leren jasje en zijn gespierde benen staken in een designjeans. Hij beschouwde zichzelf als een zware jongen, dat zag je aan de manier waarop hij zat, met zijn mouw nonchalant omhooggeschoven, zodat je het zware Rolex-horloge kon zien. Hij hield zijn knieën precies ver genoeg uit elkaar om te laten zien dat hij de situatie beheerste. Simone Blunt, die naast hem zat, was zijn tegenpool. Blank, halverwege de dertig, blond en koel elegant, gekleed in het beste van het beste voor de carrièrevrouw: een blouse met een brede kraag, zwarte nylons aan benen om een moord voor te doen, en een pakje dat kort en netjes gesneden was, maar niet al te sexy. Te professioneel om te flirten.

'En mevrouw Blunt.'

'Alsjeblieft – Simone.' Ze boog naar voren om hem de hand te schudden. 'Fijn kennis met je te maken.'

'Ik hoop dat jullie het niet erg vinden dat Cleo er niet bij is. Ik vond het niet helemaal gepast. Ik zou haar later graag willen spreken, als je dat goed vindt.' Lollapalooza paste in een andere kamer op Simones tienjarige dochtertje. 'We wachten nog op iemand van de jeugd- en zedenrecherche. Die weet hoe er met haar gepraat moet worden.'

'Die afdeling ken ik wel. Ze hebben haar ook verhoord toen het net was gebeurd.'

'Er is iemand onderweg.' Caffery draaide een stoel bij en ging zitten met zijn ellebogen op het bureau. 'Goed, meneer Turner heeft jullie verteld waarom jullie hier zijn?'

Damien knikte. 'Het gaat om dat meisje van gisteravond.' Zijn uitspraak maakte duidelijk dat hij uit Londen kwam. Zuid-Londen, vermoedde Caffery, misschien zelfs uit zijn eigen vroegere district, het zuidoosten. 'Het was op het nieuws.'

'Martha Bradley,' zei Simone. 'Ik veronderstel dat jullie haar nog niet gevonden hebben.'

Caffery boog zijn hoofd iets naar haar toe. 'Nog niet. En we weten niet of dit in verband staat met wat er met jullie gebeurd is. Maar als jullie het goedvinden, wil ik graag wat verder ingaan op die mogelijkheid.' Hij zette de mp3-speler aan en draaide hem om, zodat de microfoon hun kant op stond. 'Damien. Wil jij beginnen?'

Damien trok zijn mouwen op. Niet op zijn gemak in het politiebureau met zo'n chic wijf naast hem en vastbesloten om dat niet te laten merken. 'Ja, hoor. Het is nu al een paar jaar geleden.'

'2006.'

'Ja. Alysha was nog maar zes.'

'Heeft Turner verteld dat we haar graag willen verhoren wanneer het schikt?'

'Daar zullen jullie nog een kluif aan hebben. Ik heb haar in geen twee jaar gezien.'

Caffery trok zijn wenkbrauwen op.

'Ze is weg. Terug naar het thuisland, maat. Met die verdomde moeder van haar die altijd aan het zeiken was. Sorry.' Hij corrigeerde zichzelf met enig vertoon door zijn shirt glad te strijken, en met zijn handen aan zijn revers en de pinken naar boven zijn kin uit te steken. 'Neem me niet kwalijk. Ik bedoel dat mijn dochter op het moment niet in dit land verblijft. Ik denk dat ze in Jamaica zou kunnen zijn. Bij haar praatgrage moeder.'

'Jullie zijn gescheiden?'

'Het beste dat ik ooit heb gedaan.'

'Heeft Turner...' Caffery draaide zich om naar de deur alsof Turner daar zou kunnen staan met een aantekenboek en zijn pen in de aanslag. Hij draaide zich weer om. 'Ik zal het aan Turner doorgeven. Als je ons een telefoonnummer zou kunnen geven...'

'Dat heb ik niet. Ik heb geen idee hoe ik met haar in contact zou kunnen komen. Of met mijn dochter. Lorna is bezig' – hij maakte aanhalingstekens met zijn wijsvingers – 'zichzelf te vinden. Met een of andere halfzachte gek die Prince heet en die boten verhuurt.' Hij hield zijn hoofd schuin en zei in zijn beste Jamaicaanse dialect, waarschijnlijk ten behoeve van Simone: 'Toeristen de krokodillen laten zien, dat doet-ie voor de kost. Snap je?'

'Heeft ze daar familie?' vroeg Caffery.

'Nee. En veel geluk met zoeken, meer zeg ik er niet van. En als je haar vindt, zeg haar dan dat ik een foto van mijn meisje wil.'

'Oké, oké. Daar komen we nog wel op terug. Laten we even terugdenken aan 2006. Aan wat er gebeurd is.'

Damien legde zijn vingers tegen zijn slapen en draaide ze toen naar buiten alsof het hele incident kortsluiting had veroorzaakt in zijn hoofd. 'Het was een rare toestand. Een rare tijd, als ik eerlijk moet zijn. Er werd bij ons ingebroken, bij mij en Lorna en Alysha, en daar waren we nogal ondersteboven van. En bovendien stonden we niet echt op goede voet met elkaar, en op het werk ging het ook nogal moeizaam, snap je? Eigenlijk was het allemaal een grote puinzooi en toen gebeurde dát opeens. We staan op dat parkeerterrein...'

'Voor het theater.'

'Ja, het Hippodrome, en we stappen uit de auto, maar Alysha's teef van een moeder is er al uit, zoals ze altijd deed, en die staat naast de auto iets vaags te doen met haar make-up. Maar mijn meisje zit nog achterin en ik maak de TomTom los, zie je, en opeens duikt die... die persoon op uit het niets, helemaal vermomd. Als ik erop terugkijk, denk ik dat het de schok was, want het is niets voor mij om zoiets zomaar te laten gebeuren. Dat ligt niet in mijn aard, snap je? Maar dit keer dus wel. Ik verstijf helemaal. En die persoon stapt in en voor ik het weet lig ik op het asfalt. Zie je dat?' Hij hield zijn hand omhoog voor Simone en toen voor Caffery. 'Hij brak verdomme mijn pols, die stomme idioot.'

'En hij nam de auto mee?'

'Zo onder mijn neus vandaan. En ik maar denken dat ik zo slim ben. Maar die kerel is snel. Voor ik het weet, is het al voorbij en rijdt hij met mijn auto Clifton in. Hij is nog maar net weg en mijn meisje zit achterin zo hard tegen hem te gillen dat hij de kluts kwijtraakt.'

'Volgens het dossier had hij nog geen kilometer gereden.'

'Ja, tot aan de universiteit.'

'En toen parkeerde hij de auto?'

'Langs de weg. Reed een band lek tegen de stoep, maar ja, wat is een nieuwe radiaalband als er zo iets gebeurt? En toen ging hij ertussen.' Damien maakte een gebaar naar het raam. 'Hij was ervandoor.'

'En hij liet Alysha achter?'

'Ja. Maar met haar was niets aan de hand. Ik bedoel, ze is een gis kind, snap je? Met hersens.' Hij tikte tegen zijn voorhoofd. 'Zo slim. Ze doet alsof ze dit iedere dag aan de hand heeft. Ze stapt gewoon uit de auto en staat daar te kijken naar de menigte die zich heeft verzameld en zegt: "Wat staan jullie nou te kijken? Gaan jullie de politie nog bellen of hoe zit het?"'

Simone glimlachte even. 'Een fantastisch kind, zo te horen.'

Damien knikte en glimlachte terug. 'Ze is echt te gek, ik zweer het je.'

'Weet je nog of je een auto hebt gezien?'

'Wat voor auto? Ik bedoel, overal waren auto's. Het was een parkeerterrein.'

'Een donkerblauwe Vauxhall.'

'Een Vauxhall.' Hij draaide zich om naar Simone en trok vragend zijn wenkbrauwen op, maar zij schudde haar hoofd en schokschouderde. Caffery merkte het op, die stilzwijgende samenspraak. Het betekende dat zij al tot de conclusie waren gekomen dat het om de persoon ging die hun auto's had gestolen, al was hij zelf nog niet zo ver. Zonder ook maar iets te weten over de details van wat er met Rose Bradley was gebeurd, hadden ze besloten dat hun autodief dezelfde man was en waarschijnlijk ook dat hij Martha had ontvoerd. Maar Caffery moest oog houden voor alle mogelijkheden. Eén blik op de oorspronkelijke verklaringen van Damien en Simone had overeenkomsten opgeleverd: de diefstal had heel snel plaatsgevonden en met geweld, en de kleding van de autodief was bijna hetzelfde geweest. Een bivakmuts, geen Kerstmanmasker, maar hij had in beide gevallen een zwart jasje gedragen en een laaghangende spijkerbroek met lussen en gespen eraan. *Dat zal wel mode zijn*, had Simone in haar verklaring gezegd. *Maar hij zag eruit alsof hij de Mount Everest wilde beklimmen in plaats van een auto stelen.* Volgens de verklaring van Rose Bradley had hij *een spijkerbroek met zakjes en lussen* gedragen. Maar Caffery wist dat een paar bijkomstigheden geen uitsluitsel gaven.

'Damien? Een donkerblauwe Vauxhall.'

'Het is meer dan vier jaar geleden. Sorry. Geen flauw idee.'

'Simone?'

'Het spijt me. Er stonden overal auto's. Ik kan het me echt niet herinneren.'

Caffery duwde de mp3-speler een beetje om, zodat het microfoontje naar haar wees. 'Het was tijd om de kinderen naar school te brengen? In Bruton?'

Ze knikte en boog naar voren, haar blik op de speler gevestigd.

Ze legde een arm over haar borst, met de hand licht op haar schouder. De andere liet ze zakken tot ergens bij haar kuit. 'Dat klopt. Ik weet niet hoeveel je al weet, maar Cleo was toen negen. Ze is inmiddels tien. Het duurde twee uur voor ik hoorde dat ze veilig was.' Ze wierp Damien een meelevend glimlachje toe. 'De ergste twee uren van mijn leven.'

Damiens mond hing half open. *'Twee uur?'* zei hij. 'Daar weet ik helemaal niets van. Ik heb hier nooit iets over gehoord. Helemaal niets.'

'Het stond in de plaatselijke krant, maar veel verder is het niet gekomen. Ik denk dat je er nooit veel over hoort als een kind veilig en wel weer thuiskomt. En het was omstreeks de tijd dat de vrouw van die voetballer zoekraakte. Misty Kitson. Niemand had belangstelling voor wat er met ons was gebeurd.'

'Mevrouw Blunt?' Caffery viel haar snel in de rede. Hij wilde niet dat ze afdwaalde naar de zaak-Kitson. Daar had hij zijn redenen voor. 'Wie zaten er die morgen in de auto?'

'Alleen ik en Cleo.'

'Waar was uw man?'

'Neil had die dag een vroege vergadering. Hij werkt bij het burgeradviesbureau en geeft advies over voogdijzaken en dat soort dingen. Ik ben bang dat ik de kostwinner ben, ik zit nog steeds midden in de ratrace. Voor het vuige gewin.'

En met succes, dacht Caffery. Cleo had op King's School in Bruton gezeten, het soort school waar je aardig wat geld voor moest meebrengen.

'Is het voor de school gebeurd?'

'Niet vlak voor de school. Om de hoek in de hoofdstraat. Ik was gestopt op weg naar de school om iets te halen in een winkel. Toen ik terugliep naar de auto... dook hij opeens op. Uit het niets. In volle vaart.'

'Zei hij iets? Iets dat je je kunt herinneren?'

'Ja. Hij zei: "Liggen, teef."'

Caffery hield op met schrijven en keek naar haar op. 'Neem me niet kwalijk?'

'Hij zei: "Liggen, teef."'

'Die vent die ons beroofde zei ook zoiets,' kwam Damien. 'Hij zei: "Liggen, klootzak," tegen mij en hij noemde mijn vrouw een teef. Hij zei dat ze moest oprotten.'

'Hoezo?' vroeg Simone verbaasd. 'Is dat belangrijk?'

'Ik weet het niet.' Caffery bleef Simone aankijken. Dezelfde woorden als die vent in Frome tegen Rose had gebruikt. Ergens diep van binnen ging een belletje rinkelen. Hij schraapte zijn keel, sloeg zijn blik neer en schreef 'taal' in zijn aantekenboekje. Met een vraagteken. Hij trok er een cirkel omheen. Toen glimlachte hij hen geruststellend toe. Damien en Simone keken hem ernstig aan.

'Als het dezelfde man is,' zei Simone, 'is het dan niet een beetje toevallig? Drie verschillende auto's? Elk met een ander meisje er-in? Ik bedoel,' ze ging zachter praten, 'je krijgt bijna het idee dat het hem niet om de auto's te doen is maar om de meisjes, toch? Je vraagt je af wat hij met Martha heeft gedaan.'

Caffery deed alsof hij dat niet gehoord had. Hij trok een nog bre-dere glimlach om hen heel duidelijk te maken dat het allemaal echt goed kwam. Zo goed als een taart met een kers erop. 'Ik dank jul-lie allebei voor jullie tijd.' Hij zette de mp3-speler uit en maakte een gebaar naar de deur. 'Zullen we gaan kijken of de jeugd- en ze-denrecherche er al is?'

8

Caffery's kantoor werd verwarmd door een piepkleine, kreunende radiator in de hoek, maar de ramen besloegen al snel nu er vier men-sen bijeen waren voor het verhoor van Cleo Blunt. Caffery stond met zijn armen over elkaar in de hoek. Een kleine vrouw van in de vijftig in een lichtblauwe trui en rok zat aan zijn bureau met een lijst vragen in haar hand. Ze was hoofdagent bij de jeugd- en ze-denrecherche. Tegenover haar zaten Simone en de tienjarige Cleo op draaistoelen. Cleo droeg een bruine trui, een ribbroek en roze Kickers en haar haar zat in staartje. Ze roerde bedachtzaam in de beker warme chocolademelk die Lollapalooza in de keuken had gemaakt. Caffery hoefde haar niet naast haar rijke moeder te zien om te weten dat dit kleintje was opgegroeid met privéscholen en paardrijlessen. Je zag het aan haar houding. Maar ze was wel lief gebleven. Geen verwend nest.

'Nou,' begon de hoofdagent, 'we hebben je verteld waarom je hier bent, Cleo. Vind je dat goed?'

Cleo knikte. 'Ja, hoor.'

'Mooi. Nou, de man die de auto van je moeder heeft gestolen.'

'En hem nooit meer heeft teruggebracht.'

'En hem nooit meer heeft teruggebracht. We weten dat je al een keer over hem hebt moeten praten en toen ik met de politiemevrouw sprak die je toen al die vragen heeft gesteld, zei ze dat ze heel erg van je onder de indruk was. Ze vertelde me dat je er geweldig goed in was om je dingen te herinneren. Dat je nadacht over de vragen en dat je geen dingen verzon als je het antwoord niet wist. Ze zei dat je heel erg eerlijk was.'

Cleo glimlachte even.

'Maar we zullen nu nog wat vragen moeten stellen. Sommige vragen heb je al eerder beantwoord. Dat lijkt misschien een beetje saai, maar het is belangrijk.'

'Ik weet dat het belangrijk is. Hij heeft iemand anders meegenomen, hè? Een ander klein meisje.'

'Dat weten we nog niet. Misschien. Dus moeten we je vragen ons nog eens te helpen. Als het je te veel wordt, zeg je het maar, dan houden we ermee op.'

De vinger van de hoofdagent lag op de lijst vragen die Caffery had opgesteld. Ze had te horen gekregen wat hij wilde en ze wist dat hij haast had. 'Je hebt die eerste politievrouw verteld dat de man je aan iemand deed denken. Iemand uit een verhaal?'

'Ik heb zijn gezicht niet gezien. Hij had een masker op.'

'Maar je vertelde ons dat er iets met zijn stem was. Die leek een beetje op die van...'

'O, ik weet al wat u bedoelt.' Cleo rolde een beetje met haar ogen, maar glimlachte erbij. Alsof ze zich schaamde voor wat er slechts een halfjaar geleden uit haar negenjarige mond was gekomen. 'Ik zei dat hij net Argus Vilder was uit Harry Potter. Het baasje van mevrouw Norks. Zo klonk hij.'

'Zullen we hem dus maar de Vilderman noemen?'

Ze haalde haar schouders op. 'Als u wilt, maar hij was erger dan Argus Vilder. Veel erger.'

'Goed, zullen we hem dan de – ik weet het niet – de conciërge noemen? Argus Vilder is toch de conciërge van Zweinstein?' Caffery liep van de muur naar de deur, draaide zich om en liep weer terug. Hij wist dat de hoofdagent zich aan een protocol moest houden, maar hij wilde dat ze eens een beetje opschoot. Hij draaide zich bij het raam om en liep weer de kamer door. De hoofdagent stak haar kin omhoog, keek koeltjes naar hem en wendde zich toen weer tot Cleo. 'Ja, laten we dat doen. We noemen hem de conciërge.'

'Cool. Mij best.'

'Cleo, ik wil dat je iets voor me doet. Ik wil dat je je voorstelt dat je weer in de auto zit, op die morgen. De morgen dat de conciërge erin stapte. Stel je voor dat het nog niet gebeurd is. Goed? Je bent met je moeder op weg naar school. Kun je je dat voorstellen?'

'Oké.' Ze deed haar ogen half dicht.

'Wat voel je?'

'Ik voel me blij. Mijn eerste les is gym – dat vond ik altijd het leukste – en ik heb een nieuw gymshirt.'

Caffery keek naar het gezicht van de hoofdagent. Hij wist wat ze aan het doen was. Dit was de cognitieve verhoortechniek die tegenwoordig veel gebruikt werd in het korps. De ondervrager nam de verhoorde terug naar hoe die zich voelde op het moment dat het voorval plaatsvond. Het zou de kanalen openen en de feiten naar boven laten komen.

'Leuk,' zei ze. 'Dus je hebt je gymshirt nog niet aan?'

'Nee, ik heb mijn zomerjurk aan. Met een trui eroverheen. Mijn gymshirt lag in de kofferbak. We hebben het nooit teruggekregen, hè mam?'

44

'Nee.'

'Cleo, dit is moeilijk, maar stel je voor dat de conciërge nu achter het stuur zit.'

Cleo haalde diep adem. Ze kneep haar ogen helemaal dicht en haar handen kwamen omhoog naar haar borst, waar ze licht bleven liggen.

'Goed. Denk eens aan zijn spijkerbroek. Je moeder zegt dat je je vooral zijn spijkerbroek kunt herinneren, met lussen eraan. Kon je die broek zien toen hij reed?'

'Niet helemaal. Hij zat.'

'Hij zat op de stoel voor je. Waar papa meestal zit?'

'Ja. En als papa daar zit, kan ik zijn benen niet helemaal zien.'

'En zijn handen? Kon je die zien?'

'Ja.'

'En wat weet je daar nog van?'

'Hij had zukke gekke handschoenen aan.'

'*Zulke* gekke handschoenen,' corrigeerde Simone.

'Zulke gekke handschoenen, net als de tandarts.'

De hoofdagent keek op naar Caffery, die nog steeds liep te ijsberen. Hij dacht na over de handschoenen. De technische recherche had volgens het rapport helemaal geen DNA ontdekt bij het onderzoek van de auto van de Blunts. En op de beelden van de bewakingscamera bij de slagboom droeg de man ook handschoenen. Hij wist dus iets van forensische wetenschap. Heel fijn.

'Nog iets anders?' vroeg ze. 'Waren ze groot? Klein?'

'Normaal. Net als die van papa.'

'En nu iets heel belangrijks,' ging de hoofdagent langzaam verder. 'Kun je je herinneren waar hij zijn handen hield?'

'Op het stuur.'

'Steeds op het stuur?'

'Ja.'

'Hij liet het nooit los?'

'Eh...' Cleo deed haar ogen open. 'Nee. Pas toen hij stopte en me eruit liet.'

'Boog hij zich langs je heen en deed hij het portier van binnenuit open?'

'Nee. Hij probeerde het, maar mam had het kinderslot erop gezet. Hij moest uitstappen en het portier opendoen. Net als wanneer mama en papa me uit de auto laten.'

'Dus hij boog zich een keer over je heen om het portier open te doen? Raakte hij je toen aan?'

'Niet echt. Hij ging alleen langs mijn arm.'

'En toen hij uit de auto stapte, zag je toen zijn spijkerbroek?'

Cleo keek de hoofdagent vreemd aan. Toen wierp ze een blik op haar moeder alsof ze wilde zeggen: ben ik nou gek? Ik dacht dat we dat al gehad hadden. 'Ja,' zei ze voorzichtig, alsof dit weer een test was voor haar geheugen. 'Er zaten van die lussen aan. Als bij een bergbeklimmer.'

'En hij zag er normaal uit? Niet open alsof hij naar het toilet moest of zo?'

Ze fronste verward. 'Nee. We zijn niet bij een toilet gestopt.'

'Dus hij stapte uit, maakte het portier open en liet je eruit?'

'Ja. En toen reed hij weg.'

De klok tikte; de dag verstreek. Caffery voelde elk uur dat voorbijging als een extra steen op zijn schouders. Hij ging achter Cleo staan, ving de blik van de hoofdagent en maakte een draaiende beweging met zijn vinger. 'Opschieten.' Hij vormde het woord met zijn mond. 'Verder met de route die hij nam.'

Ze trok koeltjes haar wenkbrauwen naar hem op, glimlachte beleefd en wendde zich toen kalmpjes weer tot Cleo. 'Laten we teruggaan naar toen het gebeurde. Laten we ons voorstellen dat je in de auto zit, net nadat de conciërge mama heeft weggeduwd.'

Cleo deed haar ogen weer dicht. Ze drukte haar vingertoppen tegen haar voorhoofd. 'Oké.'

'Je draagt je zomerjurk omdat het warm is.'

'Heet.'

'De bloemen bloeien. Kun je al die bloemen zien?'

'Ja, in de velden. Het zijn die rode. Hoe heten die ook weer, mam?'

'Klaprozen?'

'Ja, klaprozen. En witte in de heggen. Die zijn lang en donzig.

46

Net een lange steel met watten erop. En die andere witte bloemen die op trompetten lijken.'

'Zijn er steeds bloemen en heggen waar jullie langsrijden? Of was er ook nog iets anders?'

'Eh...' Cleo fronste. 'Een paar huizen. Nog wat velden, dat hertending.'

'Hertending?'

'U weet wel. Bambi.'

'Bambi?' vroeg Caffery.

'De Bulmers-fabriek in Shepton Mallet,' zei Simone. 'Daar staat het hertje van Babycham voor. Dat vindt ze prachtig. Een enorm ding van fiberglas.'

De hoofdagent zei: 'Wat gebeurde er toen?'

'Een heleboel wegen. Een heleboel bochten. Nog wat huizen. En de pannenkoekenboerderij die hij had beloofd.'

Er viel een korte stilte. Toen drong het tot iedereen door; ze had iets gezegd dat bij het eerste verhoor niet aan bod was gekomen. Iedereen keek tegelijk op.

'Een pannenkoekenboerderij?' zei Caffery. 'Daar heb je het eerder niet over gehad.'

Cleo deed haar ogen open en zag dat ze allemaal naar haar keken. Haar gezicht betrok. 'Dat was ik vergeten,' zei ze verdedigend. 'Ik vergat het te zeggen, dat is alles.'

'Dat geeft niet,' zei hij, en hij stak zijn hand op. 'Het geeft niets. Het is niet erg dat je dat niet gezegd hebt.'

'Het was per ongeluk dat ik het niet eerder gezegd heb.'

'Natuurlijk.' De hoofdagent wierp Caffery een stalen glimlach toe. 'En wat slim van jou dat je het je nu herinnert. Volgens mij heb je een veel beter geheugen dan ik.'

'Echt?' zei ze onzeker, en haar blik ging van Caffery naar haar.

'Nou en of! Echt veel beter. Jammer dat je geen pannenkoek kreeg. Heel jammer, maar ja.'

'Ik weet het. Hij had het beloofd.'

Haar blik ging naar Caffery. Vijandig. Hij sloeg zijn armen over elkaar en dwong zichzelf tot een glimlach. Hij was nooit goed geweest met kinderen. Hij dacht altijd dat ze hem doorzagen. Dat ze het lege gat in zijn binnenste zagen dat hij voor volwassenen meestal wel verborgen wist te houden.

'Hij was dus niet erg aardig, die conciërge,' zei de hoofdagent. 'Vooral als hij je een pannenkoek had beloofd. Waar zouden jullie die pannenkoek gaan eten?'

'Bij de Little Cook. Hij zei dat er even verderop een Little Cook was. Maar toen we er waren, reed hij er gewoon voorbij.'

'Little Cook?' mompelde Caffery.

'Hoe zag die Little Cook eruit, Cleo?'

'De Little Cook? Die is rood. En wit. Met een dienblad in zijn handen.'

'Little Chef,' zei Caffery.

'Dat bedoelde ik ook. De Little Chef.'

Simone fronste. 'Er zijn geen Little Chefs hier in de buurt.'

'Jawel,' zei de hoofdagent. 'In Farrington Gurney.'

Caffery ging naar het bureau en trok de kaart naar zich toe. Shepton Mallet. Farrington Gurney. In het hart van de Mendip Hills. Het was niet ver van Bruton naar Shepton Mallet, maar Cleo had veertig minuten in de auto gezeten. De autodief was zigzaggend door het gebied gereden. Hij was naar het noorden gegaan en toen scherp naar het zuidwesten afgeslagen. En daarbij was hij langs de weg naar Midsomer Norton gekomen. De plek waar de bedrijfsleider van de winkel het over had gehad. Als ze niets anders te weten kwamen over de autodief, konden ze in ieder geval een punaise in de kaart steken bij Midsomer Norton en de buurt rond Radstock en zich daarop concentreren.

'Ze hebben daar wafels,' zei de hoofdagent met een glimlach tegen Cleo. 'Ik ga er soms ontbijten.'

Caffery kon zijn mond niet houden. Hij duwde de kaart weg en ging aan het bureau zitten. 'Cleo, heeft die conciërge al die tijd dat je bij hem was nog met je gepraat? Heeft hij iets gezegd?'

'Ja. Hij bleef maar vragen stellen over mijn vader en moeder. Hij vroeg wat voor werk ze deden.'

'En wat heb jij gezegd?'

'De waarheid. Mam is financieel analist en zij verdient al het geld, en pap, nou, die helpt kleine kinderen als hun mama's en papa's gaan scheiden.'

'Weet je zeker dat hij verder niets gezegd heeft? Kun je je verder niets herinneren?'

'Ik geloof van wel,' zei ze onbekommerd. 'Ik geloof dat hij zei: "Dit gaat niet werken."'

'Dit gaat niet werken?' Caffery staarde haar aan. 'Wanneer zei hij dat?'

'Net voordat hij stopte. Hij zei: "Dit gaat niet werken, uitstappen." Dus ik stapte uit en ging aan de kant van de weg staan. Ik dacht dat hij me mijn tas zou geven met mijn t-shirt erin, maar dat deed hij niet. Mam moest ecn nieuw shirt voor me kopen omdat we onze auto nooit terug hebben gehad, hè mam? We hebben het t-shirt gekocht bij de schoolwinkel. Mijn initialen staan erop en het is...'

Caffery luisterde niet meer. Hij staarde naar een punt in de lucht en dacht na over de woorden: 'dit gaat niet werken'. Dat betekende dat het verkeerd was gegaan. Hij was zenuwachtig geworden.

Maar als dat gold voor Cleo, gold het niet voor Martha. Dit keer was het anders. Dit keer had de autodief zijn zenuwen in bedwang gehouden. Dit keer ging het wel werken.

9

Tegen drieën was het wolkendek hier en daar gebroken en wierp de zon schuine stralen over de velden in deze hoek van Noord-Somerset. Flea droeg een jasje met reflecterende strepen voor haar middagloopje. Ze had die stomme bijnaam van haar als kind gekregen omdat mensen altijd zeiden dat ze nooit keek voordat ze sprong. En vanwege haar irritante, ongeneeslijke energie. Eigenlijk heette ze Phoebe. Ze probeerde al jaren systematisch het 'Flea'-gedeelte uit haar karakter te strijken, maar er waren nog steeds dagen waarop ze dacht dat haar energie een gat zou branden in de grond waarop ze stond. Op die dagen had ze een trucje om tot rust te komen. Ze ging hardlopen.

Ze nam de plattelandsweggetjes bij haar huis. Ze rende tot het zweet van haar afdroop en ze blaren op haar voeten had. Over hekken en langs half slapende koeien, langs kleine stenen huisjes en grote buitenhuizen, langs de officieren in uniform die uit de basis van het ministerie van Defensie bij haar huis stroomden. Soms rende ze tot laat in de nacht, tot al haar gedachten en zorgen waren losgeschud en er niets meer in haar hoofd zat behalve het verlangen naar slaap.

Lichamelijk fit blijven was één ding. Die fitheid en die beheersing helemaal door laten werken tot haar binnenste was iets anders. Toen ze de hoek omging voor het laatste stuk van haar parcours zag ze voor zich hoe de Yaris van de Bradleys de parkeergarage in Frome uit scheurde. Ze bleef maar denken aan Martha Bradley op de achterbank. Flea had zich door een vriendin van het politiebureau in Frome de verklaring van Rose laten voorlezen. Daarin stond dat Martha over de voorstoelen had geleund om de radio af te stellen toen de auto ervandoor ging. Ze had dus geen gordel om. Was ze gevallen toen de autodief wegspoot? Hij zou niet zijn gestopt om haar vast te zetten.

Er was bijna twintig uur voorbijgegaan sinds Flea met Jack Caffery had gesproken. Het duurde een tijd voor de roddels binnen het korps geïsoleerde eenheden bereikten, maar toch dacht ze dat ze het inmiddels wel gehoord zou hebben als Caffery op haar idee had voortgeborduurd. Wat steeds weer als een schreeuw door haar hoofd ging, was dat ze al twee kansen had gehad om haar overtuiging dat de autodiefstallen met elkaar in verband stonden naar voren te brengen. Ze stelde zich een wereld voor waarin ze zich niet had laten intimideren door haar inspecteur, een wereld waarin ze gehoor had gegeven aan haar instinct, waarin de autodief maanden geleden al was opgepakt en waarin Martha gisteren niet was ontvoerd uit de parkeergarage bij de supermarkt.

Ze liet zichzelf binnen via de garage, die vol stond met de oude duik- en speleologiespullen van haar vader en moeder. Spullen die ze nooit ergens anders heen zou brengen of weg zou gooien. Boven deed ze haar rekoefeningen en nam een douche. De verwarming in het grote oude huis stond aan, maar buiten was het behoorlijk koud. Wat zou Martha nu denken? Op welk punt had ze beseft dat de man niet ging stoppen om haar eruit te laten? Op welk punt had ze zich gerealiseerd dat ze onverhoeds in de wereld van de volwassenen terecht was gekomen? Had ze gehuild? Om haar moeder geroepen? Dacht ze nu dat ze haar of haar vader nooit meer zou zien? Het was verkeerd dat een klein meisje zichzelf zulke dingen moest afvragen. Martha was niet oud genoeg om alles goed te bevatten. Ze had geen tijd gehad om veilige plekken in haar hoofd te maken waar ze zich kon verstoppen, zoals volwassenen deden. Het was niet eerlijk.

Toen Flea nog klein was, had ze meer van haar ouders gehouden dan van wie ook. Dit krakende oude huis, vier arbeiderswoninkjes die tot één geheel waren gemaakt, was haar ouderlijk huis. Ze was hier opgegroeid, en hoewel het geld niet bepaald op hun rug had gegroeid, hadden ze goed geleefd, met lange, rommelige zomerdagen waarop ze voetbal of verstoppertje hadden gespeeld in de uitgestrekte tuin, die in terrassen afdaalde van het huis.

En het belangrijkste was dat er van haar was gehouden. Er was zoveel van haar gehouden. In die dagen zou ze eraan kapotgegaan zijn als ze van haar familie gescheiden was zoals Martha was gebeurd.

Maar dat was toen en dit was nu en nu was alles anders. Mam en pap waren dood, allebei, en Thom, haar jongere broer, had zoiets onbeschrijfelijks gedaan dat ze nooit meer wat voor verstandhouding dan ook met hem zou kunnen hebben. Niet in dit leven. Hij had een vrouw gedood. Een jonge vrouw. En knap was ze ook – zo knap dat ze er beroemd om was geweest. Niet dat haar uiterlijk haar veel goeds had gebracht. Nu lag ze begraven onder een stapel stenen in een ontoegankelijke grot bij een in onbruik geraakte groeve, daar neergelegd door Flea in een idiote poging te voorkomen dat iemand het zou ontdekken. Krankzinnig, als je erop terugkeek. Niet hoe iemand als zij – een normaal iemand met een vast inkomen en een hypotheek – zich behoorde te gedragen. Geen wonder dat ze zoveel ingehouden woede meedroeg. Geen wonder dat haar ogen tegenwoordig leeg waren.

Tegen de tijd dat ze zich had aangekleed, ging de zon al bijna onder. Eenmaal beneden deed ze de koelkast open en keek naar wat erin stond. Magnetronmaaltijden. Voor één persoon. En een tweeliterpak melk waarvan de houdbaarheidsdatum verstreken was omdat alleen zij ervan dronk en het niet gebruikt werd als ze onverwacht overuren moest draaien. Ze deed de deur weer dicht en legde haar hoofd ertegenaan. Hoe was het zover gekomen? Alleen, geen kinderen, geen huisdieren, geen vrienden meer. Op haar negenentwintigste al een oude vrijster.

Er stond een fles Tanqueray-gin in de koelkast en er lag een zak citroenschijfjes die ze in het weekend had gesneden in de vriezer. Ze schonk zichzelf een hoog glas in, zoals pa zou hebben gedaan, met vier keurige schijfjes hard bevroren citroen, vier ijsblokjes en een scheut tonic. Ze trok een fleece trui aan en nam het glas mee naar de oprit. Ze vond het fijn om daar te staan drinken en de verre lichtjes van de oude stad Bath aan te zien gaan in de vallei, zelfs als het koud was. Je kon een Marley hier niet weghalen. Niet zonder strijd.

De zon kroop de laatste paar graden naar de horizon en stuurde flinters oranje licht de hemel in. Ze hield haar hand boven haar ogen en tuurde ernaar. In het westen stonden drie populieren aan de rand van de tuin; pa had er in een zomer iets aan opgemerkt dat hem ongemeen plezier deed. Bij de zonnewende stond de ondergaande zon precies in één lijn met een van de twee buitenste bomen, terwijl hij bij de dag- en nachtevening precies achter de middelste onderging. 'Een volmaakte opstelling. Iemand moet ze een eeuw geleden zo geplant hebben,' had hij met een verbaasde lach gezegd. 'Dat zouden de victorianen prachtig hebben gevonden. Je weet wel, Brunel en al die onzin.'

Nu stond de zon precies tussen de middelste en de buitenste

boom. Ze bleef er lang naar staan kijken. Toen keek ze op haar horloge: 27 november. Vandaag was het precies zes maanden geleden dat ze het lijk in de grot had verborgen.

Ze dacht aan de teleurstelling op Caffery's gezicht. De lichtloze dofheid in zijn ogen, de vorige avond. Ze dronk haar glas leeg en wreef over haar armen om het kippenvel te bestrijden. Hoe lang moest dit zo doorgaan? Als er iets zo onmogelijks en onvoorstelbaars was gebeurd, hoe lang werd je dan geacht daaronder gebukt te gaan?

Zes maanden. Dat was het antwoord. Zes maanden was lang genoeg. Te lang. De tijd was gekomen. Het lijk werd niet gevonden. Nu niet meer. Ze zou de hele zaak ver moeten wegstoppen, want het was tijd voor andere dingen. Het was tijd om de eenheid weer op het goede spoor te krijgen. Tijd om te bewijzen dat ze nog steeds dezelfde hoofdagent van vroeger was. Ze kon het. Ze ging de teleurstelling uit al die ogen verdrijven. Misschien kwamen de muren in haar eigen ogen dan ook naar beneden. Misschien kwam er nog eens een dag dat er geen zure melk en eenpersoonsmaaltijden in de koelkast stonden. En misschien, heel misschien, stond er op een dag ooit nog eens iemand met haar op het grind van de oprit om Tanqueray te drinken en de nacht te zien vallen over de verlichte stad.

10

Caffery had het gevoel dat zijn hoofd vol lood zat. Een koude, ellendige bol met *buiten werking* erop. Hij liep de gang door, deed deuren open en deelde taken uit. Hij gaf Lollapalooza opdracht om bekende zedendelinquenten in het gebied rond Frome na te trekken en zei tegen Turner dat hij meer getuigen van de autodiefstallen moest zien te vinden. Turner zag er niet uit; hij was ongeschoren en was vergeten de diamant uit zijn oor te halen die hij in het weekend droeg. De oorbel die hem met zijn rechtopstaande haar met highlights het uiterlijk gaf van een notoire nachtclubbezoeker en die de hoofdinspecteur altijd heftig aan het vloeken bracht. Voordat hij het kantoor verliet wees Caffery hem erop. Hij bleef in de deuropening staan en zei: 'Eh, Turner?' En hij wiebelde met zijn eigen oorlel om hem een aanwijzing te geven. Turner haalde de diamant snel uit zijn oor en stak hem in zijn zak, en Caffery ging verder en bedacht dat niemand van de eenheid ook maar iets gaf om een professioneel uiterlijk. Turner had zijn oorring en Lollapalooza haar torenhoge hakken. Alleen die nieuweling, Prody de verkeersagent, leek zichzelf in de spiegel te hebben bekeken voordat hij die morgen van huis ging.

Hij zat keurig achter zijn bureau toen Caffery binnenkwam, met alleen een kleine lamp aan. Hij bewoog de muis heen en weer over de muismat en keek fronsend naar het beeldscherm. Achter hem was een onderhoudsman op een ladder voorzichtig bezig het plastic omhulsel weg te halen van de tl-buis die tegen het plafond was gemonteerd.

'Ik dacht dat die computers vanzelf op stand-by moesten gaan,' zei Prody.

'Dat moet ook.' Caffery trok een stoel achteruit. 'Na vijf minuten.'

'Dat doet de mijne niet. Ik ging de kamer uit en toen ik terugkwam stond hij nog steeds aan.'

'Het nummer van de it-afdeling hangt aan de muur.'

'Dáár zijn de interne nummers dus.' Prody haalde de lijst van de muur en legde hem voor zich neer. Precies recht. Hij legde zijn handen op het bureau en keek eens goed naar de lijst, alsof het hem plezier deed dat hij er zo netjes bij lag. In vergelijking met Turner en Lollapalooza was hij enorm ordelijk. Aan de muur hing een donkerblauwe sporttas en je kon aan Prody's lichaam zien dat die ook gebruikt werd. Hij was lang en breed en solide en had kortgeknipt haar dat aan de slapen net grijs begon te worden. Een stevige, mooie kaaklijn à la Kennedy, licht gebruind. Het enige dat afbreuk deed aan zijn uiterlijk waren de sporen van acne uit zijn tienerjaren. Toen hij zo naar hem zat te kijken, kwam Caffery met enige verbazing tot de ontdekking dat hij goede dingen verwachtte van die man. 'Iedere dag gaat het beter. Ze wennen al een beetje aan me. Ik krijg zelfs elektriciteit als ik niet oppas.' Prody knikte naar de onderhoudsman. 'Ze vinden me zeker aardig.'

Caffery stak zijn hand op naar de onderhoudsman. 'Makker? Kunnen we even de ruimte krijgen? Tien minuten maar.'

De man kwam zonder iets te zeggen van de ladder. Hij deed zijn schroevendraaier in een gereedschapskist, maakte hem dicht en verliet de kamer. Caffery ging zitten. 'Nieuws?'

'Niet echt. Geen resultaat van de ANPR-posten, niet over de Yaris en ook niet over het gedeeltelijke kenteken van de Vauxhall in Frome.'

'Het is beslist dezelfde vent als bij de eerdere twee autodiefstallen. Daar kunnen we niet meer omheen.' Hij legde een kaart van het gebied tussen hen neer. 'Jij zat bij de verkeersdienst voordat je hier kwam.'

'Vanwege mijn zonden.'

'Ken je Wells, Farrington Gurney en Radstock?'

'Farrington Gurney?' Hij lachte. 'Een beetje. Ik bedoel, ik heb er tien jaar gewoond. Hoezo?'

'De hoofdinspecteur heeft het over een geografische profiler. Maar ik denk dat iemand die veel tijd op de weg heeft doorgebracht meer weet over hoe het land erbij ligt dan een psycholoog.'

'En ik krijg maar de helft betaald, dus ik moet je man zijn.' Prody trok de lamp naar zich toe en boog zich over de kaart. 'Wat is het probleem?'

'Het probleem is de hele klotesituatie, Paul, om het maar even onparlementair uit te drukken. Maar laten we dat even vergeten en bedenken wat we eraan gaan doen. Moet je dit zien. De eerste ontvoering was binnen een paar minuten voorbij, maar de tweede duurde langer. En hij volgde een heel rare route.'

'Hoezo raar?'

'Hij nam de A37 naar het noorden en reed een heel eind door. Voorbij Binegar, voorbij Farrington Gurney. Toen ging hij terug.'

'Was hij verdwaald?'

'Nee. Absoluut niet. Hij kende die weg heel goed. Hij zei tegen het meisje dat er een Little Chef aan die weg was, lang voordat ze er waren. Hij wist waar hij zich bevond. En dat zit me nou dwars. Als hij die streek kende, waarom nam hij dan die route? Lag hier iets wat hem aantrok?'

Prody ging met zijn vinger over de A37, de weg die van Bristol de Mendips in liep. Hij ging verder naar het zuiden, langs Farrington Gurney en de afslag die de ontvoerder had genomen. Ten noorden van Shepton Mallet stopte hij en bleef een paar tellen fronsend zitten kijken.

'Wat is er?' vroeg Caffery.

'Misschien kende hij de weg van het noorden naar het zuiden, maar niet van het zuiden naar het noorden. Als hij vaak in die richting reed, zou hij deze weg naar Wells kennen, maar vanuit het zuiden misschien niet. Dat zou kunnen betekenen dat hij de weg maar tot op dat punt kende, waar hij hem ook voor bereed – om naar zijn werk te gaan of vrienden op te zoeken of wat dan ook. Dus liep zijn vaste route maar tot hier ergens, ten zuiden van Farrington en ten noorden van Shepton. En de ontvoering van gisteren was hier. In Frome.'

'Maar ik heb een getuige die denkt dat de Vauxhall door Radstock moet zijn gekomen, en dat ligt aan de kant van Farrington. Dus laten we zeggen dat deze streek op de een of andere manier belangrijk voor hem is.'

'We zouden op die wegen ook ANPR-posten kunnen zetten. Als ze niet allemaal vastzitten rond Frome.'

'Ken jij iemand van de Tactische Verkeerseenheid?'

'Ik probeer al twee jaar van die schooiers af te komen. Laat het maar aan mij over.'

Caffery had een dossier op een zijtafel zien liggen. Hij luisterde niet meer naar Prody en staarde naar de naam op de rug. Na een paar tellen legde hij zijn handen op de armleuningen en duwde zich overeind. Hij liep naar het tafeltje en keek er terloops naar.

'De zaak-Misty Kitson?'

'Ja.' Prody keek niet op van de kaart die hij zat te bestuderen om een goede plek te zoeken voor de ANPR-eenheden.

'Waar heb je dat dossier vandaan?'

'Het lag bij Onopgeloste Zaken. Ik wilde het even doorkijken.'

'Even doorkijken?'

Prody keek op van de kaart en wierp een blik op Caffery. 'Ja. Gewoon om – je weet wel, om te kijken of me iets opviel.'

'Waarom?'

'Waarom?' Hij zei het behoedzaam, alsof het een strikvraag was, alsof Caffery hem iets voor de hand liggends had gevraagd als: 'Hé Paul, waarom adem je in en uit?' 'Nou, omdat het fascinerend is. Wat is er met haar gebeurd? Ik bedoel maar, een jonge vrouw die een paar dagen in een afkickkliniek zit, loopt op een middag naar buiten en voor je het weet, tada, is ze weg. Het is gewoon...' Hij haalde zijn schouders op. Licht gegeneerd. 'Interessant.'

Caffery bekeek hem eens goed. Zes maanden eerder had de zaak-Misty Kitson de eenheid zware hoofdpijn bezorgd. Aanvankelijk was er veel opwinding over geweest. Ze was min of meer een bekende persoonlijkheid, de vrouw van een voetbalspeler en heel knap. De media hadden zich erop gestort als hyena's. Dat hadden een heleboel teamleden heel spannend gevonden. Maar toen de eenheid na drie maanden nog steeds met lege handen stond, was de glans er wel af. De vernedering had de overhand gekregen. Nu was de zaak op de spaarbrander gezet. Hij lag nog steeds bij het team dat onopgeloste zaken onder zijn hoede nam en dat viel de afdeling Zware Misdrijven er nog steeds over lastig en stuurde af en toe een aanbeveling door. De pers had er ook nog belangstelling voor, evenals af en toe een agent die alles volgde over de sterren. Maar het merendeel van de afdeling Zware Misdrijven zou het liefst vergeten dat ze de naam Misty Kitson ooit had gehoord. Caffery verbaasde zich erover dat Prody op eigen houtje naar Onopgeloste Zaken was gegaan. Hij ging zijn eigen gang alsof hij hier al jaren zat, in plaats van twee weken.

'Laten we elkaar goed begrijpen, Paul.' Hij pakte het dossier en voelde dat het gewicht de botten in zijn vingers testte en zijn hand naar beneden probeerde te trekken. 'Je wilt alleen weten wat er met

Misty Kitson gebeurd is als je bij de media hoort. Nou, je hoort niet bij de media, toch?'

'Pardon?'

'Je hoort niet bij de media, toch?'

'Nee. Ik bedoel, ik ben...'

'Je bent politieman. Je officiële standpunt is misschien "we volgen nog steeds onderzoekslijnen", maar de waarheid hierboven,' hij tikte tegen zijn slaap, 'is dat je op andere dingen over bent gegaan. De eenheid heeft de zaak-Kitson afgesloten. Het is voorbij. Afgelopen.'

'Maar...'

'Maar wat?'

'Wees eerlijk. Intrigeert het je niet?'

Het hoefde Caffery niet te intrigeren. Hij wist precies waar Misty Kitson was. Hij wist zelfs ongeveer welke route ze had genomen bij het verlaten van het terrein van de kliniek, want hij had die zelf gelopen. Hij wist ook wie haar vermoord had. En hoe. 'Nee,' zei hij effen. 'Helemaal niet.'

'Niet in het minst?'

'Niet in het minst. Ik heb hier mijn handen vol aan een ontvoeringszaak. En ik heb alle hens aan dek nodig. Wat ik niet kan gebruiken, is dat mijn mannen afdwalen naar Onopgeloste Zaken en "even" een oud dossier doorkijken. Nou,' hij liet het dossier op Prody's bureau vallen. 'Wil jij het terugbrengen of doe ik het?'

Prody bleef zwijgend naar het dossier zitten kijken. Er viel een lange stilte en Caffery voelde dat Prody moeite had om niet tegen hem in te gaan. Uiteindelijk slikte hij. 'Ja, wat je maar wilt. Ik doe het zelf wel.'

'Mooi.'

Caffery verliet geïrriteerd het kantoor. Hij deed de deur zachtjes dicht en gaf niet toe aan de neiging om ermee te slaan. Turner stond voor zijn kamer op Caffery te wachten toen hij de gang door kwam. 'Baas?' Hij had een stuk papier in zijn hand.

Caffery bleef abrupt staan en keek hem scherp aan. 'Ik zie aan je gezicht dat wat je me gaat vertellen me niet zal aanstaan, Turner.'

'Waarschijnlijk niet.'

Hij stak hem het papier toe. Caffery nam het tussen zijn duim en wijsvinger. Maar iets weerhield hem ervan het van Turner over te nemen. 'Zeg het maar.'

'We hebben een telefoontje gekregen van de jongens in Wiltshire. Ze hebben de Yaris van de Bradleys gevonden.'

Caffery's grip op het papier versterkte zich. Toch trok hij het nog niet naar zich toe. 'Waar?'

'Op braakliggend boerenland.'

'En Martha zit er niet in. Of wel soms?'

Turner gaf geen antwoord.

'Dat ze er niet in zit, betekent niet dat ze niet nog kan opduiken.' Caffery's stem was kalm.

Turner kuchte gegeneerd. 'Eh... lees het eerst maar, baas. Wiltshire heeft het hiernaartoe gefaxt. Ze laten hun technische recherche het origineel persoonlijk naar ons toe brengen.'

'Wat is het?'

'Een brief. Hij lag op het dashboard, opgerold in een paar van haar kledingstukken.'

'Wat voor kledingstukken?'

'Eh.' Hij zuchtte zwaar.

'Wat?'

'Haar ondergoed, baas.'

Caffery staarde naar het papier. Zijn vingers brandden. 'En wat staat hierin?'

'O, jezus. Zoals ik al zei, baas, misschien moet je het maar lezen.'

11

De man zat op zijn hurken aan de rand van het kamp, en het vuur kleurde zijn smerige gezicht en baard rood en gaf hem het uiterlijk van iets dat niet uit een vrouw, maar uit een vulkaan was geboren.

Caffery zat een stukje verderop zwijgend naar hem te kijken. Het was al vier uur donker, maar de man was druk bezig een bol in de bevroren aarde te planten. 'Er was eens een kind,' zei hij terwijl hij de aarde wegschepte. 'Een kind dat Krokus heette. Krokus was een meisje met gouden haar. Ze hield van paarse jurken en linten.'

Caffery luisterde in stilte. In de korte tijd dat hij de zwerver kende, die door de plaatselijke bevolking de Wandelaar werd genoemd, had hij geleerd te luisteren en geen vragen te stellen. Hij had geleerd dat hij in deze relatie de leerling was en de Wandelaar de leraar, degene die de meeste dingen bepaalde als ze elkaar troffen: waar ze over praatten, waar en wanneer ze elkaar ontmoetten. Het was zes lange maanden geleden sinds ze bij elkaar hadden gezeten, maar Caffery had hem misschien wel twintig keer gezocht. Dat waren lange, eenzame nachten geweest, waarin hij met nog geen tien kilometer per uur over de weggetjes reed en stijf rechtop achter het stuur zijn nek strekte om over de heggen heen te kunnen kijken. Vanavond was het kampvuur bijna zodra hij was begonnen te zoeken als een baken in een veld opgesprongen. Alsof de Wandelaar er al die tijd al was geweest en Caffery's pogingen geamuseerd had gadegeslagen. Wachtend tot het juiste moment gekomen was.

'Op een dag,' ging de Wandelaar verder, 'werd Krokus meegenomen door een heks en veroordeeld tot een leven tussen de wolken, waar haar ouders niet met haar konden praten en haar ook niet konden zien. Ze weten nog steeds niet zeker of ze leeft, maar elk voorjaar op haar geboortedag richten ze hun ogen op de hemel en bidden ze dat hun kind dit voorjaar zal worden teruggegeven.' Hij klopte de grond rond de bol aan en druppelde er wat water op uit een plastic fles. 'Het is een daad van vertrouwen om te blijven geloven dat hun dochter er nog is. Een daad van absoluut vertrouwen. Kun je je voorstellen hoe het voor hen geweest moet zijn om nooit zeker te weten wat er met hun dochter gebeurd was? Om nooit zeker te weten of ze dood was of nog leefde?'

'Het lichaam van jouw dochter is nooit gevonden,' zei Caffery. 'Je weet hoe ze zich voelden.'

'En dat van jouw broer ook niet. Dus zijn we aan elkaar gelijk.'

Hij glimlachte. Het maanlicht viel op zijn tanden, die regelmatig, schoon en gezond in zijn vuile gezicht stonden. 'Als twee druppels water.'

Twee druppels water? Er konden geen twee mannen zijn die minder op elkaar leken. De eenzame agent die niet kon slapen en de sjofele dakloze die de hele dag liep en nooit twee nachten op de zelfde plek sliep. Maar het was waar dat ze dingen gemeen hadden. Ze hadden dezelfde ogen. Als Caffery naar de Wandelaar keek, zag hij tot zijn verwondering zijn eigen blauwe ogen terugkijken. En wat belangrijker was, was dat ze een geschiedenis deelden. Caffery was acht geweest toen zijn oudere broer Ewan uit de Londense achtertuin van het gezin verdwenen was. Door toedoen van de oude pedofiel Ivan Penderecki, die aan de andere kant van het spoor woonde, daar twijfelde Caffery niet aan, maar Penderecki was nooit aangeklaagd of veroordeeld. De dochter van de Wandelaar was vijf keer verkracht voordat ze was vermoord door een ronddolende zedendelinquent die voorwaardelijk vrij was, Craig Evans.

Craig Evans had niet zoveel geluk gehad als Penderecki. De Wandelaar, die in die dagen een succesvol zakenman was geweest, had wraak genomen. Nu verbleef Evans in een stoel in een verpleegtehuis in Worcestershire, vlak bij zijn ouderlijk huis. De Wandelaar had heel nauwkeurig beschreven welke verwondingen hij hem had toegebracht. Evans had geen ogen meer om mee naar kinderen te kijken en ook geen penis meer om ze mee te verkrachten.

'Is dat wat jou zo anders maakt?' zei Caffery. 'Stelt dat jou in staat om te zien?'

'Om te zien? Wat bedoel je daarmee?'

'Je weet wat ik bedoel. Jij ziet dingen. Je ziet meer dan andere mensen.'

'Bovennatuurlijke krachten, bedoel je.' De Wandelaar snoof. 'Je moet niet zo'n onzin uitkramen. Ik woon hier en leef van de aarde, als een dier. Ik besta en ik neem dingen in me op. Mijn ogen staan wijder open en er valt meer licht in. Maar daarom ben ik nog geen ziener.'

'Je weet dingen die ik niet weet.'

'En wat dan nog? Wat verwacht je van jezelf? Een politieman is niet automatisch een soort superheld. Wat jij ook mag denken.'

De Wandelaar liep terug naar het vuur. Hij legde er nog wat hout op. Zijn sokken hingen te drogen op een stok die vlak bij de vlammen in de grond was gestoken. Het waren goede sokken. De duurste die er te koop waren. Gemaakt van alpacawol. De Wandelaar kon het zich veroorloven. Hij had miljoenen ergens op een bank staan.

'Pedofielen.' Caffery nam een slokje van zijn cider. Het prikte in zijn keel en lag zwaar en koud op zijn maag, maar hij wist dat het die nacht niet bij die ene beker zou blijven. 'Mijn specialisatie. Ontvoeringen door vreemden. De uitkomst is meestal hetzelfde; als we heel veel geluk hebben, wordt het kind bijna meteen na de ontvoering losgelaten, en zo niet, dan wordt het kind binnen de eerste vierentwintig uur vermoord.' Het was bijna dertig uur geleden dat Martha was meegenomen. Hij liet de beker zakken. 'Nu ik erover nadenk, hebben we misschien juist in dat geval geluk.'

'Je hebt geluk als het kind binnen vierentwintig uur vermoord wordt? Wat is dat? Politielogica?'

'Ik bedoel dat het misschien een betere uitkomst is dan wanneer het langer in leven wordt gehouden.'

De Wandelaar gaf geen antwoord. De twee mannen bleven er lange tijd zwijgend over zitten nadenken. Caffery keek op naar de wolken die voor de maan langstrokken. Hij dacht eraan hoe eenzaam en majestueus ze waren. Hij stelde zich voor dat er een kind met gouden haar tussendoor gluurde, op zoek naar haar ouders. Ergens in het bos riep een vossenjong. En Martha was ergens in die nachtelijke weidsheid. Caffery stak zijn hand in zijn jaszak. Hij haalde er een fotokopie uit van een brief, en stak hem de Wandelaar toe. Die gromde, boog zich naar hem toe en nam hem aan. Hij vouwde hem open en begon te lezen, waarbij hij het vel papier naar voren kantelde zodat het licht van het vuur erop viel. Caffery keek naar zijn gezicht. Een deskundige had al geoordeeld dat de ontvoerder had geprobeerd zijn handschrift te verdraaien. Terwijl de technisch rechercheurs iedere centimeter van de auto van de Bradleys onderzochten, had Caffery lang in zijn kantoor over de brief gebogen gezeten. Hij kende hem inmiddels woord voor woord van buiten.

Lieve mama van Martha,
Ik weet zeker dat Martha zou willen dat ik contact met je opneem,
hoewel ze er niets over gezegd heeft of zo. Ze is op het moment
niet erg SPRAAKZAAM. *Ze heeft me verteld dat ze van* BALLET,
DANSEN *en* HONDEN *houdt, maar jij en ik weten heel goed dat*
meisjes van deze leeftijd altijd liegen. HET ZIJN LEUGENAARS. *Kijk, ik*
denk dus dat ze van andere dingen houdt. Niet dat ze dat nu gaat
toegeven, uiteraard. Ze GENOOT *van de dingen die ik afgelopen*
nacht met haar gedaan heb. Ik wou dat je haar gezicht had
kunnen zien.
Maar nu gaat ze opeens tegen me liegen. Je zou haar gezicht
moeten zien als ze dat doet. Lelijk, dat wil je niet weten. Gelukkig
heb ik het nu een beetje VERBOUWD. *Ze ziet er nu veel beter uit.*
Maar alsjeblieft, Martha's mama, alsjeblieft, zou je misschien iets
voor me kunnen doen??? Alsjeblieft? Kun je tegen die politiehoeren
zeggen dat ze me nu toch niet meer tegen kunnen houden, dus dat
ze geen moeite hoeven doen? Het is nu begonnen, waar of niet, en
het gaat niet opeens weer stoppen. Toch?
Toch?

De Wandelaar was klaar met lezen. Hij keek op.
'Nou?'
'Doe weg.' Hij stak Caffery de brief toe. Er was iets veranderd in zijn ogen. Ze waren bloeddoorlopen en uitdrukkingsloos.
Caffery deed de brief in zijn zak. Hij herhaalde: 'Nou?'
'Als ik echt een ziener of helderziend was, zou dit het moment zijn waarop ik je zou vertellen waar dat kind is. Ik zou het je vertellen en ik zou je vertellen dat je alles moet inzetten om bij haar te komen, wat het je ook mag kosten in je leven of je beroep, want die persoon,' hij stak een vinger uit naar de zak waarin de brief zich bevond, 'is slimmer dan alle anderen waarover je me hebt verteld.'

'Slimmer?'

'Ja. Hij lacht je uit. Hij lacht omdat jij denkt dat jullie hem te slim af kunnen zijn, zielig stelletje veldwachters met jullie knuppels en narrenkappen. Hij is zoveel meer dan hij lijkt.'

'Wat wil je daarmee zeggen?'

'Geen idee.' Hij rolde zijn matrasje uit en trok het recht. Hij legde zijn slaapzak goed. Zijn gezicht was hard. 'Vraag me niets meer – verspil je tijd niet. In godsnaam, ik ben geen helderziende. Ik ben een heel gewoon iemand.'

Caffery nam nog een slok cider en veegde zijn mond af met de rug van zijn hand. Hij bestudeerde het gezicht van de Wandelaar terwijl die zich klaarmaakte om te gaan slapen. Slimmer dan alle anderen. Hij dacht aan wat de ontvoerder had geschreven: *het is nu begonnen, waar of niet, en het gaat niet opeens weer stoppen. Toch?* Hij wist wat die woorden betekenden: hij ging het nog eens doen. Hij ging nog eens zomaar een auto kiezen; maakte niet uit welke auto of wie erin reed. Het enige belangrijke zou het kind op de achterbank zijn. Een meisje. Van nog geen twaalf. Hij zou haar ontvoeren. En alles wat Caffery wist, was dat het naar alle waarschijnlijkheid binnen een straal van vijftien kilometer van Midsomer Norton zou gebeuren.

Nadat hij een hele tijd naar de duisternis aan de rand van de lichtkring had zitten staren, pakte Caffery een schuimmatje en rolde het open. Hij haalde zijn slaapzak voor de dag en ging op zijn rug liggen, met de slaapzak om zich heen gestopt om de kou buiten te houden. De Wandelaar gromde en deed hetzelfde. Caffery bleef even naar hem liggen kijken. Hij wist dat hij die avond niets meer zou zeggen. Het gesprek was afgelopen en vanaf dat moment zou er geen woord meer gewisseld worden. Hij had gelijk: ze lagen ieder in hun eigen slaapzak naar hun eigen stukje hemel te kijken en te denken over hun eigen werelden en hoe ze zich door de volgende vierentwintig uur zouden worstelen.

De Wandelaar viel het eerst in slaap. Caffery lag nog een paar uur naar de nacht te luisteren en te hopen dat de Wandelaar het mis had, dat er echt zoiets bestond als helderziendheid of bovennatuurlijke krachten en dat het mogelijk was om alleen door middel van de geluiden die hier klonken te achterhalen wat er met Martha Bradley was gebeurd.

12

Toen Caffery stijf en ijskoud wakker werd, was de Wandelaar weg. Hij moest in het donker zijn opgestaan en zich hebben aangekleed en had niets achtergelaten dan de as van het vuur en een bord met twee boterhammen met bacon naast Caffery's slaapmatje. Het was een mistige dag. Koud ook weer. Met iets van de Noordpool in de lucht. Hij wachtte een paar minuten tot hij een helder hoofd had en stond toen op. Hij at de boterhammen staand op en kauwde bedachtzaam terwijl hij neerkeek op het stukje grond waar de Wandelaar de bol had geplant. Hij maakte het bord met gras schoon, rolde zijn beddengoed op en bleef met de spullen onder zijn arm staan kijken naar de omgeving: de velden die zich uitstrekten, grijs en saai in deze tijd van het jaar, doorkruist met heggen. Hoewel hij weinig wist over de omzwervingen van de Wandelaar, wist hij wel dat er altijd een plek in de buurt was, een beschutte plek, waar hij een paar dingen kon achterlaten, dingen die hij de volgende keer dat hij langskwam kon gebruiken. Soms was die plek bijna een kilometer van het kamp.

De aanwijzing kwam van het gras, dat grijs en stijf was van de vorst. De voetstappen van de Wandelaar waren zwart en leidden duidelijk weg van het kamp. Caffery glimlachte vluchtig. Als het niet de bedoeling was geweest dat hij ze zou volgen, zouden die voetstappen niet te zien zijn. De Wandelaar liet nooit iets aan het toeval over. Caffery ging op weg en stapte zorgvuldig in de oude voetstappen, verbaasd dat zijn voeten er zo precies in pasten.

De voetstappen stopten ruim vijfhonderd meter verderop, aan het andere eind van het volgende veld, en daar, weggestopt in de heg, vond hij de gebruikelijke voorraden, bedekt met plastic: blikken voedsel, een pan, een fles cider. Caffery stopte de matras en het bord erbij en legde het plastic er weer overheen. Toen hij overeind kwam en weg wilde gaan, zag hij iets: ongeveer een meter verderop, vlak onder de haagdoorn, was een stukje aarde omgewoeld. Toen hij er op zijn hurken naast ging zitten en voorzichtig de aarde wegveegde, vond hij de gekneusde, tere top van een krokusbol.

Iedereen op de wereld heeft gewoonten, dacht Caffery toen hij later die ochtend tien kilometer verderop de parkeerplaats van een pub op reed, van de man met dwangneurose, die elke erwt die hij at en elke lichtknop die hij aanraakte moest tellen tot aan de zwerver die geen enkel doel leek te hebben, maar altijd een goede plek kon vinden om zijn kamp op te slaan en te slapen. Iedereen volgt in zekere mate een patroon. Dat patroon kon zo goed als onzichtbaar zijn, zelfs voor de persoon zelf, maar het was er toch. De patronen van de Wandelaar, de plekken waar hij kampeerde, de plekken waar hij krokussen plantte, werden Caffery langzaam duidelijk. En de ontvoerder? Caffery zette de motor uit, deed het portier open en keek naar de politiewagens: het busje van de technische recherche, de vier Sprinters van de zoekteams. Nou, ook de ontvoerder had patronen. En ze zouden duidelijk worden. Na verloop van tijd.

'Meneer?' De zoekadviseur, een kleine man met een keurig John Lennon-brilletje, verscheen naast de auto. 'Hebt u even?'

Caffery volgde hem over het parkeerterrein en door een lage deuropening naar een kamer die de waard voor de politie had bestemd. Het was de spelletjeskamer en het rook er naar verschaald bier en chloor. De pooltafel was tegen de muur geduwd en vervangen door een rij stoelen; het dartboard was onzichtbaar achter een flip-over waarop een reeks foto's was bevestigd.

'De briefing is over tien minuten, en het wordt een nachtmerrie. Het gebied dat de bodemdeskundige ons heeft gegeven, is enorm.'

Ze hadden alle mogelijke forensische tests losgelaten op de Yaris van de Bradleys. Er waren tekenen van een worsteling op de achterbank – de bekleding was gescheurd en er zaten lichtblonde haren van Martha in een van de raamrubbers, maar de auto had geen vingerafdrukken opgeleverd die niet van een lid van de familie Bradley waren gebleken. De latex handschoenen, uiteraard. Ook geen bloed en geen sperma. Maar er had aarde in het profiel van de banden gezeten en een forensisch deskundige had de hele nacht de monsters zitten analyseren. Hij had die analyse gecombineerd met het aantal kilometers dat de auto volgens de Bradleys op de teller had staan en besloten dat er maar één plek was waar een auto aarde met zo'n unieke signatuur had kunnen oppikken: voor de ontvoerder hem in Wiltshire had achtergelaten, was hij ergens in de Cotswolds gestopt, binnen een straal van ongeveer tien kilometer van deze pub. Te oordelen naar de voertuigen op het parkeerterrein was de halve politiemacht in het gebied samengekomen.

'We wisten dat de plaats niet erg precies zou kunnen worden bepaald,' zei Caffery. 'Die analist had niet veel tijd – we hebben hem betaald om de hele nacht op te blijven.'

'Binnen het gebied dat hij me heeft gegeven, heb ik ongeveer honderdvijftig gebouwen aangewezen die doorzocht zouden moeten worden.'

'Verdomme. We hebben wel zes eenheden nodig om dat naar behoren te doen.'

'Gloucestershire heeft extra mankracht aangeboden. We bevinden ons in hun district.'

'Een operatie waaraan twee korpsen meedoen? Ik weet niet eens hoe dat moet. Ik heb mijn hele leven nog nooit een memorandum of understanding geschreven, het is een logistieke nachtmerrie. We moeten het aantal terugbrengen.'

'Dat is al gedaan. Die honderdvijftig zijn alleen de gebouwen waar je een auto in kwijt kunt. Ongeveer dertig procent daarvan zijn garages die voor het merendeel vastzitten aan woonhuizen, dus die zijn gemakkelijk, maar er zijn nog andere waarvoor je het kadaster moet raadplegen om er zelfs maar achter te komen wie de eigenaar is. En we zijn hier in de Cotswolds, een gebied met een bijzonder natuurschoon. De helft van de gebouwen fungeert als tweede huis:

Russen die in Londen een prostitutieketen runnen, willen een huis vlak bij prins Charles, maar doen nooit moeite het te bezoeken. Het zijn afwezige rijke schoften of bolsjewistische boeren met geweren. Denk aan Tony Martin.' Hij tikte tegen zijn achterhoofd. 'Een kogel in je hoofd terwijl je wegrent. Welkom op het paradijselijke platteland. Maar het goede nieuws is dat het gisteren heeft geregend. Het is ideaal weer. Als hij hier geparkeerd heeft, zijn de sporen nog zichtbaar.'

Caffery liep naar de flip-over om de foto's te bekijken. Een hele reeks bandensporen. Afgelopen nacht in het lab gemaakt met afgietsels van de banden van de Yaris.

'Er zat nog iets anders in de aarde, hebben ze me verteld. Houtschaafsel?'

'Ja. Dus misschien een houthandel. Maar er zat ook vijlsel van roestvrij staal in en spikkels titanium. Het titanium is te klein om te kunnen zeggen bij welk proces het is gebruikt, dus dat is op dit punt waarschijnlijk niet relevant, maar het roestvrij staal duidt op een of andere machinefabriek. Ik heb er zeven aangegeven in het gebied. En een paar timmerfabrieken. Ik ga mijn team splitsen – de helft gaat bij de mensen aankloppen en de andere helft probeert die bandensporen te vinden.'

Caffery knikte. Hij probeerde niet te laten merken hoe moedeloos hij zich voelde. Een straal van tien kilometer. Honderdvijftig gebouwen en God mocht weten hoeveel opritten en weggetjes. Het werd zoeken naar een naald in een hooiberg. Met alle huiszoekingsbevelen en het papierwerk ging het zelfs met de extra eenheden uit Gloucestershire een eeuwigheid duren. De woorden van de ontvoerder kwamen weer bij hem op: *het is nu begonnen, waar of niet, en het gaat niet opeens weer stoppen.* Tijd was nu net iets dat ze niet hadden.

13

Flea's team bracht maar twintig procent van de tijd door met duiken. Voor de rest voerde het andere specialistische operaties uit;
zoekopdrachten in kleine ruimtes of op plaatsen die alleen langs een
touw te bereiken waren. Af en toe deed het algemeen ondersteunend werk, zoektochten in grote gebieden bijvoorbeeld, zoals dit
keer in de Cotswolds.

Ze hadden de briefing van de zoekadviseur in de onfrisse spelletjeskamer uitgezeten. Haar team kreeg opdracht om bandensporen
te zoeken. De zoekadviseur had hun een kaart gegeven waarop ongeveer tien kilometer weg in rood was aangegeven en had hun ongeveer de juiste richting gewezen, maar toen ze uit de kamer kwam
en met het team in de Sprinter was gestapt, draaide ze niet linksaf
toen ze het parkeerterrein af reed om naar het zoekgebied te gaan,
maar rechtsaf.

'Waar gaan we heen?' Wellard, haar tweede man, zat achter haar.
Hij boog naar voren. 'Het is de andere kant uit.'

Ze vond een inhaalstrookje naast de smalle weg, parkeerde het
busje en zette de motor uit. Toen legde ze haar elleboog over de
rugleuning van haar stoel en keek de zes mannen ernstig aan.

'Wat?' zei een van hen. 'Wat is er?'

'Wat er is?' herhaalde ze. 'We hebben net een briefing van tien
minuten gehad. Kort. Niet lang genoeg om bij in slaap te vallen.
Hoera. Ergens bevindt zich een meisje van elf, en wij hebben de
kans haar te vinden. Waar is de tijd gebleven dat jullie op een hol-
letje bij een dergelijke briefing vandaan kwamen? Toen ik jullie nog
stuk voor stuk aan de riem moest leggen?'

Ze staarden haar met halfopen mond en doffe koeienogen aan.
Wat was er met hen gebeurd? Zes maanden geleden, toen ze er het
laatst over had nagedacht, waren ze gezonde jonge mannen geweest,
allemaal even toegewijd aan en opgewonden over het werk. Daar
was nu niets meer van over: geen vonk, geen enthousiasme. En een
of twee van hen zagen er zelfs uit alsof ze zwaarder werden. Week.

Hoe had dat kunnen gebeuren, vlak onder haar neus? Hoe kwam het dat ze dat verdomme niet had gemerkt?

'Moet je jullie nou eens zien. Helemaal niets? Dat,' ze stak een strakke, horizontale hand op, 'is het patroon van jullie hersengolven. Vlak. Geen piek te zien. Wat is er verdorie gebeurd, jongens?'

Niemand antwoordde. Een of twee mannen sloegen hun ogen neer. Wellard sloeg zijn armen over elkaar en zag iets interessants door het raam. Hij tuitte zijn lippen alsof hij ging...

'Fluiten? Waag het niet te gaan fluiten, Wellard. Ik ben niet gek. Ik weet wat er aan de hand is.'

Hij keek haar weer aan en trok zijn wenkbrauwen op. 'O, ja?'

Ze zuchtte. Haalde een hand door haar haar. Liet zich ontmoedigd weer wegzakken op haar stoel en keek door de voorruit naar de broze winterbomen langs de weg. 'Natuurlijk,' mompelde ze. 'Ik weet wat er aan de hand is. Ik weet wat je wilt zeggen.'

'Het is alsof je er niet meer bent, hoofdagent,' zei hij. Sommige anderen mompelden instemmend. 'Het is die blik, alsof je duizend kilometer verderop zit. Je doet maar alsof. Jij zegt dat wij veranderd zijn, maar als er niemand thuis is aan de top, kun je het net zo goed opgeven. En het is niet dat het alleen om het geld gaat, maar dit is het eerste jaar dat we met Kerstmis geen bonus krijgen.'

Ze draaide zich weer om en keek hem strak aan. Ze hield van Wellard. Hij werkte al jaren voor haar en hij was een van de beste mannen die ze kende. Ze hield nog meer van hem dan van haar broer Thom. Honderd keer zoveel als ze van Thom hield. Het was hard om Wellard de waarheid te horen zeggen.

'Oké.' Ze ging op haar knieën op de stoel zitten en legde haar handen op de rugleuning. 'Jullie hebben gelijk. Ik ben niet op mijn best geweest. Maar jullie' – ze wees naar hen – 'jullie zijn het niet kwijt. Het is er nog.'

'Hè?'

'Oké. Denk terug aan wat de zoekadviseur heeft gezegd. Wat zat er in dat bandenprofiel?'

Een van hen haalde zijn schouders op. 'Houtschaafsel. Schaafsel van titanium en roestvrij staal. Dat lijkt mij een fabriek of zo.'

'Ja.' Ze knikte aanmoedigend. 'En dat titanium? Doet dat een belletje rinkelen?'

Ze staarden haar aan, zonder het te snappen.

'O, kom op,' zei ze ongeduldig. 'Denk terug. Vier, vijf jaar? Jullie behoorden toen allemaal tot het team; jullie kunnen het niet vergeten zijn. Een watertank. Een ijskoude dag. Een steekpartij. Jij hebt toen gedoken, Wellard, en ik was de oppervlakteassistent. Er kwam steeds een hond uit het bos die tegen mijn been aan wilde rijden. Jullie vonden dat verdomme hilarisch. Weten jullie dat niet meer?'

'Bij het Bathurst Estate?' Wellard fronste naar haar. 'Toen die vent het wapen door een luik had gegooid? We vonden het binnen tien minuten.'

'Ja. En?'

Hij haalde zijn schouders op.

Ze keek vol verwachting van het ene gezicht naar het andere. 'Godallemachtig. Ik moet jullie ook alles voorzeggen. Herinner je je die plek nog, een leegstaande fabriek? Het bedrijf stond niet op de kaart van de zoekadviseur omdat het is gesloten. Maar weten jullie nog wat ze daar maakten toen het nog open was?'

'Militaire dingen,' zei iemand achter in de Sprinter. 'Onderdelen voor Challenger-tanks, dat soort zaken.'

'Zie je wel? De grijze cellen beginnen zich te roeren.'

'En ik vermoed dat daar componenten in zaten die van titanium waren gemaakt? En roestvrij staal?'

'Daar wil ik mijn leven onder verwedden. En weten jullie toevallig ook nog waar we doorheen moesten rijden om bij die verdomde watertank te komen?'

'Godskolere,' zei Wellard zwakjes toen het besef bij hem doordrong. 'Een houthandel. En het is die kant uit, waar je naartoe rijdt.'

'Zie je wel?' Ze startte de motor en keek hen via de achteruitkijkspiegel aan. 'Ik zei toch dat jullie het nog hadden.'

14

Caffery stond alleen op een paadje in een dennenbos. De lucht om hem heen was zwaar van de geur en elk geluid werd gedempt door de bomen. Honderd meter rechts van hem stond een verlaten wapenfabriek en aan zijn linkerkant een houthandel met een hoop vervallen houten schuren. Het zaagsel, dat door de regen een abrikooskleur had gekregen, lag in hopen onder een grote, roestende hopper.

Hij ademde langzaam en rustig, met zijn handen iets van zijn lichaam en zijn blik op oneindig. Hij probeerde iets ongrijpbaars te vinden. Een soort sfeer. Alsof de bomen een herinnering konden doorgeven. Het was twee uur in de middag. Vier uur eerder had het team van hoofdagent Marley de instructies van de zoekadviseur genegeerd en was het hierheen gegaan. Ze hadden niet lang hoeven zoeken, maar een halfuur, voordat een van hen een opmerkelijk duidelijke set bandensporen had ontdekt die precies overeenkwam met die van de Yaris. Hier was gisteravond iets gebeurd. De ontvoerder was hier geweest en er had iets belangrijks plaatsgehad.

Achter Caffery, verder langs het spoor, werd het terrein overspoeld door technisch rechercheurs, zoekteams en hondenbegeleiders. Er was een stuk grond afgezet met een straal van vijftig meter rond de duidelijkste bandensporen. De teams hadden overal sporen gevonden. Grote, diepe afdrukken van de sportschoenen van een man. Ze hadden er gemakkelijk afgietsels van moeten kunnen maken om die te analyseren, maar de ontvoerder had ze met veel zorg doorgehaald door kriskras met een lang scherp instrument door de modder te snijden. Nergens waren afdrukken van kinderschoenen aangetroffen, maar de technische recherche had erop gewezen dat sommige afdrukken van de man dieper waren dan de andere. Misschien had de ontvoerder Martha in de auto overmeesterd of vermoord, haar vervolgens weggedragen en de zaak ergens in het omringende bos verder afgehandeld. Het probleem was dat haar geur de grond niet zou hebben geraakt als hij haar had gedragen.

En het weer was desastreus voor de honden – iedere geur die er had kunnen hangen, was allang weggeblazen en -geregend. De honden waren opgewonden, kwijlend en trekkend aan hun riemen gearriveerd en hadden twee uur zinloos in kringetjes rondgelopen. De houthandel en de verlaten fabriek waren doorzocht. Ook daar hadden de teams niets gevonden – geen enkele aanwijzing dat Martha er zelfs maar in de buurt was geweest. Zelfs de watertank, die nu leeg en gebarsten was, had niets opgeleverd.

Hij zuchtte en keek weer bewust om zich heen. De bomen zeiden hem ook niets. Alsof dat zou kunnen. De plek zou net zo goed dood kunnen zijn. De leider plaats delict kwam uit de richting van de houthandel, waar ze een werkplek hadden opgezet, naar hem toe lopen. Hij droeg zijn overall, met de capuchon op zijn schouders.

'Nou?' zei Caffery. 'Iets gevonden?'

'We hebben afdrukken gemaakt van wat er over is van de voetsporen. Wil je ze zien?'

'Laat ik maar even kijken.'

Ze liepen terug naar de houthandel, hun voetstappen en stemmen gedempt door de bomen.

'Zeven verschillende sporen.' De LPD wees naar de grond toen ze het afzetlint passeerden. 'Het lijkt een zootje, maar er zijn echt zeven afzonderlijke sporen. Ze lopen alle kanten uit en ze houden allemaal aan de rand van het bos op. Daarna kan niemand meer iets ontdekken. Ze zouden overal heen kunnen lopen: de velden in, door de fabriek en naar de weg. De teams doen hun best, maar het terrein is te groot. Hij neemt ons in de maling. Slimme klootzak.'

Ja, dacht Caffery, die het bos in keek onder het lopen, en hij vindt het vast fantastisch dat wij nu zo nijdig zijn. Hij kreeg er geen hoogte van. Was dit echt de plek waar de ontvoerder Martha uit de auto had gehaald of was dat ergens anders gebeurd? Had hij haar kilometers meegenomen, wetend dat het hele politiecircus in dit bos zou neerstrijken, en hield hij hen hier bezig terwijl hij elders zijn vuile streken uithaalde? Caffery had niet voor het eerst bij deze zaak het gevoel dat hij in de maling werd genomen.

Voorbij het afgezette terrein, bij de houthandel, waren de teams

73

nog steeds aan het werk, als spoken in hun overalls. In de lucht hing de bittere geur van boomsap. Naast een schuur die was volgestouwd met de duiventillen die hier werden gefabriceerd stond een provisorische schraagtafel waarop alle bewijsstukken die de teams hadden verzameld werden onderzocht. De verlaten fabriek was het ergste geweest om te doorzoeken, omdat ze vol lag met huishoudelijk afval vol vliegen: rottende oude banken en koelkasten, een driewieler en zelfs een plastic zak vol gebruikte luiers. De LPD en de sporencoördinator hadden tot taak te beslissen wat er weggedaan kon worden en wat moest worden veiliggesteld. Ze hadden hun handen vol gehad aan de luiers.

'Ik weet het niet meer.' De LPD haalde het plastic van een afgietsel en legde het voor Caffery neer. 'Ik kom er niet achter wat hij hier gebruikt heeft.'

Er verzamelden zich een paar toeschouwers. Caffery ging op zijn hurken zitten, zodat zijn ogen zich ter hoogte van het afgietsel bevonden. De onderste laag vertoonde wat sporen van voetafdrukken, maar op de plekken waar de ontvoerder ze had doorsneden, was het gips diep in de gaten gedrongen die het scherpe instrument had gemaakt, zodat er spitsen en pieken op het omgekeerde afgietsel zaten.

'Enig idee wat hij heeft gebruikt om die groeven te maken? Herken je die vorm?'

De LPD haalde zijn schouders op. 'Wie het weet, mag het zeggen. Iets scherps, maar niet met een lemmet. Iets langs en duns. Vijfentwintig, dertig centimeter? Hij is grondig te werk gegaan. We krijgen geen bruikbare voetafdrukken.'

'Mag ik eens kijken?' Hoofdagent Flea Marley kwam uit de groep naar voren met een plastic beker koffie in haar hand. Ze was vies van de zoektocht – haar haar zat in de war en de rits van haar zwarte jas stond open, zodat haar bezwete politieshirt te zien was. Haar gezicht vertoonde een andere uitdrukking als laatst bij het kantoor, dacht hij. Een beetje rustiger. Haar team was die morgen voor de verandering eens goed voor de dag gekomen en hij moest eigenlijk blij voor haar zijn. 'Ik zou graag eens willen kijken.'

De LPD stak haar een paar nitril handschoenen toe. 'Heb je deze nodig?'

Ze zette de koffie neer, trok de handschoenen aan en kantelde het afgietsel een kwartslag. Ze tuurde ernaar.

'Wat denk je?' vroeg Caffery.

'Ik weet het niet,' mompelde ze. 'Ik weet het niet.' Ze draaide het om en om. Ze plaatste haar vingers peinzend op de toppen van de punten. 'Raar.' Ze gaf het afgietsel weer aan de LPD, wendde zich af en liep langs de schraagtafel naar waar de sporencoördinator druk bezig was de verschillende voorwerpen die ze hadden gevonden in zakjes te doen en daar etiketten op te plakken alvorens ze mee te nemen naar het forensisch lab: zakdoekjes, colablikjes, injectienaalden, een stuk blauw nylon touw. Het was duidelijk een hangplek voor plaatselijke lijmsnuivers, zoveel zakjes hadden ze gevonden. De meeste waren weggegooid in het veld, samen met meer dan honderd plastic ciderflessen. Ze bleef met over elkaar geslagen armen naar de voorwerpen staan kijken.

Caffery liep naar haar toe. 'Zie je iets?'

Ze draaide een spijker van vijftien centimeter om. Een oud plastic klerenhangertje. Legde ze weer terug. Beet op haar lip en keek naar de LPD, die het afgietsel in stond te pakken.

'Wat is er?'

'Niets.' Ze schudde haar hoofd. 'Ik dacht dat de vorm van die groeven me ergens aan deed denken. Maar het is toch niet zo.'

'Baas?' Turner kwam uit de richting van de hoofdweg en liep tussen de geparkeerde auto's door. In zijn regenjas en met de geruite sjaal om zijn nek zag hij er vreemd bekakt uit.

'Turner? Ik dacht dat jij op de terugweg was naar kantoor.'

'Ik weet het, het spijt me, maar ik heb net Prody aan de lijn gehad. Hij probeert je te bellen – je had zeker geen bereik. Hij heeft een pdf naar je BlackBerry gestuurd.'

Caffery had een nieuwe telefoon en kon overal e-mailbijlagen ontvangen. De Wandelaar zou zeggen dat het typisch iets voor hem was om nog meer manieren te vinden om altijd aan het werk te zijn. Hij viste de telefoon uit zijn zak. Het e-mailicoontje was verlicht.

'Het is een uur geleden op kantoor binnengekomen,' zei Turner. 'Prody heeft het gescand en meteen naar jou gestuurd.' Hij haalde verontschuldigend zijn schouders op, alsof het allemaal zijn schuld was. 'Nog een brief. Net als die in de auto. Hetzelfde handschrift, hetzelfde papier. Er zit een postzegel op, maar geen stempel. Hij kwam via de postkamer, dus we proberen te traceren waar hij vandaan kwam. Maar tot dusver weet niemand hoe hij tussen de post is beland.'

'Oké, oké.' Caffery schoof de telefoon open. Hij voelde een adertje kloppen in zijn slaap. 'Ga maar naar kantoor, Turner. Ik wil dat je de huiszoekingsbevelen regelt die de zoekadviseur wil hebben.'

Hij ging verderop op het pad staan, vlak bij de houthandel, waar hij niet gezien kon worden, achter een open schuur vol stammen van Noorse sparren. Daar opende hij de bijlage op zijn telefoon. Het duurde een minuut of twee tot hij gedownload was, maar toen hij doorkwam, wist hij meteen dat hij van de ontvoerder was. Hij wist dat dit geen grap was.

Groetjes van Martha en ze zegt hallo en dat je tegen mama en papa moet zeggen dat ze heel dapper is. Maar de kou vindt ze niets, hè. En ze is geen grote prater. Nu niet meer. Ik heb geprobeerd een gesprek met haar te voeren, maar ze zegt niet veel. O, behalve één ding: ze heeft een paar keer gezegd dat ik je moet laten weten dat haar moeder een hoer is. En misschien heeft ze daar gelijk in! Wie zal het zeggen? Eén ding is zeker: haar moeder is dik. Dik én een hoer. Jezus, het leven is voor sommigen onder ons geen pretje, hè? Een vette hoer, dat is ze. Ik kijk naar iemand als Martha en denk: dat is het tragische, nietwaar, dat ze moet opgroeien en een dikke hoer moet worden, net als haar moeder. Wat vindt mama daarvan? Vindt ze het niet zonde dat haar dochter groot moet worden? Ze is waarschijnlijk bang voor wat er gebeurt als ze het huis uit gaat. Ik bedoel, als Martha weg is, met wie moet papa dan spelen? Dan moet hij zich weer behelpen met de grote tieten van mama.

Caffery had tot dan toe niet beseft dat hij zijn adem had ingehouden. Hij liet alle lucht in één keer ontsnappen. Hij scrolde naar het begin van de brief en las hem nog eens. Toen schoof hij de telefoon in zijn zak, bijna alsof hij op heterdaad betrapt kon worden op het lezen van een vies blaadje of zo, en keek om zich heen. Het adertje in zijn slaap klopte pijnlijk. Aan de andere kant van het terrein had hoofdagent Marley het busje gestart om het achteruit het pad op te rijden. Hij drukte een vinger tegen het adertje en hield het tien tellen vast. Toen liep hij naar zijn auto.

15

Het huis van de Bradleys was gemakkelijk te vinden als je de wijk in reed; aan de overkant stond de persmeute en de voortuin was bezaaid met bloemen en geschenken, daar achtergelaten door meelevende mensen. Caffery had een eigen ingang. Hij parkeerde aan de noordkant van de wijk en waadde door velden vol ritselende bladeren naar de achterkant van het huis. In het tuinhek bevond zich een deur die de pers nog niet had ontdekt. De politie had met de Bradleys afgesproken dat iemand van hen twee of drie keer per dag zijn gezicht bij de voordeur zou laten zien, net genoeg om de meute tevreden te houden. De rest van de tijd gingen ze via de achterdeur en de tuin. Om halfvier 's middags was het al bijna donker en Caffery glipte ongezien de tuin in.

Bij de achterdeur stond een mandje met een doek erover, als iets uit een boek van Delia Smith. Toen de familierechercheur de deur opendeed, wees Caffery ernaar. Ze pakte het op en wenkte hem binnen te komen. 'De buurvrouw,' fluisterde ze, terwijl ze de deur achter hem dichtdeed. 'Ze vindt dat ze moeten eten. We moeten steeds dingen weggooien – niemand in dit gezin eet iets. Kom mee.'

De keuken was warm en schoon, ondanks het afgeleefde interieur. Caffery wist dat de Bradleys zich er op hun gemak voelden –

ze zagen eruit alsof ze het grootste deel van de laatste drie dagen hier hadden doorgebracht. Er was een oude draagbare tv gehaald en op een tafel in de hoek gezet. Hij was afgestemd op de vierentwintiguursnieuwszender. Iets over de economie en de Chinese regering. Jonathan Bradley stond met zijn rug naar de tv aan het aanrecht, waar hij met veel zorg een bord afwaste, zijn hoofd vermoeid gebogen. Hij droeg een spijkerbroek en, zag Caffery, twee verschillende pantoffels. Rose zat in een roze ochtendjas aan de tafel tv te kijken. Voor haar stond een onaangeroerde kop thee. Ze zag er nog steeds uit alsof ze kalmerende middelen gebruikte en had glazige en afwezige ogen. Ze was flink gebouwd, dacht Caffery, maar niet duidelijk te dik en als ze een jas droeg, zou je dat niet zien. De ontvoerder zei maar wat of anders was het gewoon zijn manier om haar te beledigen. Of hij had haar voor de ontvoering zonder jas gezien.

'Inspecteur Caffery,' kondigde de familierechercheur hem aan terwijl ze het mandje op de tafel zette. 'Ik hoop dat jullie het niet erg vinden.'

Alleen Jonathan gaf antwoord. Hij hield op met afwassen en knikte, pakte een theedoek en veegde zijn handen af. 'Natuurlijk niet.' Hij glimlachte strak en stak zijn hand uit. 'Hallo, meneer Caffery.'

'Meneer Bradley. Jonathan.'

Ze schudden elkaar de hand en Jonathan trok een stoel bij de tafel. 'Hier. Ga zitten. Ik zal nog wat thee zetten.'

Caffery ging zitten. Het was koud geweest bij de houthandel en zijn handen en voeten voelden hard en zwaar aan. Het vinden van de sporen zou een opstekertje moeten zijn. Maar eigenlijk waren ze er helemaal niet mee vooruitgekomen. De teams waren nog steeds bij elk huis en elke boerderij aan het aankloppen. Caffery bleef maar wachten tot het nummer van de zoekadviseur zou verschijnen op het schermpje van zijn telefoon. Hij wilde dat het gebeurde, maar god, alsjeblieft niet nu, dacht hij, niet hier in het bijzijn van de familie.

'Je hebt je thee niet opgedronken, schat.' Jonathan legde zijn handen op de schouders van zijn vrouw en boog zich over haar heen.

'Ik zal een vers kopje voor je maken.' Hij nam het kopje en het mandje mee naar het aanrecht. 'Kijk, mevrouw Fosse heeft weer iets te eten voor ons gemaakt.' Zijn stem was onnatuurlijk hoog, alsof dit een bejaardenhuis was en Rose zich in het laatste stadium van dementie bevond. 'Aardig van haar. Zulke buren moet je hebben.' Hij trok de linnen doek van het mandje en keek naar de dingen die de vrouw erin had gedaan. Wat boterhammen, een taart en wat fruit. Een kaart en een fles rode wijn met 'organisch' op het etiket. Caffery hield de fles in het oog. Hij dacht niet dat hij zou weigeren als ze hem een glas aanboden. Maar de taart ging in de magnetron en de fles bleef ongeopend op het aanrecht staan terwijl Jonathan heet water in een theepot goot.

'Het spijt me dat ik jullie moet storen,' zei Caffery toen de kopjes thee en stukken warme appeltaart voor hen stonden. Jonathan leek vastbesloten om de illusie te handhaven dat alles normaal was en had de tafel gedekt en het eten geserveerd.

'Dat geeft niet.' De stem van Rose klonk monotoon. Ze keek niet naar hem of het eten, maar hield haar blik op de tv gericht. 'Ik weet dat jullie haar niet hebben gevonden. Dat heeft zij ons verteld.' Ze gebaarde naar de familierechercheur, die aan de andere kant van de tafel was gaan zitten en een groot notitieblok opensloeg om aantekeningen te maken van het gesprek. 'Ze heeft ons verteld dat er niets gebeurd is. Dat klopt toch? Dat er niets gebeurd is?'

'Ja.'

'Ze hebben ons verteld van de auto. Ze zeiden dat er wat kleren in lagen. Van Martha. Als jullie ermee klaar zijn, willen we die graag terug hebben, alsjeblieft.'

'Rose,' zei de familierechercheur, 'daar hebben we het over gehad.'

'Ik wil de kleren graag terug.' Rose wendde haar blik af van de tv en keek naar Caffery. Haar ogen waren dik en rood. 'Meer vraag ik niet. Alleen om de eigendommen van mijn dochter terug te krijgen.'

'Het spijt me,' zei Caffery. 'Dat kunnen we niet doen. Nog niet. Het is bewijs.'

'Waar hebben jullie ze voor nodig? Waarom moeten jullie ze houden?'

Het ondergoed lag op het hoofdbureau in het lab. Ze waren wanhopig bezig er allerlei tests op uit te voeren. Tot dusver geen spoor van sperma van de ontvoerder. Net zoals in de auto. Dat maakte Caffery pas echt zenuwachtig, de zelfbeheersing van die vent. 'Het spijt me, Rose. Echt. Ik weet dat het moeilijk is. Maar ik moet nog wat vragen stellen.'

'Je hoeft je niet te verontschuldigen.' Jonathan zette een kan room op tafel en deelde dessertlepels uit. 'Het helpt om erover te praten. Het is beter om erover te kunnen praten dan om te zwijgen. Nietwaar, Rose?'

Rose knikte dof. Haar mond viel een beetje open.

'Heeft ze alle kranten gezien?' vroeg Caffery aan de familierechercheur. 'Heb je haar de krant laten zien met Martha op de voorpagina?'

De rechercheur stond op, pakte een krant van een buffet en legde die voor hen op tafel. Het was *The Sun*. Iemand in een winkel voor dameskleding waar de Bradleys die zaterdagmorgen waren geweest, had de krant beelden verkocht van Rose en Martha die een halfuur voor de ontvoering vlak bij de etalage in de rekken keken. De krant had een foto opgenomen met een tijdsaanduiding en de kop:

De laatste foto? Een halfuur voordat ze door een monster wordt ontvoerd, is de elfjarige Martha opgewekt aan het winkelen met haar moeder.

Rose zei: 'Waarom schrijven ze dat? Waarom hebben ze het over de laatste foto? Dat klinkt alsof...' Ze streek het haar van haar voorhoofd. 'Het klinkt alsof... je weet wel. Alsof het allemaal voorbij is.'

Caffery schudde zijn hoofd. 'Het is niet voorbij.'

'O, nee?'

'Nee. We doen absoluut alles wat we kunnen om haar veilig thuis te brengen.'

'Dat heb ik eerder gehoord. Dat heb je eerder gezegd. Je zei dat ze thuis zou zijn voor haar verjaardagsfeestje.'

'Rose,' zei Jonathan mild, 'meneer Caffery probeert alleen maar te helpen. Hier.' Hij schonk wat room op haar bord en toen op dat van hemzelf. Hij drukte een lepel in haar hand, pakte zijn eigen lepel, schepte een flink stuk appeltaart op en stopte het in zijn mond. Hij kauwde zorgvuldig en bleef haar intussen aankijken. Hij knikte veelbetekenend naar haar bord om haar zover te krijgen dat ze zijn voorbeeld volgde.

'Ze heeft nog helemaal niets gegeten,' fluisterde de rechercheur.

'Helemaal niets sinds het gebeurd is.'

'Dat is weer iets voor jou, pa,' zei Philippa vanaf de bank. 'Om te denken dat eten alles goedmaakt.'

'Ze moet op krachten blijven. Echt.'

Caffery pakte de kan met room en schonk er iets van over zijn taart. Hij nam een hap en glimlachte bemoedigend naar Rose. Ze staarde zonder iets te zien naar de krant op de tafel. 'Waarom moesten ze dat nou schrijven?' herhaalde ze.

'Ze schrijven wat verkoopt,' zei Caffery. 'We kunnen op dit moment niet veel doen. Maar we hebben wel de rest van de beelden uit de winkel gekregen, en daar hebben we naar gekeken.'

'Waarom? Waarom moest dat?'

Hij schepte een stuk taart op zijn lepel – heel zorgvuldig, hij nam er de tijd voor. 'Rose, hoor eens. Ik weet dat we dit allemaal al eens hebben doorgenomen. Ik weet dat het pijnlijk is, maar ik wil toch nog even over die ochtend praten. In het bijzonder over de winkels waar jij en Martha geweest zijn.'

'De winkels waar we geweest zijn? Waarom?'

'Je zei dat je de boodschappen voor het laatst had bewaard.'

'Ja.'

'Ik geloof dat je zei dat je een trui zocht. Was dat voor jou of voor Martha?'

'Voor mij. Martha wilde een maillot. We zijn eerst naar de Roundabout gegaan om die kopen. Ze wilde een maillot met hartjes...' Rose zweeg. Ze drukte haar vingers tegen haar hals en vocht om haar zelfbeheersing te bewaren. 'Met hartjes,' ging ze met een klein stemmetje door. 'Rode. En toen we die hadden, zijn we naar Coco gegaan. Daar zag ik een trui die ik mooi vond.'

'Heb je hem gepast?'

'Heeft ze hem gepast?' vroeg Jonathan. 'Maakt het uit of ze een trui heeft gepast? Sorry dat ik onbeleefd klink, maar wat heeft dat ermee te maken?'

'Ik wil alleen wat meer weten over die ochtend. Heb je je jas uitgetrokken en de trui gepast?'

'U probeert niet "wat meer te weten over die ochtend".' Philippa keek hem vanaf de bank boos aan. 'Dat is helemaal niet wat u aan het doen bent. Ik weet waarom u het vraagt. Het is omdat u denkt dat hij ze in de gaten hield. U denkt dat hij ze gevolgd heeft voordat ze ook maar in de buurt van de parkeergarage kwamen, of niet soms?'

Caffery nam nog een hap taart en kauwde terwijl hij Philippa recht aan bleef kijken.

'Waar of niet? Ik zie het aan uw gezicht. U denkt dat hij ze gevolgd is.'

'Het is maar een onderzoekslijn. Mijn ervaring is dat toeval zelden toeval is.'

'Betekent dat dat je meer bewijs hebt gekregen?' vroeg Jonathan. 'Betekent dat dat hij weer met jullie in contact is getreden?'

Er zat iets kleins en hards in de mondvol taart. Caffery gaf geen antwoord terwijl hij het naar voren bracht in zijn mond en het met zijn tong op een papieren servetje duwde. Een stuk tand, met taart eraan. Een gebroken tand midden in een zaak als deze, terwijl hij echt geen tijd had voor een bezoekje aan de tandarts.

'Meneer Caffery? Is er weer een brief gekomen?'

'Ik meende wat ik zei. Ik probeer iets meer van...'

Zijn stem stierf weg en hij keek fronsend naar het servet. Het was helemaal geen stuk tand. Het was een hele tand. Maar niet van hem. Hij ging met zijn tong door zijn mond. Geen gaten. En hij was trouwens te klein. Veel te klein voor een volwassene.

'Wat is dat?' Jonathan staarde naar het servet in Caffery's hand. 'Wat heb je daar?'

'Ik weet het niet.' Caffery veegde verbaasd de tand schoon met het servet en bekeek hem nauwkeurig. Een piepkleine melktand.

'Die is van Martha.' Rose zat stijf rechtop. Haar gezicht was doodsbleek en haar handen grepen de tafel. 'Het is die van haar.' Haar lippen waren bleek. 'Kijk, Jonathan, het is haar babytand. Die ze altijd bewaarde in haar medaillon.'

Philippa schoot overeind, liep naar de tafel en boog zich over de hand van Caffery. 'Mam? O god, mam, het is waar. Het is haar tand.'

'Ik weet het zeker.'

Heel langzaam legde Caffery de tand op de tafel, een centimeter of dertig van zijn bord.

'Hoe komt die in je mond?' De stem van de familierechercheur was zacht en beheerst.

Caffery keek neer op zijn bord met appeltaart en room, de rechercheur naar dat van haar. Ze keken naar elkaar en toen naar Jonathan, die met een asgrauw gezicht naar zijn eigen portie tuurde.

'Waar komt die taart vandaan?'

Jonathans pupillen waren zo klein als speldenknoppen. 'Van de buurvrouw,' zei hij zwakjes. 'Mevrouw Fosse.'

'Ze brengt al eten sinds het allemaal begon.' De rechercheur legde kletterend haar lepel neer. 'Ze probeert te helpen.'

Caffery duwde zijn bord weg en tastte automatisch naar de telefoon in zijn zak, zonder zijn blik van de tand af te wenden. 'Waar woont ze? Op welk nummer?'

Jonathan gaf geen antwoord. Hij boog voorover, spuwde een mondvol taart op zijn bordje en keek toen met rode, waterige ogen verontschuldigend naar zijn vrouw. Hij duwde zijn stoel achteruit alsof hij wilde opstaan. In plaats daarvan boog hij zich weer over het bord. Toen hij dit keer zijn mond opendeed, kwam er braaksel uit, dat op het bord spetterde. Witte spoortjes speeksel en room bevlekten de tafel.

Iedereen staarde naar hem terwijl hij zijn mond afveegde met een theedoek en de troep probeerde op te deppen. Niemand zei iets. Er viel een lange, kille stilte in de keuken, alsof niemand iets durfde te zeggen. Zelfs Caffery zat stil naar de tand te kijken, en naar Jonathan, die terneergeslagen de tafel schoonmaakte. Net toen Caffery wilde opstaan om iets constructiefs te doen, een doek te pakken om te helpen, kwam Rose Bradley tot leven. 'Smeerkees!' Ze duwde haar stoel met een luid gekras naar achteren, sprong overeind en wees naar haar man. 'Wat ben je toch een varken, Jonathan. Je denkt dat het allemaal weggaat als we gewoon doen of alles normaal is.' Ze stak haar hand uit en gooide in één beweging het bord van de tafel tegen het gasstel, waar het in stukken brak. 'Jij denkt dat taart en thee en bergen cake haar terug zullen brengen. Dat denk je. Dat denk je echt.'

Ze griste de tand van de tafel, negeerde de rechercheur, die half overeind was gekomen en haar hand opstak om de gemoederen tot bedaren te brengen, liep de kamer uit en sloeg de deur dicht. Even later wierp Philippa haar vader een vuile blik toe, volgde haar moeder en sloeg eveneens de deur dicht. Hun voetstappen weerklonken op de trap en er sloeg nog een deur. Er volgde een bons en toen het geluid van gedempt snikken.

In de keuken zei niemand iets. Iedereen zat zwijgend naar zijn voeten te staren.

16

Zestien kilometer naar het zuiden, in een straat aan de rand van het stadje Mere, parkeerde de zesendertigjarige Janice Costello haar Audi en zette de motor uit. Ze draaide zich om naar haar vierjarige dochter, die op de achterbank in haar autostoeltje zat, klaar om naar bed te gaan in een pyjama en pantoffeltjes van Hello Kitty. Ze had een dekbed om zich heen en een kruik tegen zich aan.

'Emily, schatje? Alles goed, popje?'

Emily gaapte en keek slaperig uit het raam. 'Waar zijn we, mama?'

'Waar zijn we? We...' Janice beet op haar lip en boog iets voorover om uit het raam te kijken. 'We zijn vlak bij de winkels, liefje. En mama blijft maar twee minuutjes weg. Twee minuutjes, oké?'

'Ik heb Jasper.' Ze bewoog haar speelgoedkonijn. 'We zijn aan het knuffelen.'

'Brave meid.' Janice stak haar hand uit en kietelde Emily onder haar kin, zodat ze die naar beneden bracht en vrolijk spartelde.

'Niet doen! Ophouden!'

Janice glimlachte. 'Je bent lief. Hou Jasper maar warm, dan ben ik zo terug.'

Ze maakte haar gordel los, stapte uit de auto en deed hem op slot. Met nog een laatste blik op Emily kwam ze overeind, bleef even onder de straatlantaarn staan en keek bezorgd de weg af. Ze had tegen Emily gelogen. Er waren hier geen winkels. Maar net om de hoek was wel een kliniek van de nationale gezondheidsdienst. Daar vond een sessie van een praatgroep plaats. Drie mannen en drie vrouwen: ze kwamen elke maandag bij elkaar en ze konden – ze keek op haar horloge – elk moment naar buiten komen. Ze liep naar de hoek, ging met haar rug tegen de muur staan en strekte haar hals, zodat ze het gebouw kon zien. Het licht was aan in de portiek, en in twee van de voorramen waren de jaloezieën dichtgetrokken – misschien zat daar de praatgroep.

Janice Costello was er bijna zeker van dat haar man een verhouding had. Cory ging al drie jaar naar deze praatgroep en ze was ervan overtuigd dat zich een 'vriendschap' had ontwikkeld tussen hem en een van de vrouwen. Aanvankelijk was het niet meer geweest dan een knagende argwaan, het gevoel dat er iets niet helemaal klopte – hij was wat afstandelijk, ging niet meer tegelijk met haar naar bed en bleef soms lang weg met de auto en beweerde dan gewoon een eindje gereden te hebben om na te denken. Er waren onverwachte ruzies over onbelangrijke dingen: de manier waarop ze de telefoon beantwoordde of de groenten op het bord legde bij het avondeten, zelfs over de mosterd die ze koos. Mosterd. Waar sloeg dat op? Slaande ruzie over het feit dat hij mosterd met zaden wilde, omdat Engelse mosterd zo burgerlijk was. 'In godsnaam, Janice, snap je dat dan niet?'

Maar ze kreeg pas echt argwaan toen hij het steeds vaker over 'Clare' had. Clare zegt dit, Clare zegt dat. Toen Janice hem ernaar vroeg, keek hij alsof hij niet wist over wie ze het had.

'Clare,' herhaalde ze. 'Je hebt haar naam net wel twintig keer genoemd. Clare?'

'O, *Clare*. Van de praatgroep, bedoel je. Wat is er met haar?'

Janice drong niet langer aan, maar toen ze later die avond stiekem zijn telefoon uit zijn zak haalde nadat hij voor de tv in slaap was gevallen, zag ze daar twee oproepen op van 'Clare P'. En nu was het zover dat ze het wilde weten. Het zou niet moeilijk moeten zijn. Ze hoefde hem alleen maar met de vrouw te zien. Dan zag ze het meteen aan zijn gedrag.

De lichten achter het raam gingen uit en er ging een andere lamp aan in de hal. Het einde van de zitting. Haar hart begon te bonzen. Er kon elke seconde iemand naar buiten komen. De telefoon in haar zak ging over. Verdorie, ze was vergeten hem uit te zetten. Ze haalde hem eruit en wilde hem al uitschakelen, maar toen ze zag wie er belde, kwam haar vinger van de rode knop en bleef ze naar het toestel staren, niet wetend wat ze moest doen.

Cory. Cory belde haar. Hij bevond zich maar tien meter verderop, in dat gebouw, en zodra de deur openging, zou hij haar telefoon horen rinkelen in de koude lucht. Haar vinger ging terug naar de rode knop, aarzelde en drukte toen toch op de groene.

'Hallo.' Haar stem klonk opgewekt. Ze trok zich terug om de hoek en bleef met haar gezicht naar de muur en een vinger in haar oor staan. 'Hoe ging het?'

'Ach, je weet wel.' Cory klonk moe, humeurig. 'Zoals altijd. Waar ben je?'

'Waar ben ik? Ik... ik ben thuis, uiteraard. Hoezo?'

'Thuis? Ik belde je net via de vaste telefoon. Hoorde je die niet?'

'Nee. Ik bedoel, ik was in de keuken. Druk met het eten.'

Er viel een stilte. 'Zal ik je nu op die lijn bellen? Dat is goedkoper.'

'Nee! Nee, dat is... doe maar niet, Cory. Je maakt Emily nog wakker.'

'Slaapt ze al? Het is nog geen zes uur.'

'Ja, maar weet je, morgen moet ze naar school...' Ze brak haar zin af. Emily zat in de eerste klas en was oud genoeg om Cory te vertellen dat ze die avond niet thuis waren geweest. Ze raakte steeds verder in haar leugens verstrikt. De problemen stapelden zich op. Ze slikte. 'Kom je naar huis?'

Er volgde een lange stilte. Toen zei hij: 'Janice? Weet je zeker dat je thuis bent? Je klinkt alsof je ergens buiten staat.'

'Natuurlijk ben ik thuis. Waar anders?' Haar hart bonsde. Ze voelde hoe de adrenaline haar vingers liet tintelen. 'Ik moet ophangen, Cory. Ze huilt. Ik moet gaan.'

Ze drukte haar vinger op de rode knop en liet zich hijgend weer tegen de muur vallen. Ze trilde. Er was te veel om over na te denken. Veel te veel. Ze zou een verhaal moeten verzinnen dat zij en Emily hadden gemerkt dat ze iets niet in huis hadden – melk of koffie of zoiets – en dat ze naar de winkel hadden moeten gaan. En ze zou iets moeten kopen om het te bewijzen. Of ze zou moeten zeggen dat Emily niet wilde ophouden met huilen, zodat ze haar in de auto had gezet en een tijdje met haar had rondgereden, in de hoop dat ze dan in slaap zou vallen, net als toen ze nog een baby met darmkrampjes was geweest. Ze moest meteen naar huis en alles regelen, zodat het klopte met de leugen die ze ging vertellen. Maar ze was helemaal hierheen gekomen en ze kon nu gewoon niet weggaan. Ze moest Clare zien.

Ze raapte al haar moed bij elkaar en stak haar hoofd weer om de hoek, maar trok hem meteen weer terug. De voordeur was opengegaan. Die verdomde deur stond open en er waren mensen, licht dat op de stoep viel, stemmen. Ze trok de capuchon van haar gewatteerde jack over haar hoofd, laag over haar ogen, en keek voorzichtig nog een keer. Er kwam een vrouw naar buiten, een oudere vrouw met een streng wit kapsel en een lange geruite jas, gevolgd door een andere in een bruine jas met een ceintuur. Janice geloofde niet dat een van hen Clare was. Ze waren te oud. Zagen er te mannelijk uit.

Maar toen ging de deur wijder open en kwam Cory naar buiten, die net zijn jas dicht ritste. Hij liep half opzij gedraaid naar het gebouw om iets te zeggen tegen een lange magere vrouw met heel blond, steil haar. Ze droeg een lange leren jas en laarzen met hoge hakken. Ze had een scherpe, licht gebogen neus en lachte om wat hij zei. Op de trap van de kliniek bleef ze staan en wikkelde een sjaal om haar hals. Cory bleef op de stoep staan en keek naar haar op. Er kwamen nog een of twee mensen naar buiten, die voor hen moesten uitwijken. De vrouw zei iets en Cory haalde zijn schouders op. Hij wreef over zijn neus. Toen keek hij bedachtzaam de straat door.

'Is er iets?' De vrouwenstem klonk zo helder als een klok. 'Wat is er aan de hand?'

Cory schudde zijn hoofd. 'Niets.' Hij keek de straat nog eens in beide richtingen af, alsof hij voor zichzelf iets overwoog. Toen ging hij weer twee treden omhoog, legde zijn hand tegen de elleboog van de vrouw, boog naar haar toe en fluisterde iets tegen haar.

Ze fronste en keek hem aan. Hij zei nog iets en ze stak haar hand uit, met de vier vingers uit elkaar. Toen maakte ze er een opgewekte zwaai mee. 'Wat je wilt,' zei ze met een glimlach. 'Wat je wilt, Cory. Ik zie je volgende week.'

Cory liep weg, maar keek nog steeds behoedzaam over zijn schouder. Hij duwde zijn hand in zijn zak, haalde zijn autosleutels voor de dag en liep doelbewust weg van de kliniek. Janice werd bevangen door paniek. Tastend naar haar sleutels draafde ze zo snel ze kon terug naar de Audi.

Toen ze dichterbij kwam, zag ze dat er iets mis was met de auto. Haar hart bonsde traag en hard. De Audi stond ongeveer twintig meter verderop, onder een straatlantaarn. En Emily zat er niet in. 'Emily?' fluisterde ze. '*Emily?*'

Ze zette het op een rennen, zich niet bekommerend om wie haar nu zag. Haar sjaal kwam los en vloog af. Ze liet bijna haar sleutels vallen. Ze kwam bij de auto, sloeg met haar handen tegen de ruit en legde haar gezicht tegen het glas.

Emily zat weggedoken tussen de voor- en de achterbank en schrok van het ontzette gezicht van haar moeder. Ze had haar gordel losgemaakt, was naar beneden gekropen en zat met Jasper te spelen. Ze hield hem op armslengte met zijn gezicht naar haar toe, alsof ze een gesprek voerden.

Janice liet zich tegen de auto vallen, met haar hand op haar hart.

'Mama!' riep Emily naar de ruit. Ze sprong op en neer op de achterbank. 'Mama, raad eens?'

Janice haalde diep adem, liep naar de voorkant van de auto, stapte in en draaide zich om naar haar kleine meisje. 'Wat? Wat moet ik raden, liefje?'

'Jasper heeft bah gedaan. In zijn broek. Heb je in de winkel luiers voor hem gehaald?'

'De winkel is dicht, liefje.' Ze dwong zichzelf tot een glimlach. 'Ik heb geen luiers. Geen winkel, geen luiers – het spijt me. Maak je gordel vast, schat. We gaan naar huis.'

17

Caffery was blij dat hij dat glas wijn niet aangeboden had gekregen. Als hij ook maar een druppel drank had genomen, had hij de hele logistieke nachtmerrie verprutst die volgde nadat de tand in zijn mond was opgedoken.

De buurvrouw, mevrouw Fosse, een nieuwsgierig, vogelachtig vrouwtje met pantoffels en twee gebreide truien over elkaar aan, had niets te verbergen. Daar was hij zeker van nadat hij twintig minuten met haar had gesproken. Ze had de taart gebakken en hem samen met de andere spulletjes om één uur bij de achterdeur gezet. Ze had niet willen kloppen, want ze had zich niet op haar gemak gevoeld en had niet geweten wat ze moest zeggen. Ze hoopte dat de kleine geschenkjes een even goede blijk van haar medeleven zouden zijn. Wat betekende dat de ontvoerder tijdens die twee uur de tuin in was gekomen en de tand in de taart had geduwd. Hij moest hem door een van de twee gaten hebben gestoken die mevrouw Fosse met een mes in het deeg had gemaakt om tijdens het bakken de stoom te laten ontsnappen.

De Wandelaar had gelijk, dacht Caffery; deze man was slimmer dan alle misdadigers met wie hij eerder te maken had gehad. Hij besloot de Bradleys zo snel mogelijk uit de pastorie te halen.

'Ik haat u. Ik haat u echt.' In de bijkeuken keek Philippa Caffery woedend aan. Ze zag lijkbleek en haar handen waren gebald tot strakke vuisten. De zijdeur was open en in de deuropening stond een agent van de hondenbrigade te wachten met allebei de gezinshonden aan de riem. Hij deed zijn best niet bij deze ruzie betrokken te raken. 'Het is gewoon niet te geloven dat u dit doet.'

Caffery zuchtte. Het had hem meer dan twee uur en tien telefoontjes gekost, eerst om toestemming te krijgen voor de verhuizing en toen om een plek te vinden waar het gezin heen kon. Uiteindelijk betekende het dat een team rechercheurs op uitwisselingsbezoek uit Nederland uit de suites voor bezoekende politiemensen in het trainingsblok van het hoofdkwartier werd gezet. Het gezin stond inmiddels klaar met hun tassen en hun jas aan. 'Philippa,' zei hij, 'ik beloof het je – het komt goed met de honden.'

'Ze kunnen niet naar iemand toe die ze niet kennen.' Ze had tranen in haar ogen. 'Niet op een moment als dit.'

'Luister,' zei hij behoedzaam. Hij wist dat hij heel voorzichtig moest zijn – het laatste dat hij kon gebruiken, was dat een hysterische tiener zijn scenario in de war schopte. Hij had de twee patrouillewagens laten komen die net buiten de wijk en buiten het zicht van de pers stonden te wachten. Ze konden elk moment gaan rijden en als dat gebeurde, wilde hij het hele gezin erin en weg zien te krijgen voordat de verslaggevers de tijd hadden zich af te vragen wat er in godsnaam aan de hand was. De politiewoordvoerder was bij een partijtje darts in Brislington weggehaald en was haastig aan het onderhandelen met een aantal van de grootste kranten. De ontvoerder had het adres van de Bradleys kunnen achterhalen door de persfoto's waarop ze het huis in en uit gingen. Het was een symbiotische relatie en als de media nog medewerking van de politie wilden, zouden ze verder niets over de Bradleys mogen publiceren.

'Je kunt de honden niet meenemen, Philippa. We kunnen geen honden toelaten in het politieappartement. Ze worden verzorgd door de mensen van de hondenbrigade. En je moet begrijpen hoe ernstig dit is. De man die je zusje dit heeft aangedaan, is...'

'Wat is hij?'

Hij wreef met een vinger over zijn voorhoofd. Wat wilde hij nou zeggen? Slimmer dan alle anderen met wie ik ooit te maken heb gehad? Slimmer en twee keer, nee, drie keer zo abnormaal?

'Je kunt één hond meenemen. Eén. De andere moet met de hondenbegeleider mee. Oké? Maar je moet dit serieus nemen, Philippa. Beloof je me dat je dat zult doen? Voor je ouders. Voor Martha.'

Ze keek hem gemelijk aan. Het zwart geverfde haar viel voor haar gezicht. Haar onderlip bewoog bijna onmerkbaar, en even dacht hij dat ze zou gaan gillen. Of door de bijkeuken zou gaan rennen en tegen dingen aan zou schoppen. Maar dat deed ze niet. Ze mompelde bijna onhoorbaar: 'Oké dan.'

'Welke wordt het?'

Ze keek naar de honden. Ze keken terug. De spaniël sloeg aarzelend met zijn staart op de vloer, zich afvragend of deze discussie een uitgebreide inleiding was op een wandeling. Toen hij ze zo samen zag, merkte Caffery op hoe oud en zwak de collie was in vergelijking met de spaniël.

'Sophie.'

De spaniël hoorde haar naam en ging gretig rechtop zitten. Haar staart schoot als een metronoom van de ene kant naar de andere.

'De spaniël?'

'Zij is de beste waakhond,' zei Philippa verdedigend, terwijl ze de riem van de hondenbegeleider overnam. 'Zij zal het best op ons kunnen passen.'

De collie keek toe terwijl Sophie naast Philippa ging staan.

'Wat ga je met de andere doen?' vroeg Caffery aan de hondenbegeleider.

'Ik ga denk ik maar eens rondvragen in het korps.' Hij keek neer op de collie, die zijn hoofd achteroverhield en naar hem opkeek, alsof hij al wist dat deze man nu de leiding had. 'Er is altijd wel een idioot bij de een of andere eenheid die weekhartig genoeg is om een dag of twee een hond in huis te nemen. Tot dit allemaal is overgewaaid.'

Caffery zuchtte. 'Jezus.' Hij voelde in zijn zak naar zijn autosleutels. 'Hier.' Hij gooide de sleutels naar de hondenbegeleider. 'Zet hem maar in mijn auto.' De collie keek hem aan en hield zijn hoofd schuin. Hij zuchtte. 'Ja, oké. Maak er maar niet zo'n heisa van.'

Hij nam Philippa en Sophie mee naar de gang, waar haar ouders en de familierechercheur stonden te wachten tussen de haastig gepakte koffers. Hij ging naast het raam staan en keek door een kier tussen de gordijnen naar buiten. Hij had tegen de chauffeurs gezegd niet hun sirene en zwaailicht te gebruiken. Het had geen zin de verslaggevers te vroeg opmerkzaam te maken. 'Nou, jullie weten hoe het gaat. Onze woordvoerder wil niet dat jullie je gezicht bedekken als jullie naar buiten gaan. Er zullen flitslampen afgaan – let er gewoon niet op. Laat je niet uitlokken. Doe gewoon zo snel en rustig mogelijk wat je moet doen. Hou je maar voor dat het een brandoefening is. Geen paniek, maar laat alles snel verlopen, oké?'

De familie knikte. Caffery keek door het raam naar de stille wijk. Nog steeds geen auto's. Hij wilde net zijn telefoon uit zijn zak halen toen de deur naar de keuken openging voor een van de technisch rechercheurs die waren gekomen om de achtertuin, de mand en de taartvorm te onderzoeken.

'Wat?' Caffery draaide zich om van het raam. 'Wat is er?'

De man, die amper twintig leek en nog puistjes op zijn kin had, keek slecht op zijn gemak naar Rose Bradley. 'Mevrouw Bradley?'

Rose ging met haar rug tegen de muur staan, met haar handen strak onder haar oksels.

'Wat is er?' herhaalde Caffery.

'Het spijt me, meneer. Het gaat om de tand die u getest wilde hebben.'

'Jullie hebben hem niet nodig.' De tranen sprongen in Rose' pijnlijke ogen.

'We hebben hem wel nodig, Rose,' zei de familierechercheur

zachtjes. 'Echt. We hebben hem nodig.'

'Nee. Jullie kunnen me op mijn woord geloven. Het is die van haar. De eerste tand die ze kwijtraakte. Die heeft ze nooit weg willen doen. We moesten hem voor haar in een medaillon stoppen. Ik verzeker jullie, ik zou hem overal herkennen.'

Buiten reden de auto's de oprit op. Caffery zuchtte. Wat een timing.

'Rose, geef de tand alsjeblieft aan die man.' Hij keek door het raam. Ze konden niet meer op tijd worden tegengehouden. Ze zouden de hele oefening opnieuw moeten doen. 'We kunnen Martha niet helpen als je die tand niet geeft.'

'Nee! Ik doe het niet. Jullie hebben mijn woord, het is haar tand.' De tranen sprongen in haar ogen. Ze bracht haar hoofd naar beneden en ze probeerde ze af te vegen aan de schouders van haar blouse. 'Het is haar tand. Ik verzeker het jullie.'

'Dat weten we niet. Hij zou van iedereen kunnen zijn. Het zou een grap kunnen zijn – het kan van alles zijn.'

'Als jullie denken dat het een grap is, waarom moeten we dan weg? Je gelooft me. Waarom moet ik hem dan nog geven?'

'Jezus christus,' siste hij ongeduldig. De hele situatie werd snel onhoudbaar. 'Eerst moet ik je dochter vertellen zich niet te gedragen als een klein kind en nu doe ik hetzelfde bij de moeder.'

'Dat had niet gehoeven,' zei de familierechercheur.

'Jezus.' Caffery haalde zijn handen door zijn haar. De auto's waren voor het huis gestopt. De motoren draaiden nog. 'Alsjeblieft, Rose. Geef die aardige man die tand nou maar gewoon.'

'Mam.' Philippa kwam achter haar moeder staan, legde haar handen op haar schouders en keek Caffery recht aan. Er lag geen respect in haar blik, alleen de boodschap dat zij en haar moeder hierin samen stonden en dat niemand, niemand, kon begrijpen wat dit allemaal betekende. 'Mam, doe wat hij zegt. Ik geloof niet dat hij het op gaat geven.'

Rose zweeg. Toen drukte ze haar gezicht tegen de hals van haar oudste dochter. Haar lichaam schudde van de geluidloze snikken. Na een paar tellen kwam haar rechterhand onder haar oksel vandaan en opende zich langzaam. In de palm van haar hand lag de tand. Met een snelle blik op Caffery deed de technisch rechercheur een stap naar voren en nam hem voorzichtig van haar over.

'Mooi,' zei Caffery, die een straaltje zweet van net onder zijn haarlijn langzaam in zijn kraag voelde sijpelen. Hij had niet beseft hoe gespannen hij was. 'Kunnen we nu allemaal gaan?'

18

Om zes uur die avond kwam de inspecteur het kantoor in. Hij zette een hand op Flea's bureau en boog voorover, zodat hij haar recht in het gezicht keek.

Ze dook weg. 'Wat? Wat is er?'

'Niets. Alleen vindt de hoofdinspecteur je blijkbaar enorm aardig. Ik heb net Interne Zaken aan de telefoon gehad.'

'O, ja?'

'Ja. Die herbeoordeling van jullie bonus? Die is van de baan.'

'Bedoel je dat ze hun bonus toch krijgen?'

'Gelukkig kerstfeest. Kassa.'

Toen hij weg was, bleef ze even in haar stille kantoor zitten, omringd door de dingen waarmee ze in de loop der jaren vertrouwd was geraakt. De foto's van het team aan het werk aan de muren, de budgetvoorspellingen op het whiteboard. De stomme ansichtkaarten op de deuren van de kluisjes. Op een ervan stond een man met een snorkel en zwemvliezen en de tekst: *Duikspullen aangeschaft, maar waar waren nu die befaamde Flamoesgaten waar zijn vrienden zo graag in doken?* En een politieposter aan de muur over een antidrugsoperatie: *Atrium: sinds 2001 hebben we één persoon per dag gearresteerd. Help ons er twee van te maken.* Iemand van het team had met een markeerstift *per dag* doorgestreept. Flea kreeg de wind van voren van de hoofdinspecteurs als ze hier iets van zagen, maar ze stond toe dat de jongens het allemaal lieten hangen. Ze had plezier in hun gevoel voor humor. Net als de nonchalante manier waarop ze met elkaar omgingen. Ze zouden hun geld krijgen. Ze konden hun xbox en de Wii's voor hun kinderen kopen en hun lichtmetalen velgen en alle andere mannendingen die het echt Kerstmis voor hen zouden maken.

De voordeur ging open en er kwam een vlaag koude lucht met benzinedampen naar binnen. Er liep iemand door de gang. Wellard, die met een tas naar de ontsmettingsruimte ging. Ze sprak hem aan toen hij langskwam. 'Hé.'

Hij stak zijn hoofd het kantoor in. 'Wat is er?'

'Jullie krijgen je bonus. De inspecteur heeft het me net verteld.'

Hij neeg zijn hoofd in een ridderlijke buiging. 'Nou, dank u, lieve dame. Mijn arme invalide kinderen zullen met Kerstmis voor het eerst in hun trieste, korte leven lachen. O, ze zullen tevreden zijn, lieve juffrouw. En of. Dit wordt de beste Kerstmis ooit.'

'Zorg ervoor dat die met polio de iPod Touch krijgt.'

'Je bent niet zo gemeen als je wilt doen voorkomen, baas. Nee echt, bij lange na niet.'

'Wellard?'

Hij bleef staan met de deur half open. 'Ja?'

'Even serieus. Over vanmorgen.'

'Vanmorgen?'

'Je hebt het afgietsel gezien dat de technische recherche heeft gemaakt. Kon jij niet zien wat de ontvoerder had gebruikt om zijn afdrukken door te krassen?'

'Nee. Hoezo?'

'Ik weet het niet.' Ze voelde iets kouds en half ondoorzichtigs voorbijtrekken achter in haar hoofd. Een onduidelijk beeld van de bossen die ze doorzocht hadden. Het boerenland dat zich aan weerszijden daarvan uitstrekte. Tijdens de zoektocht van die ochtend was er gefluisterd over wat de ontvoerder in de brief had geschreven. Niemand buiten de afdeling Zware Misdrijven hoorde daar iets van te weten, maar het deed toch de ronde bij andere eenheden, en vanmorgen hadden alle politiemensen gewerkt met hun hoofd vol vage, verontrustende ideeën over wat de ontvoerder met Martha gedaan zou kunnen hebben. 'Het is gewoon... een gevoel dat ik daar kreeg. Iets waar ik niet echt de vinger op kan leggen.'

'Een ingeving?'

Ze keek hem kil aan. 'Ik leer te vertrouwen op mijn "ingevingen", Wellard. Ik probeer niet zo blond te zijn als jij denkt. En ik heb het gevoel dat er iets in de...' ze zocht naar het woord, '... de omgeving daar is wat belangrijk was. Zegt dat jou iets?'

'Je kent me, hoofdagent, ik ben een werkezel. Ik gebruik mijn verbijsterende lichaam om een centje te verdienen. Niet mijn harses.' Hij knipoogde en zijn voetstappen stierven weg in de gang. Ze glimlachte somber en luisterde ernaar. Het was gaan regenen, met zulke dikke, trage en mistige druppels dat het bijna sneeuwvlokken leken. Het werd echt winter.

19

Om kwart over zes raasde er een donkere Audi s6 door de straatjes van Mere, die met gillende banden de bochten nam. Janice Costello zette alles op alles om voor haar man thuis te zijn. Haar handen klemden zich om het stuur en het zweet maakte haar palmen glad. De radio stond aan – een mediapsychiater gaf zijn mening over de autodief die laatst in Frome een meisje had ontvoerd; het was waarschijnlijk een blanke man van in de dertig. Hij kon getrouwd zijn en zelfs vader. Janice zette de radio beverig uit. Waarom had ze niet aan die schoft gedacht voordat ze Emily alleen in de auto achterliet? Zo ver was Frome niet. Ze had zo ontzettend veel geluk gehad dat er niets was gebeurd. Ze leek wel gek om zo'n risico te nemen. Volslagen gek.

Clare. Het was allemaal haar schuld. Clare, Clare, Clare. De naam zat Janice nog het meest dwars. Als het Mylene of Kylie of Kirsty was geweest, een van die namen voor jonge meiden, had ze het gemakkelijker gevonden. Ze kon zich een tiener met grote borsten,

96

steil gemaakt blond haar en het woord BENCH op haar billen voorstellen. Maar *Clare*? Clare klonk als iemand met wie Janice op school kon hebben gezeten. En de bleke vrouw bij de kliniek was niet sexy of vrijpostig of onervaren. Ze zag eruit als iemand met wie je een behoorlijk gesprek kon voeren. Ze zag eruit als een Clare.

Het was niet de eerste keer dat Cory een verhouding had. Dat was zes jaar eerder ook al eens gebeurd. Met een schoonheidsspecialiste die Janice nooit had ontmoet, maar ze zag iemand voor zich die het hele jaar gebruind was, duur ondergoed droeg en misschien kaal was van onderen. Toen Janice erachter was gekomen, waren de Costello's samen in therapie gegaan: Cory had zoveel berouw gehad, zoveel spijt van de fout die hij had gemaakt, dat ze hem een tijdje bijna had vergeven. Toen was er iets anders bij gekomen, iets dat haar had overtuigd dat ze hem een tweede kans moest geven. Ze had ontdekt dat ze zwanger was.

Emily was met grote spoed in de winter gearriveerd en Janice was zo ondersteboven van de onverwachte liefde die ze voelde voor haar kleine meisje dat het haar jarenlang niet had uitgemaakt wat er met haar huwelijk gebeurde. Cory was in therapie en had een nieuwe baan in Bristol als 'marketingconsultant voor duurzame productontwikkeling' bij een drukkerij. Ze moest altijd lachen om die titel, omdat hij geen enkele serieuze gedachte schonk aan zijn eigen ecologische voetafdruk. Toch verdiende hij genoeg geld om Janice in staat te stellen op te houden met werken en als freelancer kleine redactieopdrachten aan te nemen, wat weinig betaalde, maar haar vaardigheden op peil hield. Een tijdlang was het leven rustig voortgekabbeld. Tot nu. Tot Clare. En nu was alles teruggebracht tot deze obsessie. Ze lag nachten naar het plafond te staren terwijl Cory naast haar lag te snurken. Stiekem in zijn telefoon kijken, zijn zakken controleren bij de stomerij, vragen stellen. Het had allemaal tot deze avond geleid, tot deze donkere rit door de stad met de arme Emily achter in de auto.

Ze stuurde de Audi scherp opzij de woonstraat in. Kwam met piepende banden tot stilstand op de oprit van hun victoriaanse halfvrijstaande huis. Geen Cory. Toen ze zich omdraaide, zag ze dat

Emily godzijdank niet met een wit vertrokken gezicht op de achterbank zat, doodsbang door die krankzinnige rit naar huis, maar in slaap was gevallen, met Jasper tussen haar kin en haar schouder geklemd, als zo'n nekkussentje dat mensen op vliegvelden altijd meesjouwen.

'Kom op, liefje,' fluisterde Janice. 'Mama brengt je naar bed.'

Ze slaagde erin Emily uit de auto te tillen en in haar stapelbed te leggen zonder haar wakker te maken. Met haar vinger wreef ze haastig wat tandpasta in Emily's slapende mond – dat zou maar even voldoende moeten zijn – en toen kuste ze het meisje op haar voorhoofd, trok snel haar eigen jas en schoenen uit en gooide ze in de kledingkast. Ze stond in de keuken het laatste restje melk in de afvoer te gooien toen Cory's auto buiten stopte. Ze spoelde snel het karton uit en nam het mee naar de recyclingbak voor het huis.

Cory trof haar bij de deur, met zijn sleutels in zijn hand en argwaan op zijn gezicht. 'Hallo.' Hij bekeek haar van top tot teen en zag dat ze haar buitenschoenen aanhad.

'We hadden geen melk meer.' Ze zwaaide naar hem met het lege melkpak. 'Ik wilde nog wat gaan halen, maar het was uitverkocht.'

'Ben je weggeweest? En Emily dan?'

'Die heb ik natuurlijk hier gelaten. Ik heb haar in een lekker warm bad gezet en heb haar wat scheermesjes gegeven om mee te spelen. In godsnaam, Cory, waar zie je me voor aan? Ze is mee geweest.'

'Je zei dat ze sliep.'

'Ik zei dat ze wakker was geworden. Jij luistert ook nooit.' Ze deed het melkpak in de afvalbak en ging met haar armen over elkaar naar hem staan kijken. Hij zag er goed uit, Cory. Daar kon ze niet omheen. Maar de laatste tijd leek zijn kaaklijn wat verzacht, wat hem bijna iets vrouwelijks gaf. En hij kreeg een kale plek boven op zijn hoofd. Ze had het laatst in bed gezien. Zij zat er niet mee, maar ze vroeg zich af wat Clare ervan vond. Was het de moeite waard om er iets over te zeggen, alleen om zijn ego een douw te geven? Of moest ze wachten tot Clare het zag?

'Hoe was de sessie?'

'Dat zei ik al. Zoals altijd.'

'En Clare?'

'Hè?'

'Clare. Waar je het laatst over had. Weet je nog?'

'Waarom vraag je naar haar?'

'Ik toon gewoon belangstelling. Ligt ze nog steeds in de clinch met haar ex?'

'Haar man? Ja, die klootzak. De dingen die hij haar en de kinderen heeft aangedaan, dat is gewoon misdadig.'

Ze bespeurde iets van venijn. *Klootzak?* Dat had ze hem nog nooit horen zeggen. Misschien had hij dat van Clare geleerd.

'Hoe dan ook, ik denk erover om ermee te stoppen.' Hij liep haar voorbij de gang in en maakte zijn jas los. 'Het kost me te veel tijd. Er verandert van alles op het werk. Ze willen dat ik meer uren maak.'

Janice liep achter hem aan naar de keuken en keek toe toen hij de koelkast opentrok, op zoek naar een biertje. 'Meer uren? Dat betekent zeker dat je pas laat thuiskomt.'

'Precies. Ik kan het me niet veroorloven het niet te doen. Niet zoals de wereld er nu uitziet. De directeuren willen dat ik morgenmiddag naar een grote vergadering kom. Dan gaan we erover praten. Om vier uur.'

Vier. Op slag stond Clares gezicht Janice weer voor de geest, en zoals ze haar hand had opgestoken. Vier vingers. Dat betekende vier uur. Cory en Clare zouden elkaar om vier uur zien. Hij zou de telefoon niet opnemen als Janice belde omdat hij in 'vergadering' zat. En toen, bijna als bevestiging van wat ze vermoedde, zei hij terloops: 'Wat ga jij morgen doen? Heb je plannen?'

Ze wachtte even met antwoord geven en keek hem rustig, maar met bonzend hart aan. Ik hou niet van jou, dacht ze. Cory, ik hou echt niet van jou. En op een bepaalde manier maakt dat me erg gelukkig.

'Wat nou?' zei hij. 'Waarom kijk je me zo aan?'

'Niets,' zei ze luchtig, en toen draaide ze zich om en begon ze de vaatwasser leeg te halen. Dat was eigenlijk zijn taak, maar zij deed het altijd, dus waarom zou het vandaag anders gaan? 'Morgen? Oh, ik denk dat ik na school met Emily naar mijn moeder ga.'

'Dat is een uur rijden.' Hij trok zijn wenkbrauwen op. 'Ik ben blij voor je dat je de tijd hebt om zulke dingen te doen, Janice. Echt.'

'Dat weet ik.' Ze glimlachte. Cory maakte er altijd opmerkingen over dat ze zo'n gemakkelijk leventje leidde met af en toe wat free-lancewerk en geen echte baan, zoals hij. Maar ze hapte niet. 'Ik ben klaar met dat project voor die website en ik dacht dat ik maar eens de tijd zou nemen voordat ik aan de volgende klus begin. Misschien blijf ik bij haar eten.' Ze zweeg even en herhaalde haar eigen woorden heel langzaam, neerkijkend op het bestek in haar hand, waarin haar gezicht onduidelijk werd weerspiegeld. 'Ja. Ik ben morgen niet in de stad, Cory. De hele middag niet.'

❧

20

Tegen zeven uur was de wereld zo koud en donker dat het net zo goed middernacht had kunnen zijn. Geen maan, geen sterren, alleen de gloed van de veiligheidslampen bij de houthandel aan het eind van het weggetje. Flea parkeerde haar auto, stapte uit en trok een fleece en een regenjack aan. Ze droeg dikke handschoenen en een wollen muts. Over het algemeen had ze geen last van de kou – dat kon ook niet met haar werk – maar het weer had deze herfst iets hards en wraakzuchtigs wat iedereen leek te voelen. Ze liet haar kaart zien aan de slaperige agent in de auto die het weggetje blok-keerde en klikte haar zaklamp aan. Het pad door het dennenbos was bijna lichtgevend geel in de lichtstraal. De sporen van de Yaris wer-den omringd door slap politielint en de grond was bezaaid met de merktekentjes van de technische recherche. Ze liep erlangs, door de lichtkring van de halogeenlampen en langs de lopende banden, zaagmolens en houtsplijtmachines die er nu stil en donker bij ston-den. Ze liep verder over het weggetje tot ze op het terrein van de verlaten fabriek stond.

Flea was al thuis geweest. Ze had hardgelopen, gedoucht, gegeten, naar de radio geluisterd en gelezen. Maar ze kon niet tot rust komen. Ze bleef zich maar afvragen wat het was dat in haar achterhoofd bleef spelen over de zoektocht. Als pa er nog was geweest, had hij gezegd: 'Je hebt een doorn in je hoofd, meid. Je kunt hem maar beter verwijderen, want als je hem laat zitten, gaat hij etteren.'

Ze liep naar de bosrand, waar het veld begon en waar Wellard had gestaan. Ze vond de rand van het afgezette gebied, de plek die was doorzocht en de lijn waarlangs het afval lag, als de grenslijn vol aangespoelde rommel die het terugtrekkende tij had achtergelaten. Ze draaide de straal naar een plek halverwege tussen de vloedlijn en de plaats waar Wellard zich had bevonden, scheen ermee over de strook afval en probeerde beelden van die morgen terug te halen.

Wat haar ook dwarszat, het was haar ingevallen nadat ze de watertank hadden doorzocht. Ze had bij de tank met iemand van een ander team staan praten over hoe laat hun dienst erop zat en hoeveel mensen ze nog beschikbaar hadden als ze overuren moesten draaien. De teams om hen heen hadden nog steeds lopen zoeken. Wellard had hier aan de rand van het veld gestaan. Ze wist nog dat ze afwezig naar hem gekeken had onder het praten. Hij had iets gevonden in het gras en praatte erover met de LPD. Flea had zich geconcentreerd op wat de man naast haar zei en had maar met een half oog naar Wellard en de LPD gekeken, maar nu zag ze het helder voor zich. Ze kon zelfs zien wat hij de LPD toestak. Een stuk touw. Blauw nylon, ongeveer dertig centimeter lang. Het touw zelf was niet wat ze moest hebben – ze had het later op de tafel met sporenmateriaal zien liggen en er was op zichzelf niets opmerkelijks aan – maar iets eraan had een gedachtegang aangezwengeld waarvan ze wist dat hij belangrijk was.

Ze ging naar de oude watertank, waar ze gestaan had, en deed haar zaklamp uit. Zo bleef ze een paar momenten rustig wachten, omringd door de monsterlijke gedaanten van de winterbomen, met daarachter de omgeploegde velden, saai, groot en doods. Ergens in de verte, van rechts, kwam het geweldige geluid van een trein die in het donker over de Great Western Union Railway denderde. Flea had thuis een computer die haar gek maakte door een paar tellen voor haar telefoon ging een zwak gekraak te produceren. Ze wist wat het was – elektromagnetische golven die de bedrading van de speakers wilden gebruiken als antenne – maar voor haar leek het altijd alsof het apparaat alles van tevoren wist, alsof het een subtiele kennis had van de toekomst. Wellard zou lachen als ze hem dat vertelde, maar soms dacht ze dat ze eenzelfde elektromagnetisch waarschuwingssysteem bezat, een biologische zoemer die net voordat er een gedachte of een idee op zijn plaats viel de haartjes op haar armen overeind bracht. En nu ze op het bevroren veld stond, voelde ze dat gebeuren. Haar huid tintelde. Een paar seconden voor het netjes op zijn plaats viel.

Water. Het touw had haar aan boten en jachthavens en water doen denken.

Vanmorgen was de gedachte net zo snel weer verdwenen als ze was opgekomen – de andere man had tegen haar staan praten en er was hier geen water te zien, dus had ze haar laten varen. Ze had haar van zich afgezet. Maar nu ze tijd had om erover na te denken, besefte ze dat ze het mis had gehad. Er was hier wel water. En niet eens zo ver weg.

Ze draaide zich langzaam om en keek naar het westen, waar het lage wolkendek vaag oranje werd verlicht door een stad of snelweg. Ze begon te lopen. Als een zombie. Wellard zou zich doodlachen als hij haar nu zag. Ze doorkruiste het veld, waar het bevroren gras haar schoenen doorweekte, en keek amper naar beneden, alsof iemand een haak in haar borstbeen had geslagen en haar langzaam meetrok. Over een open plek tussen dicht opeenstaande, ruisende bomen, via stapstenen over twee hekken tot op een kort grindweggetje, dat glansde als zilver in het diffuse licht van de zaklamp. Na tien minuten bleef ze staan.

Ze stond op een smal pad. Rechts van haar liep het terrein naar boven. Aan de linkerkant viel het scherp weg naar een zwarte greppel. Een in onbruik geraakt kanaal. Het Thames and Severn Canal. Een achttiende-eeuws waterbouwkundig wonder, aangelegd om kolen te vervoeren vanaf de monding van de Severn. Toen dat niet meer nodig was, was het gebruikt voor de pleziervaart. Het stond nu half leeg en het water dat er nog was, vormde een donkere, giftig ogende brij. Ze kende dit kanaal, ze wist waar het begon en eindigde. Naar het oosten liep het ruim veertig kilometer door tot aan Lechlade, en naar het westen dertien kilometer tot aan Stroud. Het lag vol met bewijzen van het doel dat het had gediend. Elke paar honderd meter stuitte je op de kapotte en rottende rompen van oude kolenschuiten en plezierscheepjes. In het korte stuk dat ze nu kon overzien, lagen er al twee.

Ze liep een paar meter over het jaagpad, ging zitten en zette haar voeten op het dek van de dichtstbijzijnde boot. De geur van verrotting en stilstaand water was overweldigend. Bacteriën en mos. Ze zette een hand op het dek en bukte om het licht van de lamp in de romp te laten vallen. Dit was niet zo'n oude ijzeren kolenschuit die als een van de eerste gebruik had gemaakt van het kanaal; het vaartuig was nieuwer, een houten sloep waarvan de masten waren verwijderd en waar een motor in was geplaatst om er pleziertochtjes mee te kunnen maken. De houten romp was na jaren verwaarlozing bezweken en lag half onder water, en op het zwarte stinkende water dat erin stond dreef afval uit het kanaal. Verder was er niets te zien. Ze kwam overeind en keek naar het dek van het achterschip. Schopte bierblikjes weg en plastic zakken die als kwallen op het water dreven. Ze zocht het hele dek af, maar vond niets. Toen trok ze zich weer op het jaagpad en liep verder tot ze de volgende boot zag. Deze was ouder en zou een werkschip hebben kunnen zijn. Hij stak verder boven het oppervlak uit en het water in de romp stond maar tot aan haar knieën. Ze sprong in het ijskoude, inktzwarte water en haar spijkerbroek was meteen doorweekt. Ze waadde een eindje en liet haar voeten in de sportschoenen iedere centimeter van de romp onder haar voelen. Elke klinknagel, elk stuk wrakhout.

Er rinkelde iets. Het rolde een paar centimeter weg van haar voet. Ze trok haar mouw op tot voorbij de elleboog, bukte en liet haar hand in het ijskoude water zakken. Zo tastte ze rond in de viezigheid. Ze vond het voorwerp en haalde het eruit.

Een meerpen. Ze kwam overeind en liet het licht van de lamp erop vallen. Hij was ongeveer dertig centimeter lang en had de vorm van een lange, dikke tentharing met een uitlopende bovenkant omdat hij in de loop der jaren in de oevers was geslagen om de boot eraan vast te leggen. Het ding was dikker dan een mes en scherper dan een beitel en kon gemakkelijk de punten in het gipsmodel van de LPD hebben veroorzaakt. De ontvoerder had hem kunnen gebruiken om zijn voetafdrukken te doorsnijden.

Ze klom uit de romp en bleef op het jaagpad staan, terwijl het water van haar af liep. Ze keek het vaag glanzende kanaal af. Alle schuiten zouden dergelijke meerpennen hebben gebruikt. Het moest er hier mee vol liggen. Ze bestudeerde de pen in haar hand. Het was een goed wapen. Je wilde geen ruzie met iemand die dit vasthad. Nee. Je zou hem niet tegenspreken. Vooral niet als je pas elf was.

21

De hond heette Myrtle. Ze zag er sjofel uit en was half kreupel door de artritis. Haar wit met zwarte staart hing als een slappe vlag van haar benige achterkant. Maar ze hobbelde gehoorzaam achter Caffery aan en sprong zonder te klagen op en van de achterbank van zijn auto, hoewel hij zag dat het haar pijn deed. Ze wachtte zelfs geduldig voor het forensisch lab op het hoofdbureau in Portishead terwijl hij in de slag was met de laboranten en de tests probeerde te bespoedigen die moesten uitwijzen of de babytand het DNA van Martha bevatte. Tegen de tijd dat hij klaar was in het lab, had hij medelijden met die verdomde hond. Hij ging langs een Smile-winkel en haalde daar armenvol hondenvoer. Het kauwspeeltje leek een beetje te veel voor de hond, maar hij kocht het toch en legde het naast haar op de achterbank.

Het was laat, al na tienen, toen hij weer in het gebouw van zijn eigen eenheid arriveerde. Het was er nog steeds druk. Hij nam de

104

hinkende Myrtle mee door de gang, langs alle mensen die hun hoofd uit hun kantoor staken om met hem te praten en hem rapporten en berichten te geven, maar voornamelijk om de hond te aaien of grapjes over haar te maken: 'Jack, je hond ziet eruit zoals ik me voel. Hé kijk, Yoda met een jas aan. Hier, bont-Yoda.'

Turner was er nog, onverzorgd en een beetje slaperig, maar zonder oorring. Hij nam de tijd om Caffery bij te praten over de zoektocht naar de Vauxhall, die nog steeds niets had opgeleverd, en hem het telefoonnummer van de hoofdinspecteur te geven die toestemming had verleend om de pastorie in de gaten te houden. Maar hij bleef nog langer op zijn hurken allerlei nonsens zitten debiteren tegen Myrtle, die af en toe vermoeid haar staart iets ophief. Lollapalooza kwam binnen, nog steeds helemaal opgemaakt, maar ze liet zich toch kennen; ze had haar hoge hakken uitgedaan en haar mouwen opgerold, zodat de fijne donkere donshaartjes op haar armen te zien waren. Ze was niet ver gekomen met de zedendelinquenten, moest ze bekennen. Er was een korte lijst van mensen van wie ze dachten dat ze aan de voorwaarden voldeden en die waren allemaal gecontroleerd. Maar wat ze Caffery wél kon vertellen, was dat de artritis van de hond behandeld kon worden met chondroïtine. Dat of glucosamine. O, en hij moest zorgen dat het arme dier geen graan meer kreeg in zijn eten. En ze bedoelde álle graan. Alles.

Toen ze weg was, maakte hij een blik hondenvoer open en liet de inhoud op een van de gebarsten borden uit het keukentje blubberen. Myrtle at langzaam, met haar oude hoofd scheef, en ontzag de linkerkant van haar bek. Het voer stonk. Om halfelf, toen Paul Prody zijn hoofd om de deur stak, hing de geur er nog steeds. Hij trok een gezicht. 'Lekker.'

Caffery stond op, ging naar het raam en zette het op een kier. Er kwam koude, vochtige lucht binnen, met de geuren van dronkaards en afhaalmaaltijden. Een van de winkels aan de overkant had al kerstlampjes in de etalage, want Kerstmis begon officieel natuurlijk al in november. 'En?' Hij ging zwaar in zijn stoel zitten, met zijn armen slap omlaag. Hij voelde zich halfdood. 'Wat heb je voor me?'

'Ik heb net met het persbureau gesproken.' Prody kwam binnen en ging zitten. Myrtle lag op de grond met haar kin op haar poten haar maaltijd te verteren. Ze hief haar kop en bekeek hem met een vage interesse, alsof alles haar te veel was. Zelfs Prody vertoonde tekenen van een zware dag. Zijn jasje was gekreukt en zijn das zat los rond zijn hals, alsof hij een paar uur thuis op de bank naar soaps had liggen kijken. 'De nationale en plaatselijke kranten en alle tv-zenders hebben beelden laten zien van het huis van de Bradleys. Het nummer op de deur was heel duidelijk, evenals het bordje met THE VICARAGE erop. De knipseldienst is nog aan het zoeken, maar tot dusver hebben ze alleen wat tekst gevonden over "het huis van de Bradleys in Oakhill". Niets specifiekers. Geen straatnaam. En geen melding van de tand. Nergens.'

'Dan zou die van hem kunnen komen.'

'Daar ziet het wel naar uit.'

'Dat is mooi.'

'Mooi?' Prody keek hem effen aan.

'Ja. Het betekent dat hij Oakhill kent, en de A37. Dat is fantastisch.'

'Is dat zo?'

Caffery liet zijn handen op het bureau vallen. 'Nee. Het is iets, maar het is helemaal niet "fantastisch". We wisten al dat hij die buurt kende. Wat voegt het toe aan onze informatie? Dat hij een wijk kent waar iedere sukkel in de streek langs moet als hij naar zijn werk gaat.'

Ze keken naar de kaart aan de muur. Die was bedekt met punaises met gekleurde knoppen. De roze waren persoonlijk voor Caffery; ze markeerden de plekken waar hij wist dat de Wandelaar was geweest. Er ontstond een patroon: een lange strook omhoog vanuit Shepton Mallet, waar de Wandelaar vroeger gewoond had. Maar in de zwarte punaises kon Caffery geen patroon ontdekken. Het waren er zes: drie op de plekken waar de autodief had toegeslagen en de andere drie op plekken die daarmee te maken hadden; de pastorie in Oakhill waar hij het babytandje had achtergelaten, het terrein bij Tetbury waar de Yaris van de Bradleys even had gestaan en de plek bij Avoncliff in Wiltshire, waar de auto was gedumpt.

'Er is een station vlak bij de plek waar hij de auto heeft achtergelaten.' Caffery tuurde naar de zwarte punaises. 'Als je goed kijkt, zie je hier een spoorweg lopen.'

Prody liep naar de kaart, boog opzij en bekeek de punaises. 'De lijn van Bristol naar Bath en Westbury.'

'De Wessex-lijn. Kijk waar hij na Bath heen gaat.'

'Freshford, Frome.' Hij keek over zijn schouder naar Caffery. 'Martha is in Frome ontvoerd.'

'En Cleo in Bruton. Aan dezelfde lijn.'

'Denk je dat hij met de trein reist?'

'Misschien. Hij is vandaag per auto naar de Bradleys gegaan, daar ben ik zeker van. En hij moet een auto hebben gebruikt om uit Bruton weg te komen – de Vauxhall, misschien. Maar als hij iemands auto steelt, moet hij op een gegeven moment terug om de Vauxhall op te halen.'

'Dus misschien woont hij in de buurt van een van de stations langs die spoorlijn?'

Caffery haalde zijn schouders op. 'Nou, dat is lang niet zeker, maar laten we ermee aan het werk gaan. We hebben niets anders. Ik wil dat je morgenochtend naar de spoorwegen gaat om hun bewakingsbeelden te bekijken. Ken je het protocol daarvoor?'

'Ik geloof van wel.'

'En Prody?'

'Ja?'

'Alleen omdat Turner er na zessen uitziet als een hippie, Lollapalooza het leuk vindt om op blote voeten te lopen en ik een labrador in mijn kantoor heb, betekent dat nog niet dat jij de boel moet laten versloffen.'

Prody knikte en trok zijn das omhoog. 'Het is een collie, baas.'

'Een collie. Dat zei ik.'

'Ja, baas.' Prody was de deur al half uit toen hem iets inviel. Hij kwam weer naar binnen en sloot de deur achter zich.

'Wat is er?'

'Ik heb het dossier teruggebracht. Gisteravond, zoals je zei. Niemand had gemerkt dat ik het had.'

Even wist Caffery niet waar hij het over had. Toen schoot het hem te binnen. Misty Kitson.

'Mooi. Want dat had ik gezegd.'

'Ik dacht dat ik je echt nijdig had gemaakt.'

'Ja, nou, ik had gisteren niet zo'n beste dag. Neem het maar niet te serieus.' Hij trok het toetsenbord naar zich toe. Hij moest zijn e-mails lezen. 'Ik zie je nog.'

Maar Prody ging niet weg. Hij bleef bij de deur hangen. 'Het was moeilijk voor je. Zoals die zaak is afgesloten.'

Caffery keek op en staarde hem aan. Dit was niet te geloven. Hij duwde het toetsenbord weg en gaf hem zijn volledige aandacht. Hij had die vent verteld dat hij de zaak moest laten rusten, dus waarom ging hij er nu nog over door? 'Het was moeilijk toen de eenheid de zaak moest laten vallen.' Hij schakelde zijn lamp uit. Zette zijn ellebogen op tafel. Trok een zo rustig mogelijk gezicht. 'Ik zal niet tegen je liegen. Dat was inderdaad moeilijk. Daarom kan ik het niet waarderen als je dossiers van niet-opgeloste zaken terughaalt.'

'Die informant die je had?'

'Wat is er met hem?'

'Je hebt nooit gezegd wie dat was.'

'Het staat niet op papier. Dat is het hele punt met verklikkers. Ze moeten anoniem blijven.'

'Heb je nooit overwogen dat hij tegen je gelogen kan hebben, je contact? Die dokter – degene die volgens je informant Misty had vermoord – ze hebben in zijn tuin gegraven, maar haar nooit gevonden. Er was niets anders wat die vent met haar in verband bracht. Dus daarom dacht ik – misschien heeft die informant gelogen om je op een dwaalspoor te brengen.'

Caffery bekeek Prody, zoekend naar tekenen dat de man iets wist – wat dan ook – over de waarheid die hij zo dicht naderde. Er was geen informant. Die was er nooit geweest. En het graafwerk in de tuin was gewoon een van de manieren waarop Caffery het korps op een doodlopend spoor had gezet in de zaak-Kitson. Hij zou misschien nooit helemaal begrijpen waarom hij dat voor Flea had gedaan. Als ze niet elke keer dat hij haar zag iets in hem liet bevriezen, als ze een vent was geweest, Prody bijvoorbeeld, of Turner, dan zou hij haar met wat hij wist in een oogwenk hebben gearresteerd.

'Het was niet mijn beste optreden,' zei hij effen tegen Prody. 'Als ik het over moest doen, zou ik sommige dingen anders aanpakken. Maar dat gaat niet en het korps beschikt niet meer over de middelen en heeft te veel doodlopende sporen gevolgd. En zoals ik gisteren al zei, zou ik het fijn vinden als je al je energie wijdt aan wat er is gebeurd met Martha Bradley en wat die schoft met haar gedaan heeft. Dus...' hij stak zijn hand op en hield zijn hoofd goedmoedig schuin, '... de bewakingsbeelden?'

Dit keer snapte Prody het. Hij glimlachte grimmig. 'Ja. Je hebt gelijk. Ik ga ermee aan de slag.'

Toen hij weer alleen was, leunde Caffery achterover en bleef lange tijd zonder iets te zien naar het plafond zitten staren. Die vent werd lastig. Hij verspilde zijn tijd. Het was al meer dan zeventig uur geleden dat Martha was verdwenen. De magische vierentwintig uur waren allang voorbij en als hij eerlijk was, moest hij nu met de Londense politie gaan praten en vragen om de honden die lijken konden opsporen. Het was Caffery's taak om zijn eenheid te stroomlijnen, maar hij kon Prody niet missen. Het zou te lang duren om iemand anders bij te praten en dan was er nog een probleempje: wat zou Prody rond gaan vertellen als hij hem op een andere zaak zou zetten? Het leed geen twijfel dat de zaak-Kitson ter sprake zou komen. Dus moest hij voorlopig zijn mond maar houden. En Prody in de gaten houden. Zorgen dat hij bij de les bleef.

Caffery's mobiel ging over. Hij haalde hem uit zijn zak. 'Flea Marley' stond er op het schermpje. Hij ging naar de deur en keek in de gang of er niemand op weg was naar zijn kantoor. Zij had ervoor gezorgd dat hij zo geheimzinnig moest doen. Toen hij zeker wist dat hij alleen was, liep hij terug naar zijn bureau. Myrtle volgde hem met haar ogen en hij nam op.

'Ja,' zei hij scherp. 'Wat is er?'

Er viel een stilte. 'Sorry. Bel ik ongelegen?'

Hij ademde uit en leunde achterover op zijn stoel. 'Nee. Het is een... een goed moment.'

'Ik sta bij het Thames and Severn Canal.'

'Echt? Wat leuk. Nog nooit van gehoord.'

'Dat zal ook wel niet. Het is al jaren niet meer in gebruik. Luister, ik wil de LPD spreken, maar hij neemt op dit uur van de avond geen telefoontjes aan van de leiders van ondersteunende eenheden. Wil jij hem even bellen?'

'Als jij me vertelt waarom.'

'Omdat ik weet wat de ontvoerder heeft gebruikt om die voetafdrukken door te krassen. Een meerpen. Van een kolenschuit. Ik heb er op dit moment een in mijn hand – er zijn er hier waarschijnlijk honderden te vinden. Overal liggen afgedankte boten. En het is maar anderhalve kilometer van de plek waar de bandensporen van de Yaris staan.'

'Hebben we daar gisteren niet gezocht?'

'Nee. Het ligt net buiten de parameters van de zoekadviseur. Wat denk je? Moet hij ernaar kijken?'

Caffery trommelde met zijn vingers op het bureau. Hij had het nooit gemakkelijk gevonden om adviezen van buiten de eenheid aan te nemen. Je kon ervan in de war raken en het kon ervoor zorgen dat je te veel wilde ideeën ging najagen. En Flea deed opeens alsof dit de zaak was van haar team. Misschien om haar reputatie op te poetsen. En die van haar team.

Maar een meerpen? Die bij het afgietsel paste? 'Oké,' zei hij. 'Laat het maar aan mij over.'

Hij legde de telefoon neer en bleef ernaar zitten kijken. De hond tikte licht met haar staart op de vloer. Alsof ze wist wat het met hem deed om een gesprek met Flea Marley te voeren.

'Ja,' zei hij humeurig. Hij pakte de lijst met telefoonnummers. 'Je hoeft me niet zo aan te kijken.'

22

In de vroege uurtjes van de morgen had de lpd nog eens naar de afgietsels van de voetafdrukken gekeken en hij was geneigd het met Flea eens te zijn: de punten zagen eruit alsof ze met een afmeerpen konden zijn gemaakt. De zoekadviseur rukte uit zodra het licht werd en gaf aan welk stuk van het kanaal afgezocht moest worden. De mannen kregen lieslaarzen en een te onderzoeken stuk van ruim drie kilometer aan weerszijden van de plek waar de Yaris had gestaan. Maar het Thames and Severn Canal had een eigenaardigheid waar de gewone zoekteams niets mee konden. Het liep ruim twee kilometer volslagen onzichtbaar en onmerkbaar door een tunnel diep onder het boerenland en de bossen. De Sapperton Tunnel. Verlaten en hoogst instabiel. Een drie kilometer lange, levensgevaarlijke val. Niet meer, niet minder. Er was maar één eenheid die zoiets aankon.

Tegen achten hadden zich meer dan veertig mensen verzameld bij de westelijke ingang van de Sapperton Tunnel. Op de versterkte borstwering boven de tunnel stonden een stuk of twintig journalisten en een handvol rechercheurs in burger van de afdeling Zware Misdrijven in de hoop een glimp op te vangen van wat er beneden gebeurde. Ze keken allemaal neer op Flea en Wellard, die tot hun heupen in het zwarte, stilstaande kanaalwater stonden en hun kleine opblaasbare Zodiac laadden met alles wat ze nodig hadden om de druipende tunnel in te gaan – een communicatiesysteem en zuurstofflessen.

Het duikteam wist het een en ander van de tunnel. Ze hadden hem jaren eerder gebruikt om te trainen in besloten ruimtes. De trust die eigenaar was van het kanaal had hen informatie gegeven over de toestand van het bouwwerk: de tunnel was zeer instabiel; hij liep gevaarlijk dicht langs de Golden Valley-spoorweg en iedere keer als er een trein langskwam, trilden de grote platen vollersaarde en oöliet die het dak vormden. De trust wilde duidelijk maken dat niemand wist wat daarbinnen gebeurde; het was te gevaarlijk om de tunnel behoorlijk te inspecteren. Maar wat wel zeker was, was dat een stuk van minstens vierhonderd meter totaal was geblokkeerd door een enorme instorting. Die was aan het oppervlak vaag zichtbaar als een lange keten van kraters vol bomen, begon niet ver van de oostelijke ingang en liep een heel eind de tunnel in. Het was relatief gemakkelijk geweest voor twee van Flea's mannen om met een helm op de paar honderd meter naar de oostelijke kant van de instorting af te leggen en er een sonde in te steken, in de hoop dat die aan de andere kant weer tevoorschijn zou komen en kon worden opgepikt door een team dat door de westelijke ingang naar binnen ging. Maar dat team moest twee kilometer onder de grond afleggen voordat ze aan de andere kant van de instorting waren. En intussen moesten ze maar hopen dat geen van die instabiele rotsblokken loskwam terwijl ze daarmee bezig waren.

'Weet je dit zeker?' Caffery stond er sceptisch tegenover. Hij had een gewatteerd jack van The North Face aan en stond met zijn handen in de zakken de duisternis achter hen in te kijken. Naar het afval en de stukken boom die op het inktzwarte oppervlak dreven. 'Weet je zeker dat de arbeidsinspectie hier blij mee is?'

Ze knikte, maar keek hem niet aan. In werkelijkheid zou de arbeidsinspectie helemaal over de rooie gaan als ze wist wat zij van plan was. Maar de inspectie zou er alleen achter komen als die akelige nieuwsjagers het naar buiten brachten, en tegen die tijd zou de zoektocht voorbij zijn. En dan zouden ze Martha hebben gevonden. 'Ja,' zei ze. 'Dat is wel in orde.'

Ze ontweek zijn blik nog steeds terwijl ze het zei. Want als hij in haar ogen keek, zou hij misschien zien dat ze gehoor gaf aan een ingeving. En dat was taboe. Bovendien stond ze te trappelen om dat te doen. Want het was nu niet alleen meer een mooie opsteker voor het team als ze Martha vonden. Het betekende meer voor haar. Het betekende dat ze goedmaakte dat ze eerder niet sterker was geweest.

'Ik weet het niet.' Caffery schudde zijn hoofd. 'Een mogelijke overeenkomst met het afgietsel, dat is alles. Nogal een wankele reden om je mensen hieraan bloot te stellen.'

'We weten wat we doen. Niemand van ons loopt risico.'

'Als jij het zegt.'

'Mooi. Altijd fijn als iemand vertrouwen in je heeft.'

Ze vorderden maar langzaam in het kanaal. Ze duwden de boot voorzichtig vooruit en loodsten hem langs obstakels en kapotte bootjes. Winkelwagentjes staken als skeletten uit de modder omhoog. Zij en Wellard droegen de droogpakken die ze gebruikten voor snelle reddingen in het water, met rode helmen, rubberlaarzen met ingebouwde stalen neuzen en scheenbeschermers. Elk van hen droeg een kleine noodset met zich mee: *rebreathers* op hun borst konden hen een halfuur van schone lucht voorzien als ze op een gasophoping zouden stuiten. Ze werkten zwijgend en gebruikten de lichtstralen van de lampen op hun hoofd om de zijkanten en de bodem van de tunnel te bekijken.

Het kanaal was zo ontworpen dat een lichterman de schuiten erdoor kon 'lopen'; hij lag op zijn rug en duwde met zijn voeten tegen het plafond om de tonnen kolen, hout en ijzer door de drie kilometer duisternis te verplaatsen. In die dagen moest het plafond van de tunnel zich claustrofobisch dicht boven het wateroppervlak hebben bevonden en zou er geen jaagpad zijn geweest; Flea en Wellard konden alleen rechtop lopen omdat het waterpeil zo sterk gedaald was, waardoor bovendien aan de ene kant een smalle richel bloot was komen te liggen die ze konden gebruiken.

Het was warm hier beneden – de bijtende kou kon niet zo diep doordringen. Het water was niet bevroren. Op sommige plekken was het zo ondiep dat het weinig meer was dan een dikke zwarte smurrie rond hun enkels.

'Het is gewoon vollersaarde.' Ze bevonden zich vijfhonderd meter in de tunnel toen ze haar mond opendeed. 'Het spul waar ze kattenbakstrooisel van maken.'

Wellard hield even op met duwen en richtte zijn lamp op het dak. 'Dat is geen kattenbakstrooisel, hoor. Niet met de druk waaronder het staat. Zie je die barsten? Dat zijn massieve lagen. En dan bedoel ik echt massief. Als er een naar beneden kwam, zou dat niet voelen als kattenbakstrooisel, maar als een bus die op je valt. Dan is je dag pas echt verpest.'

'Je wilt toch niet zeggen dat je hier problemen mee hebt?'

'Nee.'

'Kom op.' Ze keek hem vanuit haar ooghoek aan. 'Zeg het maar. Weet je het zeker?'

'Wat?' zei hij geïrriteerd. 'Natuurlijk weet ik het zeker. Zoveel trek ik me ook weer niet van de arbodienst aan. Nog niet.'

'Er zijn geen garanties.'

'Ik haat garanties. Wat denk je dat ik in dit team doe?'

Ze glimlachte grimmig tegen hem. Ze staken hun in handschoenen gestoken handen weer in de grepen op de Zodiac en leunden tegen de stilliggende boot tot hij loskwam van zijn plek. Hij schoot vooruit en wiegde heen en weer in het zwarte water. Toen hij weer rustig tussen hen in lag, hervatten ze hun langzame tocht door de tunnel. Het enige geluid kwam van het plonzen van hun laarzen in het water, hun ademhaling en het zachte pingen van de gasdetectors op hun borst, een geruststellend signaal dat de lucht schoon was.

Een deel van het dak was met bakstenen afgezet, maar op andere plekken lag het bloot. Het licht van hun lampen speelde over vreemde planten die door de kieren groeiden. Van tijd tot tijd moesten ze over hopen gevallen klei en vollersaarde klimmen. Elke paar honderd meter passeerden ze een luchtschacht, een gat van bijna twee meter dat meer dan dertig meter de grond in was geboord om lucht binnen te laten. De eerste aanwijzing dat ze een schacht naderden, was een vreemde zilveren gloed in de verte. Het licht werd feller en feller naarmate ze vorderden, tot ze hun lampen uit konden doen. Toen ze onder het gat stonden en naar boven keken, werd hun gezicht overspoeld door wit zonlicht, dat door de planten viel die uit de wanden van de schacht groeiden.

Het zou gemakkelijker zijn geweest om zich door die gaten te laten zakken om de tunnel te verkennen als ze aan de onderkant niet waren dichtgemaakt met een groot, roestend rooster. Er was van alles door die roosters gevallen. Onder elk ervan lagen grote hopen rottende bladeren, takken en afval. Een van de schachten was door een veeboer gebruikt om dode dieren in te dumpen. Het rooster was onder het gewicht van al dat dode vlees bezweken, zodat er een hoop stinkende dierenbotten in het kanaal terecht waren gekomen. Flea bleef ernaast staan.

'Fijn.' Wellard bedekte zijn neus en zijn mond. 'Moeten we hier stoppen?'

Ze liet de lichtstraal over het water glijden. Zag botten en vlees en half vergane dierensnuiten. Ze dacht aan de brieven van de ontvoerder: *ik heb het een beetje verbouwd...* Langzaam roerde ze met de stalen neus van haar laars door de rotzooi. Haar voet raakte stenen en oude blikken, en toen iets groots. Ze stak haar hand in het water en trok het tevoorschijn. Het was het mes van een ouderwetse ploeg en lag er waarschijnlijk al jaren. Ze gooide het weer weg.

'Laten we hopen dat we het arme kind niet hiertussen vinden.' Ze veegde haar handschoen af aan de zijkant van de boot om het slijm kwijt te raken en tuurde de duisternis in. Ze kreeg hetzelfde gevoel van verdriet en doodsangst als eergisteren, toen ze zich had voorgesteld hoe het geweest moest zijn voor Martha. 'Ik zou dit niet willen doormaken. Niet op mijn elfde, op geen enkele leeftijd. Het is gewoon verkeerd.'

Ze controleerde de meter op haar gasdetector; de lucht was schoon. Het was veilig om een grotere lamp aan te doen. Ze trok de grote HID-lamp uit de boot, hield hem omhoog en drukte op de schakelaar. Er klonk een luide plof toen de lamp tot leven kwam en wat geknetter terwijl het licht steeds sterker werd. Overspoeld met blauwwit licht leek de tunnel nog onaardser. De schaduwen sprongen om hen heen, hoewel ze probeerde de lamp stil te houden. Naast haar was het gezicht van Wellard somber en bleek terwijl hij in zich opnam wat er voor hen lag.

'Dus dat was het?'

Het licht glinsterde in het kanaal dat zich voor hen uitstrekte. Er was niets anders te zien dan het water en de zijkanten van de tunnel, en ongeveer vijftig meter verderop een ondoordringbare muur. Er was zoveel vollersaarde uit het plafond gekomen en in het kanaal gevallen dat de grond tot aan het plafond reikte en het kanaal geblokkeerd werd.

'Is dit de instorting?' vroeg Wellard. 'Zijn we daar al?'

'Ik weet het niet.' Ze pakte het meetlint en bekeek het. De ingenieurs van de trust dachten dat de instorting tot ongeveer vierhonderd meter van de oostelijke ingang reikte. Daar waren ze nog niet helemaal, maar dit zou toch het einde kunnen zijn. Ze boog zich over de Zodiac en duwde hem mee terwijl ze door de brij waadde. Toen ze bij de wal kwam, richtte ze het licht op het punt waar die het plafond raakte en liet de straal langs de scheiding lopen.

'Geen sonde,' mompelde ze.

'En wat dan nog? We wisten toch dat de sonde er waarschijnlijk niet helemaal doorheen zou komen? Ik denk dat dit de andere kant is. Kom op.' Hij begon de Zodiac in de richting te duwen waaruit ze waren gekomen. Na een paar passen besefte hij dat ze niet meeliep. Ze stond nog steeds op dezelfde plek met de lamp in haar hand naar de bovenkant van de wal te kijken.

Hij liet alle lucht uit zijn longen ontsnappen. 'O, nee, hoofdagent. Ik weet niet wat je denkt, maar laten we maken dat we hier wegkomen.'

'Kom op. Het is het proberen waard, toch?'

'Nee. Dit is het eind van de instorting. Er is niets aan de andere kant. We kunnen gewoon weggaan...'

'Kom op.' Ze knipoogde tegen hem. 'Ik dacht dat je zei dat je je ook weer niet zóveel van de arbodienst aantrok. Dit laatste stukje nog. Maak me blij.'

'Nee, hoofdagent. Dit is het eind. Hier houdt het voor mij op.'

Ze haalde diep adem. Blies de lucht met een zucht uit. Nog even bleef ze staan treuzelen, terwijl ze met de HID-lamp over de wal scheen en hem vanuit haar ooghoek in de gaten hield.

'Hé,' siste ze. 'Wat was dat?'

'Wat?' Wellard fronste. 'Wat hoorde je dan?'

'Sssttt.' Ze hield een vinger tegen haar mond.

'Hoofdagent?' De communicatieset kwam tot leven. 'Alles goed daar?'

'Sssttt.' Nog steeds met haar vinger tegen haar mond. 'Stil iedereen.'

Niemand zei iets. Ze deed een paar passen naar voren. De straal van de lamp danste en pikte druipende wanden en de vreemde, ineengedoken vormen van gevallen aarde op, als de gebogen ruggen van dieren die uit het water staken. Ze bleef staan, draaide zich opzij en deed haar hoofd achterover alsof ze beter probeerde te horen. Wellard liet de boot in de steek en kwam langzaam door het water, heel voorzichtig zodat zijn laarzen geen geluid maakten. 'Wat is er?' Zijn mond vormde de woorden. 'Heb je iets gehoord?'

'Jij niet?' zei ze geluidloos terug.

'Nee. Maar je weet...' Hij wees met een vinger naar zijn oor. De teamleden ondergingen regelmatig gehoortests om te controleren of de waterdruk waaronder ze werkten hun trommelvliezen niet had aangetast. Iedereen wist dat Wellards gehoor in één oor vijf procent achteruit was gegaan. 'Ik hoor niet zo goed als jij.'

Ze stak een vinger in haar linkeroor en deed alsof ze weer luisterde. Maar Wellard was niet stom en dit keer trapte hij er niet in. 'Jezus.' Hij zuchtte. 'Je kunt niet eens overtuigend liegen.'

Ze liet haar hand zakken, keek hem boos aan, wilde iets zeggen, maar zweeg toen ze zag dat er iets veranderde in de tunnel. Het water rond hun knieën bewoog een beetje. Van boven kwam een geluid als verre donder.

'Dat kan ik wel horen,' mompelde Wellard. 'Dat kan ik heel goed horen.'

Ze verroerden zich geen van beiden, maar keken naar het plafond.

'Een trein.'

Het geluid zwol aan. Binnen een paar seconden was het oorverdovend; de wanden schudden alsof de aarde zelf in beweging was gekomen. De tunnel leek te brullen en het water golfde om hen heen en kaatste bewegende weerspiegelingen van de grote lamp terug. Ergens verderop in de duisternis klonk het geluid van stenen die in het water plonsden.

'Verdomme,' siste Wellard, die zijn hoofd introk. 'Godverdegodver.'

En toen, bijna net zo snel als het was begonnen, was het voorbij.

Lange tijd bewogen ze geen van beiden. Toen ging Wellard voorzichtig rechtop staan en stonden ze zwaar ademend schouder aan schouder naar het plafond te staren en te luisteren naar het geluid van de laatste paar stenen die in de duisternis voor hen omlaag vielen.

'Kom terug.' Er kwam een stem door de communicatieset. Het leek Flea die van Jack Caffery. 'Zeg tegen ze dat ze naar buiten moeten komen.'

'Hoor je dat, hoofdagent?' zei de communicatieman. 'De inspecteur zegt dat je terug moet komen.'

Flea duwde de helm uit haar gezicht, legde haar handen om de rand van de Zodiac en boog voorover om in de set te spreken. 'Zeg tegen inspecteur Caffery dat het antwoord nee luidt.'

'Wát?' siste Wellard. 'Ben je verdomme gek geworden?'

'Er is hier geen sonde te zien. En bovendien heb ik iets gehoord aan de andere kant van deze instorting. Meneer.' Ze was al bezig de uitrusting die ze nodig had uit de Zodiac te halen: een schop en een masker. 'Ik wil weten wat dat is. Er zou ruimte kunnen zijn tussen deze instorting en de grote.'

Ze hoorde Caffery iets tegen de communicatieman zeggen. Zijn stem weergalmde. Hij moest de tunnel in zijn gewaad om met hem te praten.

'Hoofdagent?' zei de communicatieman. 'De inspecteur zegt dat hij dit bij de briefing heeft doorgenomen. Hij zegt dat er geen hard bewijs is dat ze in de tunnel is en dat hij geen levens op het spel wil zetten. Sorry, hoofdagent, maar ik geef het door zoals hij het zegt.'

'Dat geeft niet. En wil jij aan hem doorgeven zoals ik het zeg, hoewel ik weet dat hij meeluistert, dat ik weet wat ik doe, namelijk mijn werk, en dat ik geen levens op het spel ga zetten. En...'

Ze stopte met praten. Wellard had het snoer uit de communicatieset getrokken. Het werd stil in de tunnel. Hij staarde haar met glinsterende ogen aan.

'Wellard. Wat denk je verdomme dat je aan het doen bent?'

'Ik laat dit niet gebeuren.'

'Er zou iets te vinden kunnen zijn aan de andere kant. Net achter die instorting.'

'Nee – die instorting is er al een eeuwigheid.'

'Hoor nou eens, ik heb het gevoel...'

'Een ingeving? Je hebt een ingeving, nietwaar?'

'Steek je nou de draak met me?'

'Nee, jij steekt de draak met mij, hoofdagent. Ik heb thuis een vrouw en kinderen en je hebt niet het recht – niet het recht...' Hij brak zijn zin af en stond zwaar ademend naar haar te kijken. 'Wat heb je toch? Een halfjaar lang doe je alsof het hele team je geen reet kan schelen. Het had stilletjes dood kunnen gaan, wat jou betrof. En nu ben je opeens zo fanatiek dat je ons allebei kunt vermoorden.'

Flea was sprakeloos. Ze kende Wellard al zeven jaar. Ze was de peettante van zijn dochter. Ze had een speech afgestoken bij zijn huwelijk en was zelfs bij hem op bezoek geweest toen hij met een hernia in het ziekenhuis lag. Ze werkten fantastisch goed samen. Hij had haar nog nooit laten zitten. Nog nooit.

'Dus je doet niet mee?'

'Het spijt me. Er zijn grenzen.'

Ze deed haar mond dicht, keek achterom naar de wal, draaide zich weer naar hem om en haalde haar schouders op zonder hem aan te kijken. 'Goed dan.' Ze pakte het snoer uit zijn hand en duwde het weer in de communicatieset.

'... nu meteen naar buiten,' klonk Caffery's stem. 'Als je zo doorgaat, haal ik je eigen inspecteur hierheen.'

'Hij zegt dat je naar buiten moet komen,' ze de communicatieman toonloos. 'Nu meteen. Hij zegt dat hij inspecteur...'

'Dank je.' Ze bracht haar gezicht dicht bij de set en zei luid en duidelijk: 'Ik heb het gehoord. Zeg maar tegen meneer Caffery dat er één duiker naar buiten komt. Hij brengt de boot mee. En intussen,' ze haalde de keelmicrofoon uit het zakje op het droogpak en hing hem om haar hals, 'schakel ik over op vox. Oké? Ik blijf misschien niet in het bereik van de communicatieset.'

'Wat haal je je verdomme in je hoofd?' riep Caffery.

Ze begon te neuriën om zijn stem buiten te sluiten. Als ze over de wal was gekropen en nogmaals had gecontroleerd dat het echt de andere kant van de instorting was en niet een kleinere wal, en als ze misschien iets had gevonden dat hen naar Martha toe leidde, hield hij zijn mond wel. Misschien bedankte hij haar zelfs.

'Nee,' mompelde ze zachtjes voor zich heen. 'Bedanken? Je zit hier niet in een sprookje.'

'Wat zei je?'

'Niets,' zei ze. 'Ik probeer de keelmicrofoon in te schakelen.'

Hij gaf geen antwoord. Ze wist wat hij nu deed. Hij stond spijtig zijn hoofd te schudden, alsof hij wilde zeggen: *ik ben een redelijk man, dus waarom krijg ik altijd alle gekken op de wereld over me heen?*

Wellard stond met een gekwetst gezicht de spullen in de boot te laden. Ze keek hem niet aan toen ze haar schop uit de elastiekklus haalde waarin die zat opgeborgen. Ze had het gevoel dat ze nooit meer over dit moment zouden praten. Met de schop en haar andere uitrustingsstukken in de hand draaide ze zich om en waadde naar de instorting. Ze begon tegen de wal op te klimmen. De vollersaarde schoof weg onder haar gewicht, zodat ze met iedere stap wegzakte. Ze moest haar spullen voor zich uit gooien en hopen dat ze bleven liggen waar ze vielen. Het kostte haar drie minuten om half kruipend, half klauterend bij het plafond te komen, en toen ze daar was hijgde ze. Maar ze ging door. Ze begon te graven, trok met haar schop de zware aarde naar zich toe en hoorde die achter zich naar beneden rollen en in het kanaal plonzen.

Ze was al vijf minuten bezig toen Wellard opeens naast haar stond. 'Jij zou al halverwege de uitgang moeten zijn.' Ze draaide zich om en keek naar de Zodiac, die nog steeds op het zwarte water dreef. 'Wat doe je?'

'Waar lijkt het op?' zei hij.

'Je gaat niet mee.'

'Nee. Maar ik kan graven. Dat deel hoef je niet in je eentje te doen.'

Ze liet hem de schop overnemen en ging een paar minuten zitten kijken hoe hij werkte. Ze dacht aan wat hij had gezegd: *ik heb*

thuis een vrouw en kinderen en je hebt niet het recht – niet het recht...
Ze voelde zich moe. Zo moe.

'Oké.' Ze legde haar hand op zijn arm. 'Je kunt nu wel ophouden. Stop.'

Ze gingen zitten kijken naar het gat dat ze gemaakt hadden.

'Het is niet erg groot,' zei Wellard.

'Groot genoeg.'

Ze haalde de kleine zaklamp uit de houder in haar droogpak, kroop een eindje op haar buik in het gat en duwde de lamp voor zich uit.

'O, ja,' fluisterde ze toen ze begreep wat ze zag. 'Dat is goed. Dat is heel goed.'

'Wat?'

Ze floot zachtjes. 'Ik had gelijk.' Ze kwam weer uit het gat. 'Er is daar nog een andere ruimte.' Ze stak de lamp weer in de houder, en maakte haar helm, de hoofdlamp en de gasmeter los.

Wellard keek toe. 'Je hebt ons geleerd die dingen nooit af te doen.'

'Nou, dan leer je het nu anders. Ik kom er met die spullen aan mijn lijf niet doorheen.' Ze worstelde met de Dräger-rebreather.

'Niet die. Dat kan ik je niet laten doen.'

Ze gaf hem de noodset. 'O, nee? Ik heb geen vrouw en kinderen. Als er iets met mij gebeurt, zal niemand erom huilen.'

'Dat is niet waar. Het is gewoon niet...'

'Sssttt, Wellard. Houd je mond en pak aan.'

Hij legde de rebreather zwijgend op een vlak stuk van de helling.

'Hier. Maak vast.' Ze gaf hem het semistatische klimtouw en wachtte tot hij het achter op haar gordel had vastgemaakt. Hij zette zijn knie tegen haar rug en trok eraan om het te testen.

'Oké.' Zijn stem was dof. 'Je zit vast.'

Ze trok zich naar voren en duwde haar hoofd en schouders in het donkere gat. Er staken boomwortels uit het plafond, die als vingers over haar nek en rug kietelden. Ze werkte zich met haar ellebogen een eindje vooruit.

'Geef me een zetje.'

Het duurde even, maar toen voelde ze hoe hij haar voeten pakte en haar zo hard hij kon naar voren duwde. Eerst gebeurde er niets. Hij probeerde het nog eens en dit keer floepte ze met een luid zuigend geluid als een kurk aan de andere kant naar buiten, helemaal bedekt met modder. Half tijgerend en half rollend ging ze de helling af en viel het laatste stukje naar het kanaal aan de andere kant.

'Jezus.' Ze ging spuwend en hoestend overeind zitten. Het dikke water om haar heen bewoog lui door de inslag van haar landing. Achter haar viel iets van de top van de helling. Ze hoorde het stuiteren en springen en neerkomen. Met gerinkel, geen geplons, dus het lag niet in het water. Ze boog zich ernaar toe en voelde in de modder. Haar hoofdlamp. 'Klasse, man,' riep ze tegen Wellard. 'Klasse, man.'

'Ik hoor je maar net, hoofdagent.'

'Dove sukkel.'

'Dat lijkt er meer op.'

Ze deed het licht aan en kwam druipend overeind. Ze scheen met de lamp om zich heen. In het licht waren de bakstenen muren te zien en grote scheuren in het plafond waar de grondlagen het hadden begeven, en de barsten van andere instabiele stukken, die eruitzagen alsof ze elk moment naar beneden konden komen. En het water, dat nog steeds bewoog, en slechts negen meter verderop een andere wal.

'Zie je iets?'

Ze gaf geen antwoord. De ruimte was leeg, op een oude kolenschuit aan de andere kant na, de achtersteven net zichtbaar en half bedekt door de volgende hoop aarde. Het water was zo ondiep dat een kind – of het lijk van een kind – zelfs zichtbaar zou zijn als het in het kanaal lag. Flea waadde naar de schuit, bukte en liet het licht erin vallen. Hij zat vol modderwater en op het oppervlak dreven een paar stukken hout. Verder niets.

Ze kwam overeind, zette haar ellebogen op het dek en liet haar gezicht in haar handen vallen. Ze was zo ver de tunnel in gegaan als mogelijk was. Er was niets te vinden. Ze had het mis gehad. Verspilling van tijd en energie. Ze had zin om te gaan zitten en een potje te janken.

'Hoofdagent? Alles goed daar?'

'Nee, Wellard,' zei ze toonloos. 'Niets is goed. Ik kom naar buiten. Er is hier niets.'

23

Caffery had een paar lieslaarzen geleend uit het busje van het duikteam. Ze waren een paar maten te groot en de bovenkant sneed in zijn liezen toen hij naar het daglicht waadde. In de korte tijd dat hij in de tunnel was geweest, was het buiten nog drukker geworden. Niet alleen met media en aanverwanten, maar de helft van de afdeling Zware Misdrijven was ook aanwezig: de leden stonden een meter of veertig verderop de tunnel in te staren. Iedereen had gehoord van de zoektocht waar ze bevel voor had gegeven en ze waren en masse komen kijken.

Hij negeerde hen, negeerde de verslaggevers die zich over de versierde borstwering heen bogen, sommigen met camera's op de decoratieve nissen gericht. Hij ging naar het jaagpad, liet zich op de ijskoude aarde zakken en trok de lieslaarzen uit. Hij hield zijn gezicht naar beneden, want hij wilde niet dat iemand op de foto vastlegde hoe nijdig hij was.

Hij trok zijn schoenen aan en strikte de veters. In de tunnelingang verschenen Flea Marley en haar assistent, besmeurd met zwarte modder en knipperend tegen het daglicht. Caffery stond op en liep over het jaagpad tot hij zich recht boven haar bevond. 'Ik ben op dit moment zo enorm kwaad op je,' siste hij.

Ze keek met kille ogen naar hem op. Onder haar ogen zaten vage blauwe wallen, alsof ze heel moe was. 'Dat zou ik nou nooit gedacht hebben.'

'Waarom kwam je niet naar buiten toen ik dat zei?'

Ze gaf geen antwoord. Zonder haar ogen van hem af te wenden, begon ze grote stukken natte klei van haar gordels te trekken. Ze gaf haar gasmeter en de noodrebreather aan een teamlid om ze te laten afspoelen. Caffery boog zich dichter naar haar toe, zodat de verslaggevers niet zouden horen wat hij zei. 'Je hebt vier uur van ieders dag verspild, en waarvoor?'

'Ik dacht dat ik iets hoorde. Er zat een ruimte tussen de twee instortingen. Daar had ik in ieder geval gelijk in, niet dan? Ze had daar kunnen zijn.'

'Wat jij gedaan hebt, is onreglementair, hoofdagent Marley. Het overschrijden van de parameters van een bepaling die in overeenstemming is met de regels van de arbodienst is technisch gezien een misdrijf. Wil je de korpschef voor de rechter hebben of zo?'

'Mijn team is statistisch gezien een van de gevaarlijkste eenheden om bij te werken. Maar in drie jaar heeft niet één van mijn jongens een verwonding opgelopen. Er is er niet één in een decompressietank beland of op de afdeling Spoedeisende Hulp. Nog niet voor een gescheurde nagel.'

'Zie je nou, dát,' hij wees naar haar, 'dát, wat je net hebt gezegd, is precies waar ik denk dat dit allemaal over gaat. Jouw team. Je hebt dit alleen gedaan om jouw pokkenteam in de schijnwerpers te zetten...'

'Het is geen pokkenteam.'

'Dat is het wel. Moet je jullie nou eens zien – jullie zijn nergens meer.'

De kogel was afgevuurd voordat hij zelfs maar doorhad dat hij het geweer had geladen. En hij was raak. Hij zag het duidelijk. Zag hoe het projectiel een plek vond, huid en bot doorboorde, zag de pijn flikkeren in haar ogen. Ze liet de gordel vallen, gaf haar helm en handschoenen aan een lid van het team, klom op het jaagpad en liep met gestage pas naar de Sprinter van het duikteam.

'Jezus.' Caffery deed zijn handen in zijn zakken en beet op zijn lip, zo boos was hij op zichzelf. Toen ze in het voertuig was gestapt en het portier had dichtgedaan, wendde hij zich af. Prody stond hem vanaf de borstwering aan te staren.

'Wat nou?' Er ging weer een koude flits van woede door hem heen. Het zat hem nog steeds dwars dat Prody zich bemoeide met de zaak-Kitson. Misschien nog meer omdat de man precies deed wat hij, Caffery, zou doen. Vragen stellen die hij voor zich moest houden. Buiten de hokjes gaan. 'Wat nou, Prody? Wat moet je?'

Prody deed zijn mond dicht.

'Ik dacht dat je bewakingsbeelden tevoorschijn moest zien te toveren in plaats van een uitje naar de Cotswolds te maken.'

Prody mompelde iets. Het zou 'sorry' kunnen zijn, maar het kon Caffery niet veel schelen. Hij had er genoeg van, van de kou en de media en hoe zijn collega's zich gedroegen.

Hij tastte in zijn zak naar zijn sleutels. 'Ga terug naar kantoor en neem je vriendjes mee. Jullie zijn hier zo welkom als een kakkerlak in de sla. Als het nog eens gebeurt, krijgt de hoofdinspecteur het te horen.' Hij draaide zich met een ruk om, liep weg en beklom de trap die naar de dorpsmeent leidde die ze gebruikten als verzamelpunt, terwijl hij intussen zijn jack dichtdeed. De meent lag er bijna verlaten bij, op een man met een gescheurde trui na in de achtertuin van een van de huizen, die bladeren in een grote container deed. Toen Caffery er zeker van was dat niemand hem was gevolgd, deed hij het portier van de Mondeo open en liet hij Myrtle eruit.

Ze gingen onder een eikenboom staan, waarvan de dode bladeren zich nog steeds vastklampten en ritselden in de wind, en de hond zakte bibberig door haar poten om te plassen. Caffery stond er met zijn handen in zijn zakken naast en keek naar de hemel. Het was bitterkoud. Toen hij hiernaartoe reed, had hij een telefoontje gehad van het lab. Het DNA van de melktand kwam overeen met dat van Martha. 'Het spijt me,' mompelde hij tegen de hond. 'Ik heb haar nog steeds niet gevonden.'

Myrtle keek met trieste ogen naar hem op.

'Ja, je hebt me goed gehoord. Ik heb haar nog steeds niet gevonden.'

24

Het was helder en warm geweest in de nacht dat Thom Misty Kitson had gedood. De maan had geschenen. Hij reed op een landweggetje toen het gebeurde. Er was niemand in de buurt en toen hij haar per ongeluk had aangereden, had hij het lichaam ongezien in de kofferbak gelegd. Dronken en radeloos had hij een toevlucht gezocht in het huis van Flea. Onderweg had zijn roekeloze rijgedrag ervoor gezorgd dat hij gevolgd werd door een verkeersagent, die een paar seconden na Thom bij Flea op de stoep had gestaan, met een blaaspijpje in de hand. Flea moest die avond haar verstand in een pot onder haar bed hebben laten liggen, want ze had haar broer bijna zonder erbij na te denken gedekt. Op dat moment had ze niet geweten wat er in de kofferbak van de auto lag. Als dat wel zo was geweest, had ze niet de blaastest voor hem gedaan. Had ze de agent niet bezworen dat zij achter het stuur had gezeten en hem geen mooie nuchtere uitslag bezorgd.

De agent die haar had laten blazen stond nu een eindje verderop in de lage pub met zijn rug naar haar toe een drankje te bestellen. Agent Prody.

Ze schoof haar halfvolle pint cider naar de andere kant van de tafel, trok haar mouwen over haar handen, stopte ze onder haar oksels en schoof onderuit op haar stoel. De pub bij de oostelijke ingang van het kanaal, de plek waar ze de eerste keer het water waren ingegaan om de boel te verkennen, was kenmerkend voor de Cotswolds; een stenen gebouw met een rieten dak, geëmailleerde reclameborden aan de muren en beroete bakstenen boven de open haard. De soorten bier en het lunchmenu stonden op schoolborden geschreven. Maar rond het middaguur op deze druilerige novemberdag waren de enige aanwezigen een oude whippet die naast het vuur lag te slapen, de barman en Flea. En Prody. Hij zou haar straks wel in de gaten krijgen. Dat kon gewoon niet missen.

De barman gaf hem zijn lager. Prody bestelde iets te eten en nam een paar slokjes uit zijn glas. Hij ontspande zich een beetje en draaide zich om op de kruk om zijn omgeving op te nemen. En toen zag hij haar. 'Hé.' Hij pakte het glas op en liep de ruimte door. 'Ben je er nog?'

Ze dwong zichzelf tot een glimlach. 'Ik geloof van wel.'

Hij ging achter de andere stoel bij het tafeltje staan. 'Mag ik?'

Ze haalde haar natte jas van de rugleuning, zodat hij kon gaan zitten. Hij maakte het zich gemakkelijk. 'Ik dacht dat je hele team al naar huis was.'

'Ach ja. Zo gaat dat.'

Prody zette zijn glas netjes op een viltje. Hij droeg zijn haar heel kort. Met inhammen aan weerszijden. Zijn ogen waren lichtgroen en hij zag eruit alsof hij een maand op vakantie was geweest in een warm oord – er zaten witte plooitjes bij zijn slapen. Hij draaide zijn glas om en om op het viltje en keek naar de natte kring die erdoor ontstond. 'Ik vond het niet leuk dat je er zo van langs kreeg. Het was niet nodig. Hij hoefde niet zo tegen je uit te vallen.'

'Ik weet het niet. Misschien was het mijn eigen schuld.'

'Nee, het ligt aan hem. Hij heeft ergens een pesthumeur over. Je hebt de uitbrander niet gehoord die hij mij gaf toen je weg was. Ik wil maar zeggen, wat wil hij nou eigenlijk?'

Ze trok een wenkbrauw op. 'Dus jij zit ook te pruilen? Net als ik?'

'Wil je het echt weten?' Hij leunde achterover op zijn stoel. 'Sinds we deze zaak hebben, werk ik achttien uur per dag en het zou leuk zijn om aan het eind daarvan eens een schouderklopje te krijgen. Maar het enige wat je mag verwachten, is een grote bek. Nou, hij ziet maar met zijn bewakingsbeelden. Hij ziet maar met zijn overuren. Ik weet niet hoe jij erover denkt,' hij hief zijn glas, 'maar ik neem vanmiddag vrij.'

Sinds die nacht in mei had Flea Paul Prody een paar keer op het werk gezien – een keer op de dag dat de eenheid een groeve had afgezocht naar de auto van Simone Blunt, andere keren in de kantoren die het duikteam deelde met de verkeerspolitie. Prody had op haar de indruk gemaakt van een sportschooljongen, altijd onderweg naar de douche met een driehoek zweet in zijn T-shirt van

Nike. Ze had hem gemeden en hem zorgvuldig van een afstandje in de gaten gehouden, en na verloop van maanden was ze ervan overtuigd geraakt dat hij geen idee had wat zich die nacht in haar kofferbak had bevonden. Maar dat was toen hij nog bij de verkeersdienst had gewerkt. Nu hij bij Zware Misdrijven zat, had hij meer reden om terug te denken aan die nacht. Ze werd er gek van om niet te weten hoe hoog de zaak-Kitson nog op de prioriteitenlijst stond, hoeveel mensen er nog mee bezig waren. Maar dat waren natuurlijk geen vragen die je zomaar kon stellen als je daar zin in had.

'Dagen van achttien uur? Dan lach je niet meer, inderdaad.'

'Sommigen van ons slapen op de bank.'

'En...' Ze probeerde de gretigheid uit haar woorden te weren, zodat ze er nonchalant uit kwamen. 'En hoeveel mankracht – sorry, menskracht hebben jullie? Zijn jullie ook nog bezig met andere zaken?'

'Nee. Niet echt.'

'Niet echt?'

'Precies.' Zijn stem kreeg iets behoedzaams, alsof hij wist dat ze zat te vissen. 'Geen andere zaken. Alleen deze, de ontvoering. Hoezo?'

Ze haalde haar schouders op, richtte haar blik op het raam en deed alsof ze naar de regendruppels keek die aan de houtige blauweregen voor de ruitjes hingen. 'Ik dacht zomaar dat dagen van achttien uur zwaar moeten zijn voor iedereen. Voor jullie privéleven.'

Prody haalde diep adem. 'Gek, maar zal ik je eens iets vertellen? Dat is helemaal geen grappige opmerking. Jij bent een slimme vrouw, maar het vakje humor ziet er nogal leeg uit, als je het niet erg vindt dat ik het zeg.'

Ze keek hem weer aan, verbaasd over zijn toon. 'Wat krijgen we nou?'

'Ik zei dat het niet grappig is. Als je me wilt uitlachen, doe je dat maar op een afstandje.' Hij wierp zijn hoofd achterover en dronk zijn glas in één keer leeg. Er zaten rode vlekken in zijn hals, alsof hij uitslag had. De stoel kraste over de vloer toen hij hem achteruitduwde en opstond.

'Hé!' Ze stak een hand op om hem tegen te houden. 'Wacht. Dit vind ik niets. Ik heb iets verkeerds gezegd, maar ik weet niet wat.'

Hij trok zijn jas aan en knoopte hem dicht.

'Jezus. Een beetje fatsoenlijk iemand zou me in ieder geval vertellen wat ik verkeerd heb gezegd. Dit komt echt uit het niets.'

Prody keek haar eens goed aan.

'Wat nou? Zeg het dan. Wat heb ik verkeerd gezegd?'

'Weet je het echt niet?'

'Nee. Ik weet het echt niet.'

'Dringt de tamtam niet door tot het duikteam?'

'Welke tamtam?'

'Mijn kinderen?'

'Je kinderen? Nee.' Ze legde haar hand even over haar ogen. 'Ik tast volledig in het duister. Volledig, ik zweer het je.'

Hij zuchtte. 'Ik heb geen privéleven. Niet meer. Ik heb mijn vrouw en kinderen in geen maanden gezien.'

'Hoe dat zo?'

'Blijkbaar mishandel ik mijn vrouw. En mijn kinderen.' Hij deed zijn jas uit en ging weer zitten, en de vlekken in zijn hals trokken langzaam weg. 'Blijkbaar sla ik mijn kinderen bijna dood.'

Flea begon te lachen omdat ze dacht dat hij een geintje maakte, maar toen bedacht ze zich en de glimlach verdween. 'Jezus,' zei ze. 'Ben je echt zo iemand? Die zijn vrouw mishandelt? En zijn kinderen?'

'Volgens mijn vrouw. Alle anderen geloven het ook. Ik begin het bijna zelf ook te geloven.'

Flea keek hem zwijgend aan. Zijn haar was zo kortgeknipt dat je de vorm van zijn schedel eronder kon zien. Kinderen die hij niet mocht zien. Dat had niets te maken met de zaak-Misty Kitson. De spanning in haar werd iets minder. 'Jezus. Dat is hard. Het spijt me.'

'Dat hoeft niet.'

'Ik zweer je dat ik van niets wist.'

'Oké. Het was niet mijn bedoeling zo aangebrand te doen.' Buiten viel de regen. In de pub rook het naar hop, paardenmest en oude wijnkurken. Ergens in de kelder klonk het geluid van biervaten die gewisseld werden. Het leek warmer in de bar. Prody wreef over zijn armen. 'Nog iets drinken?'

'Iets drinken? Ja, graag. Ik...' ze keek naar haar ciderglas. 'Limonade of cola of zoiets.'

Hij lachte. 'Limonade? Denk je soms dat ik je weer laat blazen?'

'Nee.' Ze keek hem strak aan. 'Waarom zou ik dat denken?'

'Ik weet het niet. Ik geloof dat ik altijd gedacht heb dat je na die nacht kwaad op me was.'

'Nou... dat was ik ook. Een beetje.'

'Ik weet het. Je hebt me daarna steeds gemeden. Daarvoor zei je altijd gedag – je weet wel, in de sportzaal of zo. Maar na die tijd was het helemaal...' Hij ging met zijn hand voor zijn gezicht langs om aan te duiden dat ze hem had buitengesloten. 'Ik moet toegeven dat het hard was. Maar ik had jou ook hard aangepakt.'

'Nee. Je was eerlijk. Ik zou mezelf ook hebben laten blazen.' Ze tikte tegen het ciderglas. 'Ik was niet dronken, maar ik gedroeg me als een idioot. Reed te hard.'

Ze glimlachte. Hij glimlachte terug. Er kwam zwak licht door het raam, dat het stof in de bar verlichtte. Het vond de blonde haartjes op Prody's arm. Hij had mooie armen en handen. Caffery's armen waren pezig en hard met donker haar. Die van Prody waren lichter en vleziger. Ze dacht dat ze misschien warmer zouden aanvoelen dan die van Caffery.

'Limonade, dan?'

Ze besefte dat ze zat te staren. Ze hield op met glimlachen en voelde haar gezicht verstijven. 'Neem me niet kwalijk.' Ze stond onvast op en ging naar het damestoilet, waar ze zich opsloot in een hokje, plaste, haar handen waste en ze onder de droger hield tot ze zichzelf in de spiegel zag. Ze boog zich verder over de wasbak en bekeek haar spiegelbeeld. Haar wangen waren rood van de koude dag en de cider. De aderen in haar handen, voeten en gezicht leken opgezwollen. Ze had de douche in de duikbus van het team gebruikt, maar daar was geen föhn, zodat haar haar gewoon aan de lucht was opgedroogd tot witblonde kurkentrekkertjes.

Ze deed haar shirt een stukje open. Daaronder was ze niet roze en rood aangelopen. Ze was bruin – een kleur die het hele jaar bleef zitten en die ze als kind moest hebben gekregen in de duikvakanties met ma, pa en Thom. Het gezicht van Caffery flitste door haar heen, zoals hij op het jaagpad naar haar had staan schreeuwen. Woedend. Je kon Caffery nooit erg vriendelijk noemen, maar toch – zo'n grote woede was onverklaarbaar. Ze deed de knoopjes van haar blouse weer dicht en bekeek zichzelf nog wat langer in de spiegel. Toen deed ze de bovenste twee knoopjes weer open, zodat er iets van haar borsten te zien was.

In de bar zat Prody aan het tafeltje met twee glazen limonade voor zich. Toen ze bij hem ging zitten, zag hij meteen de open knoopjes. Er viel een onhandige, ongemakkelijke stilte. Hij keek naar het raam en toen weer naar haar, en even zag ze alles heel duidelijk. Ze zag dat ze een beetje dronken was, dat ze er stom uitzag met haar ontblote tieten en dat de hele zaak uit de hand zou lopen en ze in een goot zou belanden waar ze niet uit zou kunnen komen. Ze wendde zich af en zette haar ellebogen op de tafel, zodat hij haar decolleté niet meer kon zien.

'Ik was het niet,' zei ze. 'Die nacht. Ik had niet gereden.'

'Neem me niet kwalijk?'

Ze voelde zich stom. Ze was niet plan geweest het te vertellen en had alleen haar mond opengedaan om haar verlegenheid te maskeren. 'Ik heb het nooit aan iemand verteld, maar het was mijn broer. Hij was dronken en ik niet, dus heb ik hem gedekt.'

Prody zweeg even. Toen schraapte hij zijn keel. 'Fijne zus. Zo een had ik er ook wel willen hebben.'

'Nee, het was stom.'

'Dat zou ik ook zeggen. Het is heel wat om iemand voor te behoeden. Een aanklacht wegens dronkenschap achter het stuur.'

Ja, dacht ze. En geloof me, als je wist waar ik hem echt voor heb behoed, als je wist dat het om veel meer ging dan alleen maar dronkenschap achter het stuur, zou je hoofd tollen en zou je ogen op steeltjes hebben. Ze bleef star voor zich uit zitten staren en hoopte maar dat haar gezicht niet zo rood was als het voelde.

Op dat moment arriveerde Prody's maaltijd, een verlossing voor hen beiden. Varkensworstjes met aardappelpuree. Met ingelegde rode uitjes erbij, als bewolkte knikkers. Hij at in stilte. Even vroeg ze zich af of hij nog boos was, maar ze bleef toch zitten kijken. Liet de stemming rustiger worden. Ze praatten over andere dingen: de eenheid, een inspecteur van de verkeersdienst die op zijn zevenendertigste een hartaanval had gehad bij een familietrouwerij en dood was neergevallen. Prody was klaar met eten en om halftwee stonden ze op om weg te gaan. Flea was moe en duf. Buiten bleek het niet meer te regenen en scheen de zon, maar in het westen hingen nog meer regenwolken. De kalkrijke aarde van de parkeerplaats lag vol gelige plassen. Ze bleef onderweg naar haar auto bij de borstwering boven de oostelijke uitgang van de tunnel staan en tuurde in het modderige water van het kanaal.

'Er is daar niets te vinden,' zei Prody.

'Toch voelt er iets niet goed.'

'Hier.' Hij stak haar een visitekaartje toe met zijn telefoonnummers erop. 'Als je te binnen schiet wat het is, bel me dan. Ik beloof dat ik niet tegen je zal schreeuwen.'

'Zoals Caffery?'

'Zoals Caffery. Wil je nu naar huis gaan en je ontspannen? Het jezelf niet zo moeilijk maken?'

Ze pakte het kaartje aan, maar bleef bij de borstwering staan. Ze wachtte tot Prody in zijn Peugeot was gestapt en de parkeerplaats af was gereden. Toen keek ze neer op de tunnel, onveranderlijk aangetrokken door de glinstering van de winterzon op het zwarte water, tot het geluid van zijn motor was weggestorven en ze alleen nog het getinkel hoorde toen de barman de tafel in de pub afruimde en het gekras van de kraaien in de bomen.

25

Om tien voor vier zat Janice Costello voor het stoplicht grimmig naar de regen te kijken die over de voorruit droop. Alles was donker en somber. Ze haatte dit jaargetijde en ze haatte het om vast te zitten in het verkeer. Emily's school was niet ver van het huis, en hoewel Cory altijd met de auto ging als hij haar van school moest halen – hij stak meestal een hele redevoering af over de schaamteloze afkalving van zijn burgerlijke vrijheden als je over het broeikaseffect begon – gingen ze op de dagen dat Janice het moest doen lopen, waarbij ze zorgvuldig het aantal minuten bijhielden en die gretig doorgaven aan Emily's leraar als onderdeel van het Loop naar School-project.

Maar vandaag was ze met de auto en Emily vond het fantastisch. Ze wist niet dat het was omdat Janice een plan had. Ze had het die nacht uitgedacht toen ze met bonzend hart in de donkere slaapkamer lag, terwijl Cory droomloos naast haar sliep. Ze zou Emily afzetten bij een vriendin en dan naar Cory's kantoor gaan. Op de passagiersstoel van de Audi lag een tas met een thermosfles warme koffie en een stuk worteltaart tussen twee papieren bordjes. Een van de dingen die bij de therapie naar voren waren gekomen, was dat Cory soms het gevoel had dat zijn vrouw niet echt een traditionele echtgenote was. En hoewel er altijd eten op tafel stond en hij 's ochtends een kop thee op bed kreeg, hoewel ze werkte en voor Emily zorgde, miste hij nog steeds wat kleine dingen. Een cake die stond af te koelen op een rekje als hij thuiskwam. Een ingepakte lunch voor op het werk met misschien een lief briefje erbij om hem te verrassen.

'Nou, daar gaan we maar eens verandering in brengen, nietwaar Emily?' zei ze hardop.

'Wat gaan we veranderen?' Emily knipperde met haar ogen. 'Wat, mama?'

'Mam gaat wat lieve dingen doen voor papa. Gewoon om te laten zien dat ze om hem geeft.'

Het licht sprong op groen en Janice liet de Audi naar voren schieten. De straten waren nat en verraderlijk. Ze moest opeens remmen voor een groep kinderen die zonder links of rechts te kijken het zebrapad overstak. Toen ze tot stilstand kwam, schoot de tas van de stoel en kwam op de vloer terecht.

'Verdomme.'

'Dat is niet netjes, mama.'

'Ik weet het, liefje. Sorry.' Ze tastte over de vloer en probeerde de tas te pakken voor de kinderen waren overgestoken en de bestuurder achter haar zou gaan toeteren. Cory had 'champagne' gekozen voor het interieur, ook al was het haar auto en hadden ze hem gekocht van het geld dat zij had gespaard. Op de een of andere manier had hij het laatste woord weten te krijgen bij de meeste beslissingen over de auto. Zij had graag een vw-camper genomen nu ze vanuit huis werkte. Maar Cory zei dat het een sjofel gezicht zou zijn op hun oprit, dus had ze toegegeven en de Audi gekocht. En hij stond erop hem smetteloos schoon te houden. Als Emily ook maar met haar schoolschoenen over de achterbank kroop, volgde er een tirade over het feit dat zijn gezin nergens respect voor had en dat Emily nooit de waarde van geld zou kennen en de maatschappij altijd tot last zou blijven. Toen Janice de tas omhooghengelde en op de bestuurdersstoel legde, kwam er een straaltje koffie uit de onderkant, dat een lang, bruin spoor over de lichte bekleding maakte.

'Verdomme, verdomme, verdomme.'

'Mam! Wat zei ik nou. Dat mag je niet zeggen.'

'Er ligt verdorie overal koffie.'

'Je mag niet vloeken.'

'Papa zal woedend zijn.'

'Nee!' piepte Emily. 'Je moet het niet zeggen. Ik wil niet dat papa boos wordt.'

Janice trok de tas van de stoel en legde hem op de eerste plek die ze kon bedenken. Haar schoot. Er sijpelde hete koffie over haar witte trui en beige broek. 'Jezus.' Ze trok aan haar natte broek om hem los te krijgen van haar benen. De automobilist achter haar begon

134

te toeteren, zoals ze al verwacht had. Iemand schreeuwde.

'Verdomme, verdomme.'

'Je mag dat woord niet zeggen, mama!',

Aan het eind van een parkeerplaats net voorbij de zebra was nog een half plekje vrij. Ze stuurde haar auto naar voren, zette hem op het plekje, deed het raam open, hing de tas eruit en liet de koffie weglopen. Het was een grote thermosfles en het leek een eeuwigheid te duren voor hij leeg was. Het was alsof iemand de kraan had opengezet. Weer toeterde iemand. Dit keer was het de auto die voor haar geparkeerd stond. Hij had zijn achteruitrijlichten aan en kon blijkbaar niet ver genoeg naar achteren om weg te komen, hoewel er nog minstens een meter ruimte was.

'Ik vind dat lawaai niet leuk, mama.' Emily hield haar handen over haar oren. 'Ik vind het niet leuk.'

'Het komt wel goed, schatje. Stil nou maar.'

Janice zette de Audi snel in zijn achteruit en ging ietsjes naar achteren om de auto voor haar de kans te geven weg te rijden. Terwijl ze dat deed, tikte er iemand hard op de achterruit, zodat ze schrok. Tik tik tik. Tik tik tik.

'Mama!'

'Hé!' zei een stem. 'Je staat op een zebra. Er lopen hier kinderen.'

De auto voor haar voegde zich tussen het verkeer en Janice reed het parkeerplekje op. Ze zette de motor af en liet haar hoofd op het stuur zakken. De vrouw die tegen haar had geschreeuwd, stond nu bij het raampje aan de passagierskant en tikte hard tegen het glas. Het was een van de moeders van school Ze was woedend. 'Hé! Denk je soms dat je het recht hebt op een zebra te parkeren, alleen omdat je een dikke auto hebt?'

Janice' handen trilden. Dit was vreselijk. Het was acht minuten voor vier en Cory zou naar Clare gaan of zij zou naar hem komen. Janice kon niet vol koffievlekken bij het kantoor arriveren – en hoe kon ze haar komst rechtvaardigen als ze geen koffie bij zich had? En Emily – die arme kleine Emily – huilde tranen met tuiten en begreep er helemaal niets meer van.

'Kijk me aan, vuile teef. Hier kom je niet mee weg.'

Janice keek op. Het was een enorme vrouw en ze had een rood gezicht. Ze droeg een enorme tweedjas en een van die Nepalese gebreide mutsen die ze tegenwoordig op elke markt verkochten. Ze was omringd door kinderen met soortgelijke mutsen. 'Teef.' Ze sloeg met haar vlakke hand tegen het raam. 'Benzine slurpende teef.'

Janice haalde een paar keer diep adem en stapte uit. 'Het spijt me.' Ze liep om de auto heen naar de kant van de weg, zette de tas op het trottoir en ging voor de vrouw staan. 'Het was niet mijn bedoeling om op de zebra te gaan staan.'

'Als je zo'n dikke auto koopt, kun je ook wel een paar autorijlessen betalen om erin te leren rijden.'

'Ik zei toch dat het me speet.'

'Het is niet te geloven. Hoeveel moeite de school ook doet om ons naar huis te laten lopen, je kunt gewoon niet op tegen al die egoïstische varkens op de wereld.'

'Hoor eens, ik heb gezegd dat het me speet. Wat wil je nog meer? Moet er bloed vloeien?'

'Er zál bloed vloeien. Dat van mijn kinderen zolang er mensen als jullie in de buurt zijn. Als jullie ze niet overrijden met je dure tractors laat je ze wel stikken of verdrinken door alle rotzooi die jullie op het milieu loslaten.'

Janice zuchtte. 'Oké. Ik geef het op. Wat wil je? Moeten we op de vuist?'

De vrouw glimlachte ongelovig. 'O, dat is net iets voor iemand van jouw soort. Je zou het zo doen, waar de kinderen bij zijn, hè?'

'Om eerlijk te zijn... ja, dat zou ik doen.' Ze trok haar jas uit, smeet hem op de kofferbak van de Audi en liep het trottoir op. De kinderen schoten weg en botsten half giechelend, half in paniek tegen elkaar op.

De vrouw deinsde terug naar de deur van de dichtstbijzijnde winkel. 'Ben je gek geworden?'

'Ja. Ik ben gek. Gek genoeg om je te vermoorden.'

'Ik bel de politie.' Ze hield haar handen voor haar gezicht en dook weg in de deuropening. 'Dat doe ik, hoor. Ik bel de politie.'

Janice greep haar bij haar jas en bracht haar gezicht dicht bij dat van de vrouw. 'Luister goed.' Janice schudde even. 'Ik wéét hoe dit eruit ziet. Ik wéét waar je me voor aanziet, maar zo ben ik niet. Ik heb die auto niet gekozen. Dat was die verdomde man van mij...'

'Niet vloeken waar mijn...'

'Het was die vervloekte man van mij, die een vervloekt status-symbool wilde, hoewel ik dom genoeg was om dat verdomde ding te betalen. En ik wil je even zeggen dat ik élke dag met mijn dochter van en naar school loop. Ik loop met haar naar huis en die stomme kar hier heeft na een jaar verdomme nog maar drieduizend kilometer op de teller staan en ik wil je ook nog even zeggen dat ik een heel slechte dag heb. Nou.' Ze duwde de vrouw tegen de muur. 'Ik heb mijn excuses gemaakt. Ga jij nu ook nog je excuses maken?'

De vrouw staarde haar aan.

'Nou?'

Ze keek van links naar rechts om te zien of haar kinderen dicht genoeg in de buurt waren om het te horen. Haar hele gezicht was overdekt met kleine kapotte adertjes, alsof ze haar hele leven in dit koude weer had doorgebracht. Waarschijnlijk geen centrale verwarming in huis. 'In godsnaam,' mompelde ze. 'Als het zo belangrijk voor je is, maak ik mijn excuses. Maar je moet me nu loslaten, zodat ik mijn kinderen thuis kan brengen.'

Janice bleef haar nog even aankijken. Toen liet ze haar met een verachtelijk hoofdschudden los. Ze keek de straat door toen ze zich afwendde en haar handen afveegde aan haar trui. Een man die vreemd genoeg een Kerstmanmasker en een dichtgeritst ski-jack droeg, kwam over de weg naar haar toe rennen. Dat is vroeg voor Kerstmis, kon ze nog denken voordat de man in de Audi sprong, het portier dichtsloeg en de straat op reed.

26

Janice Costello was waarschijnlijk even oud als haar man – de lijntjes rond haar mond en ogen maakten dat wel duidelijk – maar toen ze de deur naar de stijlvol betegelde hal opendeed, leek ze veel jonger. Met haar lichte huid en ravenzwarte haar, dat in een knot op haar achterhoofd zat, de spijkerbroek en het iets te grote blauwe shirt was ze net een kind naast haar fat van een echtgenoot. Zelfs haar ogen en neus, die rood waren van het huilen, deden geen afbreuk aan haar jeugdige verschijning. Haar man probeerde haar elleboog te pakken om haar te steunen toen ze door de hal naar de grote eetkeuken liepen, maar Caffery zag dat ze hem wegrukte en met hoog geheven hoofd alleen verder liep. Haar onhandige, waardige tred was die van iemand met lichamelijke pijn.

De afdeling Zware Misdrijven had haar eigen familierechercheur naar de Costello's gestuurd, agent Nicola Hollis. Het meisje met het lange, prerafaëlitische haar, dat er ondanks haar vrouwelijke uiterlijk op stond dat ze Nick werd genoemd, was in de keuken van de Costello's thee aan het zetten en biscuitjes op een bord aan het leggen. Ze knikte naar Caffery toen hij binnenkwam en aan de grote eettafel ging zitten. 'Het spijt me,' zei hij. Er lagen kindertekeningen op de tafel, krijtjes en stiften. Hij zag dat Janice een stoel vrij liet tussen haar en haar man toen ze ging zitten. 'Het spijt me dat het nog eens moest gebeuren.'

'Je zult je best wel hebben gedaan om hem te pakken.' Janice sprak stijfjes. Het moest de enige manier zijn om haar zelfbeheersing te bewaren. 'Ik geef jou niet de schuld.'

'Een heleboel mensen zouden dat wel hebben gedaan. Dank je wel.'

Ze glimlachte somber. 'Wat wil je weten?'

'We moeten de hele zaak nog eens doornemen. Je hebt de alarmcentrale verteld...'

'En de politie in Wincanton.'

'Ja. En ze hebben me de essentiële feiten doorgegeven, maar ik wil alles duidelijk in mijn hoofd hebben, want mijn eenheid gaat de zaak vanaf dit moment behandelen. Het spijt me dat ik je het nogmaals moet laten vertellen.'

'Dat geeft niet. Het is belangrijk.'

Hij haalde zijn mp3-speler voor de dag en legde hem tussen hen in op tafel. Hij was nu rustiger. Voordat het telefoontje over de ontvoering van Emily was binnengekomen, had hij beseft hoe gespannen hij was. Na het kanaal had hij de tijd genomen om te lunchen en zichzelf gedwongen iets te doen wat niets met de zaak te maken had. Hij was zelfs een drogisterij binnengelopen om glucosamine te kopen voor Myrtle. Zijn boosheid op Prody en Flea was uiteindelijk een beetje weggeëbd. 'Dus het is rond vier uur gebeurd?' Hij keek op zijn horloge. 'Anderhalf uur geleden?'

'Ja. Ik had Emily net van school gehaald.'

'En je hebt de alarmcentrale verteld dat de man een Kerstmanmasker droeg.'

'Het ging allemaal zo snel, maar inderdaad, een rubbermasker. Niet een van die harde plastic dingen, maar zachter. Met haar en een baard en zo.'

'Je hebt zijn ogen niet gezien?'

'Nee.'

'En hij droeg een jack met capuchon?'

'Hij had de capuchon niet op, maar het was inderdaad een skijack. Rood. Met een rits. En volgens mij een spijkerbroek. Dat weet ik niet helemaal zeker, maar ik weet wel dat hij latex handschoenen aanhad. Dezelfde die dokters dragen.'

Caffery haalde een kaart voor de dag en vouwde die uit op de tafel. 'Kun je me laten zien van welke kant hij kwam?'

Janice boog zich over de kaart. Ze legde een vinger op een kleine zijstraat. 'Uit deze straat. Die leidt naar het grasveld – de dorpsmeent waar ze soms vuurwerk afsteken.'

'Ligt hij op een helling? Ik ben niet erg goed met contourlijnen.'

'Inderdaad.' Cory liet zijn hand met een zwaai over de kaart gaan. 'Een steile helling, helemaal van hier tot hier. Hij houdt daar pas op, bijna helemaal buiten de bebouwde kom.'

'Dus hij rende tegen de heuvel op?'

'Ik weet het niet,' zei Janice.

'Was hij buiten adem?'

'Nou, nee. Tenminste, dat geloof ik niet. Ik heb eigenlijk niet veel van hem gezien – het was zo snel voorbij. Maar hij hijgde niet.'

'Dus je kreeg niet het gevoel dat hij net de hele heuvel op was gerend.'

'Waarschijnlijk niet, nu ik erover nadenk.'

Caffery had al een team uitgestuurd om de omringende wegen af te zoeken naar een donkerblauwe Vauxhall. Als de ontvoerder buiten adem was geweest, had hij hem misschien onder aan de heuvel geparkeerd. Zo niet, dan konden ze naar de auto zoeken in de vlak lopende straten rond de plek van de ontvoering. Hij dacht aan de zwarte punaises in de kaart in zijn kantoor. 'Er is geen station in Mere, toch?'

'Nee,' zei Cory. 'Als we met de trein willen, moeten we naar Gillingham rijden. Dat is maar een paar kilometer.'

Caffery zweeg even. Betekende dat het einde van zijn theorie dat de ontvoerder gebruikmaakte van de spoorwegen om zijn auto op te halen? Misschien deed hij het met nog een ander voertuig. Of met de taxi. 'De weg waar het gebeurde.' Hij ging er met zijn vinger overheen. 'Ik ben er onderweg hiernaartoe overheen gekomen. Er zijn veel winkels.'

'Overdag is het er rustig. Maar als je er 's morgens vlak voor schooltijd komt...'

'Ja,' zei Janice. 'Of als de school net uit is. Het is de plek waar de meeste mensen hun laatste boodschappen doen voor het avondeten, of 's morgens als ze geen drinken meer hebben voor de lunchtrommel van hun kinderen, bijvoorbeeld.'

'Waar was jij voor gestopt?'

Ze perste haar lippen op elkaar en klemde ze even tussen haar tanden voor ze iets zei. 'Ik had eh... ik had koffie over me heen gekregen. Ik had een thermosfles bij me die lekte. Ik stopte om hem de auto uit te krijgen.'

Cory keek haar aan. 'Je drinkt geen koffie.'

'Maar ma wel.' Ze glimlachte strak naar Caffery. 'Ik wilde naar mijn moeder nadat ik Emily bij vrienden had gebracht. Dat was mijn plan.'

'En je nam koffie mee?' zei Cory. 'Kan ze dat thuis niet zetten?'

'Maakt het iets uit, Cory?' Ze hield die stijve glimlach op haar gezicht en bleef Caffery aankijken. 'Maakt dat onder deze omstandigheden verdomme nog iets uit? Al had ik koffie gemaakt voor Osama bin Laden, zou dat echt relevant zijn...'

'Ik wilde vragen naar de getuigen,' zei Caffery. 'Er waren er aardig wat, niet? Ze zitten nu allemaal op het bureau.'

Janice sloeg haar ogen gegeneerd neer. Ze drukte haar vingertoppen tegen haar voorhoofd. 'Ja,' zei ze. 'Er waren een heleboel mensen. In feite...' Ze keek naar Nick, die heet water in vier mokken schonk. 'Nick? Ik hoef eigenlijk geen thee, dank je. Ik zou wel een borrel lusten. Als je het niet erg vindt. Er staat wat wodka in de koelkast. En de glazen zijn daar.'

'Ik doe het wel.' Cory liep naar de kast en haalde er een glas uit. Hij vulde het met wodka uit een fles met een Russisch etiket en zette het voor zijn vrouw neer. Caffery keek naar het glas. De wodka rook als het rustige eind van een dag. 'Janice,' zei hij, 'je had ruzie met een van de vrouwen. Dat is wat mij verteld is.'

Ze nam een slokje. Zette het glas neer. 'Dat klopt.'

'Waar ging die ruzie over?'

'Ik was op de verkeerde plek gestopt. Te dicht bij de zebra. Ze schreeuwde tegen me. En ze had gelijk. Maar ik nam het niet goed op. Ik zat onder de hete koffie en ik was... van streek.'

'Dus je kende haar niet?'

'Alleen van gezicht.'

'Kent ze jou?'

'Dat betwijfel ik. Hoezo?'

'En de andere getuigen? Was er iemand die je bij naam kende?'

'We wonen hier nog niet lang, pas een jaar. Maar het is een klein plaatsje, dus je leert de gezichten wel kennen. Niet de namen.'

'En je gelooft niet dat ze jouw naam wisten?'

'Dat denk ik niet, nee. Hoezo?'

'Heb je hier met vrienden over gesproken?'

'Alleen met mijn moeder en mijn zus. Is het geheim?'

'Waar wonen die? Je moeder en je zus?'

'In Wiltshire en in Keynsham.'

'Ik zou graag willen dat je het daarbij laat. Ik wil graag dat je hier met niemand over spreekt.'

'Als je uitlegt waarom.'

'Het laatste wat we willen is dat de media een heel circus van de zaak maken.'

Er ging een deur achter in de keuken open en de vrouw van de jeugdpolitie kwam binnen. Ze droeg schoenen met zachte zolen en maakte geen enkel geluid toen ze de keuken door liep en een aantal aan elkaar geniete aantekeningen voor Caffery op tafel legde. 'Ik geloof niet dat ze nog eens verhoord kan worden,' zei ze. Ze zag er ouder uit dan hij zich haar herinnerde. 'Ik denk dat we haar voorlopig maar even met rust moeten laten. Het heeft geen zin haar uit te putten.'

Janice schoof haar stoel achteruit. 'Is alles goed met haar?'

'Prima.'

'Mag ik naar haar toe? Ik wil graag even bij haar zijn, als dat goed is.'

Caffery knikte. Hij keek haar na toen ze wegliep. Na een paar tellen stond Cory op. Hij dronk Janice' wodka in één teug op, zette het glas op de tafel en ging achter haar aan. De vrouw van de jeugdpolitie ging tegenover Caffery zitten en keek hem nauwlettend aan.

'Ik heb precies gedaan wat je gevraagd hebt.' Ze knikte naar de lijst met vragen die ze Emily gesteld had. 'Het is moeilijk om op deze leeftijd feiten van fictie te onderscheiden – ze zit in de eerste klas, maar ze is zelfs daarvoor nog wat jong. Ze houden geen logische volgorde als ze praten, zoals jij en ik. Maar...'

'Maar?'

Ze schudde haar hoofd. 'Ik geloof dat wat ze haar moeder heeft verteld het wel zo'n beetje is. Wat haar moeder de plaatselijke agenten heeft verteld, wat je in je aantekeningen hebt staan. Je weet wel, de ontvoerder zei niet veel, hij droeg handschoenen, hij betastte zichzelf niet. Ik weet zeker dat ze daarover de waarheid spreekt. Hij zei dat hij haar speelgoedkonijn, Jasper, kwaad zou doen. Dat is voor haar op dit moment het grootste probleem.'

'Hij heeft haar geen pannenkoek aangeboden?'

'Ik geloof niet dat daar tijd voor was. Het was heel snel voorbij. Hij zei een 'slecht woord' toen hij de macht over het stuur kwijtraakte. En na de botsing sprong hij meteen uit de auto en was verdwenen.'

'Ik ben op weg hierheen ook bijna in een slip geraakt.' Nick stond bij het aanrecht aandachtig met een lepeltje een theezakje plat te drukken tegen de zijkant van een beker. 'Het is levensgevaarlijk buiten.'

'Niet voor Emily,' zei Caffery. 'Het kan Emily het leven hebben gered.'

'Dat betekent dat je denkt dat Martha dood is,' antwoordde Nick nuchter.

'Nick, weet je wat ik echt denk? Ik denk helemaal niets. Niet op dit punt.'

Hij vouwde de andere kant van de kaart open. Met zijn vinger volgde hij de route naar het punt waar de ontvoerder de macht over de Audi was kwijtgeraakt en hem tegen een talud langs de weg had achtergelaten. Hij had niet geprobeerd Emily eruit te halen – hij was gewoon over de velden weggerend. Er waren geen getuigen, dus het had lang geduurd voor er iemand langskwam en het meisje hartstochtelijk snikkend op de achterbank had aangetroffen, met haar schooltas tegen zich aan geklemd alsof ze zichzelf ermee wilde verdedigen. Wat vreemd was, was dat de weg die hij had gekozen eigenlijk nergens heen ging.

'Het is een lus,' zei hij bedachtzaam, tegen niemand in het bijzonder. 'Kijk dan – hij gaat eigenlijk nergens heen.' Hij volgde de hele weg en zag dat de ontvoerder vanaf het punt waar hij Emily had meegenomen over de A303 en de A350 moest zijn gereden en buiten Frome op de A36 terecht moest zijn gekomen – de plek waar de ANPR-camera's waren neergezet om de Yaris van de Bradleys of de Vauxhall op te vangen. Het ongeluk wilde dat de ontvoerder net vóór de camera's de A36 had verlaten. Hij had een omweg gemaakt over een smalle A-weg die een paar kilometer kronkelend doorliep voordat hij weer op de hoofdweg uitkwam. Hij was net voor de kruising waarlangs hij weer op de A36 terecht zou zijn gekomen de macht over het stuur kwijtgeraakt, maar zelfs al was dat niet gebeurd, dan zou hij toch alle camera's hebben gemist omdat hij de omweg had gemaakt. Bijna alsof hij wist dat ze er stonden.

Caffery vouwde de kaart open en stopte hem weer in de map die hij bij zich had. De camera's waren niet heel duidelijk te zien. De tactische eenheid gebruikte busjes met logo's van het gasbedrijf bij een operatie als deze. De ontvoerder had wel alle geluk van de wereld. Caffery's blik ging naar het lege glas en toen kreeg hij het gevoel dat er iemand naar hem keek. Hij keek op en ving de blik van de vrouw van de jeugdpolitie.

'Wat is er?' zei hij. 'Wat wil je?'

'Wil je met haar praten? Met Emily? Ze moet weten dat we iets doen. Ze is doodsbang. Tot dusver heeft ze mij en de familierechercheur gezien, maar ze moet ook zien dat er een man bij betrokken is, een man met gezag. Ze heeft de verzekering nodig dat niet alle mannen slecht zijn.'

Caffery zuchtte. Hij wilde zeggen dat hij niets begreep van kinderen, dat andere mensen ze begrepen en vertrouwen in ze hadden, maar dat ze hem een triest gevoel gaven. En dat hij altijd bang was voor wat er met hen kon gebeuren. Maar dat deed hij niet. In plaats daarvan stond hij op en stopte vermoeid de map weg. 'Vooruit dan maar. Waar is ze?'

27

Emily zat in de kamer van haar ouders op het enorme tweepersoonsbed, geflankeerd door Janice en Cory. Haar schoolkleren lagen nog bij de forensische dienst, en ze was comfortabel gekleed in een joggingpak in gebroken wit en had poezelige blauwe sokken aan. Ze zat in kleermakerszit en hield een gehavend vilten konijn tegen zich aan gedrukt. Haar donkere haar was in een paardenstaart getrokken. Ze had een lang, trots gezicht, ook al was ze nog maar vier. Als Caffery had kunnen kiezen, zou hij haar Cleo hebben genoemd en de blonde ponyrijdster Emily.

Hij ging onhandig naast het bed staan. Emily bekeek hem en hij sloeg zijn armen over elkaar omdat hij niet wist wat hij ermee moest doen en omdat ze hem een ongemakkelijk gevoel gaf. 'Hallo,' zei hij na een tijdje. 'Hoe heet je konijn?'

'Jasper.'

'Hoe voelt hij zich?'

'Hij is bang.'

'Dat zal best. Maar kun je hem van mij vertellen dat het nu allemaal voorbij is? Hij hoeft niet meer bang te zijn.'

'Wel waar. Hij moet wel bang zijn. Jasper is bang.' Haar gezicht vertrok en er kwamen wat tranen uit haar ogen. Ze trok haar knieën op. 'Ik wil niet dat hij hierheen komt en Jasper pijn doet. Hij zei dat hij Jasper pijn zou doen, mama. Jasper is bang.'

'Ik weet het, ik weet het.' Janice sloeg haar arm om haar dochter heen en gaf haar een zoen op haar voorhoofd. 'Er gebeurt niets met Jasper, Emily. Meneer Caffery is van de politie en hij gaat die afschuwelijke man pakken.'

Emily hield op met huilen en keek nog eens naar Caffery, met een schattende blik. 'Bent u echt van de politie?'

Hij deed zijn jasje open en haalde zijn set handboeien voor de dag. Normaal gesproken lagen die in het handschoenenkastje in zijn auto. Het was een geluk dat hij ze vandaag in zijn jaszak had.

'Wat is dat?'

'Hier.' Hij wenkte Cory, die zijn handen uitstak en toeliet dat Caffery ze omdeed. Cory deed of hij worstelde om ze af te krijgen en liet zich toen door Caffery bevrijden. 'Zie je wel?' zei Caffery. 'Dat doe ik met akelige mannen. Dan kunnen ze niemand meer pijn doen. Vooral Jasper niet.'

'Papa is geen akelige man.'

Caffery lachte. 'Nee. Zeker niet. Ik ga papa ook niet arresteren.' Hij deed de handboeien in zijn zak. 'Dat was maar voor de grap.'

'Hebt u een pistool? Kunt u hem neerschieten en hem in de gevangenis stoppen?'

'Ik heb geen pistool,' zei hij. Dat was een leugen. Hij had er wel een, maar het was geen politiewapen en volledig illegaal. De manier waarop hij eraan was gekomen – via een schimmige relatie in een van de specialistische eenheden van de Londense politie – moest voor iedereen geheim blijven, zeker voor een vierjarige. 'Ik ben niet het soort politieman dat een pistool draagt.'

'Hoe kunt u hem dan in de gevangenis zetten?'

'Als ik hem vind, heb ik een heleboel andere politiemannen die wel pistolen hebben. Ik bel ze en dan komen ze hem arresteren.'

'Dus zij zetten hem in de gevangenis en u vindt hem alleen?' Ze leek niet erg onder de indruk.

'Ja. Het is mijn taak om hem te vinden.'

'Weet u waar hij is?'

'Natuurlijk.'

'Zweert u dat?'

Caffery keek haar een tijdje plechtig aan – en deed een belofte die hij niet kon nakomen. 'Ik zweer je dat ik weet waar hij is, Emily. En ik beloof je dat ik hem jou geen pijn laat doen.'

Het was aan Cory Costello om Caffery uit te laten. Maar in plaats van in de deuropening te blijven staan, stapte hij naar buiten en trok de deur achter hen dicht. 'Kan ik u even spreken, meneer Caffery? Heel even maar.'

Caffery trok zijn handschoenen aan en knoopte zijn jas dicht. Het regende niet meer, maar het waaide hard en hij had kunnen zweren dat er sneeuw in de lucht zat. Hij wilde dat hij een sjaal had. 'Zegt u het maar.'

'Hoe ver gaat dit?' Cory keek op naar de voorramen van het huis om te controleren of er niemand meeluisterde. 'Ik bedoel, het komt toch niet voor de rechter?'

'Wel als we hem pakken.'

'Dus dan moet ik getuigen?'

'Ik zie niet in waarom. Janice, misschien. Het hangt ervan af hoe de officier van justitie het wil aanpakken. Hoezo?'

Cory beet met zijn tanden op zijn onderlip. Hij kneep zijn ogen wat samen en keek weg. 'Eh... er is een probleem.'

'Hoezo dat?'

'Toen dit allemaal gebeurde...'

'Ja?'

'Het duurde vrij lang voor Janice contact met me opnam. Het was al vijf uur voor ik er iets van hoorde.'

'Dat weet ik. Ze probeerde u te bellen. U was in vergadering.'

'Alleen was dat niet zo.' Hij ging zachter praten. Caffery rook de koude, olieachtige scherpte van de wodka in zijn adem. 'Ik was niet in vergadering en daar maak ik me zorgen over. Ik ben bang dat iemand erachter zal komen waar ik werkelijk was. Dat ik voor de rechter zal moeten verschijnen en erover ondervraagd zal worden.'

Caffery trok een wenkbrauw op en Cory huiverde. Hij sloeg zijn armen om de dunne trui die hij over zijn overhemd had aangetrokken. 'Ik weet het,' zei hij. 'Ik moest naar een cliënt.'

'Waar?'

'In een hotelkamer.' Hij zocht in de achterzak van zijn broek en gaf hem een gekreukt stuk papier. Caffery vouwde het open en hield het onder de lamp boven de deur om het te kunnen lezen.

'Champagne? Bij een vergadering in een hotelkamer?'

'Nou zeg.' Cory griste het bonnetje uit zijn handen en duwde het weer in zijn zak. 'U hoeft het er niet in te wrijven. Komt het voor de rechter?'

Caffery bekeek hem met een mengeling van medelijden en minachting. 'Meneer Costello. Dat u een rommeltje maakt of wilt maken van uw privéleven gaat mij niets aan. Ik kan niet garanderen wat er in het gerechtshof gebeurt, maar dit gesprek hoeft niet verder te komen. Als u iets voor me doet.'

'Wat?'

'De Bradleys. De dader is erachter gekomen waar ze wonen.'

Cory verbleekte. 'Jezus.'

'Onze mediastrategie had beter gekund, dat geef ik toe, maar laat dit helder zijn. Er zal niets in de pers verschijnen over wat er vanmiddag is gebeurd.'

'Wat heeft hij met hen gedaan?'

'Niets. Tenminste, niets lichamelijks. Ik geloof geen seconde dat hij achter u aan zal komen – hij heeft Emily niet, dus heeft hij geen grip op u. Maar voor de zekerheid heb ik de pers het zwijgen opgelegd. Ik wil Janice en Emily niet bang maken, maar u moet ervoor zorgen dat ze hun mond houden.'

'U wilt toch niet zeggen dat hij hier zal opduiken?'

'Natuurlijk niet. Hij weet niet waar u woont, maar dat is alleen omdat de pers het ook niet weet. We zijn vrij goed met de media en zij zijn over het algemeen vrij goed met ons, maar we hebben nooit honderd procent zekerheid.' Hij keek naar de voortuin. Het was een mooie. Er was een lang pad naar het hek en het huis werd van de straat afgeschermd door grote taxusbomen die aan de rand waren gezet. Aan de andere kant van de bomen gloeide een straatlantaarn. 'U bent vanaf de weg niet te zien.'

'Nee. En ik heb een heel goed alarmsysteem. Dat kan ik aanzetten als we thuis zijn. Als u dat nodig vindt.'

'Zo erg is het niet – u hoeft niet in paniek te raken.' Hij haalde zijn portefeuille uit zijn zak en trok er een visitekaartje uit. 'Ik laat elk uur of zo een patrouillewagen langskomen, maar als u denkt dat de pers u in de gaten heeft...'

'Dan bel ik u.'

'Precies. Dag of nacht.' Hij gaf hem het kaartje. 'U zult me niet wakker bellen, meneer Costello. Ik slaap niet veel.'

28

De mannen van het duikteam waren er om zes uur mee opgehouden. Ze hadden zich gedoucht, verkleed en hun spullen schoongemaakt en waren toen met z'n allen naar de pub gegaan. Daar zouden ze wel bekijks hebben gehad, zeven mannen in zwarte trainingsbroeken die er aan de bar over redetwistten wie een rondje moest geven. Flea was er niet bij. Ze had voor vandaag genoeg van pubs. Ze sloot in haar eentje het kantoor af en reed naar huis met de radio uit. Het was bijna acht uur toen ze daar aankwam.

Ze parkeerde de auto met de neus naar het dal, zette hem uit en bleef zitten luisteren naar het tikken van de afkoelende motor. Toen ze eerder die middag van de pub was teruggekeerd op kantoor, was de inspecteur weer bij haar gekomen. Hij had hetzelfde ritueel afgedraaid als de vorige dag, zijn handen op het bureau gezet en zich naar haar toe gebogen, zijn gezicht dicht bij het hare, en haar strak aangekeken. Maar toen ze dit keer had gezegd: 'Wat is er?' en hij 'niets' zei, wist ze dat het een slecht 'niets' was, geen goed. Hij had gehoord wat er die morgen in de Sapperton Tunnel gebeurd was.

Ze legde haar kin op het stuur en keek naar de hemel boven het dal. Het was helder, maar er gleden dunne cirruswolken langs de maan. De eerdere regenwolk, een torenhoge cumulonimbus, marcheerde als een leger naar het oosten, met een oranje gloed aan de onderkant als ze over steden dreven. Pa had van wolken gehouden. Hij had Flea alle namen geleerd: de altostratus, de stratocumulus, de cirrocumulus. In het weekend zaten ze 's morgens hier, pa met zijn koffie en Flea met haar kom Rice Krispies, en stelden elkaar vragen over de verschillende vormen. Pa siste afkeurend als ze zei dat ze het niet wist, als ze het op wilde geven. 'Nee, nee, nee. We geven niet op in deze familie. Dat is tegen de Marley-code. Een oud geloofssysteem. Er gebeuren vervelende dingen als je dat doet – het is alsof je tegen de natuur in gaat.'

Ze haalde de sleutels uit de ontsteking en trok toen haar tas van de achterbank. Het zat haar nog steeds dwars dat haar iets ontging over de Sapperton Tunnel, maar hoe ze er ook naar keek en over nadacht, ze kreeg de gedachte niet te pakken om hem behoorlijk te onderzoeken.

We geven niet op in deze familie. Het komt wel... Ze kon het hem bijna horen zeggen en hem zien glimlachen over zijn kop koffie heen. *Het komt wel...*

29

Nick, de familierechercheur, bleef nog een tijdje in het huis rondhangen nadat Caffery was vertrokken. Janice zette thee voor haar en praatte met haar omdat ze haar gezelschap op prijs stelde. Het leidde Emily ook af en gaf Janice een excuus om niet met Cory te hoeven praten. Hij was rusteloos – hij bleef maar naar de slaapkamers aan de voorkant lopen en door het raam naar buiten kijken. Hij had in de benedenkamers de gordijnen dichtgetrokken en het laatste uur zat hij in de muziekkamer aan de voorkant van het huis. Toen Nick om zes uur vertrok, ging Janice niet naar hem toe. In plaats daarvan deed ze haar pyjama en bedsokjes aan, maakte warme chocolademelk en ging bij Emily op het grote tweepersoonsbed zitten.

'Gaan we naar bed?' Emily kroop onder het dekbed.

'Het is al laat. Het kinderprogramma is afgelopen, maar ik heb *Finding Nemo* op dvd. Die over de vissen.'

Ze zaten met hun warme chocolademelk op het bed, die van Emily in een roze tuitbeker omdat Janice wist dat het haar geruststelde om weer een baby te kunnen zijn, en keken naar het licht dat in de tekenfilm door het water viel. Beneden liep Cory van kamer naar kamer en deed gordijnen open en dicht, ijsberend als een dier in de dierentuin. Janice wilde hem niet zien. Ze dacht niet dat ze het zou kunnen verdragen, want ze had zich in de loop van de dag – nee, in de loop van de jaren – gerealiseerd dat ze nooit ofte nimmer zoveel van haar man zou kunnen houden als ze van haar dochter hield. Ze had vriendinnen die dit ook zo'n beetje hadden toegegeven; dat ze van hun man hielden, maar dat de kinderen op de eerste plaats kwamen. Misschien was dat het grote geheim van de vrouw, dat mannen in zekere zin wel kenden, maar dat ze nooit echt onder ogen konden zien. Ergens tussen alle wijsheden die de kranten hadden gedebiteerd over de kleine Martha Bradley had iets gestaan wat Janice was bijgebleven: een of andere deskundige had gezegd dat de kans dat een echtpaar dat een kind verloor bij elkaar bleef zo goed als nihil was. Ze wist instinctief dat het de vrouw was die vertrok. Het maakte niet uit of ze echt wegging of alleen in haar hart, waarna de man het uiteindelijk opgaf en zijn partner verliet. Janice wist dat het de vrouw zou zijn die de relatie opgaf als ze een toekomst voor zich zag met haar man, maar zonder hun kind.

Naast haar was Emily in slaap gevallen, met Jasper onder haar arm en de beker op haar borst. Er lekte wat chocolademelk op haar nachtjapon. Ze had haar tanden niet gepoetst. Dat was nu al twee avonden achter elkaar. Maar het had geen zin haar nu nog wakker te maken, niet na wat ze had doorgemaakt. Janice stopte haar in en ging naar de keuken om de beker in de vaatwasser te zetten. Haar glas was weg, dus pakte ze een ander, schonk er wat wodka in en nam het mee naar de muziekkamer. Het licht was uit, de kamer lag in het donker en het duurde even voor ze doorhad dat Cory er ook was. Er ging iets kouds door haar borst. Hij stond ónder de gordijnen. Alsof hij ze droeg.

'Wat ben je aan het doen?'

Hij maakte een sprongetje van schrik. De gordijnen bolden op en zijn geschokte gezicht kwam voor de dag. 'Janice, je moet me niet zo besluipen.'

'Wat is er aan de hand?' Ze haalde de lichtschakelaar over. Hij liet het gordijn haastig vallen. Ze zag nog net de twee beslagen plekken waar hij zijn gezicht tegen de ruit had gedrukt.

'Doe het licht uit.'

Ze aarzelde, maar deed toen wat haar gezegd was. De kamer werd weer donker. 'Cory?' zei ze. 'Doe niet zo raar. Waar kijk je naar?'

'Niets.' Hij kwam bij het raam vandaan en glimlachte op die gemaakte manier van hem. 'Helemaal niets. Het is een mooie avond.'

Ze likte langs haar lippen. 'Wat heeft die rechercheur tegen je gezegd? Hij stond in de tuin met je te praten toen hij wegging.'

'Niets bijzonders.'

'Cory. Vertel het me.' Ze kon haar ogen niet van het gordijn afhouden. 'Wat heeft hij tegen je gezegd? Waar keek je naar?'

'Ga nou alsjeblieft niet zitten zeuren, Janice. Je weet dat ik daar niet tegen kan.'

'Alsjeblieft.' Ze slikte een scherp antwoord in en legde in plaats daarvan haar hand op zijn mouw terwijl ze een toegenegen glimlach veinsde. 'Vertel het me alsjeblieft.'

'O, in godsnaam. Jij moet ook alles weten, hè? Waarom kun je me niet gewoon een keertje vertrouwen? Het ging over de pers. Caffery wil niet dat ze ons vinden.'

Janice fronste. 'De pers?' Het was niets voor Cory om aandacht uit de weg te gaan. En hij was echt bang voor wat zich daarbuiten in de duisternis bevond. Ze ging naar het gordijn, trok het open en keek over de lange oprijlaan naar waar de straatlantaarn geel tussen de taxusbomen door scheen. Niets. 'Het is meer dan dat. Wat maakt het hem uit of de pers ons vindt?'

'Omdat,' zei Cory met overdreven geduld in zijn stem, 'die vent erachter is gekomen waar de Bradleys wonen en een vuile streek met ze heeft uitgehaald. Caffery wil niet dat dat ons gebeurt. Ben je nu tevreden?'

Ze deed een stap bij het raam vandaan. Staarde hem aan.

'Hij heeft een vuile streek met de Bradleys uitgehaald? Wat heeft hij dan gedaan?'

'Dat weet ik niet. Contact met ze gezocht of zoiets.'

'En nu denkt Caffery dat hij hetzelfde met ons zal doen? Dat hij "een vuile streek" met ons zal uithalen? Jezus, Cory, bedankt dat je het me hebt verteld.'

'Blaas het niet zo op.'

'Ik blaas het niet op. Maar ik blijf hier niet.'

'Wat?'

'Ik ga weg.'

'Janice, wacht.'

Maar ze was al weg en sloeg de deur achter zich dicht. Ze zette de wodka in de keuken en rende de trap op. Het kostte haar nog geen tien minuten om de spulletjes van Emily bij elkaar te zoeken; haar lievelingsspeelgoed, haar pyjama, haar tandenborstel en haar schoolspullen. Wat schone kleren voor zichzelf en wat slaaptabletten – ze had het gevoel dat ze die nodig zou hebben. Ze duwde in de keuken twee flessen wijn in haar rugzak toen Cory in de deuropening verscheen.

'Wat doe je?'

'Ik ga naar mijn moeder.'

'Nou, wacht even, dan pak ik ook wat spullen. Ik ga mee.'

Janice zette de rugzak op de vloer en keek haar man aan. Ze wilde dat ze een manier kon vinden om weer iets om hem te gaan geven.

'Wat? Kijk me niet zo aan.'

'Nou ja, Cory, er is geen andere manier om naar je te kijken.'

'Wat moet dat nou weer betekenen?'

'Niets.' Ze schudde haar hoofd. 'Maar als je ook meegaat, zul je de koffer onder het bed vandaan moeten halen. De rugzak zit vol.'

30

Caffery werd gebeld door een agent in Gloucestershire. De Wandelaar was gearresteerd omdat hij had rondgehangen bij een plaatselijke farmaceutische fabriek. Hij was verhoord op het politiebureau in het oude marktstadje Tetbury, gewaarschuwd en weer vrijgelaten. De dienstdoende inspecteur had hem voor hij wegging nog even terzijde genomen en hem er zo beleefd mogelijk op gewezen dat het misschien een goed idee was om zich niet meer in de buurt van de fabriek te vertonen. Maar Caffery begon iets van de

pieken en dalen in het karakter van de Wandelaar te kennen en vermoedde dat hij zich niet door zoiets onbelangrijks als een arrestatie zou laten tegenhouden als hij ergens belangstelling voor had.

Hij had gelijk. Toen hij om halfelf arriveerde, de auto met de slapende Myrtle op de achterbank parkeerde en uitstapte, zag hij de
Wandelaar bijna meteen. Hij had zijn kamp in een bosje op zo'n
vijftig meter van het prikkeldraadhek opgezet, vanwaar hij de fabriek in de gaten kon houden zonder zelf door de beveiliging te
worden gezien.

'Je hebt vandaag niet veel gelopen.' Caffery pakte een reserve-
matrasje en rolde het uit. Anders lag het altijd voor hem klaar. En
normaal gesproken was er ook iets te eten voor hem. Vanavond hing
de geur van voedsel in de lucht, maar de potten en borden waren
schoongemaakt en stonden netjes bij het vuur. 'Je bent vandaag hier
begonnen.'

De Wandelaar gromde zachtjes in zijn keel. Hij maakte de fles
met cider open, schonk er iets van in een beker met stukjes eruit en
zette die naast zijn slaapzak.

'Ik ben niet gekomen om je op de huid te zitten,' zei Caffery. 'Je
hebt het grootste deel van de dag al op het bureau doorgebracht.'

'Vijf verspilde uren. Met goed daglicht.'

'Ik kom niet voor politiezaken.'

'Gaat het weer over die kinderlokker? Die briefschrijver?'

'Nee.' Caffery ging met zijn hand over zijn gezicht. Het was wel
het laatste waar hij het over wilde hebben. 'Nee. Daar wil ik juist
even niet aan hoeven denken.'

De Wandelaar vulde een tweede mok met cider. Gaf hem aan
Caffery. 'Dan wil je over haar praten. De vrouw.'

Caffery nam de mok aan.

'Kijk me niet zo aan, Jack Caffery. Ik heb je al verteld dat ik je
gedachten niet kan lezen. Ik vroeg me af wanneer je weer over haar
zou beginnen. De vrouw. De vrouw aan wie je altijd denkt. Toen je
in het voorjaar bij me was, kon je bijna nergens anders over praten.
Je stond in vuur en vlam.' Hij gooide een houtblok op het vuur. 'Ik
was er jaloers op. Ik zal nooit meer zoiets voelen voor een vrouw.'

Caffery beet op zijn nagelriem en staarde in het vuur. Hij bedacht dat 'in vuur en vlam staan' niet de goede uitdrukking was voor de smoezelige wirwar van half afgemaakte gedachten en impulsen die hij met betrekking tot Flea Marley had gehad. 'Oké,' zei hij na een tijdje. 'Ik zal je vertellen hoe het begint. Met een naam die je soms in de kranten ziet. Misty Kitson. Een mooie jonge vrouw. Ze verdween zes maanden geleden.'

'Ik wist niet hoe ze heette, maar ik weet wel wie je bedoelt.'

'De vrouw – degene over wie we het hebben – weet wat er met Kitson is gebeurd. Zij heeft haar gedood.'

De Wandelaar trok zijn wenkbrauwen op. Zijn ogen glinsterden rood. 'Moord?' zei hij luchtig. 'Een verschrikkelijk iets. Wat moet dat een immorele vrouw zijn.'

'Nee. Het was een ongeluk. Ze reed te hard. De vrouw, Kitson, stapte van een veld de weg op...' Zijn stem stierf weg. 'Maar dat weet je al, schoft die je bent. Ik zie het aan je gezicht.'

'Ik zie dingen. Ik heb gezien hoe jij de route na liep die de vrouw heeft genomen toen ze de kliniek verliet. Steeds weer. Die nacht toen je liep tot de zon opkwam?'

'Dat was in juli.'

'Toen was ik er ook. Toen je de plek vond waar het was gebeurd, met de remsporen op de weg? Toen was ik er. Ik keek naar je.'

Het duurde even voor Caffery weer iets zei. Het maakte niet uit wat de Wandelaar zei, hoe hij het ontkende, maar als hij bij hem was, had hij het idee dat hij zich in de aanwezigheid van God bevond, iemand die alles zag. Iemand die mild toegevend glimlachte en zich er niet mee bemoeide als stervelingen hun fouten maakten. Die nacht van de remsporen was een goede geweest. Een nacht waarin alles op zijn plek was gevallen en de vraag waarom Flea Kitson had vermoord – Caffery had lange tijd alleen geweten dat zij het lijk had weggewerkt – veranderde in de vraag waarom ze er niet gewoon recht voor uit was gekomen als het een ongeluk was. Waarom ze niet het dichtstbijzijnde politiebureau binnen was gelopen en de waarheid had verteld. Ze had waarschijnlijk geen cel van binnen hoeven zien. En dat was wat hem nog steeds dwarszat en waar hij constant tegen aanliep – waarom ze niet gewoon bekend had. 'Gek,' mompelde hij, 'ik had haar nooit voor een lafaard aangezien.'

De Wandelaar was klaar met het vuur. Hij ging op zijn matrasje liggen, met de mok in beide handen en zijn hoofd op een houtblok. De randen van zijn enorme baard glansden rood in het licht van de vlammen. 'Dat komt omdat je het hele verhaal niet kent.'

'Welk hele verhaal?'

'De waarheid. Je kent de waarheid niet.'

'Ik geloof van wel.'

'Ik betwijfel het zeer. Je brein heeft zich er niet behoorlijk omheen gevormd. Er is nog één hoek die je niet om bent gegaan. Je hebt er niet eens over gedacht dat te doen. Het is zelfs zo dat je hem niet eens kunt zien.' Hij maakte een gebaar met zijn handen alsof hij een ingewikkelde knoop legde. 'Je beschermt haar en je ziet niet wat daardoor voor mooie cirkel ontstaat.'

'Een mooie cirkel?'

'Dat zei ik.'

'Ik snap het niet.'

'Nee. Je snapt het niet. Nog niet.' De Wandelaar sloot zijn ogen en glimlachte tevreden. 'Sommige dingen moet je zelf uitvogelen.'

'Wat voor dingen? Wat voor cirkel?'

Maar de Wandelaar bleef roerloos liggen, met het licht van het vuur over zijn vuile gezicht, en weer wist Caffery dat hij niet verder over het onderwerp zou praten. Niet tot Caffery hem liet zien dat hij eraan gewerkt had. De Wandelaar gaf niets voor niets. Dat irriteerde Caffery, die zelfvoldaanheid. Hij kreeg zin hem door elkaar te schudden. Iets te zeggen dat pijn deed.

'Hé.' Hij boog naar voren. Keek scherp naar het glimlachende gezicht. 'Hé. Moet ik je eens naar die fabriek vragen? Moet ik vragen of je van plan bent er in te breken?'

De Wandelaar deed zijn ogen niet open, maar zijn glimlach vervaagde. 'Nee. Want als je die vraag zou stellen, zou ik hem negeren.'

'Nou, ik vraag het toch. Jij hebt me opgedragen te achterhalen wat jij denkt, je te doorgronden. En dat doe ik. Die fabriek staat er al tien jaar.' Hij knikte naar de booglampen die door de bomen heen schenen. Je kon net de bovenkant van de prikkeldraadversperring zien, alsof het om een goelag ging. 'Hij was er nog niet toen je dochter werd vermoord en je denkt dat ze misschien daar begraven is.'

Nu deed de Wandelaar zijn ogen open. Hij duwde zijn kin naar beneden en keek Caffery boos aan. Zijn strijdlust had nu niets speels. 'Je bent erop getraind om vragen te stellen. Heb je niet ook geleerd wanneer je je mond moet houden?'

'Je hebt me een keer verteld dat elke stap die je zette deel uitmaakte van je voorbereiding. Je zei dat je haar wilde volgen. Het was mij een raadsel waarom je wandelde, maar ik geloof dat ik het inmiddels weet. Je zegt dat je geen ziener bent, maar je kunt hetzelfde stuk terrein bewandelen als ik en er honderden dingen uit aflezen die ik nooit zou zien.'

'Je kunt praten wat je wilt, politieman, maar ik beloof niet dat ik zal luisteren.'

'Dan zal ik praten. Ik zal je alles vertellen wat ik weet over wat je aan het doen bent. Ik weet wat al dat wandelen te betekenen heeft. Sommige dingen heb ik nog niet uitgedokterd. De krokussen – die staan in één lijn en dat betekent iets, maar ik weet niet wat. Dan is er de bestelbus die Evans in de groeve bij Holcombe heeft achtergelaten nadat hij haar lichaam had gedumpt. Die is van jou gestolen in Shepton Mallet en ik weet niet waarom je zo ver verwijderd bent van waar dat gebeurd is. Maar verder weet ik alles. Je bent nog steeds naar haar op zoek. Naar de plek waar ze is begraven.'

De Wandelaar keek hem strak aan. Zijn ogen waren donker en fel.

'Je zwijgen zegt alles,' zei Caffery. 'Weet je niet dat je meer over een man kunt leren door wat hij niet dan door wat hij wel zegt?'

'Meer leren over een man door wat hij niet dan door wat hij wel zegt. Is dat een motto van de politie? Een goedkope preek uit de knusse kantoren van de koninklijke wetshandhavers?'

Caffery onderdrukte een glimlach. 'Je provoceert me alleen als ik een snaar raak.'

'Nee. Ik provoceer je omdat ik weet hoe uitgeblust en nutteloos je eigenlijk bent. Je bent boos en je denkt dat dat komt door al het kwaad in de wereld, terwijl je eigenlijk woedend wordt omdat je zo slap bent als het om die vrouw gaat. Omdat je geen kant op kunt en je handen gebonden zijn. Daar kun je niet tegen.'

'En jij bent boos omdat je weet dat ik gelijk heb. Je bent boos omdat je ondanks al je inzicht en je zesde zintuig op iets als dit stuit,' hij wuifde naar de fabriek, 'en niet naar binnen kunt om te zoeken. Er daar kun je geen moer aan doen.'

'Ga weg bij mijn vuur. Maak dat je wegkomt.'

Caffery zette zijn mok neer. Hij stond op en rolde zorgvuldig het matrasje op, dat hij naast de borden en andere eigendommen legde. 'Bedankt voor het beantwoorden van mijn vragen.'

'Ik heb ze niet beantwoord.'

'Jawel, hoor. Neem dat maar van mij aan. Dat heb je wel gedaan.'

31

Toen Caffery de volgende morgen op kantoor kwam, was het acht uur en waren er al vergaderingen belegd, verhoren afgenomen en telefoontjes afgehandeld. Hij maakte met een oude handdoek een soort bedje voor de radiator achter zijn bureau, zette Myrtle daar neer met een kom water en liep half slapend en met bloeddoorlopen ogen door de gangen, terwijl hij af en toe een slokje gloeiend hete koffie nam. Hij had niet goed geslapen – dat deed hij nooit als hij midden in een zaak zat. Na de woordentwist met de Wandelaar was hij teruggegaan naar het afgelegen huisje in de Mendips dat hij huurde en had hij de nacht doorgebracht met het doornemen van de getuigenverklaringen over de ontvoering van Emily. Op een gegeven moment was er ook wat whisky geweest. Nu had hij een koppijn die een olifant had kunnen vellen.

De teamleider praatte hem bij. Lollapalooza en Turner waren nog steeds bezig huiszoekingsbevelen te regelen voor de overgebleven gebouwen in de Cotswolds. De technische recherche had de Audi van Janice Costello onderzocht, maar niets gevonden. Ze hadden hem beneden op de parkeerplaats gezet en de familie had hem gisteravond opgehaald, onderweg naar Janice' moeder in Keynsham. Agent Prody had gisteren een halve dag vrij genomen. Uit nijd waarschijnlijk, maar hij moest die nacht weer bij zinnen zijn gekomen. Hij was al sinds vijf uur die morgen bezig met de bewakingsbeelden. Caffery nam zich stilzwijgend voor vrede met hem te sluiten. Hij nam zijn inmiddels lege mok mee naar Prody's kantoor. 'Zit er een kop koffie in?'

Prody keek op van zijn bureau. 'Ik neem aan van wel. Ga zitten.'

Caffery aarzelde. Prody klonk nors. Laat je niet opjutten, dacht hij. Blijf kalm. Hij schopte de deur dicht, zette de mok op het bureau en ging naar de muren zitten kijken. De kamer zag er inmiddels wat minder deprimerend uit. De lamp werkte, er hingen dingen aan de muren en in de hoek lag een stoflaken waarop een verfbak en wat blikken stonden. De geur van verf was overweldigend. 'Zijn ze de boel komen opknappen?'

Prody stond op en zette de waterkoker aan. 'Niet dat ik erom gevraagd heb. Misschien vond iemand dat ik wel eens behoorlijk welkom mocht worden geheten. Ik heb ook elektrisch licht. Maar om eerlijk te zijn ben ik een beetje teleurgesteld dat ik niet eerst een *mood board* heb gehad van de facilitaire dienst.'

Caffery knikte. Hij hoorde nog steeds die norse klank in de stem van de man. 'En? Wat is er vannacht allemaal binnengekomen?'

'Niet veel.' Hij schepte oploskoffie in kopjes. 'De straten rond de plek waar Emily is ontvoerd zijn uitgekamd, maar de enige donkerblauwe Vauxhall had een ander kenteken. Hij bleek van een aardige dame met twee honden te zijn die in die buurt een afspraak bij de kapper had.'

'En de bewakingsbeelden van de stations?'

'Niets. Geen gegevens bij twee stations en bij het station waar de Yaris is gevonden – Avoncliffe? – wordt alleen op verzoek gestopt.'

'Op verzoek?'

'Je steekt je arm uit en de trein stopt.'

'Net als bij een bus?'

'Net als bij een bus. Niemand heeft dit weekend de trein laten stoppen. Toen hij de Yaris daar had achtergelaten, moet hij te voet zijn weggegaan. Geen van de plaatselijke taxibedrijven heeft iemand opgepikt.'

Caffery vloekte zachtjes. 'Hoe doet die schoft het? Hij is langs de ANPR-camera's geglipt – hij kan toch niet hebben geweten waar die eenheden zouden staan?'

'Ik zie niet in hoe.' Hij zette de ketel uit en schonk heet water in de kopjes. 'Het zijn mobiele eenheden, geen vaste.'

Caffery knikte bedachtzaam. Hij had net een bekend dossier op Prody's vensterbank gezien. Geel. Van de afdeling Onopgeloste Zaken. Weer.

'Suiker?' Prody hield een volle lepel boven een van de mokken.

'Graag. Twee.'

'Melk?'

'Ja.'

Hij stak Caffery de mok toe, die ernaar keek, maar hem niet aanpakte. 'Paul.'

'Wat is er?'

'Ik heb je gevraagd niet naar die zaak te kijken. Ik heb je gevraagd het dossier terug te brengen naar de afdeling Onopgeloste Zaken. Waarom heb je dat niet gedaan?'

Er viel een stilte. Toen vroeg Prody: 'Wil je die koffie of niet?'

'Nee. Zet neer. Leg uit waarom je dat dossier nog hebt.'

Prody wachtte nog een paar seconden. Toen zette hij de koffie op het bureau, ging naar het raam en pakte het dossier. Hij trok een stoel bij en ging met het dossier op zijn schoot tegenover Caffery zitten. 'Ik ga tegen je in omdat ik de zaak niet kan loslaten.' Hij haalde een kaart uit de map en vouwde hem op zijn knie open. 'Dit is Farleigh Wood Hall en dit is ongeveer het gebied dat je in eerste instantie hebt afgezocht. Je concentreerde een heleboel manschappen in de velden en dorpen binnen dat gebied. Je hebt ook wat buurtonderzoek laten doen buiten het gebied. Hier ergens.'

Caffery keek niet naar de kaart. Hij zag vanuit zijn ooghoek dat

Prody een plaats aanwees die zich nog geen kilometer van de plek bevond waar Flea dat ongeluk had gehad. Hij hield zijn blik op Prody's gezicht gericht. Hield die enorme dikke vuist van woede vast achter zijn borstbeen. Hij had het mis gehad. Prody zou nooit een betrouwbare agent zijn. Er lag iets anders in hem verscholen: een harde, stadse intelligentie die hem in de juiste omstandigheden tot een briljant politieman kon maken – maar een gevaarlijke in de verkeerde.

'Maar buiten dat gebied ben je rechtstreeks naar de grotere steden gegaan. Trowbridge, Bath, Warminster. Je hebt gekeken naar de spoorwegstations, de bushaltes, wat dealers omdat ze een junk was. Maar nou viel mij in: stel dat ze buiten je gebied is gekomen, maar niet zo ver als een van de steden? Stel dat er op een van de wegen iets met haar gebeurd is? Stel dat ze door iemand is opgepikt, een lift heeft gekregen? En kilometers ver weg is gebracht? God mag weten waar naartoe, naar Gloucestershire, naar Wiltshire, naar Londen. Maar daar had je natuurlijk aan gedacht. Je hebt controleposten opgezet. Je hebt twee weken automobilisten ondervraagd. Maar toen dacht ik: stel dat er een ongeluk is gebeurd? Op een van die kleine wegen bijvoorbeeld? Sommige ervan gaan alleen naar kleine gehuchten.' Weer die vinger, recht boven de plek van het ongeluk. 'Hier is amper verkeer. Als daar iets is gebeurd, zouden er geen getuigen zijn. Serieus, heb je daaraan gedacht? Stel dat iemand haar heeft aangereden, in paniek is geraakt en het lichaam heeft verborgen? Of het misschien zelfs in de auto heeft gelegd en het ergens anders heeft verstopt?'

Caffery nam de kaart van hem over en vouwde hem op.

'Baas, luister. Ik wil een goede politieman zijn. Meer is het niet. Zo zit ik nu eenmaal in elkaar. Ik moet alles wat ik doe voor de volle honderd procent doen.'

'Dan kun je beginnen door bevelen op te volgen en een beetje respect te tonen, Prody. Dit is de laatste waarschuwing: als je je als een lul blijft gedragen, ga je maar aan de moord op die prostituee werken waar de anderen mee bezig zijn. Dan kun je de hele dag op City Road dealers gaan verhoren, als je dat liever doet.'

Prody haalde diep adem. Zijn blik ging naar de kaart in Caffery's hand.

'Ik zei: als je dat liever doet.'

Er viel een lange stilte. Twee mannen in gevecht, zonder dat ze een woord zeiden of een spier vertrokken. Toen ademde Prody uit en liet hij zijn schouders zakken. Hij sloeg de map dicht. 'Dat doe ik niet liever. Dat doe ik helemaal niet liever.'

'Vreemd genoeg dacht ik dat al,' zei Caffery.

32

Twintig minuten na Caffery's gesprek met Prody verscheen Janice Costello onaangekondigd in zijn kantoor, verregend en met verwarde haren en een rood aangelopen gezicht. Ze zag eruit alsof ze gerend had. 'Ik heb het alarmnummer gebeld.' Ze had een stuk papier in haar rechterhand. 'Maar ik wil je dit persoonlijk laten zien.'

'Kom binnen.' Caffery stond op en trok een stoel achteruit. Myrtle stak op haar bedje voor de radiator haar oren op en keek knipperend naar Janice. 'Ga zitten.'

Ze deed een stap naar binnen, negeerde de stoel en stak hem het gekreukte stuk papier toe. 'Dat is bij mijn moeder door de brievenbus gegooid. We waren weg geweest. Het briefje lag op de deurmat toen we thuiskwamen. We zijn daarna geen seconde meer gebleven. We zijn meteen hierheen gekomen.'

Haar hand trilde en Caffery wist zonder het te vragen wat het papier was. Hij wist bijna al wat erop zou staan. Er kwam een lange, trage golf van misselijkheid uit zijn maag omhoog. Het soort misselijkheid dat alleen verjaagd kon worden door sigaretten en Glenmorangie.

'Je moet ons op een veilige plek onderbrengen, ergens waar we beschermd kunnen worden. We slapen op de grond in het politiebureau als het moet.'

'Leg maar neer.' Hij ging naar een dossierkast, zocht een doos latex handschoenen en trok een paar aan. 'Daar ja, op de tafel.' Hij bukte en trok het papier recht. Iets van de inkt was gevlekt door de regen op Janice' handen, maar hij herkende het handschrift meteen.

Denk maar niet dat het voorbij is. Mijn liefdesaffaire met je dochter is nog maar net begonnen. Ik weet waar jullie zijn – ik zal altijd weten waar jullie zijn. Vraag maar aan je dochter – zij weet dat we samen horen te zijn...

'Wat doen we nou?' Janice klappertandde. De regen in haar haren verstrooide het tl-licht. 'Is hij ons gevolgd? Alsjeblieft, wat is er in godsnaam aan de hand?'

Caffery klemde zijn tanden hard op elkaar en vocht tegen het verlangen om zijn ogen dicht te doen. Hij had er veel energie in gestoken om te zorgen dat het verhaal niet uitlekte. En iedereen, van de familierechercheur tot het persbureau, had hem verteld dat de zaak waterdicht was. Hoe was die ontvoerder er dan in godsnaam achter gekomen waar ze woonde, laat staan waar haar moeder woonde? Proberen hem een stap voor te blijven was net zoiets als proberen de bliksem tegen te houden.

'Heb je iemand gezien? Verslaggevers? Voor het huis?'

'Cory heeft de hele middag zitten kijken. Er was geen mens te bekennen.'

'En weet je zeker – honderd procent, absoluut zeker – dat je het aan niemand hebt verteld?'

'Heel zeker.' Er stonden tranen in haar ogen. Tranen van echte angst. 'Ik zweer het. En mijn moeder ook niet.'

'Geen buren die jullie hebben zien komen of gaan?'

'Nee.'

'En toen jullie weggingen?'

'Dat was vanmorgen vroeg, naar de plaatselijke winkels. In Keynsham. Alleen om brood voor het ontbijt te halen. Het was op.'

'Jullie hebben niet geprobeerd terug te gaan naar Mere?'

'Nee!' Ze zweeg, alsof ze schrok van haar eigen heftigheid. Rillend duwde ze haar mouwen omhoog. 'Hoor eens – het spijt me. Maar ik ben alles keer op keer nagegaan. En we hebben niets gedaan. Ik zweer het.'

'Waar is Emily?'

'Bij Cory. Boven in het kantoor.'

'Ik ga een plek voor jullie zoeken. Geef me een halfuur. Ik kan niet garanderen dat het zo mooi zal zijn als jullie huis of dat van je moeder, of dat het dicht bij Keynsham zal zijn. Het kan overal in Avon and Somerset zijn.'

'Het kan mij niet schelen waar het is. Ik wil alleen weten dat we veilig zijn. En ik wil dat mijn moeder ook meegaat.'

Caffery pakte de telefoon, maar toen viel hem iets in. Hij legde de hoorn weer neer, liep naar het raam, legde een vinger op een van de lamellen van de jaloezie en keek de straat in. Donker en regenachtig. De straatlantaarns waren nog aan, ook al was het ochtend. 'Waar is jullie auto?'

'Die staat aan de achterkant.'

Hij bleef nog even naar de straat kijken. Er stonden een of twee auto's geparkeerd – leeg. Een andere reed langzaam voorbij en de koplampen maakten zilveren koepels in de regen. Hij liet de lamel los. 'Ik laat jullie brengen.'

'Ik kan rijden.'

'Niet zoals deze chauffeur kan.'

Janice zweeg. Ze keek naar de jaloezieën. Naar de duisternis daarachter. 'Je bedoelt dat hij achtervolgers kan afschudden, nietwaar? Denk je dat hij ons hierheen kan zijn gevolgd?'

'Ik wilde dat ik het wist.' Caffery pakte de telefoon. 'Ga maar samen met Emily wachten. Vooruit. Knuffel haar.'

33

Het team doorzocht de natte straten rond het bureau en vond niets. Geen wachtende auto's. Geen donkerblauwe Vauxhalls waarvan het kenteken eindigde met ww. Niemand die er bij het zien van de agenten vandoor ging en de hoofdweg af racete. Uiteraard niet. De ontvoerder was veel te slim voor zoiets voorspelbaars. De Costello's waren gekalmeerd en naar een veilige plek gebracht, dit keer in Peasedown St. John, een kilometer of vijftig van de Bradleys vandaan. Er was een speciaal opgeleide chauffeur gekomen die de gezinsauto voor hen had gereden. Hij belde Caffery een halfuur later om te zeggen dat ze waren geïnstalleerd en dat Nick en een plaatselijke agent hun met enig vertoon het gevoel gaven dat ze veilig waren.

Toen Caffery er eens rustig over nadacht – over hoe de ontvoerder het gezin in godsnaam had weten te vinden – werd de hoofdpijn die hem de hele morgen al dwarszat een graadje erger. Hij had het liefst de jaloezieën dichtgedaan en was naast de hond op de vloer gaan liggen. De ontvoerder was net een virus dat in een angstwekkend tempo veranderde en evolueerde, en Caffery kon de vragen die in zijn hoofd weerklonken niet tot zwijgen brengen. Hij moest er even afstand van nemen. Heel even maar.

Hij bracht het gele dossier terug naar de afdeling Onopgeloste Zaken en zei dat ze het hem in de toekomst moesten laten weten voor ze het aan iemand onder de rang van inspecteur meegaven. Toen zette hij Myrtle in de auto en reed door de duffe buitenwijken, over de ringweg met zijn zielloze bedrijfsparken en hypermarkten, langs de megabioscopen met hun opzichtige kerstboompjes boven de aanplakbiljetten. Hij stopte in Hewish, waar de straalvliegtuigen laag over de Somerset Levels vlogen, en parkeerde bij een autosloperij.

'Blijf,' zei hij tegen de hond. 'En maak geen problemen.'

In zijn proeftijd in Londen was het controleren van de oudijzerhandels in Peckham een van zijn minst geliefde plichten geweest. De hoeveelheden gestolen metaal die via die sloperijen werden verhandeld waren duizelingwekkend – lood van kerken, fosforbrons van draaibanken en schepen, zelfs gietijzeren putdeksels. Ergens in de laatste tien jaar was die rol overgegaan op de plaatselijke autoriteiten, zodat hij nu geen gezag meer had over de autosloperijen. Maar dat maakte niet uit. De auto die Misty Kitson had geraakt, moest de pletmachine in, zodat hij geen kwaad meer kon.

Hij bleef net binnen het hek staan kijken naar het zwakke licht op de door vorst getekende bergen metaal. De enorme hydraulische pletmachine stond ineengedoken in het midden. In de verte rezen de torenhoog opgestapelde karkassen van gesloopte auto's op als ingewikkelde metalen termietenheuvels tegen de vlakke grijze hemel. De auto die hij zocht, stond voor een stapel van vijf lege carrosserieën die boven op elkaar waren gestapeld. Hij zocht zich een weg ernaartoe en bleef er even naast staan. Een zilverkleurige Ford Focus. Hij kende hem goed. De voorkant zat in elkaar en het motorblok en het brandschot lagen in de kreukels. De motor was niet meer te maken – niemand zou die meenemen voor de handel in tweedehands onderdelen. De auto stond hier alleen nog, rustig wachtend op het einde, tot alle andere bruikbare stukken eraf gehaald zouden zijn: dorpels, deurknoppen, instrumentenpanelen. Tot dusver was de onttakeling langzaam gegaan. Caffery kwam hier elke week om dat te controleren en kocht dan een portier of een stoel om zijn reis naar de pletmachine te bespoedigen. Maar niet al te opvallend. Hij wilde er geen aandacht op vestigen.

Hij liet een hand over de gedeukte motorkap, de verbrijzelde voorruit en het dak gaan. Zijn vingers dwaalden naar het vertrouwde portier. Hij kende het als zijn broekzak. Hij stelde zich voor hoe Misty's hoofd ermee in botsing was gekomen, de uitbarsting van rood in de nacht. Zag hoe ze op een eenzaam landweggetje over de motorkap was gevlogen en in contact was gekomen met het dak. Een slordige zak slappe spieren en botten tegen de tijd dat ze het asfalt raakte. Meteen dood, gebroken nek.

Een Duitse herder aan een ketting blafte luidruchtig toen Caffery naar het receptiegebouwtje liep. Er stonden drie terreinwagens. AN-

DY'S ASPHALT AND FASCIAS stond er op de zijkanten. Vermoeiend en vertrouwd. Maar een politieman mocht het woord 'zigeuner' niet eens dénken. In het politietaaltje, dat elk obstakel wist te omzeilen, werden ze nu DAZ genoemd. Als je ze een DAZ noemde, wist niemand dat ze eigenlijk voor diefachtige zwervers werden uitgemaakt. De DAZ die eigenaar was van de autosloperij zag er precies zo uit; een grotere karikatuur zou je buiten een stripverhaal niet snel tegenkomen. Te zwaar, een overall vol vetvlekken, een zigeunerringetje in zijn oor. Hij zat achter het bureau met een elektrisch kacheltje voor zijn benen een spelletje te doen op de vuile, met olie besmeurde computer. Toen Caffery binnenkwam, zette hij het beeldscherm uit en draaide zich om in zijn stoel. 'Wat kan ik voor je doen, makker?'

'Een achterklep. Ford Focus, Zetec. Zilverkleurig.'

De man duwde zich omhoog en ging met zijn handen in zijn zij naar de rijen auto-onderdelen op de enorme planken boven het bureau staan kijken. 'Ik heb er hier een paar. Je kunt er een hebben voor een honderdje.'

'Oké. Maar ik wil er een van een auto die buiten staat.'

De eigenaar draaide zich om. 'Een auto die buiten staat?'

'Dat zei ik.'

'Maar deze zijn al gedemonteerd.'

'Dat kan me niet schelen. Ik wil die van buiten.'

De DAZ fronste. 'Ben jij hier al eerder geweest? Ken ik jou?'

'Kom op.' Caffery trok de deur open. 'Ik wijs hem aan.'

De man kwam mopperend achter zijn bureau vandaan, trok een gevlekte fleece aan en volgde hem naar buiten. Ze stonden naast de zilverkleurige Focus, hun adem wit in de vrieskoude lucht.

'Waarom deze? Ik heb tientallen Focus-achterkleppen binnen liggen. Ook zilverkleurige. De Focus verkoopt het best. Het is een kutauto.'

'Een wat?'

'Een kutauto. Elk wijf heeft er een. En voor mij is het ook een strottenauto, want ze komen me de strot uit. Kutten die me de strot uit komen. Ik ben een biologisch wonder.' Hij stootte een rochelend lachje uit. Onderbrak het toen Caffery niet meelachte. 'Maar als je deze wilt, kost het je dertig extra. Wie iets bijzonders wil hebben, moet ervoor betalen. Ik heb binnen spullen liggen waar ik niets voor hoef te doen, die ik zo mee kan geven. Voor deze moet ik de jongens met de snijbranders erbij roepen.'

'Ze moeten hem er uiteindelijk toch af halen.'

'Honderddertig of ik ben weg.'

Caffery keek naar de deuk in het dak. Hij vroeg zich af of hij Flea moest waarschuwen voor Prody. Hij wist niet wat hij moest zeggen, hoe hij erover moest beginnen. 'Honderd pond voor de achterklep,' zei hij. 'Maar als je hem eraf hebt gehaald wil ik zien dat je die wagen plet.'

'Daar is hij nog niet klaar voor.'

'Jawel. Als de achterklep eraf is, is er niets meer over. De versnellingsbak is eruit en de goede koplamp is weg, net als de stoelen, de wielen en zelfs de sierstrippen. Als je de achterklep weghaalt, is de auto klaar om geplet te worden.'

'De gordels.'

'Daar is niets speciaals aan. Niemand wil die dingen hebben. Doe ze voor die honderd pond maar bij de achterklep. Wees eens aardig.'

De DAZ keek hem met sluwe oogjes aan. 'Ik weet hoe mensen als jij me stiekem noemen. Een DAZ. Een diefachtige zwerver. Maar je hebt het mis. Ik mag dan rondzwerven, ik steel niet – en ik ben ook niet stom. Als in mijn wereld iemand vraagt om een auto te pletten, gaan de alarmbellen af.'

'Als iemand in mijn wereld moeite doet auto's te strippen en de onderdelen zonder bestelling in een schuur op te stapelen, gaan bij mij de alarmbellen rinkelen. Waarom de nette rijtjes binnen? Waarom neem je de moeite ze los te snijden voordat je weet of iemand ze wil hebben? En waar zijn de casco's? Ik weet wat er gebeurt bij jullie middernachtelijke pletsessies. Ik weet hoeveel voertuigidentificatienummers hier 's nachts vernietigd worden.'

'Wie mag jij verdomme wel zijn? Ik heb je hier eerder gezien, nietwaar?'

'Plet die auto nou maar, oké?'

De man deed zijn mond open en toen weer dicht. Hij schudde zijn hoofd. 'Jezus,' zei hij. 'Waar gaat het naartoe in de wereld?'

34

Het huis was een onopvallende doos in een vervallen, door wind geteisterde wijk. Het was jaren het plaatselijke politiebureau geweest, maar nu had het korps het niet meer nodig en was er een verweerd TE KOOP-bord in de tuin geplant. Vandaag brandde er waarschijnlijk voor het eerst in tijden weer licht. Zelfs de verwarming was aan – de radiators boven en de gashaarden in de woonkamer werkten. Janice had water opgezet en maakte thee voor iedereen. Emily – die onderweg hiernaartoe gehuild had – mocht warme chocolademelk en een snoepje en was weer bedaard. Ze zat nu op de grond in de woonkamer naar het kinderprogramma te kijken en giechelde om Shawn the Sheep.

Janice en haar moeder keken vanuit de deuropening toe.

'Het komt wel goed met haar,' zei haar moeder. 'Ze krijgt er niets van als ze een paar dagen niet naar school gaat. Ik hield jou op die leeftijd soms thuis omdat je moe of mopperig was. Ze is nog maar vier.' Met haar trui met wijde hals en korte, jongensachtig geknipte witte haar, dat uit haar gebruinde gezicht gestreken was, was ze nog steeds mooi. Blauwe ogen. Heel zachte huid die altijd naar Camay-zeep rook.

'Mam,' zei Janice. 'Herinner jij je dat huis op Russell Road nog?'

Haar moeder trok geamuseerd een wenkbrauw op. 'Ik geloof dat ik nog wel zo ver terug kan denken. We hebben daar tien jaar gewoond.'

'Weet jij nog van die vogels?'

'De vogels?'

'Je zei altijd dat ik het raam in mijn slaapkamer niet open moest zetten. Natuurlijk deed ik dat toch. Ik zat er altijd voor en gooide er papieren vliegtuigjes door naar buiten.'

'Dat was niet de laatste keer dat je niet deed wat ik zei.'

'Nou, we gingen een weekend weg naar die camping in Wales. Die met de baai aan het eind van het weggetje. Waar ik zoveel fruitsnoepjes at dat ik er misselijk van werd. En toen we thuiskwamen, zat er een vogel in mijn slaapkamer. Hij moest naar binnen zijn gevlogen toen ik het raam open had en toen we het dichtdeden voordat we weggingen, zat hij in de val.'

'Ik geloof dat ik het nog wel weet.'

'Het beest leefde nog, maar er zaten jonkies in het nest voor het raam.'

'O god, ja.' Haar moeder sloeg haar hand voor haar mond, half lachend om deze herinnering, maar ook een beetje ontzet. 'Ja. Natuurlijk weet ik dat nog. Die arme moeder. Ze zat voor het raam naar ze te kijken.'

Janice stootte een triest lachje uit. De tranen prikten in haar ogen bij de gedachte aan die vogel. Ze had op dat moment medelijden gehad met de kleintjes die dood in het nest lagen. Ze had elk ervan begraven onder een wit steentje in het bloembed, huilend omdat ze zich zo schuldig voelde. Ze had volwassen moeten worden en zelf een kind moeten krijgen voor ze begreep dat het ergste voor de moeder was dat ze haar kleintjes dood had zien gaan. Zonder iets te kunnen doen. 'Toen de auto gisteren wegreed, moest ik steeds aan die vogel denken.'

'Janice.' Haar moeder sloeg een arm om haar heen en gaf haar een zoen op haar hoofd. 'Liefje. Ze is nu veilig. Het is hier misschien niet erg fijn, maar de politie let tenminste op ons.'

Janice knikte. Ze beet op haar lip.

'Nou, ga iets te drinken voor jezelf maken. Ik zal die afschuwelijke badkamer schoonmaken.'

Toen ze weg was, bleef Janice nog een hele tijd met over elkaar geslagen armen bij de halfopen deur staan. Ze wilde niet naar de keuken. Die was klein en deprimerend en Cory zat er met een kop koffie en zijn iPhone e-mails van het werk te beantwoorden. Hij was de hele morgen al bezig. Hij vond het vreselijk om niet naar zijn werk te kunnen, vreselijk. Hij had een hele tijd zitten mopperen over verloren uren, over de recessie, over hoe moeilijk het was om een baan te krijgen en over ondankbaarheid, alsof hij Janice de schuld gaf van wat er met hen gebeurde, alsof zij dit allemaal gepland had om hem van zijn werk te houden.

Uiteindelijk ging ze de trap op naar de kleine slaapkamer aan de voorkant. Er stonden twee eenpersoonsbedden, haastig opgemaakt met slaapzakken die zij en Cory hadden meegenomen toen ze het huis verlieten en lakens die Nick ergens had opgeduikeld. Ze keek naar de bedden: het zou de eerste keer in tijden zijn dat ze alleen zou slapen. Na al die tijd dat ze samen waren en alles wat ze hadden doorgemaakt wilde Cory nog steeds seks. Hij leek het zelfs nog vaker te willen sinds Clare op het toneel was verschenen. Ook als Janice alleen stil en zwijgend in het donker wilde liggen en haar dromen aan zich voorbij wilde zien trekken, liet ze hem toch doen waar hij behoefte aan had. Dan bespaarde ze zichzelf zijn slechte humeur, de bedekte insinuaties dat ze niet de vrouw was geworden die hij had gehoopt. Maar ze was stil als het gebeurde. Ze deed nooit alsof ze ervan genoot.

Buiten stopte een auto. Ze ging instinctief naar het raam en trok het gordijn iets opzij. Hij stond aan de overkant van de weg met een hond – een collie – op de achterbank en inspecteur Caffery achter het stuur. Hij zette de motor uit en bleef even naar het huis zitten kijken, zonder enige uitdrukking op zijn gezicht. Hij zag er goed uit, dat kon elke idioot zien, maar zijn gezicht was waakzaam en gesloten, wat haar het gevoel gaf dat ze hem niet kon doorgronden. Nu zat hij vreemd stil en ze besefte dat hij niet zomaar wat voor zich uit zat te kijken, maar zich concentreerde op iets in de tuin. Ze bracht haar hoofd naar de ruit en keek naar beneden. Niets vreemds. Alleen haar auto op de oprit.

Caffery stapte uit, sloeg het portier dicht en keek de verlaten straat door, alsof hij vermoedde dat een sluipschutter het op hem gemunt had. Toen trok hij zijn jas om zich heen, stak de weg over en bleef voor de Audi op de oprit staan. Hij was schoongemaakt voordat hij aan hen was teruggegeven – de deuk aan de voorkant, die de ontvoerder veroorzaakt had, was niet zo diep. Maar iets had Caffery's belangstelling gewekt. Hij bestudeerde de deuk zorgvuldig.

Ze deed het raam open en boog zich naar buiten. 'Wat is er?' fluisterde ze.

Hij keek naar haar op. 'Hallo,' zei hij. 'Mag ik binnenkomen? We moeten praten.'

'Ik kom naar beneden.' Ze trok een trui aan over haar T-shirt, stak haar voeten in haar laarzen zonder de moeite te nemen ze dicht te ritsen en liep licht de trap af. Buiten stond Caffery te wachten in de ijskoude regen. Hij stond met zijn gezicht naar haar toe en zijn rug naar de auto, alsof hij hem bewaakte.

'Wat is er?' siste ze. 'Je kijkt zo vreemd. Wat is er met de auto?'

'Is alles goed met Emily?'

'Ja. Ze heeft net haar lunch gehad. Hoezo?'

'Je moet haar halen. We gaan ergens anders heen.'

'Ergens anders heen? Waarom? We zijn hier net...' En toen begon het haar te dagen. Ze deed een stap achteruit, naar de beschutting van de voordeur. 'Dat meen je niet. Wil je zeggen dat hij weet waar we zijn? Dat hij dit huis ook gevonden heeft?'

'Kun je gewoon naar binnen gaan en zorgen dat Emily klaarstaat?'

'Hij heeft ons gevonden, hè? Hij staat daar ergens naar ons te kijken. Je wilt zeggen dat hij ons heeft gevonden.'

'Dat wil ik helemaal niet zeggen. Je bent tot nu toe heel behulpzaam geweest, dus blijf alsjeblieft rustig. Ga naar binnen en pak jullie spullen. Er komt een burgerauto uit Worle. Dat is volkomen normaal in dergelijke gevallen. We brengen de mensen van tijd tot tijd naar een andere plek. Dat is de normale gang van zaken.'

'Helemaal niet.'

Een uitbarsting van statisch geruis van Caffery's radio. Hij draaide haar zijn rug toe, trok zijn jas open, boog zijn hoofd en mompelde iets. Ze kon niet horen wat hij zei, maar ze ving een paar woorden op van de andere persoon: de naam van de straat en 'dieplader'. 'Je neemt de auto weer mee. Waarom? Wat heeft hij ermee gedaan?'

'Ga nou maar naar binnen en haal je dochter, alsjeblieft.'

'Nee. Vertel me wat het is.' Ze was nu boos, boos genoeg om er niet om te geven of de ontvoerder echt daarbuiten was en een geweer op hen richtte, en ze stapte de oprit op. Ze speurde links en rechts de straat af. Niemand. Toen liep ze naar de achterkant van de Audi, bukte om hem te inspecteren, bestudeerde hem zorgvuldig en vroeg zich af wat ze miste. Ze ging naar de zijkant en zonder hem aan te raken boog ze zich er dicht genoeg overheen om de kleinste bijzonderheid op te pikken. Het was niet gemakkelijk geweest om zo snel na de ontvoering weer in die auto te stappen. Toen ze hem gisteren had opgehaald van het parkeerterrein van de politie, had ze het interieur met andere ogen bekeken. Ze had geprobeerd op de grepen en de hoofdsteunen de schaduw te zien van de man die Emily had meegenomen. Maar er was eigenlijk niets anders aan geweest. Nu liep ze voorbij het portier naar de voorkant, voorbij de deuk in de rechterbumper en langs het andere portier. Ze bleef staan waar Caffery stond, met zijn armen over elkaar. 'Kun je even achteruitgaan? Ik wil dit stuk bekijken.'

'Ik geloof niet dat dat nodig is.'

'Ik wel.'

'Nee. Wat nodig is, is dat je naar binnen gaat en je dochter klaarmaakt voor vertrek.'

'Het helpt niet om me zo te beschermen. Wat je ook doet, je helpt me niet door dingen voor me verborgen te houden. Kun je alsjeblieft even achteruitgaan? Jij bent misschien van de politie, maar dit is nog steeds mijn eigendom.'

Even bleef Caffery roerloos staan. Toen deed hij zonder een spier te vertrekken een stap achteruit. Hij bleef half van haar afgewend het huis bekijken, alsof dat opeens zijn aandacht van de Audi had afgeleid. Terwijl ze af en toe waakzaam over haar schouder naar hem keek, bestudeerde ze de plek die hij had verborgen. Er was niets – niets vreemds, niets wat niet op zijn plaats zat. Geen krassen of deuken. Geen poging om de sloten te forceren. Toen ze absoluut zeker was dat er niets te zien was, deed ze een stap achteruit en bleef gewoon op de oprit staan, zonder iets te zeggen of te bewegen, stilletjes bezig dit raadsel te ontcijferen. Het duurde even, maar uiteindelijk ging haar een lichtje op. Ze hurkte, steunde met haar hand op de doornatte oprit en keek onder de auto. Daar zat iets donkers en vierkants vastgeklemd, ter grootte van een kleine schoenendoos.

Ze kwam met een ruk overeind.

'Rustig maar,' zei Caffery kalm. 'Het is geen bom.'

'Geen bom? Wat is het verdomme dan?'

'Het is een zender.' Hij liet het klinken alsof je die dingen altijd onder een gezinswagen kon vinden. 'Hij staat nu uit en kan geen kwaad. Maak je geen zorgen, de wagen kan hier elk moment zijn. We moeten meteen weg. Ik stel voor dat je je gezin klaarmaakt om...'

'Godsamme.' Ze marcheerde de gang door tot ze Emily in kleermakerszit op de grond kon zien zitten, waar ze met een glimlach naar de tv keek. Caffery liep achter haar aan. Janice trok de deur dicht en draaide zich naar hem om.

'Hoe heeft hij dat in godsnaam voor elkaar gekregen?' zei ze zachtjes. 'Een zender. Wanneer heeft hij verdorie de kans gehad die eronder te plakken?'

'Je hebt hem gisteren bij ons opgehaald, nietwaar? De technische recherche had hem toch bij de afdeling Zware Misdrijven afgeleverd?'

'Ja. Ik heb ervoor getekend. Cory wilde dat Emily er zo snel mogelijk weer in stapte. Hij wilde niet dat ze daar problemen mee kreeg. Ik had geen idee dat er...'

'Je bent nergens gestopt op weg naar je moeder?'

'Nee. We zijn er rechtstreeks naartoe gereden. Cory reed in zijn auto achter ons aan.'

'En bij je moeder? Wat heb je er daar mee gedaan?'

'Ik heb hem in de garage gezet. Niemand heeft de kans gehad erbij te komen.'

Caffery schudde zijn hoofd. Er lag iets afwerends in zijn ogen dat ze niet begreep. 'Heeft Emily gepraat over wat er gebeurd is? Details gegeven?'

'Nee. De vrouw van de jeugdpolitie zei dat we niet te veel moesten aandringen. Ze zei dat het vanzelf zou komen als Emily er klaar voor was. Hoezo? Denk je dat hij de kans heeft gehad dat ding aan te brengen terwijl ze bij hem in de auto zat?'

'Ik weet het niet. Misschien.'

'Maar de technische recherche. Als hij dat had gedaan, zou die...' Opeens begreep ze het. Opeens wist ze waarom hij zo afwerend keek. 'O, mijn god. O, mijn god. Je bedoelt dat je mannen die verdomde auto niet behoorlijk hebben nagekeken.'

'Janice, ga Emily nu maar halen, wil je?'

'Ik heb gelijk. Ik weet dat ik gelijk heb. Ik zie het aan je gezicht. Jij denkt hetzelfde. Hij heeft dat ding geplaatst toen hij – ik weet het niet – toen hij die botsing had gehad misschien, en ze hebben hem niet gevonden. Ze hebben verdomme niet gemerkt dat er een zender onder de auto was geplakt. Wat hebben ze nog meer gemist? Zijn DNA soms?'

'Ze zijn grondig te werk gegaan. Heel grondig.'

'Grondig. Grondig? Zouden Martha's ouders vinden dat ze "grondig te werk" waren gegaan? Nou? Als die horen dat jouw mannen die auto hebben onderzocht en iets als dit gemist hebben, zouden ze dan nog enig vertrouwen in je hebben?' Ze zweeg en deed een stapje achteruit. Hij had zich niet verroerd, maar ze had iets in zijn gezicht gezien en besefte dat hij dit niet licht opnam, dat het hem ook hard had getroffen. 'Het spijt me,' mompelde ze onhandig, en ze stak verontschuldigend haar hand op. 'Het spijt me. Dat was niet nodig.'

'Janice, geloof me, je hebt geen idee hoe erg het mij spijt. Dit allemaal.'

35

Het kostte Caffery nog geen uur om de schuldigen bij elkaar te krijgen. Beide vergaderkamers van de afdeling Zware Misdrijven waren in gebruik, dus hield hij de bijeenkomst in de open computerruimte, terwijl de mensen om hen heen hun werk probeerden te doen. Hij zette de LPD en de man die de Costello's naar het huis in Peasedown had gereden aan een lage salontafel aan het uiteinde van de ruimte, waar de HOLMES-meisjes die voor de administratieve ondersteuning zorgden hun lunch- en koffiepauzes hielden. Rechercheur Prody was er ook – hij zat aan een bureau half te luisteren en intussen wat papieren door te nemen. Papieren van de ontvoeringszaak, niet uit het dossier-Kitson. Dat had Caffery al gecontroleerd.

'Zouden de ouders van Martha vinden dat je grondig te werk was gegaan?' De eerste die hij eens flink aan zijn jasje wilden trekken, was de LPD, een magere man die meer dan een vluchtige gelijkenis vertoonde met Barack Obama. Zijn haar was kort en netjes, waardoor hij er een beetje te eerbiedwaardig uitzag voor zijn beroep, alsof hij eerder een dure bedrijfsjurist of dokter zou moeten zijn. Hij was degene die de auto naar de forensische dienst in Southmeads had gebracht en hem had onderzocht op het DNA van de ontvoerder. 'Zouden ze dat vinden? Nou? Dat je grondig te werk was gegaan? Zouden ze kijken naar wat je met de Audi van de Costello's hebt gedaan en zeggen: "Dat was goed werk. We hebben echt vertrouwen in de politie. Ze doen wat ze kunnen?"'

De LPD keek Caffery effen aan. 'Die auto is onderzocht. Van onder tot boven. Dat heb ik je al gezegd.'

'Vertel me dan dit eens. Waar zit dat "onder" bij een auto? Wat is volgens jou de wettelijke onderkant van een auto? De dorpels? De uitlaat?'

'Hij is onderzocht. Er zat geen zender op toen hij bij mij stond.'

'Ik zal je eens een verhaal vertellen.' Caffery leunde achterover en liet een potlood tussen zijn vingers draaien. Hij wist dat hij zich als een klootzak gedroeg, dat hij zich aanstelde, maar hij was woedend op de man en wilde hem te kakken zetten. 'Toen ik in Londen bij Moordzaken zat, kende ik een technisch rechercheur. Met een behoorlijk hoge rang. Ik zal zijn naam niet noemen, want je zou van hem gehoord kunnen hebben. Nou, een of andere sukkel in Peckham had zijn vrouw van kant gemaakt. We wisten niet waar het lichaam was, maar het was vrij duidelijk wat er gebeurd was; zij werd vermist, hij had een poging gedaan zichzelf te verhangen aan een boom op Peckham Rye en de muren in hun flat zaten vol bloed, en ook handafdrukken. Nou, zowel meneer als mevrouw Sukkel had een strafblad dat drugsgerelateerde feiten bevatte, dus hun vingerafdrukken stonden in het systeem. Je ziet zeker wel waar dit heen gaat?'

'Niet echt.'

'Ik vond dat ik de vingerafdrukken op de muur maar zeker moest laten stellen en ze moest vergelijken met die van mevrouw om in ieder geval een rudimentaire zaak voor de officier van justitie te hebben, zelfs als het lijk nooit gevonden zou worden. De flat is gefotografeerd enzovoorts en nu heeft die technisch rechercheur de vrije hand. Hij kan doen wat hij nodig vindt om een mooie afdruk van die muur te halen. Sommige ervan zaten heel hoog – ik weet nog steeds niet hoe ze daar kwamen, misschien had de man haar opgetild of zo, maar in ieder geval had die ongelukkige vrouw haar handen bijna tweeënhalve meter de lucht in gekregen. Nou, zoals je weet horen die technische lui dingen bij zich te hebben om op te staan, maar in dit geval had mijn mannetje die ergens laten liggen of allemaal opgebruikt of wat dan ook. Nou, hij ziet een grenen kist met een tv erop, een centimeter of dertig van de afdrukken die hij wil veiligstellen. Hij trekt hem uit de hoek, gaat erop staan, haalt de afdrukken van de muur en duwt de kist terug. Bingo – ze zijn van mevrouw Sukkel. Maar twee dagen later wordt de flat opgeruimd door een familielid en die merkt een smerige lucht op, die – je raadt het al – uit die kist komt. Als hij open wordt gemaakt, blijkt het lijk van de vrouw erin te liggen en op het vloerkleed eronder zit bloed, met afdrukken in het bloed die erop wijzen dat de kist naar voren en weer terug is geschoven. En wat deed die technisch rechercheur toen we hem ernaar vroegen?'

'Geen idee.'

'Hij haalt zijn schouders op en zegt: "O, ik vond hem al zwaar toen ik hem van zijn plaats trok." *Ik vond hem al zwaar!*'

'Wat wil je daarmee zeggen?'

'Ik wil zeggen dat er mensen bij de politie zijn – en ik wil daarmee natuurlijk helemaal niets over jou zeggen – maar dat er sommige mensen zijn die zo erg aan tunnelvisie lijden dat ze de meest voor de hand liggende dingen niet zien. Mensen die het briefje met de schuldbekentenis verdomme opzij schoppen om bij de bloedspetters op de muur te komen.'

De LPD tuitte zijn lippen en keek hem weer ietwat uit de hoogte aan. 'Die auto is onderzocht, Caffery. Hij kwam 's morgens en werd met voorrang behandeld – jij had er dringend bij gezet. We hebben hem van boven tot onder bekeken. Alles. *Er zat niets onder – helemaal niets.*'

'Heb je die operatie persoonlijk bijgewoond?'

'Je hoeft niet te proberen me daarop te pakken. Ik hou niet persoonlijk toezicht op elk karwei dat wordt uitgevoerd.'

'Dus je hebt het niet zien gebeuren?'

'Ik zeg je dat het grondig gedaan is.'

'En ik zeg jou dat dat niet gebeurd is. Je hebt niet gekeken. Heb tenminste het fatsoen om dat te erkennen.'

'Jij bent niet mijn meerdere.' De LPD wees naar Caffery. 'Ik ben geen agent, ik werk niet volgens jouw regels. Ik weet niet hoe jullie hier de nabesprekingen doen, maar dit hoef ik niet te pikken. Je krijgt er spijt van dat je me zo hebt behandeld.'

'Misschien. Maar dat denk ik niet.' Hij maakte een gebaar naar de deur. 'Het staat je vrij om weg te gaan. Pas op dat de deur niet tegen je kont slaat als je vertrekt.'

'Leuk hoor. Heel leuk.' De LPD sloeg zijn armen over elkaar. 'Het zal wel lukken, dank je. Ik geloof dat ik maar blijf. Ik begin het hier leuk te vinden.'

'Wat je wilt. Bezorg de HOLMES-meisjes wat vertier.' Caffery wendde zich tot de chauffeur die de Costello's naar het eerste veilige adres had gebracht. Hij droeg een pak en een nette das en zat met zijn ellebogen op zijn knieën strak naar een punt op Caffery's borst te staren.

'Nou?' Caffery boog voorover en hield zijn hoofd scheef om de man in de ogen te kunnen kijken. 'Hoe zit het met jou?'

'Hoe het met mij zit?'

'Maakt het geen deel uit van je opleiding om de auto waar je in stapt te controleren? Ik dacht dat dat gebruikelijk was – je stapt nooit in een auto die je niet helemaal bekeken hebt. Ik dacht dat het een gewoonte was. Instinct. Iets wat er bij jullie ingehamerd is.'

'Wat kan ik zeggen? Het spijt me.'

'Is dat alles? *Het spijt me?*'

De chauffeur ademde uit en ging rechtop zitten. Hij opende zijn handen om naar de arrogante LPD te gebaren. 'U hebt net tegen hem gezegd dat hij het fatsoen moest hebben om het te erkennen en dat doe ik. Ik heb de wagen niet gecontroleerd, ik dacht niet goed na, en dat spijt me nu. Heel erg.'

Caffery keek hem woedend aan. Daar was niets op te zeggen. De man had gelijk. En hij, Caffery, was de zak die als Nero in de arena met zijn verdomde potlood zat te spelen. Wat hun fouten ook waren, wat de tekortkomingen van het korps ook waren, het punt was dat de ontvoerder hem te slim af was geweest. En dat was angstaanjagend. 'Verdomme.' Hij gooide het potlood neer. 'Wat een kutzooi hebben we ervan gemaakt.'

'Jij misschien.' De LPD stond op. Hij draaide zich om naar de verste deur. 'Ik niet.'

Caffery draaide zich ook om en zag een mollige jonge vrouw in een zwart broekpak tussen de bureaus door lopen. Met haar streng naar achteren getrokken blonde haar en haar zonnebankkleurtje zag ze er net zo uit als sommige van de HOLMES-meisjes. Maar hij herkende haar niet en de aarzelende blik op haar gezicht vertelde dat ze hier nieuw was. Ze had een plastic envelop in een hand.

'Dank je.' De LPD nam de envelop van haar aan. 'Wacht hier maar even. Het duurt niet lang. We kunnen samen terugrijden.'

Het meisje wachtte slecht op haar gemak naast de lage banken terwijl de LPD ging zitten en de inhoud van de envelop op de tafel schudde. Er kwamen een stuk of tien foto's uit en hij schoof ze met zijn vinger uit elkaar. Op alle foto's stond een auto, steeds uit een andere hoek: binnenkant, buitenkant, achterkant. Het was een zwarte auto met een champagnekleurig interieur. De Audi van de Costello's.

'Ik geloof dat dit het aanzicht is dat je moet hebben.' Hij haalde een van de foto's ertussenuit en schoof die over de tafel naar Caffery. Het was een opname van de onderkant van de auto, de uitlaat en de vloerplaat, met een duidelijk stempel van de vorige dag erop: 11:23 uur. Caffery bleef er een paar tellen naar zitten staren. Hij wou dat hij een paracetamol had ingenomen. Het was nu niet alleen meer zijn hoofd; zijn botten deden pijn omdat hij de afgelopen nacht met de Wandelaar in de kou had gezeten. De auto op de foto was schoon. Helemaal schoon.

De LPD zei: 'Ga je je verontschuldigingen nog aanbieden? Of is dat te veel gevraagd?'

Caffery pakte de foto op. Hij hield hem zo stevig vast dat de nagel van zijn duim wit werd. 'Jullie hebben hem hier gebracht, nietwaar? De Costello's hebben hem hier opgehaald.'

'Ze wilden niet helemaal naar het lab komen. Ze wonen toch in Keynsham? Of daar in de buurt? Ze besloten dat het gemakkelijker was om hem hier op te halen. Ik heb hem laten brengen. Ik dacht dat ik jullie een plezier deed.'

'Is ervoor getekend door mijn teamleider?'

'Ja.'

'En die moet hem ook weer hebben vrijgegeven...' Caffery bestudeerde de foto. Ergens tussen dit punt en het huis van de Costello's had de auto een zender opgepikt. En dat betekende – de haartjes op zijn armen kwamen omhoog – dat hij die alleen kon hebben opgepikt terwijl hij hier was, terwijl hij beneden op de parkeerplaats stond. Een beveiligde parkeerplaats waar zelfs een voetganger niet kon komen. Tenzij hij een toegangscode had.

Caffery keek op. Hij richtte zijn vermoeide ogen op de mensen in de kantoren. De beëdigde agenten en het politiepersoneel. De mensen met de ondersteunende taken. Er moesten wel honderd mensen zijn die toegang hadden tot dat parkeerterrein. Er viel hem nog iets anders in. Hij herinnerde zich dat hij gedacht had dat de ontvoerder wel een duivels geluk had gehad toen hij de ANPR-camera's had ontweken. Bijna alsof hij had geweten waar die camera's stonden.

'Baas?'

Hij draaide langzaam zijn hoofd om. Prody zat voorovergebogen, met een vreemde trek op zijn gezicht. Hij zag bleek. Heel bleek. Bijna grauw. In zijn hand had hij een van de brieven van de ontvoerder. De brief die naar de Bradleys was gestuurd. Waarin werd gesproken over het verbouwen van Martha's gezicht. 'Baas?' herhaalde hij zachtjes.

'Ja?' zei Caffery afwezig. 'Wat is er?'

'Kan ik je even onder vier ogen spreken?'

36

Het duikteam was getraind op algemeen ondersteunend werk en op specialistische zoekacties. Daar eindigde de verantwoordelijkheid voor het vinden van Martha Bradley. Toen de rampzalige actie in het kanaal dus was afgerond, gingen de kantoren in Almondsbury, buiten Bristol, weer over op routinezaken en vond Wellard eindelijk tijd om op de computer de diversiteitstraining te doen die voor elke agent verplicht was. Een tweedaagse cursus waarbij je voor een beeldscherm dingen zat aan te klikken om duidelijk te maken dat je begreep dat het verkeerd was om mensen te veroordelen, dat het verkeerd was om te discrimineren. Toen Flea arriveerde zat hij in een kamer naast het grote kantoor nors naar het beeldscherm te kijken. Ze wist dat ze beter niets kon zeggen over de vorige dag bij het kanaal. Ze stak haar hoofd om de deur en glimlachte. Deed of er niets gebeurd was. 'Middag.'

Hij stak een hand op. 'Middag.'

'Hoe gaat het?'

'Ik krijg het wel zo'n beetje door. Volgens mij werkt het. Je zult mij een nikker geen nikker meer horen noemen.'

'Jezus, Wellard. In godsnaam.'

Hij stak beide handen op in overgave. 'Het spijt me, hoofdagent, maar dit is een belediging. Hier worden je dingen geleerd die je van nature zou moeten doen. Zelfs de zwarte leden van het korps – sorry, de Britse ingezetenen van Afro-Caribische afkomst – vinden het een belediging. Fatsoenlijke politiemensen hoeven zulke dingen niet te leren, en de klootzakken die dat wel moeten kruisen gewoon de hokjes aan, glimlachen en geven de goede antwoorden. Vervolgens haasten ze zich naar hun ultrarechtse vergaderingen, scheren hun hoofd kaal en laten het George Cross tatoeëren op een plek die de zon nooit ziet.'

Ze haalde diep adem. Wellard werkte hard, klaagde nooit en was volkomen kleurenblind. Hij ging met alle teamleden even goed om. Juist hij had deze training niet nodig. Hij had gelijk. Het was een belediging voor mensen zoals hij. Maar er waren er ook bij wie het erin gehamerd moest worden.

'Ik kan hier niet op ingaan, Wellard. Dat weet je.'

'Ja, en dat is precies wat er mis is met deze wereld. Niemand doet zijn mond open. Het lijkt verdomme wel een heksenjacht.'

'Dat kan me niet schelen, Wellard. Maak dat verdomde ding nou maar af. Je hoeft alleen de juiste hokjes aan te vinken. Een getrainde zeehond kan dat nog.'

Hij ging weer zitten klikken. Flea deed de deur dicht en ging naar haar kantoor, waar ze zonder iets te zien door de open deur naar de kleedruimte ging zitten staren en voor de honderdste keer probeerde zich te concentreren op het idee dat haar steeds net ontglipte.

Op een van de kluisjes was een kerstkaart geplakt, de eerste, net zo eenzaam en kwetsbaar als een sneeuwklokje in januari. Al het andere – de laarzen op het rek in de hoek, het mededelingenbord met alle schuine ansichtkaarten en stomme cartoons – was er al maanden. Jaren. Het was er al toen Thom Misty had aangereden. Daar was ze zeker van, want ze wist nog dat ze precies op deze plek had gezeten toen ze probeerde te achterhalen waar die lucht van rottend vlees toch vandaan kwam. Ze had op dat moment niet geweten dat die uit haar eigen auto kwam die buiten stond. Dat de geur van het rottende vlees in haar kofferbak door de airconditioning naar binnen werd gezogen.

Airconditioning. Ze trommelde met haar vingers op de tafel. Airconditioning. Ze voelde het elektromagnetische veld rond haar schedel en haar nek knetteren, zodat ze kippenvel op haar armen kreeg. Welke alarmsignalen gingen er af in haar achterhoofd? Uitwisseling van gas. Het vervangen van oude lucht door verse. Ze dacht aan de plek waar Misty zich nu bevond, aan de lucht die omhoogdreef uit de grot en via ongeziene gangen en spleten die niet breder waren dan een vinger in de openlucht terechtkwam.

En toen wist ze het opeens. Ze ging staan en haalde haar projectdossier tevoorschijn, een map waarin alles stond wat dag na dag door de eenheid gedaan werd, en doorzocht hem snel tot ze de aantekeningen van de zoekactie van de vorige dag had gevonden. Ze haalde ze er trillerig uit, spreidde ze uit op het bureau en stond er met haar handen op de tafel naar te kijken terwijl alles in haar hoofd op zijn plaats viel.

Luchtschachten. Die had ze gemist. Die verdomde luchtschachten.

Er klopte iemand op de deur.

'Ja?' Ze schoof half schuldig de papieren weer in de map en ging met haar rug naar het bureau staan. 'Wat is er?'

Wellard kwam binnen. Hij had een notitieblok in zijn hand met een boodschap erop in zijn slordige handschrift. 'Hoofdagent?'

'Ja, Wellard.' Ze leunde op het bureau om het dossier te verbergen. 'Wat kan ik voor je doen?'

'We moeten aan het werk. Er is net gebeld.'

'Wat voor werk?'

'Een aanhouding.'

'En wie moeten we aanhouden?'

'Dat weet ik niet. Ze zeiden dat we zo snel mogelijk naar het verzamelpunt moeten komen. Geen code voor vuurwapens, maar het klinkt toch vrij heftig.'

Ze keek hem recht aan. 'Doe jij het maar, Wellard, neem jij maar voor me waar. Ik neem vanmiddag vrij.'

Wellard nam altijd haar rol over als zij er niet kon zijn, maar dat werd meestal van tevoren besproken. Hij fronste. 'Je staat ingeroosterd voor vandaag.'

'Ik ben ziek. Ik meld me ziek.'

'Je bent niet ziek.' Hij keek haar argwanend aan. 'Hé. Het is toch niet om wat ik zei, hè? Je weet wel, toen ik zei dat je mij een n...'

Ze stak haar hand op om hem tot zwijgen te brengen. Haar hart bonsde. 'Dank je, Wellard. Nee. Dat is niet de reden.'

'Wat dan?'

Als ze hem vertelde hoe haar gedachten met haar op de loop gingen, raakte hij ook de kluts kwijt. Hij zou tegen haar zeggen dat ze gek was en dat ze het los moest laten. Hij zou de draak met haar steken of erger nog, dreigen het aan de inspecteur te vertellen. Of een preek tegen haar afsteken. Of zelfs proberen met haar mee te gaan. Hoe dan ook. Het kwam wel goed. Haar gebeurde niets. 'Omdat ik ziek ben. Varkensgriep – wat er ook maar goed uitziet op de formulieren. Ik ga nu naar huis en naar bed.' Ze stopte het dossier in haar rugzak, zwaaide die over haar schouder, ging weer rechtop staan en glimlachte breed tegen Wellard. 'Veel geluk met de arrestatie. Vergeet niet de extra toelage aan te vragen omdat je mijn plaats inneemt.'

37

'Niet alleen voor het parkeerterrein moet hij de toegangscode hebben gehad,' zei Turner. 'Hij moet het hele gebouw door hebben kunnen lopen, alle kantoren in en uit. Hij kon net zo goed onzichtbaar zijn.'

Caffery, Turner en Prody stonden bij elkaar in Prody's kantoor. De verwarming stond voluit en de ramen waren beslagen. Het rook sterk naar verf en zweet.

'Er hangt een camera op het parkeerterrein.' Caffery stond in de hoek met zijn handen in zijn zakken. 'Als hij de zender onder die auto heeft geplaatst, hebben we daar beelden van. Heeft iemand daarnaar gekeken?'

De andere twee mannen zwegen.

'Wat is er?'

Turner haalde zijn schouders op. Meed zijn blik. 'De camera is kapot.'

'Alweer? Dat was ook al de smoes toen die verdomde patrouille-wagen was gestolen. Wil je zeggen dat hij weer kapot is gegaan?'

'Niet weer. Hij is gewoon nooit gemaakt.'

'O, fijn. Hoe lang is dat al zo?'

'Twee maanden. De klusjesman – het was zo'n beetje zijn werk om hem te maken.'

'En hoe lang heeft die klootzak voor ons gewerkt?'

'Twee maanden.'

'Jezus christus.' Caffery legde zijn knokkels tegen zijn hoofd. Liet zijn hand getergd weer zakken. 'Ik hoop dat we verdomme zijn servet netjes hebben opgevouwen toen we hem Martha op een presenteerblaadje aanboden.'

Hij pakte de papieren op Prody's bureau, die de afdeling Human Resources had gestuurd. Er zat een foto aan geniet. Richard Moon. Eenendertig. Het afgelopen jaar in dienst bij de politie als 'onderhoudsman' en de laatste acht weken bij de afdeling Zware Misdrijven, waar hij algemene karweitjes in het gebouw had gedaan: schilderen, lampen maken, plinten vastzetten, kapotte wc's vervangen. Martha's ontvoering plannen en uitdenken hoe hij het beste zijn voorliefdes kon bevredigen zonder gepakt te worden.

Het was Prody die het verband had gelegd. Hij herinnerde zich een briefje dat hij vanmorgen op zijn bureau had gevonden en waarvan hij een prop had gemaakt, die hij in de prullenbak had gegooid. Een briefje van Moon, de klusjesman: *sorry voor de verfgeur. Niet aan de radiator zitten*. De LPD die zoveel op Barack Obama leek, wist wel het een en ander van handschriften en was ervan overtuigd dat dat briefje en de briefjes die de Bradleys hadden ontvangen door dezelfde persoon geschreven waren. Toen had iemand erop gewezen dat de briefjes aan de Bradleys en de Costello's geschreven waren op papier dat verdacht veel leek op dat van de notitieblokken die het hoofdkwartier verschafte. De ontvoerder had politiepapier gebruikt om zijn zieke boodschappen op te schrijven. Was dat briljant of niet?

Moon was vanmorgen aan het werk geweest. Maar voor vanmiddag stond hij niet ingeroosterd en hij had het gebouw verlaten op het moment dat de bespreking met de LPD was begonnen. Hij had hier rondgelopen, vlak onder hun neus. Caffery staarde naar de foto en herinnerde zich de man die hij een paar keer had zien voorbijkomen. Lang, als hij zich goed herinnerde, te zwaar. Meestal gekleed in een overall, hoewel hij op de foto een kaki T-shirt droeg. Hij had een olijfkleurige huid, een breed voorhoofd, wijd uit elkaar staande ogen en volle lippen. Donker, kortgeknipt haar, maar niet al te kort. Heel kort haar had onderhoud nodig. Caffery keek naar de ogen. Hij probeerde te zien of er iets in weerspiegeld lag. Die ogen hadden gezien wat er met Martha Bradley was gebeurd. En God mocht weten wat die mond met haar gedaan had.

Jezus, dacht hij, wat een puinhoop. Er zouden koppen rollen.

'Er staan geen auto's op zijn naam geregistreerd,' zei Turner, 'maar hij reed van en naar het werk. Een heleboel jongens herinneren zich dat ze dat gezien hebben.'

'Ik heb het ook gezien,' zei Prody dof.

De twee mannen draaiden zich naar hem om. Hij zat op zijn stoel, met gebogen schouders. Hij had nog niet veel gezegd. Hij was woedend op zichzelf omdat hij het niet eerder in de gaten had gehad. Caffery had even het verlangen gevoeld dat als een stok te gebruiken om de hond mee te slaan, om het er bij hem in te hameren dat hij Moon eerder in de gaten had kunnen hebben als hij zich alleen op deze zaak geconcentreerd had. Maar Prody schaamde zich al erg genoeg. Als hier iets uit te leren was, deed hij dat helemaal op eigen houtje.

'Ja, hij had een auto.' Prody glimlachte dunnetjes en aangeslagen. 'En raad eens wat voor een?'

'O, alsjeblieft,' zei Caffery zwakjes. 'Zeg het maar niet. Een Vauxhall.'

'Ik zag hem er op een dag in rijden. Het viel me op omdat hij dezelfde blauwe kleur heeft als mijn Peugeot.'

'Jezus.' Turner schudde ontmoedigd zijn hoofd. 'Dit is niet te geloven.'

'Ja, oké. Je hoeft me niet zo aan te kijken. Ik weet dat ik een stommeling ben.'

'Je hebt je vandaag beziggehouden met het verhuizen van de Costello's,' zei Caffery. 'Zeg me dat hij zich niet in deze kamer bevond toen je dat deed. Zeg me dat hij dat gesprek niet heeft afgeluisterd.'

'Dat is niet zo. Ik weet het zeker.'

'En toen je al de ANPR-posten liet opstellen? Weet je zeker dat hij niet...'

Prody schudde zijn hoofd. 'Dat was laat op de avond. Hij moet al weg zijn geweest.'

'Maar hoe wist hij er dan van? Want hij wist beslist waar die camera's stonden.'

Prody wilde iets zeggen, maar bedacht zich en deed zijn mond dicht alsof hem opeens iets was ingevallen. Hij draaide zich om naar de computer en bewoog de muis. Het scherm lichtte op en hij staarde ernaar. Zijn gezicht werd donkerrood. 'Godsamme.' Hij hief zijn handen. 'Dat is verdomme mooi.'

'Wat?'

Hij duwde zijn stoel humeurig weg van het bureau, draaide hem naar de muur en bleef daar met zijn armen over elkaar en zijn rug naar de kamer zitten, alsof zijn geduld helemaal op was.

'Prody. Doe verdomme niet zo kinderachtig.'

'Ja, nou, zo voel ik me op dit moment, baas. Hij is waarschijnlijk in mijn computer geweest. Daarom leek hij nooit vanzelf uit te gaan. Het staat er allemaal in.' Hij gebaarde over zijn schouder naar het apparaat. 'Alles. De hele reutemeteut. Al mijn e-mails. Zo heeft hij het gedaan.'

Caffery beet op zijn lip. Hij keek op zijn horloge. 'Ik heb werk voor je. Je moet iemand gaan opzoeken.'

Prody draaide zijn stoel weer om. 'Ja? Wie dan?'

'De cententellers lopen te janken over het budget. Ze gooien hun speelgoed uit de kinderwagen vanwege het ingezette personeel bij het nieuwe safehouse. Ga erheen en geef de agent de middag vrij. Praat met de Costello's en met Nick. Vertel ze wat er aan de hand is – en probeer Janice te kalmeren, want die raakt helemaal de weg kwijt als ze dit hoort. Als je dat allemaal gedaan hebt – en doe maar rustig aan, blijf even hangen als het moet – ga je naar het plaatselijke bureau en stuur je iemand terug om het van je over te nemen.'

Prody keek hem onheilspellend aan. Aan die vrouw die bijna haar dochter kwijt was geweest gaan uitleggen dat ze wisten wie de schoft was? Dat er allang iets aan gedaan had kunnen worden? Niet echt de gemakkelijke weg. Er zat iets van een verborgen straf in. Toch duwde hij zijn stoel naar achteren, pakte zijn regenjas van de haak en zocht zijn sleutels. Hij liep zonder een woord en zonder iemand aan te kijken naar de deur.

'Tot later,' riep Turner tegen hem. Maar hij gaf geen antwoord. Hij deed de deur dicht en liet de andere twee mannen zwijgend staan. Turner had op dat moment iets tegen Caffery kunnen zeggen, maar zijn telefoon ging. Hij nam op. Luisterde. Beëindigde het gesprek, deed de telefoon in zijn zak en keek somber naar de inspecteur.

'Ze zijn klaar, neem ik aan?' vroeg Caffery.

Turner knikte. 'Ze zijn klaar.'

Ze keken elkaar aan. Ze wisten allebei wat de ander dacht. Ze hadden Richard Moons adres, een getuige volgens wie Moon op dat moment thuis was en er stond een arrestatieteam klaar. En er was geen reden om te denken dat Moon wist dat ze eraan kwamen. Hij kon heel goed op de bank voor de tv zitten met een kop thee, zonder te verwachten dat er iets zou gebeuren.

Zo zou het natuurlijk niet zijn. Dat wist zowel Turner als Caffery.

Moon was hen voortdurend te slim af geweest. Er was geen reden om te denken dat het nu anders zou zijn. Maar ze moesten het proberen. Er was eigenlijk niet veel anders wat ze konden doen.

38

'Jasper vindt het hier niet fijn. Jasper is bang dat die man door het raam komt.' In de flat waar inspecteur Caffery de Costello's naar-toe had verhuisd zat de kleine Emily op het bed met het speelgoed-konijn tegen haar borst gedrukt. Ze hadden geluncht, spaghetti met bolognesesaus, en nu maakten ze de bedden op. Emily fronste te-gen haar moeder. 'Jij vindt het hier ook niet fijn, hè mama? Je vindt het niet echt fijn, hè?'

'Ik vind het niet fantastisch.' Janice haalde Emily's Barbie-slaap-zak uit de vuilniszak die ze had gebruikt om hem in te vervoeren en schudde hem op. Deze slaapkamer was mooier dan de vorige. De hele flat was mooier dan het huis. Schoner en netter met zijn crè-mekleurige tapijten en witte houtwerk. 'Ik vind het niet fantastisch, maar ik vind het ook niet verschrikkelijk. En ik weet dat er één ding heel bijzonder aan is.'

'Wat dan?'

'Ik weet dat het hier veilig is. Ik weet dat niemand ons pijn zal doen terwijl we hier zijn. Die ramen zijn heel speciale, veilige ra-men, daar hebben Nick en de rest van de politie voor gezorgd. Die akelige man kan hier niet bij je komen. En ook niet bij Jasper.'

'Of bij jou?

'Of mij. Of papa, of Nanny. Niemand van ons.'

'Nanny's bed is te ver weg.' Emily wees naar de deur en de gang, en naar een deur achter in de flat, voorbij de woonkamer en de bad-kamer. 'Nanny's bed is helemaal daar.'

'Nanny vindt haar nieuwe kamer mooi.'

'En mijn bed is te ver van dat van jou, mama. Zo kan ik je 's nachts niet zien. Ik was gisternacht bang.'

Janice kwam overeind en keek naar het kleine onderschuifbed dat Nick voor Emily in de hoek had neergezet. Toen keek ze naar het wankele grenen bed waarin zij en Cory zouden slapen. Gisternacht bij haar moeder was Cory snel in slaap gevallen. Terwijl hij snurkte en gromde, had zij wakker gelegen en naar het licht van de koplampen gekeken dat over het plafond voorbijtrok, wachtend tot er een auto zou stoppen, wachtend op voetstappen, haar oren gespitst op het kleinste geluidje buiten het huis. 'Zal ik je eens wat zeggen?' Ze liep naar het T-shirt en de joggingbroek die Cory gisternacht had gedragen. Ze lagen in een slordige hoop in de koffer, waar hij ze vanmorgen in had gegooid. Ze pakte ze op en liet ze op het onderschuifbed vallen. Toen haalde ze Emily's pyjama uit de rugzak, liep naar het tweepersoonsbed en legde hem op Cory's kussen. 'Wat dacht je daarvan?'

'Mag ik bij jou slapen?'

'Precies.'

'Leuk,' zei Emily, die opgewonden op en neer sprong. 'Dat is echt fijn.'

'Ja, heel fijn.' Cory stond in de deuropening. Hij droeg een pak en zijn haar was van zijn voorhoofd gekamd. 'Ik krijg het onderschuifbed. Dankjewel, hoor.'

Janice zette haar handen in haar zij en bleef hem lang van onder tot boven staan bekijken. Het pak was het duurste dat hij bezat – YSL – en had hen een klein fortuin gekost. In de tijd dat zij gisteravond speelgoed, eten, slaapzakken en kleren voor Emily bij elkaar had gepakt, had hij dit pak uit de kast gehaald. Hij was nu bezig de kleine manchetknopen van Paul Smith, die ze vorig jaar met Pasen voor hem gekocht had, vast te maken. 'Wat zie jij er netjes uit,' zei ze kil. 'Waar ga je heen? Spannend afspraakje?'

'Ja, heel spannend. Ik ga naar mijn werk. Hoezo?'

'Naar je werk? Jezus, Cory.'

'Wat is daar mis mee?'

'Nou, Emily, om te beginnen. Ze is doodsbang. Je kunt niet zomaar weggaan.'

190

'Jullie zijn met zijn vieren. Nick gaat nergens heen en buiten zit een agent. Er wordt goed op jullie gepast. De beveiliging is waterdicht – waterdicht. Mijn baan is intussen niet zo veilig. Niets is op dit moment veilig, Janice, het brood op de plank, ons huis, jouw auto. Dus neem me niet kwalijk dat ik me daarom bekommer.'

Hij liep de gang weer in. Janice sprong op, deed de deur achter zich dicht, zodat Emily haar niet zou horen, en haastte zich de gang door naar het vuile spiegeltje bij de voordeur, waar Cory stond te controleren of zijn das recht zat. 'Cory.'

'Wat is er?'

'Cory, ik...' Ze haalde diep adem. Sloot haar ogen en telde tot tien. Emily had genoeg op haar bordje. Ze hoefde niet te horen hoe haar ouders tegen elkaar tekeergingen. 'Ik ben je dankbaar omdat je zo hard werkt,' zei ze stijfjes. Ze deed haar ogen weer open en glimlachte. Opgewekt. Ze klopte even op zijn revers. 'Dat is alles. Heel dankbaar. Ga nou maar fijn werken.'

39

De hoofdstraat leek precies op duizenden andere in Engeland, met een Superdrug en een Boots en daartussen een aantal plaatselijke winkels. De lampen streden tegen de regen en de invallende schemering. Toen Caffery op het verzamelpunt aankwam, een parkeerterrein bij een supermarkt op tweehonderd meter van Richard Moons flat, werd hij opgewacht door acht man. Ze hadden zich goed beschermd; ze droegen kogelwerende vesten en hadden helmen en schilden in de hand. Hij herkende een aantal van hen: het duikteam, dat van tijd tot tijd dienstdeed als algemeen ondersteunende eenheid.

'Waar is jullie hoofdagent?' De lampen van het busje waren nog aan en de portieren open. 'Ze is er toch wel?'

'Goedemiddag, meneer.' En vrij kleine man met kort blond haar kwam met uitgestoken hand naar voren. 'Plaatsvervangend hoofd-agent Wellard. Ik heb u aan de telefoon gesproken.'

'Neem jij waar? Waar is hoofdagent Marley dan?'

'Ze is morgen terug. U kunt haar op haar mobiel bellen als u haar nodig hebt.' Wellard ging met zijn rug naar de andere mannen staan, zodat die niet konden horen wat hij zei. Hij ging zachter praten. 'Meneer? Ik weet niet wie er gepraat heeft, maar sommige jongens hebben zich in het hoofd gehaald dat we vandaag de ontvoerder gaan oppakken. Is dat zo?'

Caffery keek langs Wellard heen naar het punt waar de smalle straat uitliep op de grote doorgaande weg voor de ingang van de flat. 'Zeg tegen ze dat ik geen opgewonden gedoe wil. Ik wil wel dat ze respect blijven houden voor dit werk. Zorg ervoor dat ze voorbereid zijn op onverwachte dingen. Die vent is slim, heel slim. Als hij zich daarbinnen bevindt, wordt dit geen pretje.'

Het gebouw waarin Moon woonde was een onopvallend victori-aans rijtjeshuis van twee verdiepingen, met op de benedenverdie-ping een Chinees afhaalrestaurant, The Happy Wok. De trap van de flat bevond zich zoals meestal bij dit soort gebouwen naast het restaurant en kwam uit op het trottoir, waarover de voetgangers zich met gebogen hoofd tegen de kou naar huis haastten. De achterkant van de flat keek uit op een kleine parkeerplaats waar de eigenaar van het restaurant zijn lege bakken en dozen neerzette en waar-schijnlijk zijn gebruikte frituurolie verkocht aan de plaatselijke weg-piraatjes. Voor alle ramen waren de gordijnen strak dichtgetrokken. Maar ze hadden al geïnformeerd bij de eigenaar van het restaurant, en die had gezegd dat Richard Moon boven woonde en dat daar de hele middag geen beweging te bespeuren was geweest. Er hadden zich achter het gebouw al leden van een andere eenheid verzameld. Weer andere agenten stuurden discreet de voorbijgangers weg. Er prikten zweetdruppels op Caffery's bovenlip.

'Hoe wilt u dat we dit doen?' Wellard stond erbij in de typische houding van iemand van een ondersteunende eenheid; de armen op borsthoogte over elkaar en de voeten wijd uit elkaar. 'Wilt u dat wij aan de deur kloppen, of wilt u dat zelf doen en dat wij u dekken?'

'Ik klop wel. Jullie dekken me.'

'U wilt hem zelf op zijn rechten wijzen, hè?'

'Ja.'

'En als hij niet opendoet?'

'Dan komt de grote rode sleutel eraan te pas.' Hij knikte naar twee mannen die de rode stormram gebruiksklaar maakten. 'Hoe dan ook, ik ga met jullie naar binnen. Ik wil het allemaal zelf zien.'

'Als u dat doet, meneer, laat ons dan eerst gaan. Blijf een beetje achter, geef ons de ruimte. Als we het doelwit hebben gevonden, kijk ik hoe de zaken ervoor staan en dan gil ik wel. Dan laat ik u weten of hij rustig, niet rustig of over de rooie is. Als hij niet rustig is, doen we hem de handboeien om...'

'Nee. Je doet hem ook de handboeien om als hij mee lijkt te werken. Ik vertrouw die vent voor geen meter.'

'Oké. Ik doe hem in de eerste twee gevallen de handboeien om en dan kunt u hem op zijn rechten wijzen. Als hij over de rooie gaat, weet u wat u moet doen. Dan wordt het binnen een puinhoop. Hij staat klem tegen de muur met twee schilden tegen hem aan om hem tegen te houden. Als het moet, brengen we hem ten val door van achteren tegen zijn knieën te slaan. Op dat punt zou u kunnen overwegen om mij hem op zijn rechten te laten wijzen.'

'Nee. Ik doe het zelf.'

'Wat u wilt. Maar blijf uit de buurt tot we hem goed vasthebben. Roep tegen hem vanuit de deuropening als het moet.'

Toen ze door de straat liepen – Caffery, Turner en het duikteam – leek iedereen rustig. Nonchalant zelfs. De leden van het duikteam kletsten wat met elkaar, prutsten aan hun spullen en controleerden op welk kanaal hun radio stond, zodat ze alleen de aanwijzingen zouden horen van de politiemensen die bij deze operatie betrokken waren. Een of twee keken op naar de dichte gordijnen en probeerden in te schatten hoe de flat eruit zou zien. Alleen Caffery was stil. Hij dacht aan wat de Wandelaar had gezegd: *die persoon is slimmer dan alle anderen waarover je me hebt verteld. Hij lacht je uit.*

Het zou niet gemakkelijk worden. Dat wist hij gewoon. Het kon niet zo eenvoudig zijn.

Ze bleven voor de verveloze deur staan. De mensen van het ondersteunende team gingen meteen in een veelbeproefde formatie om Caffery heen staan, die met zijn hand omhoog klaarstond om op de bel te drukken. Aan zijn linkerkant groepten drie mannen samen om de woning binnen te dringen, met hun schilden strak voor zich. Aan zijn rechterkant voerde Wellard de rest aan, met knuppels en traangas in de aanslag. Caffery keek even naar Wellard. Ze knikten tegen elkaar. Toen haalde Caffery diep adem en drukte op de bel.

Stilte. Vijf seconden niets.

De mannen bleven elkaar aankijken en verwachtten elk moment het vertrouwde gekraak van de radio en de boodschap dat hun doelwit uit een achterraam was gesprongen. Maar er gebeurde niets. Caffery likte langs zijn lippen. Belde nog eens aan.

Dit keer hoorden ze iets. Voetstappen op de trap. Van de andere kant van de deur kwam het geluid van grendels die weg werden geschoven en een sleutel die in het slot werd omgedraaid. De mannen om Caffery heen verstijfden. Hij deed een stap achteruit en voelde in zijn zak naar zijn identiteitskaart. Hij hield hem voor zijn gezicht.

'Ja?'

Caffery liet de kaart zakken. Hij besefte dat hij zijn ogen had samengeknepen omdat hij half verwacht had dat er iets in zijn gezicht zou ontploffen. Maar in de deuropening stond een kleine man van in de zestig. Hij droeg een smerig vest en een broek die werd opgehouden door bretels. Zijn hoofd was helemaal kaal. Op de pantoffels na had hij rechtstreeks van een vergadering van een extreem rechtse partij kunnen komen.

'Meneer Moon?'

'Ja?'

'Ik ben inspecteur Caffery.'

'Ja?'

'U bent niet Richard Moon?'

'Richard? Nee, ik ben Peter. Richard is mijn zoon.'

'We willen Richard graag even spreken. Weet u waar hij is?'

'Ja.'

Er viel een stilte. Het team wisselde blikken. Het ging nooit zo gladjes. Er zat een addertje onder het gras. 'Wilt u me dan vertellen waar hij is?'

'Ja – hij ligt boven in bed.' Peter Moon ging achteruit en Caffery keek langs hem heen de gang door en naar de trap. Het vloerkleed was versleten en zat vol modder. De muren vertoonden de sporen van jaren gebruik en nicotine; ter hoogte van je middel zaten bruine strepen waar in de loop der jaren vele handen langs waren gegaan. 'Wilt u binnenkomen? Dan ga ik hem wel even halen.'

'Nee. Ik wil dat u naar buiten komt, meneer, als u het niet erg vindt. Dan kunt u hier bij mijn collega's wachten.'

Peter Moon stapte de straat op, huiverend van de kou. 'Jezus. Wat is er aan de hand?'

'Nog vragen, Wellard?' zei Caffery. 'Heb je nog vragen voor hem?'

'Ja. Meneer Moon, er zijn geen wapens in het huis aanwezig, voor zover u weet?'

'Van z'n leven niet.'

'En uw zoon is niet gewapend?'

'Gewapend?'

'Ja. Is hij gewapend?'

Peter Moon keek Wellard behoedzaam aan. Zijn ogen waren doods. 'Doe effe normaal.'

'Ja of nee?'

'Nee. En hij schrikt zich straks wezenloos van jullie. Hij houdt niet van onverwacht bezoek. Zo is Richard nou eenmaal.'

'Ik weet zeker dat hij het wel zal begrijpen. In deze omstandigheden. Dus hij ligt in bed? Hoeveel slaapkamers zijn er hier?'

'Twee. Je gaat door de woonkamer en de gang door. Er is er een aan de linkerkant, daarna een badkamer en de deur achterin is van zijn slaapkamer. Maar ik zou me op dit moment maar niet in de buurt van de badkamer wagen. Richard is net geweest. Het ruikt alsof er iets in hem gekropen is en daar is doodgegaan. Ik weet niet hoe hij dat doet.'

'Eind van de gang.' Caffery gaf een rukje met zijn hoofd naar de deur. 'Wellard? Heb je dat gehoord? Kunnen we gaan?'

Wellard knikte. Toen hij tot drie had geteld, gingen ze naar binnen; eerst de drie mannen met de schilden. Ze renden de trap op en schreeuwden zo hard ze konden: 'Politie, politie, politie!' Het gangetje was vol geluid en de geur van zweet. Wellard volgde met drie van zijn mannen en Caffery kwam met twee treden tegelijk achteraan.

Boven werd een grote kamer vol goedkope meubels en schilderijen verwarmd door een kerosinekachel. Het team zwermde uiteen, trok banken van hun plaats en keek achter gordijnen en op een grote kast. Wellard stak een vlakke hand op – het signaal dat alles veilig was. Hij wees naar de keuken. Ze doorzochten hem en gaven hem vrij. Daarna gingen ze verder de gang door, deden overal lampen aan en passeerden de badkamer. 'Ik zou ze een plezier doen en verdomme een raampje openzetten als ik niet bang was dat hij er gebruik van zou maken om ervandoor te gaan,' mompelde Wellard zachtjes. Ze doorzochten de slaapkamer en stonden uiteindelijk voor een dunne fineerdeur aan het eind van de gang.

'Klaar?' mompelde Wellard tegen Caffery. Hij knikte naar de kier onder de deur, zodat Caffery zou zien dat er geen licht onderdoor kwam. 'Dit is het.'

'Oké. Maar denk eraan, wees voorbereid op onverwachte dingen.'

Wellard draaide aan de knop, duwde de deur op een kier en ging een stap achteruit. 'Politie,' zei hij luid. 'Dit is de politie.'

Er gebeurde niets, dus duwde hij de deur met zijn voet wijder open, stak zijn hand naar binnen en klikte het licht aan.

'Politie!'

Hij wachtte weer. De mannen stonden met hun rug tegen de muur en het zweet op hun voorhoofd in de gang. Alleen de ogen bewogen; ze schoten heen en weer en gingen dan weer terug naar het gezicht van Wellard. Toen er vanuit de kamer geen antwoord kwam, gaf Wellard hen een signaal en duwde de deur wijd open. Het team rende meteen naar binnen en nam een verdedigende houding aan achter hun schilden. Van waar Caffery stond kon hij de vage reflectie van de kamer zien in hun polycarbonaat vizieren. Een raam, gordijnen open. Een bed. Verder niets. Achter de weerspiegeling gingen de ogen van de agenten heen en weer en namen in zich op wat er voor hen lag.

'Dekbed,' zei een agent geluidloos tegen Wellard.

Hij boog zich naar binnen en riep: 'Gooi alstublieft dat dekbed af, meneer. Gooi het dekbed op de vloer voor mijn mannen, zodat ze u kunnen zien.'

Er volgde een pauze en toen het zachte geluid van het vallende dekbed. Caffery kon het op de vloer zien liggen – een sjofel geval met een geometrisch patroon.

'Meneer?' De dichtstbijzijnde man ontspande zijn greep op het schild iets. 'Hij werkt mee. U kunt binnenkomen.'

'Een meegaand type,' zei Wellard tegen Caffery, en hij haalde zijn handboeien van zijn lichaamsbepantsering. 'U kunt hem op zijn rechten wijzen.' Hij duwde de deur met zijn schouder open en bleef even staan toen hij zag wat zich in de kamer bevond. 'Eh...' Hij wendde zich tot Caffery. 'Misschien moet u even binnenkomen.'

Caffery legde een hand tegen de deur en ging voorzichtig naar binnen. De slaapkamer was een klein en bedompt vertrek. Overal lagen mannenkleren. Er stond een goedkope ladekast met een besmeurde spiegel. Maar het was de man op het bed die ieders blik trok. Hij was enorm – en naakt. Hij woog waarschijnlijk wel tweehonderdvijftig kilo. Zijn handen lagen naast hem en hij trilde alsof er een stroomstoot door hem heen ging. Uit zijn mond kwam een hoog gejank.

'Richard Moon?' Caffery hield zijn kaart omhoog. 'Bent u Richard Moon?'

'Dat ben ik,' piepte hij. 'Dat ben ik.'

'Aangenaam kennis te maken, meneer. Kan ik u even spreken?'

40

Janice stond erop boodschappen te mogen doen. Ze kon hier niet blijven zonder wat dingen in huis te halen. Ze haalde de gezamenlijke creditcard voor de dag en Nick reed haar naar Cribbs Causeway. Janice kocht lakens, dekbedden en een theepot van Cath Kidston bij John Lewis en een zak vol schoonmaakgerei bij een goedkope winkel aan het eind van het winkelcentrum. Daarna dwaalden ze door de Marks & Spencer en kochten alles dat hun aanstond: nachtjaponnen voor Janice' moeder, slippers met pompons en een pyjama voor Emily, een lippenstift en een trui voor Janice. Nick zag een T-shirt dat ze mooi vond en Janice wilde het per se voor haar kopen. Ze gingen naar de supermarkt en laadden hun mandjes vol met thee met exotische smaakjes, cakes, een bakje kersen en een halve zalm die ze die avond wilde klaarmaken, met dillesaus. Het was goed om de felle lichten weer te zien en de winkelende, kleurrijk geklede mensen. Het gaf haar het gevoel dat het dit jaar een mooie kerst zou worden.

Toen ze weer bij de flat kwamen, zat er een man in een donkergrijs pak te wachten in een blauwe Peugeot. Nick stopte en hij stapte uit en hield zijn identiteitskaart omhoog. 'Mevrouw Costello?'

'Dat ben ik.'

'Ik ben rechercheur Prody van de afdeling Zware Misdrijven.'

'Ik dacht al dat ik u ergens van kende. Hoe is het met u?'

'Prima.'

Haar glimlach vervaagde. 'Wat komt u hier doen?'

'Ik kwam kijken of u al helemaal gesetteld bent.'

Ze trok haar wenkbrauwen op. 'Is dat alles?'

'Mag ik binnenkomen?' zei hij. 'Het is hier koud.'

Ze keek hem lang en bedachtzaam aan. Toen gaf ze hem een plastic zak en liep naar de voordeur.

De centrale verwarming stond aan en het was warm in de flat. Terwijl Emily Nick en Janice' moeder hielp de boodschappen op te ruimen, zette Janice water op. 'Ik ga thee zetten,' zei ze tegen Prody. 'Ik heb zo verlangd naar een behoorlijke kop thee, en die ga ik nu maken. Emily wil graag een boekje lezen – dat kan ze met mijn moeder doen terwijl wij ervoor gaan zitten en u me vertelt wat er gebeurt. Want ik ben niet gek. Ik weet dat er iets veranderd is.'

Toen ze thee had gezet, gingen ze naar de voorkamer. Het was een bijna aangename kamer met een moderne gashaard van geborsteld roestvrij staal, vloerbedekking van zeegras en schoon meubilair. Op een tafel bij het raam stond een vaas met zijden bloemen. Afgezaagd, maar je kreeg tenminste het gevoel dat iemand er tijd aan had besteed. Het was er nog een beetje muf en koud, maar met de kachel aan werd het snel warmer.

'Nou?' Janice pakte de cakejes uit en de theepot van het blad en zette alles op tafel. 'Gaat u het me vertellen, of moeten we eerst een dansje doen?'

Prody ging met een ernstig gezicht zitten. 'We weten wie het is.'

Janice viel stil. Opeens had ze een droge mond. 'Dat is mooi,' zei ze behoedzaam. 'Dat is heel mooi. Betekent dat dat jullie hem hebben?'

'Ik zei dat we weten wie het is. Dat is een belangrijke stap.'

'Het is niet wat ik wil horen. Het is niet wat ik hoopte te horen.' Ze maakte het blad verder leeg, schonk thee in de kopjes, gaf hem een bordje en legde een cakeje op dat van haar. Ze ging er even naar zitten kijken, maar zette het bordje toen weer op de tafel. 'En? Wie is het? Hoe ziet hij eruit?'

Prody stak zijn hand in zijn zak en haalde er een opgevouwen vel papier uit. In de linkerbovenhoek zat een foto van een man, van het soort dat je in zo'n hokje kunt laten maken. 'Hebt u hem ooit eerder gezien?'

Ze had verwacht dat het gezicht haar iets zou doen, maar nee: hij leek een heel gewone man. Een mollige vent van in de twintig, met heel kortgeknipt haar en een hele verzameling vlekjes bij beide mondhoeken. Ze zag de halslijn van een kaki T-shirt. Ze wilde het papier net aan Prody teruggeven toen ze wat details zag op het formulier. 'Avon and Somerset' stond erop. 'Wat is dit? Een soort arrestatie...' Haar stem stierf weg. Ze had net de woorden POLITIE-PERSONEEL onderaan gezien.

199

'Ik kan het u net zo goed vertellen, want u komt er uiteindelijk toch wel achter. Hij werkt voor ons. Als klusjesman.'

Ze bracht haar hand naar haar hals. 'Hij is... Hij werkt voor jullie?'

'Ja. Parttime.'

'Heeft hij zo dat ding onder onze auto kunnen bevestigen?'

Prody knikte.

'Jezus. Dit is gewoon... Kent u hem?'

'Niet echt. Ik zag hem wel eens rondlopen. Hij heeft mijn kantoor geschilderd.'

'Dus u hebt hem gesproken?'

'Een paar keer.' Hij haalde zijn schouders op. 'Het spijt me. Er is geen excuus – ik ben een idioot. Ik was er met mijn gedachten niet bij.'

'Wat is het voor iemand?'

'Onopvallend. Iemand die in de massa opgaat.'

'Wat denkt u dat hij met Martha heeft gedaan?'

Prody vouwde het papier weer op. Een keer, twee keer, drie keer, en hij ging netjes met zijn duimnagel langs de vouwen. Toen stak hij het weer in zijn zak.

'Meneer Prody? Wat denkt u dat hij met Martha heeft gedaan?'

'Kunnen we het ergens anders over hebben?'

'Niet echt.' De angst en de absolute woede werden steeds groter. 'Uw afdeling heeft de zaak volkomen verziekt en dat heeft me bijna mijn kleine meisje gekost.' Ze wist dat het niet zijn fout was, maar ze kon hem wel aanvliegen. Ze moest zichzelf dwingen op haar lip te bijten en haar ogen neer te slaan. Ze pakte het bord en duwde de cake met haar vinger heen en weer, wachtend tot de woede zou zakken.

Prody boog zijn hoofd een beetje en probeerde tussen haar haren door haar gezicht te zien. 'Dit is afschuwelijk voor u geweest, is het niet?'

Ze hief haar hoofd en keek hem aan. De kleur van zijn ogen zat tussen bruin en groen in en ze hadden gouden vlekjes. Toen ze het medeleven erin zag, had ze opeens zin om te huilen. Ze zette beverig het bordje neer. 'Eh...' Ze deed de mouwen van haar shirt omhoog en wreef over haar armen. 'Nou, ja. Ik wil niet al te dramatisch klinken, maar dit waren de ergste dagen van mijn leven.'

'We slepen u er wel doorheen.'

Ze knikte en pakte het bordje weer op. Ze zette haar vinger tegen de cake, schoof hem opzij, brak hem in twee stukken, maar at er niet van. Er zat een brok in haar keel en ze dacht niet dat ze zou kunnen slikken. 'En waarom hebt u aan het kortste eindje getrokken?' Ze glimlachte zwakjes. 'Waarom bent u de ongelukkige die van mij de wind van voren gaat krijgen?'

'Dat lag aan een heleboel dingen. Maar het voornaamste is misschien wel dat mijn inspecteur me een lul vindt.'

'Bent u dat ook?'

'Niet zoals hij denkt.'

Ze glimlachte. 'Mag ik iets vragen? Iets heel ongepasts?'

Hij lachte even. 'Nou, ik ben een man. Mannen vinden vaak andere dingen ongepast dan vrouwen.'

Haar glimlach werd breder. Opeens had ze zin om te lachen. Ja, meneer Prody, dacht ze. Hoe afschuwelijk dit allemaal ook is, ik kan nog wel zien dat u een man bent, en een aardige ook. Sterk en ook best knap. Intussen lijkt Cory, mijn eigen man, meer een vreemde voor me dan u op dit moment.

'Wat is er?' zei Prody. 'Heb ik een flater begaan?'

'Helemaal niet. Ik wilde vragen... als ik naar meneer Caffery ging en zei dat ik heel bang was – bang voor mijn eigen schaduw – zou hij u dan een paar uur bij mij en Emily en Nick en mam laten blijven? Ik weet dat het saai voor u zal zijn, maar het zou zoveel gemakkelijker voelen. U hoeft niet eens met ons te praten, u kunt gewoon tv-kijken, telefoneren, de krant lezen, wat dan ook. Het zou gewoon zo fijn zijn om iemand in de buurt te hebben.'

'Wat denkt u dat ik kom doen?'

'O. Dus dat is ja?'

'Hoe klinkt het?'

'Het klinkt als ja.'

41

Caffery had een tabakssmaak in zijn mond. Terwijl de magere, kleine Peter Moon zijn zoon hielp zich aan te kleden en hem ondersteunde toen hij door de gang naar de woonkamer liep, was Caffery naar zijn auto gelopen en had naast het raampje aan de kant waar Myrtle zat zijn eerste sigaret in dagen gerold. Zijn vingers trilden. De regen maakte het vloeipapiertje nat. Maar hij hield vol en stak de sigaret aan, met zijn hand rond het vlammetje van zijn aansteker. Hij blies de rook in een dunne blauwe lijn naar boven, terwijl Myrtle hem strak aankeek. Caffery negeerde haar. Hij wist niet wat voor trucjes hij van de ontvoerder had verwacht, maar in ieder geval niet dit.

De tabak hielp. Toen hij de woonkamer weer in liep, was hij zo gespannen als een veer, maar hij trilde tenminste niet meer. Peter Moon had thee gezet, sterk en met niet te veel melk. De pot stond op de gehavende tafel, waarvan het fineer losliet, samen met een zorgvuldig gesneden Battenberg-cake. Caffery had in geen jaren Battenberg gezien. Het deed hem denken aan zijn moeder en *Songs of Praise* op zondag. Niet aan akelige sociale huurflatjes als dit. Naast de cake lag Moons foto, die hij bij Human Resources had ingeleverd. Daarop was de klusjesman te zien met zijn zachte kaaklijn en donkerblonde haar. Te dik, maar niet te vergelijken met de Richard Moon die piepend op de bank zat terwijl zijn vader kussens in zijn rug duwde, zijn benen omhooglegde en hem een mok thee in zijn opgezwollen handen gaf.

Turner had contact gehad met het uitzendbureau dat het korps gebruikte voor tijdelijke krachten en de intercedent die Moon had aangenomen – die zijn verklaring van goed gedrag had bekeken en een gesprek met hem had gehad – was inmiddels gearriveerd. Het was een Aziatische man van middelbare leeftijd in een camel jas, met het eerste grijs aan zijn slapen. Hij zag er bezorgd uit. Caffery zou niet graag in zijn schoenen willen staan.

'Hij lijkt helemaal niet op de man die ik in dienst heb genomen.'

Hij bekeek Richard Moon. 'De man die ik heb aangenomen, was een kwart van zijn gewicht. Hij was gezond en redelijk fit.'

'Wat voor identiteitsbewijs heeft hij laten zien?'

'Een paspoort. Een rekening van de nutsbedrijven voor dit adres.' De map die hij had meegebracht zat vol papieren: kopieën van alles wat Richard Moons identiteit kon bewijzen. 'Alles wat de politie voorschrijft.'

Caffery bekeek de papieren. Hij haalde er een fotokopie uit van een Engels paspoort. Er stond een jonge man op van een jaar of vijfentwintig met een grimmige uitdrukking, een zekere hardheid in zijn gezicht. Richard F. Moon. Caffery hield de foto op armslengte van zich af en vergeleek hem met de man op de bank. 'Nou?' Hij schoof hem over de tafel. 'Bent u dat?'

Richard Moon kon zijn hoofd niet ver genoeg naar beneden buigen om ernaar te kijken. Hij kon alleen zijn ogen neerslaan en ernaar turen. Hij deed zijn ogen dicht en ademde zwaar. 'Ja.' Zijn stem was hoog en vrouwelijk. 'Dat ben ik. Dat is mijn paspoort.'

'Dat is hem,' zei zijn vader. 'Twaalf jaar geleden. Voordat hij het bijltje erbij neergooide. Kijk naar die foto. Is dat het gezicht van iemand die nergens meer om maalt? Ik dacht van niet.'

'Hou op, pa. Het doet pijn als je zo tegen me praat.'

'Je hoeft tegen mij niet te praten zoals je psychiater, zoon. Ik zal je eens laten voelen wat pijn doet.' Peter Moon bekeek zijn zoon alsof hij niet kon geloven met wat voor monster de wereld hem had opgezadeld. 'Ik zie je voor mijn ogen in een garage veranderen. Dat doet pas pijn.'

'Meneer Moon,' Caffery stak beide handen op om hen tot kalmte te manen, 'kunnen we dit even rustig afhandelen?' Hij bestudeerde het gezicht op de foto. Hetzelfde voorhoofd, dezelfde ogen, dezelfde haarlijn. Hetzelfde vuilblonde haar. Hij keek naar Richard. 'U bedoelt dat het u twaalf jaar gekost heeft om van hier,' hij tikte tegen de foto, 'te worden zoals u nu bent?'

'Ik heb problemen gehad...'

'Problemen?' viel zijn vader hem in de rede. 'Problemen? Nou, dat is wel heel zwak uitgedrukt, zoon. Net iets voor jou. Je bent verdomme een kasplantje. Wees eerlijk.'

'Dat ben ik niet.'

'Dat ben je wel. Je bent een kasplantje. Ik heb in auto's gereden die kleiner zijn dan jij.'

Er viel een stilte. Toen sloeg Richard Moon zijn handen voor zijn gezicht en begon hij te huilen. Zijn schouders schudden en een tijdlang zei niemand iets. Peter Moon sloeg met een boos gezicht zijn armen over elkaar. Turner en de intercedent keken naar hun voeten.

Caffery pakte de identiteitskaart van de klusjesman en vergeleek die met de paspoortfoto. De mannen leken wel iets op elkaar – hetzelfde brede voorhoofd, dezelfde kleine oogjes – maar de intercedent moest echt hebben zitten slapen om niet te merken dat dit twee verschillende mannen waren. Maar het had geen zin om hem hier en nu, in bijzijn van de Moons, de les te lezen, dus wachtte hij tot Richard ophield met janken en stak hem de identiteitskaart toe. 'Kent u hem?'

Richard haalde zijn neus op. Zijn ogen waren zo opgezwollen dat ze nog amper zichtbaar waren.

'Geen vriend van u die u even hebt geholpen? Iemand aan wie u uw verklaring van goed gedrag hebt uitgeleend?'

'Nee,' zei hij dof. 'Ik heb hem nooit eerder gezien.'

'Meneer Moon?' Hij draaide de identiteitskaart naar hem toe. 'Nee.'

'Weet u het zeker? Het is een gevaarlijke schoft en hij maakt gebruik van de naam en identiteit van uw zoon. Kijk nog eens goed.'

'Ik weet niet wie dat is. Ik heb hem nooit eerder gezien.'

'Die vent is echt gestoord – erger dan ik ooit eerder heb meegemaakt. Het is mijn ervaring dat mensen als hij voor niemand respect hebben, niet voor hun slachtoffers, niet voor hun vrienden, en zeker niet voor de mensen die hen helpen. Als je zo iemand helpt, moet je het negen van de tien keer bezuren.' Hij keek van vader naar zoon en weer terug. Geen van beide mannen keek hem aan. 'Dus denk nog eens na. Weet u zeker dat geen van u enig idee heeft wie hij is?'

'Ja.'

'Hoe kan dit,' hij legde de fotokopie van het paspoort op tafel, 'dan overlegd zijn als identificatiebewijs voor een verklaring van goed gedrag?'

Peter Moon pakte zijn mok, leunde achterover en sloeg zijn benen over elkaar. 'Ik heb dat paspoort in geen jaren gezien. Jij, zoon?'

Richard snifte. 'Ik geloof van niet, pa.'

'Heb je het na de inbraak eigenlijk nog wel gezien?'

'Hè?'

'Niet dat je het nodig hebt, zoals je nu bent. Je hebt geen paspoort nodig om naar de televisie en terug te komen, of wel soms, zoon? Maar heb je het sinds de inbraak nog gezien?'

'Nee, pa.' Richard schudde heel langzaam zijn hoofd. Alsof de inspanning hem te veel zou kunnen worden.

'Welke inbraak?' vroeg Caffery.

'Een of ander geboefte heeft ons achterraam geforceerd. Hij heeft zoveel spullen meegenomen dat ik helemaal de kluts kwijt was.'

'Hebt u aangifte gedaan?'

'Alsof jullie er iets aan zouden doen. Ik wil u niet beledigen, maar het is niet eens bij me opgekomen. Jullie zijn er erg goed in om mensen te negeren. Jullie hebben een diploma in de andere kant uit kijken. En daarna hadden we natuurlijk die brand en toen hadden we wel iets anders aan ons hoofd. Dat gebeurt nou eenmaal als brand je leven verwoest, dat snapt u.'

Caffery keek naar Richard. Zijn gezicht was te dik en vlezig om er veel aan af te kunnen lezen, maar de vader had het gezicht van een rasechte zwendelaar, een man die flink wat op zijn kerfstok had. Maar op de verklaring van goed gedrag stond niets dat hen daarop had kunnen wijzen. 'Die brand – daar is zeker wel een verslag van?'

'Nou en of. Brandstichting. Niet leuk. De gemeente heeft het huis laten opknappen, maar een blikje verf kon natuurlijk niet ongedaan maken wat er gebeurd was.'

'Moeder ging eraan kapot,' fluisterde Richard ademloos. 'Nietwaar, pa? Ze ging eraan kapot.'

'Ze overleefde de brand, maar wat die met ons als gezin gedaan heeft, dat kon ze niet aan. Jij ging er ook aan kapot, nietwaar zoon, op een bepaalde manier?'

Richard bracht zijn gewicht over op zijn linkerbil en hijgde bij de inspanning. 'Ik geloof van wel.'

'Rookinhalatie.' Opeens trok Peter Moons knie, hij schudde alsof er een motor in zijn lichaam draaide. 'Longbeschadiging, astma, plus natuurlijk de' hij maakte aanhalingstekens met zijn vingers 'cognitieve en gedragsproblemen. Dat kwam van de koolmonoxide. Het maakt hem humeurig, depressief. Zodat hij dag na dag op zijn kont voor de tv zit te eten. Chips en Twix-repen. Noedelsoep als hij gezond wil doen.'

'Ik zit niet de hele dag op mijn kont.'

'Dat doe je wel, zoon. Je doet niets. En daarom ben je nu zoals je bent.'

Caffery stak een hand op. 'We gaan hier nu een einde aan maken.' Hij zette zijn beker neer en stond op. 'Onder de omstandigheden zal ik u een keuze geven. U kunt met me meegaan naar het bureau of...'

'Over mijn lijk. Mijn zoon is in geen jaar de flat uit geweest en hij gaat nu ook niet. Dat overleeft hij niet.'

'Of ik laat een van mijn mensen hier. Voor het geval die inbreker opeens berouw krijgt en besluit het paspoort terug te geven aan de rechtmatige eigenaar.'

'We hebben niets te verbergen. En mijn zoon moet nu naar bed.' Peter Moon stond op en ging voor zijn zoon staan. Hij trok zijn bretels hoger op zijn schouders, boog voorover en stak zijn armen uit. 'Kom op, jongen. Als je hier te lang blijft zitten, ga je eraan onderdoor. Kom op.'

Caffery keek toe hoe Richard, zwetend in zijn vest en joggingbroek, zijn armen omhoogstak naar zijn vader. Hij zag de pezen in de armen van de oudere man rekken en verharden toen hij het gewicht van de bank trok, hoorde de zachte zucht van inspanning.

'Hulp nodig?'

'Nee. Ik doe dit al jaren. Kom op, jongen. Ik breng je naar bed.'

Caffery, Turner en de intercedent keken zwijgend toe toen de man overeind werd getrokken. Het was ongelooflijk dat dat kleine ventje met zijn kale hoofd en gebogen rug dit kon. Maar hij hees Richard overeind en droeg hem half, stap voor pijnlijke stap, naar de gang.

'Ga erachteraan,' fluisterde Caffery tegen Turner. 'Kijk of ze geen mobieltje bij zich hebben. Ik stuur iemand om je af te lossen. Dan kom je terug naar het bureau en trek je ze na. Tot in alle details. Strafblad van de vader, elk gerapporteerd incident op dit adres. En zoek alles uit over die brand – als er echt brand is geweest. Ik wil dat je alle verwijzingen naar hen opzoekt in HOLMES en ik wil een lijst van alle mensen met wie ze contact hebben gehad. Wring ze uit.'

'Doe ik.'

Turner liep naar de deur om de Moons te volgen en liet Caffery en de intercedent samen achter. Caffery voelde in zijn zak naar zijn sleutels. Hij negeerde de tabakszak, die als een bom in zijn zak zat. Voor het eerst in tijden dacht hij aan zijn eigen ouders en vroeg zich af waar ze zich bevonden en wat ze deden. Hij was ze jaren geleden uit het oog verloren en nu vroeg hij zich af of ze al oud genoeg waren om hulpbehoevend te worden. En zo ja, wie wie hielp als het aan het eind van de dag tijd was om naar bed te gaan.

Hij besloot dat zijn vader zijn moeder zou helpen. Zij was nooit over het verlies van Ewan heen gekomen en dat zou ook nooit gebeuren. Ze zou altijd hulp nodig hebben.

Zo was het nu eenmaal.

42

Het was al over zevenen. Cory was nog niet komen opdagen, maar dat kon Janice niet schelen. Ze had een fantastische middag gehad. Echt fantastisch, gelet op de omstandigheden. Prody had woord gehouden en was gebleven. Hij had niet naar de televisie gekeken of getelefoneerd, maar had het grootste deel van de tijd op de vloer gezeten en met Emily bordspelletjes gedaan. Emily vond Prody helemaal te gek; ze had hem gebruikt als klimmuur, was tegen hem aan gerend, had aan zijn schouders gehangen en had zich aan hem omhooggetrokken op een manier die Cory woedend gemaakt zou hebben. Nu was Nick weg, Emily zat in het bad onder toezicht van haar grootmoeder en Janice zat samen met Prody in de keuken. De zalm stond in de oven.

'Volgens mij heb jij kinderen.' Janice duwde met haar duimen de kurk van de fles prosecco die ze ook bij Marks & Spencer had gekocht iets omhoog. 'Je gaat zo, je weet wel, natuurlijk met haar om.'

'Ja, nou...' Hij haalde zijn schouders op.

'Ja, nou?' Ze trok een wenkbrauw op. 'Volgens mij moet je dat uitleggen.' Ze liet de kurk eruit ploppen, schonk wijn in twee van de glazen die ze achter in een kastje had gevonden en gaf er een aan hem. 'Kom op. De zalm moet nog even, dus we gaan naar de woonkamer en je gaat me alles vertellen van "ja, nou".'

'O, ja?'

Ze glimlachte. 'O, ja. Nou en of.'

In de woonkamer haalde Prody de mobiel uit zijn zak, zette hem uit en ging zitten. De kamer was bezaaid met Emily's speelgoed. Normaal gesproken zou Janice hebben rondgerend om alles op te ruimen, zodat het niet zo'n troep was als Cory thuiskwam. Vandaag had ze haar schoenen uitgeschopt en zat ze met haar benen onder zich en een arm over een kussen op de bank. Aanvankelijk moest Prody wat worden aangespoord. Hij praatte hier niet graag over, zei hij, en had ze bovendien zelf niet genoeg problemen?

'Nee. Maak je daar maar geen zorgen over. Het helpt om mijn eigen situatie even te kunnen vergeten.'

'Het is geen mooi verhaal.'

'Dat kan me niet schelen.'

'Nou...' Hij glimlachte onzeker. 'Het zit zo. Mijn ex heeft het volledige gezag over de kinderen gekregen. Het is nooit voor de rechter geweest omdat ik me heb teruggetrokken en heb toegegeven aan wat ze wilde. Ze ging de rechter vertellen dat ik haar en mijn zoons sloeg, sinds de dag dat ze waren geboren.'

'Was dat zo?'

'Ik had de oudste een keer een klets gegeven.'

'Hoe bedoel je, een klets?'

'Tegen de achterkant van zijn benen.'

'Dat is nog geen slaan.'

'Mijn vrouw wilde wanhopig graag weg. Ze had iemand anders ontmoet en ze wilde de jongens houden. Ze had vrienden en familie om voor haar te liegen. Wat kon ik doen?'

'De kinderen zouden toch gezegd hebben dat het niet waar was?'

Prody stootte een ruw lachje uit. 'Die heeft ze ook zover gekregen dat ze logen. Ze ging naar een advocaat en vertelde hem dat ik ze sloeg. Zodra ze dat had gedaan, stond iedereen aan haar kant: de maatschappelijk werkers, zelfs de leraren.'

'Maar waarom zouden de kinderen liegen?'

'Het was niet hun schuld. Ze had ze verteld dat zij ze zou haten en hun zakgeld zou afpakken als ze het niet deden. En als ze het wel deden, gingen ze naar de speelgoedwinkel. Dat soort dingen. Dat weet ik omdat mijn oudste me dat verteld heeft. Hij heeft me twee weken geleden een brief gestuurd.' Prody haalde een opgevouwen stuk blauw papier uit zijn zak. 'Hij schreef dat hij spijt had van wat hij alle mensen had verteld, maar dat mam hem een Wii had beloofd.'

'Sorry dat ik het moet zeggen, want het is je ex-vrouw, maar zo te horen is ze een echt kreng.'

'Er was een tijd dat ik het met je eens zou zijn geweest. Ik dacht dat ze gewoon slecht was. Maar nu denk ik dat ze waarschijnlijk deed wat ze vond dat ze moest doen.' Hij deed de brief weer in zijn zak. 'Ik had een betere vader kunnen zijn, ik had kunnen voorkomen dat het werk zo'n grote plaats innam, de uren, de diensten. En je mag me ouderwets noemen, maar ik heb altijd de beste willen zijn in mijn werk. Het heeft geen zin iets te doen als je het niet perfect kunt doen.' Hij kneedde zijn handen en drukte zijn knokkels in de palmen. 'Ik denk dat ik gewoon nooit heb gezien wat het deed met het leven thuis. Ik miste schooluitvoeringen, het eieren zoeken met Pasen... Persoonlijk denk ik dat dat de reden was waarom de kinderen gezegd hebben wat ze gezegd hebben – het was hun manier om me een lesje te leren.' Hij zweeg even. 'Ik had ook een betere echtgenoot kunnen zijn.'

Janice trok haar wenkbrauwen op. 'Vriendinnetjes?'

'God, nee. Dat niet. Ben ik nou een sul?'

'Nee, je bent...' ze keek naar de belletjes die kapot sprongen in haar glas '... trouw. Meer niet. Je bent trouw.' Er viel een lange stilte. Toen streek Janice het haar van haar voorhoofd. Ze voelde zich warm en opgewonden van de prosecco. 'Mag ik... mag ik je iets vertellen?'

'Nadat je me zo mijn hart hebt laten uitstorten? Ik denk dat ik je even kan geven.' Hij keek op zijn horloge. 'Je hebt tien seconden.'

Ze lachte niet. 'Cory gaat vreemd. Al maanden.'

Prody's glimlach trok weg. Hij liet langzaam zijn hand zakken. 'Jezus. Ik bedoel... wat erg voor je.'

'En weet je wat het ergste is?'

'Wat dan?'

'Dat ik niet meer van hem hou. Ik ben niet eens jaloers omdat hij iemand anders heeft. Dat stadium ben ik allang voorbij. Het is gewoon de onrechtvaardigheid die me steekt.'

'Goed woord, onrechtvaardigheid. Je steekt alles wat je hebt in iets en krijgt er niets voor terug.'

Ze zwegen even, verloren in hun eigen gedachten. De gordijnen waren nog open, ook al was het donker, en op een sjofel stukje gras tegenover de flat had de wind bladeren in een lange hoop bij elkaar geblazen. In het licht van de straatlantaarn waren het net kleine skeletten. Janice keek ernaar. Ze deden haar denken aan de bladeren die zich ophoopten in de tuin op Russell Road. Toen ze nog een kind was. Toen alles mogelijk was en er nog hoop was. Nog zoveel hoop in de wereld.

43

Het regende weer, een lichte miezerregen. Hoewel het donker was, hadden de lage en vochtige wolken iets drukkends, alsof ze de nachtlucht tegen de grond hielden. Flea was thuis in haar weerbestendige Berghaus-jas met de capuchon over haar hoofd bezig de spullen die haar vader had gebruikt voor grotonderzoek van de garage naar de auto te slepen.

Ze had geen idee waarom die luchtschachten aan haar aandacht waren ontsnapt. Het was alsof ze een blokkade in haar hoofd had gehad. De tunnel werd van lucht voorzien door drieëntwintig schachten die er van het oppervlak recht naartoe liepen. Vier ervan kwamen uit op het ingestorte gedeelte, zodat er negentien in de open stukken overbleven. Zij en Wellard waren er achttien gepasseerd: twee toen ze door de oostelijke ingang naar binnen waren gegaan, en zestien op het langste, westelijke stuk. Waar was de negentiende? Misschien had ze gewoon aangenomen dat de laatste schacht ergens in het vierhonderd meter lange ingestorte gedeelte van de tunnel uitkwam. Maar de gedetailleerde rapporten die de mensen van de trust hadden overhandigd, maakten duidelijk dat het kanaal onder alle schachten, op vier na, minstens twintig meter in beide richtingen vrij was van puin. Dus de laatste schacht kwam ergens buiten de instorting uit.

En dat kon maar één ding betekenen: dat de laatste wal waar ze bij gekomen was nadat ze zich door het kleine gat had gewrongen, de instorting die bijna de oude schuit had bedolven, niet het einde was van de lange instorting. Het was een tussenwal. Daarachter moest zich nog een ander, verborgen stuk bevinden met een eigen luchtschacht. En wat haar betrof kon het duikteam niet beweren de tunnel grondig te hebben doorzocht tot er in dat verscholen stuk gekeken was. Ze konden niet met zekerheid zeggen dat de ontvoerder Martha – of haar lichaam – niet in de tunnel had achtergelaten.

Ze ging alleen. Dat leek krankzinnig, maar na alle kritiek en hoon die na haar eerdere escapade in de tunnel over haar was uitgestort, was het veiliger om dit voor zich te houden tot ze resultaat had. Ze duwde de rugzak in de kofferbak van haar auto, gooide er een paar rubberlaarzen bij en haalde toen het overlevingspak dat aan de balken hing naar beneden. Ze bleef even staan. Boven op een oude koelkast stond een doorzakkende kartonnen doos vol oude spullen. Ze ging ernaar toe en keek erin. Oude duikmaskers, een paar zwemvliezen, een regulator waarvan het rubber was weggevreten door zout water. Een glazen pot vol zongebleekte schelpen. Een dode zeeanemoon. En een ouderwetse koperen carbidlamp voor grotonderzoekers met een gehavende glasreflector.

Ze haalde hem eruit en maakte hem open. Er was een kleine ruimte in: de generator, waar het explosieve acetyleengas werd geproduceerd en naar een kleine reflector werd gevoerd, waar het werd aangestoken en een krachtig licht gaf. Ze schroefde de lamp weer in elkaar en rommelde nog eens in de doos tot ze een grijswitte brok ter grootte van haar vuist had gevonden, verpakt in een oude plastic zak. Calciumcarbide. Onontbeerlijk.

Wees voorzichtig, Flea. De stem van haar vader, jaren geleden. *Voorzichtig daarmee. Dat is geen snoep. Raak het niet aan. En wat je ook doet, zorg dat het niet nat wordt. Dan komt er gas af.*

Pa. De avonturier. De gek. De klimmer, de duiker, de grotonderzoeker. Hij had de meeste moderne sportuitrustingen afgewezen en zich met plakband en touw door het leven geslagen, en hij zou haar nooit de tunnel in hebben laten gaan zonder iets om de boel te redden als 'die overdreven moderne troep' het begaf. Dank je, pa. Ze zette de calciumcarbide en de lamp op het overlevingspak en droeg alles naar de auto, deed het in de kofferbak, sloeg de klep dicht en stapte in. De regen droop inmiddels van haar jas.

Ze trok de capuchon van haar hoofd, haalde haar telefoon voor de dag en ging de nummers langs, waarbij ze even pauzeerde bij de naam van Caffery. Mooi niet. Ze kreeg een preek van een uur als ze ook maar over de Sapperton Tunnel durfde te beginnen. 'Prody' kwam voorbij. Ze stopte, ging ernaar terug, dacht er even over na en draaide toen met een 'o, in godsnaam' het nummer.

Ze kreeg de voicemail. Zijn stem klonk vriendelijk. Kalmerend. Ze moest er bijna van glimlachen. Hij was aan het werk, misschien was hij in vergadering over de ontvoerder. Ze bewoog haar duim om de verbinding te verbreken en dacht er toen aan hoe vaak ze zelf inkomende gesprekken door haar voicemail had laten aannemen omdat ze in vergadering was, en hoe nijdig ze dan altijd was als ze merkte dat de beller geen bericht had ingesproken. 'Hallo, Paul. Hoor eens, je denkt vast dat ik gek ben, maar ik heb me herinnerd wat ik gemist heb aan die tunnel. Er is nog een luchtschacht, ongeveer vijfhonderd meter van de oostelijke ingang.' Ze keek op haar horloge. 'Het is nu halfzeven en ik ga kijken. Ik ga langs dezelfde weg naar binnen als gisteren, want ik ben geen abseiler en die luchtschachten zijn gevaarlijker dan de tunnel zelf, wat ze bij die trust ook mogen zeggen. En even voor de goede orde, ik doe dit niet in de tijd van de baas – ik heb geen dienst. Ik bel je vanavond om elf uur nog even om te vertellen hoe het is afgelopen. En Paul...' Ze keek naar de beregende ramen van de keuken, waar ze een lampje had aan gelaten. De warme gele gloed. Ze bleef niet lang weg. Helemaal niet lang. 'Paul, je hoeft me niet te bellen. Echt niet. Ik doe het toch.'

44

Om acht uur bracht Janice Emily naar bed in de nieuwe pyjama die ze had gekocht bij Marks & Spencer. Haar haar was nog wat vochtig van het bad en rook naar aardbeienshampoo. Ze had Jasper tegen zich aan geklemd.

'Waar is papa?'

'Aan het werk, popje. Hij komt zo.'

'Hij is altijd aan het werk.'

'Hé, daar hebben we het nu niet over. Kom, spring er maar op.' Emily kroop in het tweepersoonsbed en Janice stopte haar in en boog zich over haar heen om haar een zoen te geven. 'Wat ben je toch een lieve meid. Ik hou zo ontzettend veel van je. Ik kom zo terug voor nog een knuffel.'

Emily dook in elkaar met Jasper onder haar kin en haar duim in haar mond, en deed haar ogen dicht. Janice streelde zachtjes haar haar, met een glimlach op haar gezicht. Ze was licht in het hoofd van de prosecco-bubbels en ze voelde zich alsof ze een beetje aangeschoten was. Nu de ontvoerder een naam en een gezicht had, was ze niet meer zo bang voor hem. Alsof zijn naam, Richard Moon, hem minder eng maakte.

Toen Emily's ademhaling het regelmatige, zachte ritme van de slaap had aangenomen, stond Janice op, liep op haar tenen naar buiten en sloot voorzichtig de deur. Ze trof Prody in het halfdonker in de gang, met zijn armen over elkaar.

'In mama's bed? Voor wie is het eenpersoonsbed?'

'Voor haar vader.'

'Nou, ik ga misschien mijn boekje te buiten, maar volgens mij verdient hij niet beter.' Hij stond met zijn rug tegen de muur. Hij had zijn jasje uitgedaan en ze zag voor het eerst hoe lang hij was. Veel langer dan zij. En breed. Niet dik, maar breed op plekken waar een man breed moest zijn. Hij zag eruit alsof hij regelmatig trainde. Plotseling sloeg ze haar hand voor haar mond alsof ze een hik of een giechel wilde tegenhouden. 'Ik moet je iets bekennen. Ik ben een beetje dronken.'

'Ik ook. Een beetje.'

'Nee!' Ze glimlachte. 'Dat is verschrikkelijk! Zo onverantwoordelijk! Hoe moet je nu thuiskomen?'

'Wie weet? Ik ben bij de verkeerspolitie geweest, dus ik ken de risicoplekken – ik zou thuis kunnen komen als ik echt wilde. Maar ik denk dat ik me maar braaf ga gedragen en in de auto mijn roes uitslaap. Het zal niet de eerste keer zijn.'

'Die bank in de woonkamer is een slaapbank, en ik heb vanmorgen bij John Lewis wat beddengoed gekocht.'

Hij trok zijn wenkbrauwen op. 'Sorry?'

'In de woonkamer. Daar is toch niets verdachts aan?'

'Ik kan niet zeggen dat ik dol ben op de achterbank van de Peugeot.'

'Nou, dan?'

Hij wilde net antwoord geven toen de deurbel ging. Ze sprong bij hem vandaan alsof ze hadden staan zoenen en ging de badkamer in. Ze keek uit het raam. 'Cory.'

Prody trok zijn das recht. 'Ik laat hem wel even binnen.' Hij ging de trap af, pakte zijn jasje van de kapstok en trok het aan. Janice gooide de lege proseccofles in de vuilnisbak, zette de glazen in de gootsteen en draafde achter hem aan de trap af. Prody nam nog een seconde om zijn jasje recht te trekken voordat hij de ketting erop deed en de deur op een kier opende.

Cory stond op de stoep met zijn jas dichtgeknoopt en een sjaal om zijn nek. Toen hij Prody zag, deed hij een stap achteruit en keek naar het nummer boven de deur. 'Ik ben hier toch wel goed? Die huizen lijken allemaal zo op elkaar.'

'Cory.' Janice stond op haar tenen om over Prody's schouder te kijken. 'Dit is Paul. Hij is van de afdeling Zware Misdrijven. Kom binnen. Mam, Emily en ik hebben al gegeten, maar ik heb wat zalm voor je bewaard.'

Hij kwam het gangetje in en begon zijn jas uit te trekken. Hij rook naar regen en kou en uitlaatgassen. Toen hij zijn spullen had opgehangen, draaide hij zich om en stak een hand uit naar Prody. 'Cory Costello.'

'Aangenaam kennis te maken.' Ze schudden elkaar de hand. 'Rechercheur Prody, maar zegt u maar Paul.'

Cory's glimlach vervaagde. Zijn hand lag nog steeds in die van Prody, maar hij bewoog hem niet meer. Zijn lichaam werd wat strakker bij de schouders. 'Prody? Dat is een ongebruikelijke naam.'

'O ja? Dat weet ik niet. Ik heb er nooit onderzoek naar gedaan.'

Cory bekeek hem kil; zijn gezicht zag vreemd grauw. 'Ben je getrouwd, Paul?'

'Getrouwd?'

'Dat zei ik. Ben je getrouwd?'

'Nee. Niet echt. Ik bedoel...' Hij wierp een blik op Janice. '... ik wás getrouwd. Maar dat is verleden tijd. We zijn uit elkaar en de scheiding is bijna rond. Je weet hoe dat gaat.'

Cory wendde zich stijfjes tot zijn vrouw. 'Waar is Emily?'

'Die slaapt. In onze slaapkamer.'

'En je moeder?'

'In haar kamer. Ze zit te lezen, geloof ik.'

'Ik wil je graag even spreken.'

'Oké,' zei ze aarzelend. 'Kom maar mee naar boven.'

Cory drong ruw langs hen heen en ging de trap op. Janice wierp Prody een blik toe – het spijt me, ik weet niet wat dit te betekenen heeft, maar ga alsjeblieft niet weg – en haastte zich toen achter haar man aan. Hij liep door de gang, duwde deuren open en keek in de kamers. Hij bleef staan in de keuken, waar hij de twee glazen in de gootsteen en een bord met zalm met plasticfolie erover zag staan.

'Wat is er, Cory? Wat is er?'

'Hoe lang is hij al hier?' siste hij. 'Heb je hem binnengelaten?'

'Natuurlijk. Hij is hier al, ik weet het niet, een paar uur, misschien.'

'Weet je wie dat is?' Cory smeet de tas met zijn laptop op het aanrecht. 'Nou? Weet je dat?'

'Nee.'

'Dat is de man van Clare.'

Janice' mond viel open. Even wilde ze lachen. Het hele geval was zo ridicuul. 'Wat?' zei ze een beetje schril. 'Clare? Van de praatgroep? Dat mens met wie jij neukt, bedoel je?'

'Doe niet zo stom. Je hoeft niet zulke taal uit te slaan.'

'Ach, Cory, hoe zou jij anders weten dat hij haar man is? Nou? Heeft ze je een foto laten zien? Hoe knus.'

'De naam, Janice.' Hij klonk medelijdend. Alsof hij het erg voor haar vond dat ze zulke banale dingen kon denken. 'Er zijn niet veel Paul Prody's op de wereld. Clares man is ook bij de politie.' Hij wees naar de gang. 'Dat is hem. En hij is een schoft, Janice. Een afschuwelijke smet op de mensheid, maar dan met een penning. De dingen die hij zijn kinderen heeft aangedaan. En zijn vrouw!'

'O jezus, Cory – geloof jij haar? Waarom? Weet je niet hoe vrouwen zijn?'

'Hoe dan? Hoe zijn vrouwen?'

'Het zijn leugenaars, Cory. Vrouwen liegen. We liegen en bedriegen en flirten, en dan doen we alsof we gekwetst en verraden zijn en alsof de hele wereld tegen ons is. We kunnen goed toneelspelen. Daar zijn we ontzettend goed in. En de Oscar gaat dit jaar naar de vrouw in het algemeen.'

'En reken je jezelf daar ook onder?'

'Ja! Ik bedoel, nee. Ik bedoel... soms. Soms lieg ik. Dat doen we allemaal.'

'Dat verklaart dan alles.'

'Wat verklaart het?'

'Dat verklaart wat je eigenlijk zegt als je beweert dat je zo ontzettend veel van me houdt. Dat je meer van mij houdt dan van wie ook. Je liegt.'

'Ik ben hier niet degene die vreemdgaat.'

'Je bent nooit met iemand anders naar bed geweest, maar dat had je net zo goed wel kunnen doen.'

'Waar heb je het in godsnaam over?'

'Over het feit dat de hele wereld ophoudt als het om haar gaat. Toch, Janice. Als het om haar gaat, kan ik net zo goed niet bestaan.'

Janice staarde hem ongelovig aan. 'Heb je het over Emily? Praat je echt zo over je dochter?'

'Over wie anders? Sinds zij er is, kom ik op de tweede plaats. Ontken het als je durft, Janice. Zeg maar dat het niet zo is.'

Ze schudde haar hoofd. 'Zal ik je eens wat vertellen, Cory? Het enige wat ik nu op dit moment voor je voel, is medelijden. Ik heb medelijden met je omdat je op je veertigste – en je ziet elke dag trouwens aan je af – nog steeds moet leven op zo'n bekrompen plekje. Dat moet een hel zijn.'

'Ik wil hem hier niet.'

'Nou, ik wel.'

Cory keek naar de twee glazen in de gootsteen. 'Je hebt met hem zitten drinken. Wat heb je nog meer gedaan? Geneukt?'

'O, hou toch op.'

'Hij blijft hier vannacht niet.'

'Ik heb nieuws voor je, Cory. Hij blijft hier vannacht wel. Hij slaapt op de slaapbank in de woonkamer. Die ontvoerder loopt nog steeds ergens rond en het grote nieuws is dat ik me niet veilig voel bij jou. Als ik eerlijk ben, heb ik zelfs net zo lief dat je ophoepelt naar die Clare van je, of waar je ook heen wilt, en ons met rust laat.'

45

Er waren die dag twee regenbuien overgetrokken en het kanaal was dieper dan de dag ervoor. De lucht was zwaar en rook naar groen, en het voortdurende getinkel van water dat door de rotsen filterde en in de tunnel viel was niet zo muzikaal als eerder. Vanavond klonk het luid en dringend, alsof je onder de douche stond. Flea waadde met haar hoofd naar beneden in haar met lood verzwaarde laarzen door de modder, zodat het water van haar helm sprong en langs haar nek sijpelde. Het kostte haar bijna een uur om weer bij de wal te komen waar zij en Wellard zich doorheen hadden gegraven. Het gat dat ze gemaakt hadden was er nog, en tegen de tijd dat ze zich erdoorheen had gewrongen en aan de andere kant was beland, was ze nat en smerig. Elke centimeter van haar overlevingspak zat onder de modder, er zat aarde in haar mond en neus en ze had het koud door het water. Heel koud. Haar tanden klapperden.

Ze haalde de duiklamp uit de rugzak en scheen ermee over de wal aan de andere kant, waar de achterkant van de schuit zichtbaar was onder het volgende ingestorte stuk. Misschien bevond de ontbrekende luchtschacht zich aan de andere kant, in een verborgen stuk van de tunnel. Ze waadde erheen en deed haar hoofdlamp en de duiklamp uit. Het kanaal was opeens zo donker dat ze haar hand uit moest steken om haar evenwicht te bewaren in de duizelingwekkende duisternis. Waarom had ze er verdomme gisteren niet aan gedacht om de lamp uit te doen? Want er was wel licht – ongeveer drie meter boven de grond. Een blauwe gloed. Maanlicht. Het kwam door de losse aarde boven aan de helling. Dat was hem dus. De negentiende luchtschacht aan de andere kant van deze wal.

Ze trok de rugzak strakker en klom in het donker naar boven. De markeerlijn rolde achter haar af en sloeg tegen de achterkant van haar benen. Ze had geen lamp nodig; het blauwe licht van de maan was genoeg om te zien wat ze deed. Eenmaal boven groef ze met haar handen een richel in de klei voor haar knieën. Ze groef een tweede richel voor de rugzak. Toen knielde ze en duwde haar gezicht in de spleet.

Maanlicht. En ze kon ruiken wat zich aan de andere kant bevond: een zoete geur. De vermengde geuren van planten, roest en verzamelde regen. De geur van de luchtschacht. Ze hoorde de weergalmende, druipende ruimte. Ze trok haar hoofd terug en zocht in de rugzak tot ze de beitel had gevonden die haar vader bij zijn grotonderzoek had gebruikt.

De vollersaarde hierboven was niet samengedrukt, maar kruimelig – heel droog. De beitel ging snel tussen de losse stenen door. Ze schoof ze met handenvol tegelijk weg en hoorde ze over de helling achter haar kletteren en in het water plonzen. Ze had een ruimte van ongeveer dertig centimeter onder het plafond vrijgemaakt en kon het maanlicht blauw voor zich zien schijnen toen ze op een rots stuitte. Een rotsblok. Ze sloeg de beitel er een keer in. En nog eens. De beitel sprong weg. Er kwam een vonk af. Het rotsblok was te groot om weg te krijgen. Ze bleef hijgend zitten.

Verdomme.

Ze likte langs haar lippen en bestudeerde het gat. Niet groot, maar het was misschien net groot genoeg om erdoorheen te kunnen. Het kon geen kwaad om het te proberen. Ze deed haar helm af, legde hem naast de beitel en stak haar rechterarm door de spleet. Hij ging langzaam naar voren tot ze hem helemaal had gestrekt. Nu haar hoofd. Ze draaide het iets naar links, kneep haar ogen stijf dicht en duwde haar gezicht naar voren door haar knieën schrap te zetten en zich met haar vingertoppen naar voren te trekken tot haar hand door het gat was en ze de koele lucht erop kon voelen. Scherpe stukjes steen in de klei maakten krassen in haar wangen. Ze stelde zich voor hoe haar hand aan de andere kant van de instorting tevoorschijn was gekomen, hoe hij daar in het niets hing en zich balde en ontspande in het maanlicht. Ze vroeg zich af of ernaar gekeken werd. En duwde die gedachte meteen weer weg. Dat soort dingen konden je in een seconde verlammen.

Er viel klei van het plafond in haar nek, en de korrels rolden in haar oren en kwamen op haar wimpers terecht. Ze zette haar knieën schrap en duwde zich verder naar voren. Er was geen ruimte om haar linkerarm naar voren te werken – hij moest langs haar lichaam blijven. Haar beenspieren spanden zich, en met nog één duw van haar pijnlijke kuiten kwamen haar rechterarm en hoofd aan de andere kant naar buiten.

Ze hoestte, spuwde, wreef de modder uit haar ogen en mond en schudde de viezigheid van haar hand.

Ze keek neer op een volgend stuk kanaal, waarin een zuil van maanlicht te zien was die door de wijde luchtschacht boven haar viel. Er lagen vreemde bulten in het water waar de vollersaarde in het kanaal was getuimeld en half was opgelost. De wal waarop ze lag was niet zo breed: nog geen twee meter onder haar stak de voorkant van de schuit eruit, uit het water getild door het gewicht van de rotsblokken op het middendeel, het dek licht verwrongen onder een roestende lier. Ongeveer vijftig meter voor haar uit, net zichtbaar in het donker, bevond zich de onderkant van de volgende muur van rotsblokken en aarde. Misschien was dat de westkant van de lange instorting die zij en Wellard hadden gezocht. Dus was dit nieuwe deel ook aan twee kanten dicht, net als de ruimte waar ze vandaan kwam, en dat betekende dat je er alleen kon komen via de luchtschacht.

Ze keek ernaar op. Er tinkelde gestaag water naar beneden – strakke, sonische puntjes in de stilte. Het rooster aan de onderkant was half kapot; het hing in een gevaarlijke hoek aan het plafond en zat vol druipende plantenresten. Maar haar blik werd vooral getrokken door wat door het gat in het rooster naar beneden hing. Een stuk klimtouw aan een haak, met een karabiner die door de handvatten van een grote zwarte tas was gestoken, die een verwrongen schaduw op het water daaronder wierp. Het touw was sterk genoeg om een groot voorwerp in het kanaal te laten zakken. Een lichaam, bijvoorbeeld. En er was nog iets dat niet op zijn plaats was in het kanaal. Een lichtvlek verderop in het water, waarvan de kleur iets verschilde van het licht in de rest van de tunnel. Ze liet haar kin zakken en concentreerde zich. Er dreef iets tussen het afval in het water, net voorbij de zuil maanlicht. Een schoen. Ze kende het type: een kruising tussen een gymschoen en een sandaal. Pastelkleurig en zacht, met een gespje erop. Het soort schoen dat een kind zou dragen. En precies wat Martha had gedragen toen ze verdween.

Er ging een adrenalinestoot door Flea's borstkas naar de uiteinden van haar vingers. Dit was echt de plek. Hij was hier geweest. Misschien was hij nu wel hier, ergens in de schaduwen...

Ophouden. Stel je niet zoveel voor. Doe iets. Hij kon haar niet door dit gat volgen – het slimste wat ze kon doen, was zich terugtrekken, het kanaal verlaten langs de weg die ze gekomen was en alarm slaan. Ze begon zich achteruit te werken, maar kwam halverwege met haar schouders vast te zitten in de smalle opening. Ze trok driftig aan haar rechterarm en draaide hem opzij om hem zo los te krijgen, maar haar ribben drukten tegen het dak en haar longen konden niet uitzetten. Ze dwong zichzelf even stil te blijven liggen en prentte zich in dat ze niet in paniek mocht raken. Vanbinnen gilde ze. Maar ze liet haar hoofd slap naar één kant vallen en nam de tijd om rustig te worden en langzaam adem te halen om haar longen in staat te stellen zich tegen de druk in te openen.

Ergens in de verte klonk een bekend geluid. Als donder. Zij en Wellard hadden dat onlangs ook gehoord. Een trein die over het spoor denderde – ze zag voor zich hoe de lucht erlangs stroomde en de aarde en rotsen eronder trilden. Ze kon zich ook de vele meters steen en klei boven haar voorstellen. En haar longen: twee kwetsbare ovale holten in de duisternis. De geringste beweging van de aarde kon ze samendrukken in een ruimte waarin ze nooit meer zouden kunnen uitzetten. En Martha. Het lichaam van de kleine

Martha dat wellicht ergens voor haar in het kanaal lag.

Er viel een steen, dicht bij Flea's hoofd. Hij tuimelde over de helling en kwam met een plons in het water terecht. De tunnel schudde. Shit, shit, shit. Ze haalde zo diep mogelijk adem, zette haar knieën tegen de opening, legde haar linkerhand tegen het rotsblok en trok zo hard ze kon. Ze schoot door naar de eerste ruimte, met haar voeten vooruit, en schraapte met de onderkant van haar kin langs het rotsblok. Het markeertouw gleed langs de helling naar beneden en zij viel er samen met de rugzak achteraan en kwam op haar rug in het water terecht.

De ruimte om haar heen kraakte en sidderde. Ze haalde de zaklamp uit de rugzak, deed hem aan en richtte hem op het plafond. De hele ruimte trilde. Een scheur in het plafond werd opeens langer – als een slang die door het gras kronkelde – en er weerklonk een oorverdovende knal in de kleine ruimte. Ze strompelde dubbel gebogen door het water naar de enige plek waar ze voor zover ze kon zien wat beschutting kon vinden – de achterkant van de schuit. Ze had zich net in de ruimte daarachter weten te wringen toen ze omringd werd door het gebrul van vallend puin en het fluiten van rotsblokken langs haar oren.

Het lawaai leek een eeuwigheid te duren. Ze zat in de modder met haar handen over haar hoofd en haar ogen dicht. Zelfs toen het geluid van de trein was weggestorven bleef ze zitten luisteren naar de ergens in de duisternis vallende rotsen. Elke keer als ze dacht dat het voorbij was, kwam er nog een aantal kleine stenen naar beneden glijden om in het water te vallen. Het duurde minstens vijf minuten voor het stil werd in de ruimte en ze haar hoofd omhoog kon brengen.

Ze veegde haar gezicht af aan de schouders van het overlevingspak, scheen met de zaklamp om zich heen en begon te lachen. Een lange, zachte, humorloze lach, als een snik, die weerklonk in wat er over was van de ruimte en geluiden terugstuurde waarvoor ze het liefst haar oren had willen bedekken. Ze liet haar hoofd tegen de romp van de schuit vallen en wreef in haar ogen.

Wat moest ze nu?

46

Het maanlicht kroop achter de wolkenslierten vandaan en de koude sterrenhemel weerspiegelde in de groeve en vervaagde tot een blauwe gloed. Caffery zat in de auto aan de rand van het water en keek in stilte toe. Hij had het koud. Hij was hier al meer dan een uur. Na vier uur zware, ongecompliceerde slaap, thuis in bed, was hij net voor vijven wakker geworden met de zekerheid dat iets in de vrieskoude nacht hem verwachtte. Hij was opgestaan. Hij wist dat er alleen maar problemen van zouden komen als hij thuisbleef. Het zou waarschijnlijk leiden tot zijn tabakszak en de whiskyfles, dus had hij Myrtle op de achterbank gezet en wat rondgereden, in de verwachting dat hij het kamp van de Wandelaar over de heggen heen zou zien. In plaats daarvan was hij op de een of andere manier hier terechtgekomen.

Het was een grote groeve, ongeveer ter grootte van drie voetbalvelden, en hij was ook nogal diep. Hij had de tekeningen bestudeerd. Op een gegeven punt was hij meer dan vijfenveertig meter diep. De rotsen onder water waren begroeid met planten, er lagen allerlei afgedankte machines op de bodem en het hele geval zat vol hoeken en gaten.

Eerder dit jaar was er een periode geweest dat hij last had gehad van een illegale immigrant uit Tanzania, die hem overal gevolgd was en hem vanuit de schaduwen had gadegeslagen als een elf of een soort Gollem. Dat had bijna een maand geduurd en toen was de man er opeens mee opgehouden, net zo plotseling als hij ermee was begonnen. Caffery had geen idee wat er van hem geworden was, of hij leefde of dood was. Soms keek hij laat op de avond uit het raam en vroeg hij zich onwillekeurig af waar de man zich bevond. In een pervers, eenzaam hoekje van zijn geest miste hij hem.

De Tanzaniaan had een tijdje hier geleefd, in het bos rond deze groeve. Maar er was hier meer wat Caffery bij elk geluid en elke verandering in het licht kippenvel bezorgde. Dit was de plek waar Flea het lijk had verstopt. Misty Kitson lag ergens in de stille diepten.

Je beschermt haar en je ziet niet wat daardoor voor mooie cirkel ontstaat.
Een mooie cirkel.

Er dreef een enkele winterwolk voor de maan langs. Caffery staarde ernaar – naar de maan. Een vage vingernagel in wit, met een aarzelende, maar zichtbare glans van licht op de donkere kant. Raadsels, raadsels. Die slimme schooier van een Wandelaar gaf hem voortdurend aanwijzingen. Liet hem voortkruipen met zijn tong op zijn schoenen. Caffery dacht niet dat de Wandelaar lang boos zou blijven. Nee, niet lang. Maar toch had Caffery hem die nacht niet gevonden en dat feit alleen voelde als een verwijt.

'Koppige oude dwaas,' zei hij tegen Myrtle, die op de achterbank lag. 'Die ellendige, koppige oude dwaas.'

Hij haalde zijn telefoon voor de dag en toetste Flea's nummer in. Het kon hem niet schelen of hij haar wakker maakte of wat hij ging zeggen. Hij wilde er gewoon een eind aan maken. Hier en nu. Hij had de Wandelaar en zijn geheimzinnige gedoe met raadsels en aanwijzingen niet nodig. Maar hij kreeg meteen de voicemail. Hij hing op en deed de mobiel weer in zijn zak. Het toestel zat daar nog geen tien seconden toen het overging. Hij haalde het snel weer voor de dag in de verwachting dat ze terugbelde, maar het was een ander nummer. Een onbekend nummer.

'Ik ben het. Turner. Ik bel van kantoor.'

'Jezus.' Hij wreef moe over zijn voorhoofd. 'Wat doe je daar verdomme op dit uur van de morgen?'

'Ik kon niet slapen.'

'Dacht je aan alle overuren die je kon declareren?'

'Ik heb iets.'

'O, ja?'

'Edward Moon. Ook bekend als Ted.'

'En dat is?'

'En dat is de jongere broer van die dikzak.'

'En waarom moet ik belangstelling voor hem hebben?'

'Vanwege de foto's in het smoelenboek. Je zult ze zelf moeten bekijken. Maar ik weet het voor negenennegentig komma negen procent zeker. Het is hem.'

De haartjes in Caffery's nek stonden overeind. Als een bloedhond met de eerste geur van bloed in zijn neus. Hij blies de lucht uit zijn longen. 'Het smoelenboek? Heeft hij een strafblad?'

'Een strafblad?' Turner lachte droog. 'Dat kun je wel zeggen. Hij heeft net tien jaar in Broadmoor gezeten onder sectie 37/41 van de Mental Health Act. Telt dat ook mee?'

'Jezus. Met zo'n straf moet het...'

'Moord.' Turners stem was rustig, maar er lag toch iets van opwinding in. Hij had ook de geur van bloed geroken. 'Een dertienjarig kind. Een meisje. En het was erg. Heel erg. Dus...' Een stilte. 'Dus, baas, wat wil je dat ik nu doe?'

47

'Mijn collega's gaan hier eens rondkijken. U hebt het huiszoekingsbevel gezien, het is allemaal in orde. U kunt hier blijven, zolang u niet probeert de doorzoeking te hinderen.'

Het was net voor zevenen in de morgen en Caffery stond weer in het vochtige flatje van de Moons. Op tafel stonden de overblijfselen van een uitgebreid ontbijt, ketchup en sausflessen, en twee vieze borden. In de gootsteen in de keuken waren vuile pannen opgestapeld. Buiten was het nog donker. Niet dat ze naar buiten konden kijken: de paraffinekachel in de hoek had de ramen doen beslaan en de condens liep in kronkelige straaltjes van het glas. De twee mannen, vader en zoon, zaten op de bank. Richard Moon droeg een joggingbroek met een open naad onder in de pijpen om zijn enorme kuiten de ruimte te geven en een marineblauw T-shirt met het woord VISIONARY op de borst en zweetvlekken onder de armen. Hij keek Caffery strak aan en het zweet stond op zijn bovenlip.

'Vreemd, nietwaar,' Caffery ging aan tafel zitten en keek hem nauwlettend aan, 'dat je het gisteren helemaal niet over je broer hebt gehad.' Hij boog naar voren en hield hem de foto voor die Ted

Moon had gebruikt om het kantoor van de afdeling Zware Misdrijven in en uit te kunnen. 'Ted. Waarom hebben jullie hem niet genoemd? Ik vind het maar gek.'

Richard Moon wierp een blik op zijn vader, die waarschuwend zijn wenkbrauwen optrok. Richard sloeg zijn ogen neer.

'Ik zei, dat vind ik maar gek, Richard.'

'Geen commentaar,' mompelde hij.

'Geen commentaar? Moet dat een antwoord voorstellen?'

Richards ogen gingen heen en weer alsof er leugens rondzweefden die een plek nodig hadden om zich te verstoppen. 'Geen commentaar.'

'Wat is dat nou voor onzin, "geen commentaar"? Heb je soms te veel politieseries gekeken? Je staat niet onder arrest of zo, hoor. Ik neem dit niet op. Je hebt geen advocaat en het enige wat je bereikt met dat "geen commentaar" is dat ik er ontzettend nijdig van word. En dan zou ik wel eens van gedachten kunnen veranderen en besluiten dat jullie wel gearresteerd moeten worden. Nou, waarom hebben jullie ons niets verteld over je broer?'

'Geen commentaar,' zei Peter Moon. Zijn ogen waren koud en hard.

'Vond je het soms niet relevant?' Hij haalde de gegevens tevoorschijn uit de database van de *Guardian* die Turner had geprint. De kinderbescherming zou de dossiers bekijken om de details in te vullen, maar de nuchtere feiten op deze uitdraai waren genoeg om Caffery te vertellen met wat voor iemand ze te maken hadden. Moon had de dertienjarige Sharon Macy vermoord. Hij had haar lichaam ergens verborgen – het was nooit gevonden – maar was toch veroordeeld op DNA-bewijs. Volgens hun inlichtingen was daar geen probleem mee geweest, omdat de kleren en het beddengoed van Ted Moon waren bevlekt met Sharons bloed. Er had zoveel bloed op de slaapkamervloer gelegen dat het hier en daar door de planken was gesijpeld. De vlekken in het plafond van de kamer daaronder groeiden nog steeds toen het arrestatieteam voor hem arriveerde. Hij had er tien jaar voor gezeten, tot de minister van Binnenlandse Zaken een jaar geleden had ingestemd met wat de behandelende arts had gezegd: dat Moon geen gevaar meer vormde voor zichzelf of voor anderen. Hij was voorwaardelijk vrijgelaten uit Broadmoor.

'Dat heeft jouw broer gedaan.' Caffery duwde Richard Moon de uitdraai onder zijn neus. 'Wat voor ellendig varken vermoordt er nou een dertienjarig meisje? Weet je wat de lijkschouwer destijds zei? Dat haar hoofd er half af moet hebben gelegen om zoveel bloed te laten vloeien. Ik weet niet wat jij ervan vindt, maar ik word al misselijk als ik eraan denk.'

'Geen commentaar.'

'Het gaat als volgt. Jij vertelt me nu meteen waar hij is, dan kunnen we overwegen geen aanklacht in te dienen wegens belemmering van het onderzoek omdat je hem niet eerder hebt genoemd.'

'Geen commentaar.'

'Weet je hoe lang je daarvoor achter de tralies kunt verdwijnen? Nou? Zes maanden. Hoe lang denk je dat je het er uithoudt, dikke? Vooral als ze horen dat je een kinderlokker in bescherming hebt genomen. Nou, waar is hij?'

'Ik weet niet...'

'Richard!' Zijn vader legde hem het zwijgen op door een vinger tegen zijn lippen te houden.

Richard Moon keek even naar hem en liet toen zijn hoofd achterovervallen. Het zweet liep in de hals van zijn t-shirt. 'Geen commentaar,' mompelde hij. 'Geen commentaar.'

'Baas?'

Ze draaiden zich om.

Turner stond in de deuropening met een dikke envelop in een diepvrieszak. 'Dit lag in de stortbak van de wc.'

'Maak open, dan.'

Turner maakte de zak open en bekeek weifelend de inhoud. 'Papieren. Grotendeels.'

'Wat doen die in de stortbak, meneer Moon? Het lijkt mij een vreemde plek om dingen te bewaren.'

'Geen commentaar.'

'Jezus. Turner, geef hier. Heb je handschoenen bij je?' Turner legde de envelop op tafel en haalde een extra paar handschoenen uit zijn zak. Caffery trok ze aan en schudde de envelop leeg. De inhoud bestond grotendeels uit rekeningen, en de naam Edward Moon kwam steeds weer tevoorschijn. 'En... ah – wat is dit?' Hij trok zijn wenkbrauwen op. 'Dat ziet er boeiend uit.' Met zijn duim en wijsvinger haalde hij een paspoort tussen de papieren uit. Hij sloeg het open. 'Het vermiste paspoort. Wel asjemenou. Wie had dat kunnen denken? Een of andere klootzak breekt hier in, steelt al jullie spullen, komt jaren later terug en verstopt dit in de stortbak. Wat is een goede afloop toch een prachtig iets.'

De Moons staarden hem dof aan. Peter Moon had een diepe, bijna blauwachtig rode tint gekregen. Caffery wist niet of het boosheid of angst was. Hij gooide het paspoort samen met de rekeningen op tafel en richtte zich tot Richard. 'Heb je dat aan je broer uitgeleend om hem een verklaring van goed gedrag te bezorgen? Jij hebt niets op je kerfstok, maar hij wel. Heel wat, als je het mij vraagt.'

'Geen commentaar.'

'Je zult uiteindelijk toch commentaar moeten geven. Of anders wordt het bidden dat je celgenoot geen aids heeft, dikzak.'

'Noem hem niet zo.'

'Aha.' Caffery wendde zich tot de vader. 'Dus nu ga je wel iets tegen me zeggen?'

Er viel een stilte. Peter Moon deed zijn lippen op elkaar en bewoog ze op en neer alsof hij vocht tegen de woorden. Zijn gezicht was net een rode vuist.

'Nou?' Caffery hield zijn hoofd beleefd schuin. 'Ga je me vertellen waar je zoon is?'

'Geen commentaar.'

Caffery sloeg met zijn handen op de tafel. 'Oké, dat doet de deur dicht. Turner?' Hij hief zijn kin naar de twee mannen op de bank. 'Arresteer ze. Ik heb er genoeg van. Je gaat het nu echt beleven, meneer Moon. Je mag je eigen advocaat laten komen en hem de "geen commentaar"-behandeling geven, dan zullen we eens zien...' Zijn stem stierf weg.

'Baas?' Turner, die zijn handboeien tevoorschijn had gehaald, wachtte tot Caffery hem nadere instructies gaf. 'Waar moeten ze naartoe? Het plaatselijke bureau?'

Caffery gaf geen antwoord. Hij staarde als in trance naar een van de rekeningen.

'Baas?'

Caffery keek langzaam op. 'We moeten met de afdeling Operaties gaan praten,' mompelde hij. 'Ik geloof dat dit iets zou kunnen zijn.'

Turner kwam bij hem staan. Bestudeerde het stuk papier dat Caffery in zijn hand had. Hij floot zachtjes. 'Jezus.'

'Jezus, inderdaad.' Het was een huurovereenkomst voor een bedrijfspand. Volgens de overeenkomst huurde Ted Moon al minstens elf jaar een garage in Gloucestershire. Die had een zware stalen roldeur en een opslagruimte van honderd vierkante meter. Het stond allemaal in de specificaties. En het adres was in Tarlton, Gloucestershire.

Nog geen kilometer van de Sapperton Tunnel.

48

Caffery geloofde niet in toeval. In zijn ogen was de garage van Ted Moon een duidelijke aanwijzing, zo duidelijk als een politieman ooit kon hopen te krijgen. Terwijl een andere rechercheur de Moons op hun rechten wees en in de auto werkte, zat Caffery in de armoedige flat telefoontjes te plegen. Binnen tien minuten waren er twee ondersteunende eenheden op weg naar de garage. 'Geen tijd voor een gerechtelijk bevel,' zei hij tegen Turner toen hij in de Mondeo stapte. 'We doen het volgens sectie 17. Levensgevaar. We hoeven die aardige politierechter niet te storen. Ik zie je daar.'

Hij reed zo snel hij kon door het ochtendverkeer, waarin rij na rij rode remlichten aan- en uitgingen in de file, achter Turners Sierra aan over de A432 en de M4. Ze waren nog maar een kilometer of zes van de garage verwijderd toen Caffery's telefoon ging. Hij duwde het oordopje in zijn oor en nam op. Het was Nick, de familierechercheur van de Costello's, en ze klonk paniekerig. 'Het spijt me dat ik je steeds lastigval, maar ik maak me nu echt zorgen. Ik heb drie berichten ingesproken en ik geloof echt dat het ernst is.'

'Ik was bezig en had de telefoon op stil gezet. Wat is er?'

'Ik sta bij de Costello's, bij de nieuwe flat in...'

'Ik weet het.'

'Ik moest er voor een uur heen, alleen om te zien hoe het met ze ging, maar nu ik er ben, kan ik er niet in.'

'Zijn ze er niet?'

'Ik geloof van wel, maar ze doen de deur niet open.'

'Je hebt de sleutel toch?'

'Ja, maar ik krijg de deur niet open. Ze hebben de ketting erop gedaan.'

'Is er iemand bij ze?'

'Nee. De agent is gisteravond afgelost door rechercheur Prody. Maar Prody moet vergeten zijn dat hij het plaatselijke bureau had moeten laten weten wanneer hij vertrok, want er was niemand ingeroosterd om het van hem over te nemen.'

'Bel hem.'

'Dat heb ik gedaan. Zijn telefoon staat uit.'

'De Costello's, dan, Heb je hen geprobeerd?'

'Natuurlijk. Ik heb Cory aan de telefoon gehad, maar die is niet in de flat. Hij zegt dat hij de nacht daar niet heeft doorgebracht. Ik denk dat hij en Janice ruzie hebben gehad. Hij is nu onderweg. Hij heeft Janice ook gebeld, maar ze neemt voor hem ook niet op.'

'Verdomme.' Caffery tikte op het stuur. Ze waren bijna bij de afrit naar de a46. Hij kon linksaf naar Sapperton gaan of rechtdoor naar Pucklechurch, waar de flat van de Costello's was. 'Verdomme.'

'Ik moet je zeggen – ik ben bang.' Nicks stem klonk onvast. 'Er is iets mis. Alle gordijnen zitten potdicht. Er is geen enkele reactie op wat ik ook doe.'

'Ik kom naar je toe.'

'We zullen de deur open moeten breken. Die kettingen zijn heel stevig.'

'Ik laat mensen komen.'

Hij stuurde de auto naar rechts, nam de A46 naar het zuiden en haalde zijn telefoon voor de dag. Hij toetste Turners nummer in. 'Verandering van plan, maat.'

'Hoezo?'

'Laat de eenheden zich verzamelen en hou de garage in de gaten. Omsingel haar, maar doe nog niets. Wacht op mij. En ik wil dat je nog een team naar de flat van de Costello's stuurt. Er gaat daar iets ernstig mis.'

'Drie teams met stormrammen? Ze zullen wel dol op ons zijn bij Operaties.'

'Nou, zeg maar dat ze in de hemel hun beloning zullen krijgen.'

49

Op de weg naar Pucklechurch gold een snelheidslimiet van vijfenzestig kilometer per uur. Caffery reed tegen de honderd als hij daar langs de rijen traag rijdende forenzen de gelegenheid voor kreeg. Toen hij arriveerde, werd het al licht en waren de straatlantaarns uitgegaan. Nick bevond zich op het pad naar de deur in een jas met pied-de-poule-ruitje en mooie laarzen met hoge hakken. Ze stond de weg af te kijken en op haar nagels te bijten. Ze schoot naar de stoep toen ze hem zag en trok zijn portier open. 'Ik ruik iets. Ik heb de deur op een kiertje open gekregen en kon net mijn hoofd naar binnen steken, en er hangt een geur.'

'Gas?'

'Eerder een oplosmiddel. Zoals lijmsnuivers ruiken, weet je wel?'

Caffery stapte uit en keek op naar de flat, de dichte ramen en gordijnen. Nick had de voordeur zo ver opengelaten als de twee kettingen toestonden. Hij zag nog net het blauwe tapijt op de trap en een paar vegen op de muren. Hij keek op zijn horloge. Het team kon er elk moment zijn. Het hoefde niet van ver te komen.

'Hou vast.' Hij trok zijn jasje uit en gaf het aan haar. 'En kijk de andere kant uit.'

Nick deed een paar stappen achteruit en deed haar handen voor haar ogen. Caffery wierp zich op de deur en draaide een slag zodat zijn schouder contact maakte met het hout. De deur schokte in de scharnieren en trilde luidruchtig, maar de kettingen hielden stand en hij werd weer op het pad teruggeworpen. Hij sprong wat rond, herwon zijn evenwicht en probeerde het nog een keer. Hij greep het houten hekje dat het portiek begrensde, zette zich schrap en schopte tegen de deur. Eenmaal. Tweemaal. Driemaal. Elke keer trilde de deur en volgde er een oorverdovend splinterend geluid, maar elke keer schokte hij weer recht in het kozijn.

'Verdomme.' Hij stond zwetend op het pad. Zijn schouders deden pijn en zijn rug trilde nog na van de schok. 'Ik word hier te oud voor.'

'Het is een safehouse.' Nick haalde haar handen van haar ogen en keek weifelend naar de deur. 'En dat is het ook. Veilig, bedoel ik.'

Hij keek nog eens naar de ramen. 'Ik hoop dat je gelijk hebt.'

Er stopte een witte gepantserde Mercedes Sprinter. Caffery en Nick keken toe terwijl er zes mannen in aanvalstenue uit stapten – 727: het team van Flea.

'Nou treffen we elkaar alweer.' Terwijl de rest van het team de rode stormram uit de bus haalde, kwam Wellard naar voren om Caffery de hand te schudden. 'Ik zou bijna gaan denken dat je een oogje op me hebt.'

'Ja, ach, dat uniform is nogal opwindend. Ben je weer waarnemend?'

'Daar ziet het naar uit.'

'Waar is de hoofdagent?'

'Eerlijk zeggen? Ik weet het niet. Ze is vandaag niet op het werk verschenen. Dat is niets voor haar, maar dat geldt voor alles de laatste tijd.' Hij schoof zijn vizier omhoog en keek naar de zijkant van het huis. 'Wat hebben we hier? Ik geloof dat ik dit huis ken. Dit was vroeger toch het huis waar slachtoffers van verkrachting werden opgevangen?'

'Er zit een kwetsbaar gezin in, dat beschermd moet worden. Die dame daar,' hij wees naar Nick, 'is een halfuur geleden hier aangekomen. Ze werd verwacht, maar de deur werd niet opengedaan. De kettingen zitten op de deur. En er hangt een geur. Als van een oplosmiddel.'

'Hoeveel mensen?'

'Drie, denken we. Een vrouw van in de dertig, nog een vrouw van in de zestig en een meisje van vier.'

Wellard trok zijn wenkbrauwen op. Hij keek nog eens naar de flat, toen naar Nick en Caffery en wenkte zijn mannen. Ze kwamen aangedraafd met de stormram tussen hen in. Ze gingen voor de deur staan en zwaaiden de ram ertegenaan. Na drie oorverdovende klappen brak de deur in twee stukken. De ene helft bleef aan de twee kettingen hangen, de andere aan de scharnieren.

Wellard en twee van zijn mannen stapten langs de helften de gang in, met hun schild voor zich. Ze renden de trappen op en schreeuwden zoals ze in de flat van de Moons hadden gedaan: 'Politie, politie!'

Caffery volgde en zijn gezicht vertrok door de scherpe dampen. 'Zet een raam open, iemand,' riep hij.

Toen hij boven aan de trap kwam, zag hij Wellard aan het eind van de overloop een deur openhouden. 'Je dame van in de zestig.'

Caffery keek naar binnen en zag de vrouw op het bed liggen – de moeder van Janice. In een crèmekleurige pyjama, haar korte witte haar uit haar gebruinde gezicht gestreken. Ze lag op haar zij met één arm naar boven en de ander over haar gezicht. Ze ademde traag en moeizaam, en dat deed Caffery denken aan hospices en afkickklinieken. Ze bewoog bij al dat lawaai, deed haar ogen half open en hief zwakjes een hand, maar ze werd niet wakker.

Caffery boog zich over de trapleuning en riep naar de mannen beneden: 'Laat zo snel mogelijk een ambulance komen.'

'We hebben hier een volwassen man,' riep een andere agent. Hij stond in de keukendeur.

'Een volwassen man?' Caffery ging naar hem toe. 'Nick zei dat hij niet...' Hij maakte de zin niet af. Het raam in de kamer stond op een kier. Er stonden wat afgewassen borden en bekers op het afdruiprek, daarnaast een bord met eten met plasticfolie eroverheen en boven op de koelkast een lege wijnfles. Op de vloer lag een man met zijn hoofd in een vreemde hoek tegen de kastjes en braaksel over zijn witte overhemd. Maar het was niet Cory Costello. Het was rechercheur Prody.

'Jezus christus – Paul? Hé!' Caffery bukte en schudde hem door elkaar. 'Wakker worden. Wakker worden, verdomme.'

Prody bewoog zijn kaak. Er hing een lange sliert speeksel aan zijn lip. Hij bracht een hand omhoog en deed een zwakke poging het weg te vegen.

'Wat is er verdomme gebeurd?'

Prody's ogen gingen half open en toen weer dicht. Zijn hoofd zakte weg. Caffery ging de gang weer in. Zijn ogen traanden van de dampen.

'Is die ambulance al onderweg?' riep hij de trap af. 'Laat ze opschieten. En voor de tweede keer, wil iemand nou verdomme die ramen eens openzetten?' Hij bleef staan en keek naar het eind van de overloop. Een agent – Wellard, nog steeds met zijn vizier naar beneden – stond bij een andere open deur, dit keer aan de voorkant van de flat. Die moest van de kamer zijn die uitkeek over de weg. Hij wenkte traag. En dat deed hij zonder zich om te draaien, omdat hij strak stond te staren naar wat zich voor hem bevond.

Caffery voelde even een heftige, pure angst. Plotseling wilde hij naar buiten. Het laatste wat hij wilde weten, was waar Wellard naar stond te kijken.

Zijn hart bonsde hard in zijn borst toen hij de overloop overstak en naast hem ging staan. De kamer voor hen was donker. De gordijnen waren dicht en de ramen ook. De chemische stank was hier heel sterk. Er stonden twee bedden: een eenpersoonsbed tegen het raam – leeg – en een omgewoeld tweepersoonsbed. Er lag een vrouw op: Janice Costello, te oordelen naar de verwarde bos donker haar. Haar rug ging omhoog en omlaag.

Caffery wendde zich tot Wellard, die hem vreemd aankeek. 'Wat?' siste hij. 'Het is een vrouw. Had je dat niet verwacht?'

'Ja, maar hoe zit het met dat meisje? Ik heb twee vrouwen en een man gezien, maar geen meisje. Jij wel?'

50

De dageraad brak aan in het kleine gehucht Coates. Het was een halfslachtige, winterse dageraad, zonder oranje of gevlekte hemel, niet meer dan een kleurloos, grauw licht dat zich lusteloos boven de daken verhief, over de toren van de kerk en over de toppen van de bomen dreef, en als een mist neerkwam op een kleine open plek, diep in een bos op het landgoed Bathurst. In een luchtschacht vol gras, dertig meter boven het kanaal, kroop de zwarte grens tussen dag en nacht langzaam naar beneden. Op zijn weg naar de diepte bereikte hij een grot die werd gevormd door twee instortingen aan beide zijden van een kort stuk tunnel. Het onzekere, diffuse licht vond het zwarte water, vormde een schaduw onder de tas die roerloos aan het eind van het touw hing en viel op de hopen stenen en afval.

Aan de andere kant van een van de wallen merkte Flea Marley niets van de dageraad. Ze merkte alleen iets van de kou en de oude, muffe stilte in de grot. Ze lag op een ruwe richel onder aan de aarden wal. In elkaar gedoken als een bal, als een ammoniet, met haar hoofd naar beneden en haar handen onder haar oksels in een poging warm te blijven. Ze sliep half en haar gedachten waren vlak en uitgeput. De duisternis drukte op haar oogleden, als vingers. Iets vreemds in de optische kanalen lichtte op als dansende vlekjes, vreemde en pastelkleurige beelden.

Ze had nu geen licht aan. Alleen de grote zaklamp en haar kleine hoofdlamp hadden het vallende puin overleefd. Ze liet ze uit om de batterijen te sparen, voordat ze zich moest behelpen met pa's oude carbidlamp. Er was toch niets te zien. Ze wist wat de lichtstraal zou onthullen: het gapende gat in het plafond, waar tonnen aarde en stenen uit waren gekomen. Het puin had de vloer op sommige plekken wel een meter hoger gemaakt en had de oorspronkelijke wallen aan beide kanten van de tunnel bedekt met aarde en stenen. Allebei haar ontsnappingswegen waren verdwenen. Dit keer kon ze er niet doorheen komen door met de hand te graven. Ze had het geprobeerd. Tot ze uitgeput was. Alleen een drilboor en grondverzetmachines konden door deze barrières komen. Als de ontvoerder terugkwam, kon hij niet bij haar komen. Maar dat maakte niet uit, want zij kon toch niet terug. Ze zat in de val.

Toch leerde ze hier beneden een heleboel. Ze had geleerd dat je misschien kon denken dat je het niet kouder kon krijgen, maar dat dat dan toch kon gebeuren. Ze had geleerd dat er zelfs in de vroege ochtenduren treinen reden over de Cheltenham and Great Western Union Railway. Goederentreinen, stelde ze zich voor. Elk kwartier kwam er eentje aangedenderd, die de grond deed beven als een draak in de nacht en een paar stenen uit onzichtbare nissen in de tunnel schudde. Tussen de treinen in sliep ze rusteloos. Ze zakte weg en werd weer wakker, rillend en gespannen van angst en kou. De waterproof Citizen om haar pols tikte de minuten voorbij en markeerde de lengte van haar leven.

Ze had een beeld van Jack Caffery in haar hoofd. Geen Jack Caffery die tegen haar schreeuwde, maar een Jack Caffery die rustig tegen haar praatte. De hand die hij een keer op haar schouder had gelegd – die was warm geweest door haar shirt heen. Ze hadden in een auto gezeten en op dat moment had ze gedacht dat hij haar had aangeraakt omdat ze voor een open deur stond, klaar om een compleet nieuwe wereld binnen te stappen. Maar het leven was grillig en alleen bij de sterkste en meest competente mensen werd niet van tijd tot tijd de grond onder hun voeten weggeslagen. Toen zag ze het gezicht van Misty Kitson, dat naar haar glimlachte vanaf de voorpagina's van de kranten, en Flea dacht dat dit misschien de grote valkuil was: dat iets hogers dan zij had besloten dat ze moest boeten omdat zij en Thom ongestraft hadden achtergehouden wat er met Misty was gebeurd. Ironisch dat haar straf eruit bestond dat ze in eenzelfde tombe belandde als het lichaam van Misty.

Ze kwam in beweging. Ze trok haar ijskoude handen onder haar oksels vandaan en raakte de mobiele telefoon in de waterdichte zak van haar overlevingspak aan. Geen bereik. Geen enkele kans. Ze wist door de tekeningen ruwweg waar ze zich bevond. Ze had als een razende tientallen berichtjes opgesteld met ongeveer de coördinaten van de plek en die naar iedereen gestuurd die ze had kunnen bedenken. Maar de berichtjes stonden allemaal nog in de map te verzenden berichten, met het icoontje erboven dat ze opnieuw verzonden moesten worden. Uiteindelijk was ze bang geworden dat de batterij op zou raken en had ze de telefoon uitgezet en weer in de plastic zak gedaan. Elf uur, had ze tegen Prody gezegd. Maar het was nu al zeven uur later. Er was iets mis. Hij had het bericht niet gekregen. En als hij het bericht niet gekregen had, was dit de wrede waarheid: de markeerlijn bevond zich in de ingang van de tunnel. Ze had de auto aan de rand van de dorpsmeent laten staan, waar niemand ertegenaan zou rijden. Het zou dagen duren voordat iemand een van beide dingen opmerkte en er conclusies uit trok over waar ze zich bevond.

Ze kwam pijnlijk uit haar ineengedoken positie. Ze verschoof, spreidde haar voeten en gleed langs het laatste stukje van de helling naar beneden. De plons van haar laarzen echode in de ruimte toen ze in het water terechtkwam. Ze zag niets, maar ze wist dat er van alles in dreef. Dingen die voordat de ruimte van de buitenwereld werd afgesloten door de luchtschacht moesten zijn gevallen en door de wind naar de plek waren geblazen waar zij nu stond. Ze deed haar handschoenen uit, bukte, schepte wat water in haar ijskoude, gebarsten handen en rook eraan. Het rook niet naar olie. Het rook naar aarde. Naar wortels en bladeren en zonovergoten open plekken. Ze proefde even met haar tong. Het smaakte een beetje metalig.

Vanuit haar ooghoek zag ze iets ondoorzichtigs liggen. Ze liet het water uit haar handen sijpelen en draaide stijf naar links.

Ongeveer drie meter verderop zag ze een vage, kegelvormige gloed. Het zwakste en onzekerste licht dat er bestond. Ze draaide zich om, viel tegen de wal, tastte naar haar rugzak en haalde haar lamp voor de dag. Ze hield haar hand voor haar ogen en deed hem aan. Met een plof ging het licht aan. Alles tekende zich af in een sissend blauwwit: te groot, de randen te scherp. Ze liet haar hand zakken en richtte haar blik op de plek waar het licht was geweest. De romp van de afgedankte schuit.

Ze deed de lamp weer uit en bleef naar de romp kijken. Langzaam vervaagden de vormen die op haar netvlies waren gebrand. Haar pupillen werden wijder. En dit keer kon ze zich niet vergissen. Er kwam daglicht door de schuit, van de andere kant van de wal.

Ze deed de lamp weer aan en stak hem in de klei, zodat hij de rand van de instorting verlichtte terwijl zij haar tas opnieuw inpakte. Ze trok haar handschoenen aan, hing de rugzak om en waadde naar de schuit, waar ze bukte, de lamp erin duwde en ermee in het rond scheen. De schuit stak onder de wal door en de boeg bevond zich in het deel van de tunnel waar de schacht op uitkwam. Hij moest meer dan honderd jaar geleden zijn gemaakt; de romp en het dek bestonden uit ijzeren platen die met klinknagels aan elkaar waren gezet. Goede ingenieurs had je in de victoriaanse tijd, dacht ze terwijl ze tegen de onderkant van het dek aan keek. Ondanks het gewicht van de aarde en stenen was hij niet doorgebogen. In plaats daarvan was de hele schuit de zachte modder in gedreven en hij lag iets achterover, zodat de boeg in de volgende ruimte hoger lag. Hier op het achterschip stond het water nog geen dertig centimeter van de onderkant van het dek, maar door de schuine ligging liep het dek omhoog, zodat de hoofdruimte meer naar voren groter werd. Ongeveer tweeënhalve meter naar binnen bescheen de krachtige lichtstraal een schot dat de weg naar de boeg blokkeerde. Ze liet de lichtstraal over de rest van de romp gaan, zoekend naar een uitgang. De klinknagels en de spinnenwebben aan het plafond kwamen scherp in beeld, evenals het drijvende afval: plastic tasjes, colablikjes. Iets dat een vacht leek te hebben. Een opgezwollen beest, een rat waarschijnlijk. Maar geen luiken of doorgangen. Ze deed de lamp uit en dit keer hadden haar ogen geen tijd nodig om te wennen aan de overgang. Ze zag meteen waar het daglicht vandaan kwam: er stond een rechthoek afgetekend in het schot. Ze liet de lucht uit haar longen ontsnappen. 'Verdomd mooi kloteding van me.'

Een luik in het schot, half onder water. Waarschijnlijk om de kolen van het ene compartiment naar het andere over te brengen. Er was geen enkele reden waarom het op slot zou moeten zijn. De ontvoerder had zich eerder niet in het volgende stuk tunnel bevonden, maar dat wilde niet zeggen dat hij in de laatste paar uur niet kon zijn teruggekomen. Maar ze had niet veel keus; ze kon door de schuit heen kruipen en hem tegemoet treden of ze kon hier doodgaan.

Ze haalde haar oude Zwitserse legermes uit de rugzak en ook de meerpen die ze laatst gevonden had, en schoof ze allebei in de kleine waterproof zak met het trekkoord die ze om haar pols droeg.

Ze deed de elastieken band van haar hoofdlamp om haar hoofd, knielde in de modder en liet zich langzaam zakken tot het water tot aan haar borst stond. Ze ging op haar knieën de romp in, haar handen onder water uitgestrekt, zoekend naar obstakels, haar hoofd door de met roest behangen spinnenwebben, de kin omhoog om haar mond uit het water te houden. Als hij zich in het volgende stuk tunnel bevond, maakte ze zich geen zorgen over de kans dat hij de lichtstraal van haar lamp zou zien bewegen. Het zou aan de andere kant te licht zijn om dat te kunnen zien, maar hij zou haar wel kunnen horen. Ze ging met haar vingers over de meerpen en verzekerde zich ervan dat ze hem zo kon grijpen.

Ze bewoog voorzichtig en ademde door haar mond, zodat de bittere geur van haar adem bleef hangen in de kleine ruimte. De geur van een nacht van angst en zonder voedsel, vermengd met de vage teergeur van kolen van de binnenkant van de romp.

Ze kwam bij het schot en merkte dat minstens zestig centimeter van het luik zich onder water bevond. Ze kon het grootste deel ervan door haar handschoenen heen voelen. Naar de rest moest ze raden, tastend met de gevoelloze neuzen van haar laarzen. Ze vond een grendel halverwege de naad: open. Voor zover zij kon beoordelen, werd het luik alleen dichtgehouden door de roest van tientallen jaren. Er zou aan geen van beide kanten waterdruk zijn. Als ze deze kant kon vrijmaken, zou het niet onmogelijk zijn om het open te krijgen. De truc was om dat zo laag mogelijk te doen.

Met haar tong tussen haar tanden liet ze het lemmet van het legermes in de kier tussen het luik en het schot glijden en stak zachtjes de roest weg. De modder op de bodem van de schuit schoof ze met haar voeten weg. Ze durfde niet haar handschoenen uit te doen – haar vingers waren dik en pijnlijk toen ze ze tegen de rand van het luik zette. Ze tilde een zware voet op, zodat ze zich kon afzetten tegen het schot, liet al haar energie in haar vingers stromen, zette haar tanden op elkaar en trok. Opeens klonk er een luide plop. Er dwarrelden wat roestvlokken op haar neer en door het luik kwam een golf warmer water tegen haar buik.

Het geluid van het openschietende luik gaf haar een gevoel alsof er een hand tegen haar oor stompte. Te hard, en voor het eerst in tijden was ze bang. Ze merkte dat ze zich niet kon verroeren. Ze bleef precies waar ze was, ineengedoken, half onder water, met grote ogen wachtend op een reactie aan de andere kant van het luik.

51

Er flitste blauw licht over de huismuren in het smalle straatje en in de verte jankten droevig de sirenes; de ambulances met Janice en haar moeder reden behoedzaam het ochtendverkeer in. Er stonden ongeveer vijftig buurtbewoners achter het politielint, die probeerden te zien wat er gebeurde bij het onopvallende gebouw waarvoor de politie zich had verzameld.

Voor het huis waren alleen maar bleke gezichten te zien, stil en ernstig. Niemand kon helemaal geloven dat het was gebeurd, dat Emily onder hun neus was weggekaapt. Het hele korps stond op zijn achterste benen. Het gerucht ging dat de korpschef zelf in aantocht was om uit de eerste hand kennis te nemen van de enorme puinhoop die ze ervan hadden gemaakt. De telefoontjes van de pers volgden elkaar snel op en het middelpunt van deze storm was rechercheur Paul Prody.

Hij zat aan een kleine picknicktafel die vreemd genoeg op het zielige stukje gras voor het huis was geplaatst. Iemand had hem een T-shirt geleend, zodat hij niet meer naar braaksel stonk – zijn eigen overhemd zat in een dichtgeknoopte plastic tas aan zijn voeten – maar hij wilde zich niet door een ambulancebroeder laten aanraken. Hij had moeite met zijn evenwicht; hij moest zijn arm op de tafel houden en zich concentreren op een punt op de grond. Af en toe zwaaide zijn lichaam een beetje en moest iemand hem vasthouden.

'Ze denken dat het een soort chloroform was, wellicht gemaakt van bleek en aceton.' Caffery had weer toegegeven aan de verlokkingen van de tabak. Hij zat op het andere bankje een strak gerolde sigaret te roken en keek Prody met samengeknepen ogen aan. 'Zelfgemaakt verdovingsgas. Ouderwets. Als je er genoeg van binnenkrijgt, tast het je lever aan. Daarom hoor je in het ziekenhuis te liggen. Ook al denk je dat er niets aan de hand is.'

Prody schudde schokkerig zijn hoofd en zelfs die lichte beweging leek hem uit zijn evenwicht te brengen. 'Rot op.' Hij klonk alsof hij een zware verkoudheid had. 'Denk je dat Janice me in hetzelfde ziekenhuis wil zien?'

'Een ander ziekenhuis, dan.'

'Vergeet het maar. Ik blijf hier zitten. Om adem te halen.'

Hij zoog met veel vertoon lucht in zijn longen. In, uit, in, uit. Pijnlijk. Caffery keek zwijgend toe. Prody had de nacht doorgebracht met Janice Costello, een kwetsbare persoon, wat Caffery bijna net zo nijdig had gemaakt als dat gedoe over de zaak-Kitson. Als de omstandigheden anders waren geweest, had hij het misschien leuk gevonden om te zien hoe Prody in de fout ging, maar hij had onwillekeurig een beetje medelijden met hem omdat hij de boel zo verkloot had. Hij begreep waarom de man niet in hetzelfde ziekenhuis wilde liggen als Janice en haar moeder. Hij had immers niet kunnen voorkomen dat Emily werd ontvoerd.

'Het komt wel goed. Geef me tien minuten, dan ben ik klaar om te gaan.' Hij keek met bloeddoorlopen ogen op. 'Ze zeiden dat je weet waar hij is.'

'We zijn er niet zeker van. We hebben een garage in Tarlton, vlak bij het kanaal. Ze hebben haar doorzocht.'

'Iets gevonden?'

'Nog niet. Ze hebben zich teruggetrokken. Misschien gaat hij er nu heen met Emily. Maar...' Hij kneep zijn ogen tot spleetjes en keek de straat af naar waar de huizen in de verte verdwenen. 'Nee. Dat doet hij natuurlijk niet. Het zou te gemakkelijk zijn.'

'Je weet dat hij mijn telefoon heeft meegenomen?'

'Ja. Hij staat uit, maar we hebben al een pingtest opgestart. Als hij hem aanzet, kunnen we er een driehoeksmeting op doen. Maar zoals ik al zei, hij is te slim. Als hij hem aanzet, heeft hij er een reden voor.'

Prody huiverde. Met gebogen hoofd keek hij somber de weg af, eerst in de ene, daarna in de andere richting. Het was een koude, maar zonnige dag. De mensen die naar hun werk moesten, waren al vertrokken. De moeders die hun kinderen naar school hadden gebracht waren weer thuis en hun auto's stonden netjes op de opritten geparkeerd. In plaats van naar binnen te gaan, waren ze naar het politielint gewandeld en ze stonden met hun armen over elkaar naar de politiebusjes en de ambulances te kijken. Hun ogen waren net naalden, die Caffery en Prody vastpinden op de plek waar ze zaten. Ze wilden antwoorden.

'Ik heb helemaal niets gemerkt. Ik herinner me ook niets. Ik ben zwaar in de fout gegaan.'

'Dat hoef je mij niet te vertellen. Je hebt er een puinhoop van gemaakt. Maar niet omdat je die klootzak niet hebt tegengehouden. Daarom niet.' Caffery kneep in het uiteinde van de sigaret, zodat de brandende as op een papieren zakdoekje viel dat Nick hem had gegeven. Hij vouwde het op, drukte flink om de hitte te doven en deed het met de peuk in zijn binnenzak. Er was niemand in de flat.

242

Ze hadden hem grondig afgezocht naar Emily – zelfs de zolder – en zodra ze er zeker van waren dat ze er niet was, hadden ze hem verzegeld, zodat de plaats delict zo goed mogelijk intact kon blijven voor de technische recherche, die nog steeds niet was gearriveerd. Als ze kwamen, was hij niet van plan ze tegen de haren in te strijken door overal peuken achter te laten. 'Nee. De grote fout was dat je hier was. Jij bent als rechercheur bezig met deze zaak. Je had hier 's avonds na je dienst niet mogen zijn. Hoe is dat verdomme gekomen?'

'Ik ben hier 's middags heengegaan, zoals je me had gevraagd. Ze was...' Hij maakte een zwak gebaar. 'Ze was... je weet wel. Dus ben ik gebleven.'

'Wat was ze? Aantrekkelijk? Beschikbaar?'

'Alleen. Hij was opgesodemieterd. Naar zijn werk.'

'Wat een taal.'

Prody staarde hem aan alsof hij graag iets zou willen zeggen, maar het niet kon. 'Hij was naar zijn werk gegaan en had zijn vrouw en dochter in deze situatie achtergelaten. Hij had ze in de steek gelaten. Ze waren bang. Wat zou jij hebben gedaan?'

'Ik heb bij de Londense politie één ding in mijn hoofd gestampt gekregen bij de trainingen. Als je profiteert van een vrouw als zij, iemand die al een slachtoffer is, is het alsof je op gewonde dieren jaagt. Alsof je op gewonde dieren jaagt.'

'Ik heb niet van haar geprofiteerd, ik had medelijden met haar. Ik ben niet met haar naar bed geweest. Ik ben gebleven omdat ik dacht dat het je wat overuren zou besparen, en omdat zij zei dat ze zich veiliger voelde als ik er was.' Hij schudde ironisch zijn hoofd. 'Een geluk dat ik haar niet in de steek heb gelaten, vind je niet?'

Caffery zuchtte. Aan alles in deze zaak hing de bedompte stank van verslagenheid. 'Vertel het nog eens allemaal. Costello gaat 's middags weg? Naar zijn werk?'

'Een van de patrouillewagens heeft hem erheen gebracht. Nick had het geregeld.'

'En hij komt niet meer thuis?'

'Jawel. Voor een minuut of tien. Het was om een uur of negen 's avonds. Volgens mij had hij gedronken. En zodra hij de deur door is, begint hij tegen haar tekeer te gaan.'

'Waarom?'

'Omdat...' Prody brak zijn zin af.

'Waarom?'

Zijn gezicht verstrakte. Hij leek iets te willen zeggen, iets bitters. Maar hij deed het niet. Na een paar tellen vervlakte zijn gezicht weer. 'Ik weet het niet. Iets huishoudelijks waar ik niets mee te maken had. Ze waren allebei boven en voor ik het weet staat zij tegen hem te gillen en komt hij vloekend de trap af rennen en gaat ervandoor. Slaat de deur achter zich dicht. Zij springt achter hem aan en doet alle kettingen op de deur. Ik zeg zoiets als 'mevrouw Costello, dat zou ik echt niet doen, u jaagt hem alleen maar tegen u in het harnas' en zij zegt gewoon 'dat kan me geen moer schelen'. En ja hoor, hij komt een halfuur later terug, merkt dat de kettingen op de deur zitten en begint te vloeken en met de deur te rammelen.

'Wat heb je toen gedaan?'

'Ze vroeg me hem te negeren, dus dat deed ik.'

'En uiteindelijk gaat hij weg en laat jullie alleen?'

'Uiteindelijk. Ik denk dat hij... Laat ik het zo zeggen, ik denk dat hij een andere plek had waar hij de nacht kon doorbrengen.'

Caffery haalde het verfrommelde servet uit zijn zak en inspecteerde de peuk. Hij vouwde het weer dicht en deed het weer in zijn zak. 'We hebben jou in de keuken gevonden.'

'Ja.' Hij keek op naar het open raam. 'Ik weet nog dat ik daarheen ben gegaan. Ik had chocolademelk voor ons allemaal gemaakt en wilde de kopjes afwassen. Daar houdt mijn herinnering op.'

'Hoe laat was dat?'

'God mag het weten. Een uur of tien, misschien? Emily was wakker geworden van al het lawaai.'

'Het raam was geforceerd. Er staan afdrukken in het gras. Van een ladder.' Hij knikte naar de plek waar de mannen politielint aan drie tijdelijke hekken hadden gebonden, zodat er een stuk grond was afgezet. 'Minder zichtbaar aan de zijkant. Hij zal jou eerst hebben uitgeschakeld. In de keuken. Dat zal in de rest van het huis niet te horen zijn...' Hij brak zijn zin af. Een politie-BMW kwam de straat in rijden en stopte bij de stoeprand. Cory Costello stapte uit. Zijn jas was open en onthulde een duur pak. Hij zag er netjes uit, gedoucht en geschoren. Dus waar hij de nacht ook had doorgebracht, het was niet op een bankje in het park geweest. Nick, die in Caffery's Mondeo had zitten bellen, sprong er meteen uit en hield Cory staande. Ze praatten even en toen keek Cory naar de verzamelde agenten en toeschouwers. Zijn blik viel op Caffery en Prody. Geen van de mannen verroerde zich. Ze bleven gewoon zitten en lieten hem kijken. Even leek er een stilte over de hele straat te vallen. De vader die zijn dochter kwijt was. En de twee politiemannen die er iets aan hadden moeten doen. Cory begon op hen af te lopen.

'Zeg niets tegen hem.' Caffery bracht zijn gezicht dicht bij dat van Prody en sprak snel en doordringend. 'Als er iets gezegd moet worden, laat je mij dat doen.'

Prody gaf geen antwoord. Hij bleef naar Cory kijken, die op een afstandje bleef staan.

Caffery draaide zich om. Cory had een heel glad gezicht, zonder rimpels of plooien in zijn voorhoofd. Een smalle kaak, een vrouwelijke neus en heel heldere grijze ogen, die gericht waren op de zijkant van Prody's gezicht. 'Schoft,' zei hij zachtjes.

Caffery voelde dat Nick, ergens rechts van hem, in paniek raakte om wat er zou kunnen gebeuren.

'Schoft. Schoft. Schoft.' Cory's gezicht was kalm. Zijn stem was bijna een fluistering. 'Schoft schoft schoft schoft schoft schoft schoft.'

'Meneer Costello...' zei Caffery.

'Schoft schoft schoft schoft schoft.'

'Meneer Costello!'

Cory rilde. Hij deed een halve stap achteruit en knipperde met zijn ogen. Toen leek hij zich te herinneren wie en waar hij was. Hij trok zijn manchetten recht, draaide zich om en keek de straat door met een beleefde, redelijke uitdrukking op zijn gezicht. Alsof hij erover dacht het huis te kopen en de buurt beoordeelde. Toen trok hij zijn jas uit en liet hem op de grond vallen. Hij wikkelde de sjaal van zijn nek, liet hem op de jas vallen. Hij bleef even naar het hoopje staan kijken, alsof het hem enigszins verraste het daar te zien. Toen deed hij zonder verdere waarschuwing drie passen om de picknicktafel heen en rende op Prody af.

Caffery had net tijd om overeind te springen terwijl Prody van de bank werd getrokken en op zijn rug op het gras werd gegooid. Hij stribbelde niet tegen; hij liet Cory zijn gang gaan en bleef met zijn armen half over zijn gezicht liggen terwijl de man in het zakenpak een regen van stompen op hem liet neerdalen. Bijna geduldig, alsof hij dit aanvaardde als zijn straf. Caffery dook om de picknicktafel heen en greep Cory's armen, terwijl Wellard en een andere agent over het grasveld aan kwamen rennen.

'Meneer Costello!' riep Caffery tegen de achterkant van zijn hoofd, met het volmaakte kapsel. De twee andere agenten grepen zijn handen. 'Cory, laat hem gaan. Je moet hem met rust laten, anders zijn we gedwongen je de handboeien om te doen.'

Cory wist nog twee stompen in Prody's ribben te geven voordat de mannen van het duikteam zijn armen achter zijn rug hadden gewrongen en hem wegtrokken. Wellard rolde Cory over de grond weg, greep hem van achteren terwijl hij op zijn zij lag en drukte zich tegen zijn rug, met zijn gezicht in zijn nek. Prody wist op handen en knieën overeind te komen en een eindje weg te kruipen. Daar bleef hij hijgend zitten.

'Dat heb je niet verdiend.' Caffery ging op zijn hurken naast Prody zitten, pakte hem bij zijn shirt en trok hem overeind, waarna hij stond te zwaaien op zijn benen. Zijn gezicht was slap en zijn mond bloedde. 'Dat heb je echt niet verdiend. Maar je had hier niet mogen zijn.'

'Ik weet het.' Hij veegde over zijn voorhoofd. Er liep bloed over zijn hoofd, waar Cory een lok haar uit had weten te trekken. Hij zag eruit alsof hij zou gaan huilen. 'Ik voel me belabberd.'

'Luister, en luister goed. Ik wil dat je naar die aardige jonge verpleegster daar gaat en haar vertelt dat je naar het ziekenhuis wilt om nagekeken en opgelapt te worden. Heb je me gehoord? En daarna ontsla je jezelf uit het ziekenhuis en bel je mij. Om te vertellen dat alles oké is.'

'En jij?'

'Ik?' Caffery ging rechtop staan. Hij veegde zijn jasje en de knieën van zijn broek af. 'Ik denk dat ik maar eens in die verdomde garage ga kijken. Niet dat we hem daar zullen vinden. Zoals ik al zei.'

'Te slim?'

'Precies. Veel te slim.'

52

Het was een rustige streek, landelijk en heel mooi. Aan de rand van de Cotswolds, met hier en daar arbeidershuisjes en landhuizen opgetrokken uit de plaatselijke steen, die op bruine suiker leek. De garage die Ted Moon huurde, behoorde tot een groepje gebouwen dat zo slecht paste bij de omgeving dat het niet lang kon duren voor er iemand langskwam met een sloopbal. Er stonden vijf vierkante gebouwen van goedkope bouwblokken, elk met een met mos overgroeid dak van ijzeren golfplaten. Er moest vroeger vee in hebben gestaan. Geen bedrijfsbordjes en geen activiteit. God mocht weten waarvoor ze gebruikt werden.

Ted Moons garage was het laatste van de gebouwen aan de westkant, waar de bebouwing plaatsmaakte voor boerenland. Als je haar zo zag, donker en onopvallend in het sprankelende herfstzonnetje, zou je niet denken dat er slechts een halfuur eerder een van de meest intensieve en beladen politieonderzoeken in jaren had plaatsgehad. De teams waren door de zijdeur naar binnen gegaan en binnen een paar minuten had het overal gewemeld van de agenten. Ze hadden het hele gebouw op zijn kop gezet, maar niets gevonden. Nu waren ze nergens te zien. Het was doodstil. Maar de politie was er nog wel. Tussen de stille bomen stonden agenten die het gebouw omsingeld hadden. Acht paar ogen keken en wachtten.

'Hoe is het signaal daarbinnen?' Op een parkeerplekje dat vanaf de weg niet te zien was zat Caffery gedraaid op de voorbank van een van de Sprinter-busjes, met zijn arm over de rugleuning van de stoel, met de hoofdagent van het team te praten. 'Zijn de radio's ook maar een seconde uitgevallen?'

'Nee. Hoezo?'

'Ik ga even rondkijken. Maar ik wil wel zeker weten dat ik gewaarschuwd word als hij komt opdagen.'

'Prima, maar je zult niets vinden. Je hebt de lijst gezien. Tien gestolen wagens, vijf gestolen bromfietsen, een stapel dubieuze nummerplaten en de gloednieuwe Sony-breedbeeld-tv en een blu-ray-speler van een respectabel burger, nog steeds in de doos.'

'En de Mondeo van de politie?'

De hoofdagent knikte. 'En een Mondeo die zonder toestemming van het parkeerterrein van de afdeling Zware Misdrijven zou zijn meegenomen. Er staat een terreinwagen die te oordelen naar de remschijven in de laatste vierentwintig uur heeft gereden en verder liggen er wat roestende landbouwspullen in de hoek. En dan al die duiven. Het is één grote nestplaats voor die beesten.'

'Als je er maar voor zorgt dat de uitkijken weten dat ze me moeten waarschuwen.' Caffery sprong uit het busje. Hij controleerde of hij signaal had op de radio aan zijn riem, trok zijn jas aan en stak zijn hand op naar de hoofdagent. 'Oké?'

De zon op de gebarsten oprit maakte de wereld voor het eerst in dagen bijna warm. Zelfs de stengels van het kruiskruid dat in de spleten groeide leken naar de hemel te reiken, alsof ze hunkerden naar de lente. Caffery liep snel en gejaagd, met gebogen hoofd door. Bij het zijraam van het gebouw – dat slechts één netjes ingeslagen ruitje vertoonde en zonder politielint of andere tekenen dat ze daar geweest waren – trok hij zijn mouw over zijn hand, duwde zijn arm door het gat en maakte de grendel open. Hij was voorzichtig toen hij naar binnen klom. Hij had in slechts één jaar twee goede pakken bedorven bij zijn werk en was niet van plan dat nog eens te doen. Hij sloot het raam achter zich en bleef stil om zich heen staan kijken.

Aan de binnenkant zag de ruimte er meer uit als een schuilkelder. Het weinige licht dat naar binnen kwam, viel door gebarsten en doffe ramen in stoffige vierkanten op de vloer. Er was een enkele gloeilamp aan een haak in het plafond gehangen en de spinnen hadden er sierlijke regenbogen omheen geweven. De auto's – in een verscheidenheid van formaten en kleuren – stonden in drie rijen, met de neus naar de deur. Allemaal gepoetst en glanzend alsof dit een showroom was. Moon had de rest van de gestolen goederen in een hoek verzameld, bij elkaar gepropt alsof ze dan minder zouden opvallen. De landbouwspullen lagen aan de andere kant. Achter de auto's, in het midden van de ruimte, stond een oude Cortina, als een half opgegeten karkas op de prairie, waarvan alle ingewanden te zien waren.

Caffery liep door het holle gebouw naar de roestende ploegen. Hij bukte om tussen de wirwar aan spullen te kijken en zich ervan te vergewissen dat er niets te vinden was. Toen liep hij naar de andere kant van de garage en bekeek de verzameling gestolen goederen. Overal waar hij liep kraakte onder zijn voeten de duivenpoep, die kleine stalagmieten had gevormd. De Cortina moest een van de laatste in zijn soort zijn. Hij had een vinyl dak en achterlichten met een roostertje ervoor, en hij stond daar duidelijk al jaren. Spinrag verbond de open motorkap met het chassis. Het was een raadsel waarom deze wagen zo aan zijn lot was overgelaten, terwijl alle andere auto's stonden te glanzen. Caffery ging terug naar de andere hoek en sneed met zijn zakmes een stuk karton van de doos van de Sony-tv. De man die over de bewijsstukken ging zou over de rooie gaan, maar liever dat dan nog een pak naar de maan helpen. Hij nam het karton mee naar de Cortina, gooide het op de grond en ging erop liggen. Met zijn tenen duwde hij zich een paar centimeter verder onder de auto.

Dus dat was waarom de Cortina nooit verzet werd.

'Eh...' Hij trok de radio dichter naar zijn mond. Drukte op de zendknop. 'Heeft iemand gezien dat er een smeerkuil onder de auto zit?'

Er volgde een pauze en toen een statisch geruis, en daarna kwam de stem van de hoofdagent door. 'Ja, dat hebben we gezien – ik heb een van onze jongens erin laten kruipen.'

Caffery gromde. Hij klopte op zijn broekzakken. Aan zijn sleutelring zat een ledlampje. Bedoeld om 's nachts het slot op een autoportier te kunnen vinden, dus het gaf niet veel licht. Toen hij het in het gat hield, kon hij net de zijkanten onderscheiden, die waren bekleed met MDF-panelen die eruitzagen alsof ze eens deel hadden uitgemaakt van keukenkastjes. Hij liet het licht er even overheen gaan en omdat hij nu eenmaal iemand was die nooit langs een open deur had kunnen lopen zonder naar binnen te kijken, schoof hij vervolgens onder de wagen uit, legde het karton in de lengte langs de kuil, ging er weer op liggen, liet zich in de kuil rollen en kwam met een schok die doortrilde in zijn botten op beide voeten terecht. Het was meteen donkerder. De roestende Cortina boven hem hield het weinige licht in de garage tegen. Hij deed het lampje weer aan en scheen ermee om zich heen om de panelen te bestuderen, de goedkope kastdelen vol olievlekken, met afdrukken waar de grepen moesten hebben gezeten. Hij controleerde de betonnen vloer. Stampte erop. Niets. Hij legde de sleutelring op het karton en wilde zich net optrekken toen iets hem deed stoppen. Hij trok de sleutels zorgvuldig terug, ging op zijn hurken in de kuil zitten en hield de lamp omhoog.

Alle panelen waren vastgespijkerd aan latten die op het beton waren gezet. Maar er was geen goede reden om een smeerkuil zo af te werken. Tenzij je iets wilde verbergen. Hij liet zijn vingers langs de onderkant van het paneel achter in de kuil gaan. Trok eraan. Het gaf niet mee. Hij zette zijn mes tussen het paneel en de lat, trok het naar voren en zag de ruimte erachter.

Caffery's hart bonsde. Iemand had gezegd dat er gaten en grotten waren in deze streek. Het was de man geweest van de trust die de Sapperton Tunnel beheerde, die het team van Flea Marley had geïnstrueerd. Hij had gezegd dat hier overal met elkaar in verbinding staande tunnels en gaten waren. Een man die zo sterk was als Ted Moon kon een vierjarig meisje als Emily een heel eind door die tunnels dragen. Naar een van tevoren uitgekozen plek. Een plek waar hij ongestoord kon doen wat hij wilde.

Caffery trok zich op uit de kuil en ging weer naar het raam. Onder het lopen zette hij het volume van zijn radio zachter. 'Hé.' Hij leunde uit het raam en siste tegen de anderen: 'Degene die de smeerkuil in is gegaan, heeft die ook die dichtgetimmerde ingang gezien?'

Er viel een lange stilte. Toen: 'Herhaal dat eens, meneer. Ik geloof dat ik hier iets mis.'

'Er zit hier verdomme een gat waardoor hij kon ontsnappen. Om uit de smeerkuil te komen. Heeft iemand dat gemerkt?'

Stilte.

'Jezus. Laat maar. Er is hier iets. Ik ga kijken. Laat iemand hierheen komen, wil je? Hij hoeft niet in mijn nek te lopen hijgen – ik wil geen honderd kilo gewapende politieman achter me aan hebben stommelen, maar het zou fijn zijn om te weten dat er iemand in de kuil zit om me dekking te geven.'

Weer een stilte. Toen: 'Ja, dat is geen probleem. Er komt iemand aan.'

'Maar laat de buitenkant zo normaal mogelijk. Als Moon toch op komt dagen, wil ik niet dat hij hier allerlei mannen in het zwart ziet rondlopen.'

'Doen we.'

Caffery liep krakend terug door de duivenpoep en rolde het gat in. Nu de bovenkant van het paneel al half van de lat was, kwam de rest gemakkelijk los. Hij zette het opzij, bukte en keek naar wat er voor de dag was gekomen.

Het was een tunnel, groot genoeg om een man door te laten. Zelfs een lange man hoefde maar iets te bukken om er doorheen te kunnen lopen. Zo ver Caffery kon zien lagen er smerige kranten op de grond. Hij scheen met zijn lampje naar binnen: er was een aarden plafond, gestut door dikke balken, zoals je in de beste oorlogsfilms zag, *The Great Escape* en zo. De constructie was ruw, maar effectief. Iemand had hard gewerkt om een soort ondergrondse gang aan te leggen.

Hij deed een paar stappen naar binnen, achter de lichtstraal van zijn lamp aan. Het was hier warmer dan boven en de lucht rook zwaar naar turfachtige plantenwortels. Er heerste ook een gedempte stilte. Hij deed nog een paar voorzichtige stappen en bleef telkens staan om te luisteren. Toen het licht van de smeerkuil achter hem niet meer was dan een grijs gat, deed hij de lamp uit en bleef even heel stil staan, met zijn ogen stijf dichtgeknepen. Hij concentreerde zich erop zijn oren te openen en te luisteren naar de duisternis om hem heen.

Toen hij klein was en samen met Ewan op één kamer had geslapen, hadden ze een spelletje gespeeld als het licht uit moest; als hun moeder de deur had dichtgedaan en de krakende trap was af gelopen, sloop Ewan op zijn tenen over de kale vloerplanken en kroop hij bij Jack in bed. Dan lagen ze samen op hun rug en probeerden niet te giechelen. Ze waren te jong om over meisjes te praten – het ging over dinosaurussen en boemannen, en hoe het zou wezen om soldaat te zijn en iemand te doden. Ze probeerden elkaar de stuipen op het lijf te jagen. Het ging erom het engste verhaal te vertellen dat je kon verzinnen. Daarna hield je je hand op de borst van je broer om te voelen of zijn hart er sneller van was gaan kloppen. Degene wiens hart het snelst klopte, had verloren. Ewan was de oudste, dus meestal won hij. Jack had een hart als een stoomhamer, een groot, vlezig orgaan dat hem tot in de negentig in leven zou houden, had de dokter gezegd, als hij het tenminste niet marineerde in de Glenmorangie. Hij had geleerd het rustig te houden. Nu bonsde het bijna zijn borstkas uit en joeg het bloed door zijn aderen, omdat hij het gevoel had dat hij hier niet alleen was – een volslagen uit de lucht gegrepen sensatie als koud water op zijn huid.

Hij keek om naar het puntje licht van de ingang. De back-up was onderweg. Daar moest hij op vertrouwen. Hij klikte de lamp weer aan en scheen er verder mee in het gat. De zwakke straal viel in schaduwen uiteen. Er was hier niets. Dat kon ook niet. Het paneel had vastgetimmerd gezeten. Toch kon hij zich voorstellen dat er iemand ademde in de duisternis om hem heen.

'Hé, Ted,' probeerde hij. 'We weten dat je hier bent.'

Zijn stem kwam naar hem terug. *We weten dat je hier bent.* Gedempt door de aarden muren klonk hij vlak. Niet overtuigend. Hij liep verder, met de lamp voor zich uit en een stijve arm. De haartjes in zijn nek stonden overeind. Hij zag het gezicht van de Wandelaar in het donker: *hij is slimmer dan alle anderen.* Binnen een meter of acht stuitte hij op een muur. Hij was aan het eind van de tunnel gekomen. Hij scheen met de lamp om zich heen en omhoog naar de balken en de houten steunen. Liep de tunnel dood?

Nee. Ongeveer twee meter terug zag hij een gat in de muur, ongeveer ter hoogte van zijn middel. Hij was er gewoon langsgelopen.

Hij ging een paar passen terug, bukte en liet het licht van de lamp in het gat vallen. Het was een opening naar een andere tunnel. Hij liep in een hoek van ongeveer vijfenveertig graden weg, maar was te lang om de lichtstraal tot het einde te laten reiken. Hij snoof. Er hing een geur van smerige, ongewassen kleren of iets dergelijks. 'Ben je daar, klootzak? Want als dat zo is, heb ik je.'

Hij ging door de opening, gebukt en met zijn handen voor zich uit. Zijn rug en schouders veegden langs het plafond – dat was het dan wat het pak betrof. De tunnel ging ongeveer drie meter licht naar beneden en kwam toen uit in een kleine ruimte, die breder was dan de rest. Hij bleef bij de ingang staan, in een verdedigende houding, klaar om achteruit te gaan als er iets op hem af kwam. Het licht speelde door de kleine grot. Zijn hart bonsde nog steeds in zijn borst.

Hij had gelijk gehad toen hij dacht dat hij hier niet alleen was. Maar het was niet Ted Moon die bij hem was.

Hij kroop de tunnel weer in en hield de radio voor zich uit, zodat die zich op één lijn bevond met de ingang. 'Eh... die mannen die me dekken? Ontvangen jullie mij?'

'Ja, luid en duidelijk.'

'Kom niet de tunnel in. Herhaal: kom niet de tunnel in. Ik heb de technische recherche nodig en...' Hij liet zijn hoofd zakken. Legde zijn vingers tegen zijn ogen. 'En hoor eens, jullie kunnen ook beter een lijkschouwer laten komen.'

53

De technische recherche was slechts drie kilometer verderop aan het werk geweest en arriveerde als eerste, nog voor de dokter. Ze verzegelden de ingang en stelden tl-lampen op statieven op die de grot overspoelden met licht. Ze liepen in en uit in hun clownspakken. Caffery zei niet veel. Hij was naar buiten gegaan en had ze bij de smeerkuil opgewacht, had laarzen en handschoenen aangedaan, was samen met hen de tunnel weer in gegaan en stond nu in de ruimte met zijn rug tegen de muur en zijn armen over elkaar.

De grot was bezaaid met kranten en oude voedselverpakkingen. Bierblikjes en batterijen. Tegen de verste muur waren twee bedrijfspallets opgestapeld. Er lag een gestalte op die in een smerig laken was gewikkeld, gevlekt en broos en bedekt met dode insecten. De vorm was onmiskenbaar. Iemand die op zijn rug lag, met zijn armen over zijn borst. Hij was van boven tot onder ongeveer anderhalve meter lang.

'Je hebt niets aangeraakt?' De leider plaats delict kwam binnen en liet loopplaten in een lijn van de ingang naar het lichaam vallen. Het was de gedistingeerde, hooghartige man. Degene die de auto van de Costello's had gedaan. 'Daar ben je natuurlijk te slim voor.'

'Ik heb mijn gezicht er dichtbij gebracht, maar ik heb het laken niet aangeraakt. Dat hoefde niet. Je merkt het meteen als iets dood is. Daar is niet veel voor nodig, toch, zelfs niet voor een stomme agent?'

'Ben je de enige die hierbinnen is geweest?'

Caffery wreef in zijn ogen. Hij tilde een hand op en wees in de richting van het lichaam. 'Dat is geen volwassene, hè?'

De LPD schudde zijn hoofd. Hij bleef naast de opgestapelde pallets staan en bekeek het lichaam. 'Dat is geen volwassene. Zeker geen volwassene.'

'Je kunt zeker niet zeggen hoe oud? Zou ze tien zijn? Of jonger?'

'Ze? Hoe weet je dat het een ze is?'

'Denk jij dat het een hij is?'

De LPD draaide zich om en keek hem lang aan. 'Ze hebben me verteld dat dit nog steeds die ontvoeringszaak is. Ze zeiden dat je denkt dat Ted Moon de dader is.'

'Dat hebben ze goed verteld.'

'Die moord – dat meisje, Sharon Macy – dat was de eerste zaak die ik deed voor de politie, elf, bijna twaalf jaar geleden. Ik heb een hele dag bloed uit de vloerplanken zitten peuteren met een scalpel. Ik weet het nog als de dag van gisteren. Ik heb nog steeds nachtmerries over hem.'

De dokter kwam dubbel gebogen door de ingang. Een vrouw met een leuk kapsel en een regenjas met riem. Ze had hoezen over haar modieuze schoenen getrokken en handschoenen aangedaan. In de ruimte ging ze rechtop staan, hief haar hoofd en hield haar hand boven haar ogen tegen de gloed van de lampen. Caffery knikte tegen haar en glimlachte strak. Ze droeg haar stroblonde haar in een paardenstaart en ze zag er te jong en te aardig uit om dit te doen. Ze zag eruit alsof ze patisserie zou moeten verkopen of mensen zou moeten helpen met hun mondhygiëne.

'Heeft dit iets te maken met die autodief?' vroeg ze.

'Zeg het maar.'

De dokter trok haar wenkbrauwen op naar de LPD in een vraag om meer informatie. Maar hij haalde zijn schouders op en ging terug naar zijn dozen en loopplaten. 'Oké.' In haar stem was een zachte, nerveuze trilling te horen. 'Ook goed.' Ze liep voorzichtig door de ruimte, over de loopplaten. Bij het hoofd van het lijk bleef ze staan. 'Eh... mag ik dit wegsnijden? Om het gezicht te kunnen zien?'

'Hier.' De LPD gaf haar een stevige schaar uit zijn koffertje. Hij trok een van de tl-lampen naar beneden om haar bij te lichten en haalde een camera voor de dag. 'Laat me een paar foto's nemen terwijl je bezig bent.'

Caffery duwde zich van de muur af, liep over de loopplaten en ging naast de dokter staan. Haar gezicht was bleek in het groenige licht. Er waren vage roze vlekken te zien op haar wangen.

'Goed.' Ze glimlachte onzeker tegen hem en hij zag dat ze totaal niet wist waar ze mee bezig was. Te jong. Hoe volwassen ze ook probeerde te doen. Misschien was dit haar eerste keer. 'Nou, laten we maar eens zien wat we hier hebben.'

Toen de LPD de foto's had gemaakt, pakte ze het laken tussen haar vingers en probeerde de schaar erin te steken. Er kwam een licht scheurend geluid van de stof. Caffery wisselde een blik met de LPD. Er zat iets vast aan de onderkant van het laken.

Jij bent het niet, Emily. Jij bent het niet...

De dokter worstelde met de schaar om een gaatje in het laken te maken. Haar handen trilden. Het leek een eeuwigheid te duren voor ze een punt door de stof had geduwd. Ze wachtte even. Bracht haar pols naar haar voorhoofd. Glimlachte. 'Sorry. Het is lastig.' Toen, bijna in zichzelf: 'Oké... wat nu?' Ze knipte een spleet van ongeveer vijfentwintig centimeter lang in het laken. Duwde die heel voorzichtig open. Er viel een stilte. Toen keek ze naar Caffery, haar wenkbrauwen opgetrokken alsof ze wilde zeggen: *Daar. Dat is niet wat je had verwacht, hè?* Hij deed een stap naar voren en liet het licht van zijn lampje in de lijkwade vallen. Waar hij een gezicht had verwacht, zag hij een schedel, die vastzat aan het laken en was bedekt met een poederige bruine materie. Het was Martha ook niet. Maar misschien had hij dat al geweten door de toestand van het laken. Dit lichaam was langer dan een paar dagen dood. Dit lichaam was al jaren dood.

Hij keek op naar de LPD. 'Sharon Macy?'

'Daar zou ik mijn geld op zetten.' Hij nam nog een paar foto's. 'Als ik een gokker was. Sharon Macy. Asjemenou. Ik zweer je dat ik nooit had gedacht haar lichaam nog eens te zien. Nooit.' Caffery deed een stap achteruit. Hij keek naar de ruw uitgehouwen muren, de primitieve ondersteuning. Moon moest hier al voordat hij achter de tralies was beland aan gebouwd hebben. Het kostte intelligentie en kracht om zoiets te doen, om iets te maken dat zo complex en doeltreffend was. De ingang van deze ruimte had goed verborgen gelegen – Caffery had hem bijna gemist. Er konden nog andere tunnels zijn, andere plekken. Er kon wel een heel mierennest recht onder hun voeten liggen. Misschien lagen de lijken van Emily en Martha hier ook ergens. Daar, dacht hij, je hebt het woord *lijken* gebruikt. Dus je denkt dat ze dood zijn.

'Inspecteur Caffery?' Een mannenstem uit de tunnel achter hen. 'Inspecteur Caffery – bent u daar?'

'Ja? Wie is daar?' Hij liep over de loopplaten naar de ingang en riep door de tunnel: 'Wat is er?'

'Ondersteuningseenheid, meneer. Ik heb een telefoontje voor u. Jongedame. Ze kan u niet bereiken op uw telefoon. Ze zegt dat het dringend is.'

'Ik kom eraan.' Hij stak een hand op tegen de dokter en de LPD, draaide zich om en bukte om terug te lopen door de lage tunnel. De agent stond in de smeerkuil en zijn grote lijf blokkeerde het licht. Caffery zag het knipperende licht van de telefoon die hij onder het chassis van de Cortina omhooghield. 'U moet naar buiten om bereik te hebben, baas.'

Caffery pakte de telefoon van de agent aan en klom via de lichtgewicht ladder die de technische recherche had neergezet uit de smeerkuil, liep naar het raam van de garage en leunde naar buiten, knipperend tegen het vrieskoude daglicht. 'Inspecteur Caffery – wat kan ik voor je doen?'

'Meneer, kunt u zo snel mogelijk hierheen komen?' Het was de familierechercheur van de Bradleys. De lange vrouw met het glanzende zwarte haar. Hij herkende het zangerige accent uit Wales onmiddellijk. 'Nu meteen, graag.'

'Waarheen is dat?'

'Hierheen, naar het safehouse van de Bradleys. Alstublieft. Ik moet advies hebben.'

Caffery stak zijn vinger in zijn andere oor om de geluiden van de technisch rechercheurs achter hem buiten te sluiten. 'Wat is er? Je moet langzaam praten.'

'Ik weet niet wat ik moet doen. Iets als dit is niet aan bod gekomen bij de opleiding. Het is tien minuten geleden gekomen en ik kan het niet voor altijd voor haar verborgen houden.'

'Wat moet je dan voor altijd voor haar verborgen houden?'

'Oké.' De familierechercheur haalde een paar keer diep adem om haar zelfbeheersing terug te krijgen. 'Ik zat aan de ontbijttafel – het gebruikelijke beeld, Rose en Philippa op de bank, Jonathan die weer eens thee zette, en de telefoon van Rose op de tafel voor me. Opeens licht hij op. Normaal gesproken heeft ze het geluid aan staan, maar misschien krijgt ze niet veel sms'jes, want dat signaaltje stond uit. In ieder geval, ik kijk ernaar, zomaar eigenlijk, en...'

'En wat?'

'Ik denk dat het van hem is. Het moet van hem zijn. Ted Moon. Een sms.'

'Heb je hem gelezen?'

'Ik durf niet. Ik durf gewoon niet. Ik kan alleen het onderwerp lezen. En ik geloof trouwens niet dat het een tekstbericht is. Het is een mms.'

Een foto. Verdomme. Caffery ging rechtop staan. 'Waarom denk je dat hij van hem komt?'

'Door het onderwerp.'

'En dat is?'

'O, jezus.' De stem van de familierechercheur werd iets zachter. Hij kon zich haar gezicht voorstellen. 'Meneer, er staat: "Martha. De liefde van mijn leven."'

'Doe niets. Verroer je niet, zorg dat Rose het niet te zien krijgt. Ik ben er binnen het uur.'

54

Onderweg naar zijn auto gooide Caffery twee paracetamols in zijn mond en spoelde ze weg met gloeiend hete koffie uit de thermosfles van een van de mannen van de ondersteunende eenheid. Alles deed hem pijn. Hij had een hele lijst telefoongesprekken af te handelen terwijl hij de veertig kilometer lange rit naar het safehouse van de Bradleys maakte, met de slapende Myrtle op de achterbank. Huishoudelijke telefoongesprekken met zijn hoofdinspecteur, de commandant van het ondersteunende team op het hoofdbureau, het persbureau. Hij belde ook nog even naar kantoor en hoorde dat Prody zichzelf al had ontslagen uit het ziekenhuis, een debriefing had gehad en zich weer in de recherchekamer bevond, popelend om iets te doen dat de afgelopen nacht kon goedmaken. Caffery vertelde hem dat hij bij waarnemend hoofdagent Wellard moest navragen of Flea al ergens was opgedoken.

'Zo niet...' Hij stopte voor het safehouse bij het hoofdbureau. Het zag er redelijk normaal uit. Gordijnen open. Een of twee lampen aan. Binnen blafte een hond. '... ga dan met de buren praten en zoek uit wie haar vrienden zijn. Ze heeft ergens een rare herenloze broer – ga met hem praten. Haal een wegwerptelefoon of neem er een van de eenheid en sms me je nummer. En bel me zodra je iets weet.'

'Ja, oké,' zei Prody. 'Ik heb al een paar theorieën.'

De familierechercheur deed de deur open en hij kon aan haar gezicht meteen zien dat de toestand nog erger was dan toen ze hem gebeld had. Ze trok niet op die sarcastische manier haar wenkbrauwen op. Ze gaf zelfs geen commentaar op zijn smerige pak. Ze schudde alleen haar hoofd.

'Wat is er?'

Ze deed een stap achteruit naar de muur en deed de deur wijd open, zodat hij de gang kon zien. Rose Bradley zat in een roze ochtendjas en met pantoffels aan op de trap. Haar armen waren om haar buik geslagen en haar hoofd hing naar beneden. Er kwam een dun, mauwend geluid uit haar mond. Philippa en Jonathan stonden in de deuropening van de woonkamer hulpeloos en met uit steen gehouwen gezichten toe te kijken. Philippa hield Sophie bij de halsband. De spaniël blafte niet meer, maar bekeek Caffery argwanend en haar achterpoten trokken.

'Ze heeft de telefoon,' zei de familierechercheur. 'Ze is net een bloedhond als het om dat verdomde ding gaat. Ze heeft hem me weten te ontfutselen.'

Rose wiegde heen en weer. 'Dwing me niet hem aan jou te geven. Je mag het niet zien. Het is mijn telefoon.'

Caffery deed zijn jas uit en liet die op een stoel naast de deur vallen. Het was warm en een beetje vochtig in de gang. De muren waren bedekt met blauwwit structuurbehang. Dit moest een onderkomen zijn voor bezoekende politiefunctionarissen, maar het was afschuwelijk. Echt afschuwelijk. 'Heeft ze het bericht geopend?'

'Nee! Nee, dat heb ik niet gedaan.' Ze wiegde nog harder, met haar voorhoofd op haar knieën, en haar tranen maakten de ochtendjas nat. 'Ik heb het niet geopend. Maar het is een foto van haar, hè? Het is een foto van haar.'

'Alsjeblieft.' Jonathan had een vinger tegen zijn slaap gezet. Hij zag eruit alsof hij elk moment om kon vallen. 'Dat weet je niet. We weten niet wat het is.'

Caffery stond op de trap, twee treden onder Rose en keek naar haar. Ze had haar haar niet gewassen en er kwam een onaangename, kruidige geur van haar af. 'Rose?' Hij stak zijn hand uit, zodat ze haar eigen hand erin kon leggen, of de telefoon. 'Wat het ook is, wat er ook op de foto staat, het kan ons helpen haar te vinden, dat weet je.'

'Je hebt die brief gelezen. Je weet wat hij zei dat hij met haar ging doen. Het was verschrikkelijk, wat hij zei dat hij ging doen. Dat weet ik, want als het niet verschrikkelijk was geweest, had je hem aan mij laten zien. Stel dat hij een van de dingen heeft gedaan die hij zei dat hij zou doen en stel dat dit daar een foto van is?' Haar stem werd luider. Hij klonk strak en pijnlijk, alsof haar stembanden tegen elkaar schuurden door het niet-aflatende verdriet. '*Stel dat dat op die foto staat? Stel dat dat erop staat?*'

'Dat weten we pas als we gekeken hebben. Je moet me de telefoon geven.'

'Alleen als ik mag zien wat erop staat. Je houdt niets meer voor me verborgen. Dat kun je niet doen.'

Caffery wierp een blik op de familierechercheur, die met haar rug naar de deur en haar armen over elkaar stond. Toen ze zijn gezicht zag en besefte wat hij ging doen, hief ze gelaten haar handen, alsof ze wilde zeggen: *jij zegt het maar*.

'Philippa,' zei hij, 'jij hebt toch een laptop? Heb je een usb-stick voor de telefoon?'

'Nee. Het is er een met Bluetooth.'

'Ga halen, dan.'

Ze aarzelde en bewoog haar lippen alsof haar mond helemaal droog was. 'We gaan er toch niet naar kijken?'

'Je moeder wil me anders de telefoon niet geven.' Hij hield zijn gezicht neutraal, zonder enige uitdrukking. 'We moeten haar wensen respecteren.'

'O, jezus.' Ze huiverde. Trok Sophie de woonkamer in. '*Jezus.*'

Ze gingen aan de eettafel zitten wachten tot Philippa haar laptop had gehaald en opgesteld. Haar handen trilden. Jonathan was de keuken in gegaan en liep daar met dingen te rammelen. Waarschijnlijk was hij weer aan het afwassen. Hij wilde er niets mee te maken hebben. Alleen Rose trilde niet. Er was een ijzige kalmte over haar gekomen en ze zat heel stil aan tafel voor zich uit te staren. Toen de laptop klaar stond, gingen haar armen van elkaar en legde ze de telefoon midden op de tafel. Even bleef iedereen er zwijgend naar zitten kijken.

'Goed,' zei Caffery. 'Verder kan ik het zelf wel.'

Philippa knikte en wendde zich af. Ze wierp zich op de bank, haar knieën opgetrokken en een kussen tegen haar gezicht. De ogen boven het kussen stonden wijd open, alsof ze de meest afschuwelijke film zag en toch haar blik niet kon afwenden.

'Weet je het zeker, Rose?'

'Heel zeker.'

Hij liet Bluetooth de verbinding tot stand brengen en zette de jpeg over op de laptop. *Martha, de liefde van mijn leven.jpg.* Iedereen zat met zijn blik strak op het scherm gericht toen de foto langzaam werd gedownload, van onder af, en het beeld regel voor regel werd ingevuld. Eerst kwam er een blauwe vloerbedekking tevoorschijn. Toen de la onder een kinderbed.

'Haar bed,' zei Rose nuchter. 'Het bed van Martha. Hij heeft een foto genomen van haar bed. Die stickers aan de onderkant. Daar hebben we ruzie over gehad. Ik...' Ze onderbrak zichzelf. Haar hand ging naar haar mond toen de rest van de foto tevoorschijn kwam.

'Wat?' zei Philippa vanaf de bank. 'Mam? Wat zie je?'

Niemand gaf antwoord. Iedereen hield zijn adem in. Ze schoven allemaal iets dichter naar het scherm toe. Op de foto stond Martha's bed: wit, overdekt met stickers, roze beddengoed. Op de muur daarachter was een behangrand te zien met pirouetterende ballerina's erop. Maar niemand keek naar de muren of het beddengoed; ze keken naar wat er op het bed lag. Of liever, wie er op het bed lag.

Een man in een spijkerbroek en een t-shirt, met duidelijk afgetekende spieren. Zijn gezicht en hals werden bedekt door een Kerstmanmasker met een volle baard. Caffery hoefde niet onder het masker te kunnen kijken om te weten wat voor gezicht Moon trok. Hij grijnsde.

55

Terwijl de dag verstreek tot voorbij het middaguur begon een wolkenbank die zich aan de westelijke horizon had gevormd eindelijk naar het oosten te trekken. Caffery keek er af en toe naar terwijl hij onderweg was naar de pastorie in Oakhill. De wolken zagen eruit als de torens van wilde, heidense steden en rukten langs de hemel op. Hij zat op de passagiersstoel van een ongemarkeerde Mercedes-bus die werd gereden door een verkeersagent die zijn epauletten en das had afgedaan. Caffery had Myrtle in het kantoor in Kingswood afgezet, zijn auto daar geparkeerd en de bus besteld. Op de achterbank zaten Philippa en Rose. Jonathan en de familierechercheur zaten in de bmw achter hen. Rose was er nog steeds van overtuigd dat Martha zou proberen haar te bellen en wilde niet meer dan een paar passen van haar telefoon verwijderd zijn, maar Caffery had hem over weten te nemen door te zeggen dat hij in handen van een politieman moest zijn als Moon belde. Maar eigenlijk was iemand die onderhandelde bij gijzelingen de enige die de telefoon zou moeten hebben. Daar zei Caffery niets over. Hij was vanaf het allereerste moment vastberaden geweest de zaak niet aan een van die lui over te doen. De telefoon zat in zijn achterzak, met alle oproepsignalen op luid.

Ze arriveerden net voor één uur bij de pastorie. De chauffeur zette de motor uit en Caffery bleef even zitten om de omgeving in zich op te nemen. De gordijnen waren nog dicht, er stond nog steeds een leeg melkflessenrekje op de stoep, maar verder leek de situatie in niets op die van de dag dat hij de Bradleys daar had weggehaald. Het krioelde er van de agenten, zwaailichten, blauw met wit lint en her en der geparkeerde busjes. Een eenheid uit Taunton had het huis gecontroleerd. Er stond een hondenbusje voor de deur en de honden keken door het raster achter het achterraam naar buiten. Caffery was stiekem blij dat de honden niet losliepen. Hij had niet verwacht dat Moon hier met zijn handen omhoog zou zitten wachten, maar hij hoefde er niet door een hond aan te worden herinnerd hoe slim de schoft was. Wat een ellendige vertoning had het korps tot dusver gegeven. Hij geloofde niet dat hij nog een Duitse herder die jankend en verward kringetjes draaide zou kunnen verdragen.

Een meter of tien verderop stond een ongemarkeerd Renaultbusje met drie agenten in burger eromheen, die een sigaretje rookten en met elkaar praatten: het surveillanceteam, dat sinds het vertrek van de Bradleys het huis in de gaten had gehouden in de hoop dat Moon zich er zou laten zien.

Caffery maakte zijn gordel los, stapte uit de auto en liep naar hen toe. Hij bleef op een afstandje staan, zonder iets te zeggen, met zijn armen over elkaar. Hij hoefde niets te zeggen. Zijn gezicht zei alles wat er te zeggen viel. Het gesprek van de mannen stierf weg en een voor een draaiden ze zich naar hem om. Een van hen hield zijn sigaret achter zijn rug en glimlachte dapper; de tweede stond in de houding over Caffery's schouder heen te kijken, alsof Caffery de wacht kwam inspecteren. De derde sloeg zijn ogen neer en begon nerveus zijn overhemd glad te strijken. O, fijn, dacht Caffery, drie apen.

'Ik zweer u,' begon een van hen, en hij stak zijn hand op, maar Caffery bracht hem met een blik tot zwijgen en schudde teleurgesteld zijn hoofd. Hij draaide zich om en liep weer naar het huis, waar Jonathan bleek en met vertrokken gezicht op hem stond te wachten.

'Ik ga met je naar binnen. Ik wil haar slaapkamer zien.'

'Nee. Dat is geen goed idee.'

'Alsjeblieft.'

'Jonathan, wat denk je daarmee te bereiken?'

'Ik wil zien of hij...' hij keek op naar het raam, '...of hij daar iets gedaan heeft. Ik wil het gewoon zeker weten.'

Caffery wilde ook de kamer bekijken. Niet om dezelfde reden. Hij wilde zien of hij kon doen wat de Wandelaar deed; iets te weten komen over Ted Moon door gewoon de omgeving in zich op te nemen. 'Kom mee, dan. Maar zorg dat je niets aanraakt.'

De voordeur stond open en ze gingen naar binnen. Jonathans gezicht was net een masker. Hij keek even rond in de vertrouwde gang, waar alle oppervlakken waren bedekt met zwart stof om vingeraf-drukken zichtbaar te maken. Een technisch rechercheur van het team dat naar binnen was geweest en dat alles had bepoederd, haren van Martha's kussen had geplukt en al het beddengoed had mee-genomen, liep langs in zijn ruimtepak en verzamelde spullen. Caffery hield hem tegen. 'Waren er sporen van braak?'

'We hebben nog niets gevonden. Het is op dit moment een raad-sel hoe hij binnen is gekomen.' Hij neuriede het *na na na na, na na na na*- thema van *Twilight Zone* en besefte te laat dat de twee man-nen hem stijf aan stonden te kijken. Meteen trok hij weer een se-rieus gezicht en wees streng naar hun voeten. 'Komen jullie bin-nen?'

'Geef ons wat schoenhoezen en handschoenen. Dan komt het he-lemaal goed.'

De rechercheur gaf Caffery een paar van beide en overhandigde ook een set aan Jonathan. Ze trokken alles aan en Caffery stak een hand uit naar de trap. 'Zullen we?'

Caffery ging eerst naar boven en Jonathan volgde hem moede-loos. Martha's kamer zag er precies zo uit als op de foto van de ont-voerder: ingelijste foto's aan de muren, zwierende ballerina's op een roze rand, Hannah Montana-stickers op de la onder het bed. Alleen was de matras nu kaal; alles was eraf gehaald. En de divan, de muren en de ramen zaten vol poeder.

'Het ziet er sjofel uit.' Jonathan draaide langzaam om zijn as en nam alles in zich op. 'Je woont ergens zo lang dat je niet merkt dat het er sjofel uit begint te zien.' Hij liep naar het raam en hield een vinger tegen de ruit, en voor het eerst zag Caffery dat de man mager geworden was. Ondanks de preken over op krachten blijven, ondanks het feit dat hij voortdurend met eten bezig leek te zijn, was Jonathan degene die een beetje een mager nekje kreeg, wiens broek een beetje wijd om hem heen hing, niet Rose of Philippa. Hij zag eruit als een zieke, bejaarde gier.

'Meneer Caffery?' Hij wendde zich niet af van het raam. 'Ik weet dat we hier niet over kunnen praten waar Rose en Philippa bij zijn, maar als mannen onder elkaar, wat denk je ervan? Wat denk je dat Ted Moon met mijn dochter heeft gedaan?'

Caffery bestudeerde Jonathans achterhoofd. Het haar dat hij eerder krullerig had gevonden, leek nu dun. Hij besloot dat de man het recht had om voorgelogen te worden – want de waarheid, meneer Bradley, is als volgt: hij heeft je dochter verkracht. Dat heeft hij zo vaak gedaan als hij maar kon. En hij heeft haar vermoord – om haar stil te krijgen, zodat ze niet meer zou huilen. Dat is allemaal al gebeurd, waarschijnlijk op de dag na de ontvoering. Ted Moon heeft niets menselijks meer, dus hij kan haar lichaam zelfs gebruikt hebben nadat hij haar had vermoord. Dat is hij waarschijnlijk zo lang mogelijk blijven doen, maar dat deel is nu ook voorbij. Dat weet ik omdat hij Emily heeft ontvoerd. Hij had een ander meisje nodig. Wat er nu nog met Martha gebeurt, is dat hij probeert te bedenken wat hij met het lijk moet doen. Hij is goed in tunnels bouwen. Hij maakt mooie, goed gebouwde tunnels...

'Meneer Caffery?'

Hij keek op toen zijn gedachtegang werd onderbroken.

Jonathan stond naar hem te kijken. 'Ik zei, wat denk je dat hij met mijn dochter heeft gedaan?'

Hij schudde langzaam zijn hoofd. 'Zullen we doen wat we hier kwamen doen?'

'Ik had gehoopt dat dat niet was wat je dacht.'

'Ik heb niet gezegd dat ik ergens aan dacht.'

'Nee. Maar het was wel zo. Maak je geen zorgen. Ik zal het niet nog eens vragen.' Jonathan probeerde een dappere glimlach, maar die mislukte. Hij schuifelde weg bij het raam, naar het midden van de kamer.

Daar stonden ze een paar minuten naast elkaar, zonder iets te zeggen. Caffery probeerde zijn hoofd leeg te maken. Hij liet de geluiden en geuren en kleuren in zijn hoofd toe. Hij wachtte tot er iets gebeurde, tot er een boodschap door zijn bewustzijn trok, als een banner. Er gebeurde niets. 'Nou?' zei hij uiteindelijk. 'Heeft hij iets veranderd?'

'Ik geloof van niet.'

'Waar denk je dat de camera stond toen hij die foto maakte?' Caffery haalde de mobiel van Rose tevoorschijn, keek naar Moon op het bed en draaide het toestel op armslengte tot hij de juiste hoek had. 'Hij moet een statief hebben gehad: hij is vanaf een hoog standpunt genomen.'

'Misschien heeft hij hem boven de deur gezet. Op het kozijn soms?'

Caffery deed een stap naar de deur. 'Wat zijn dat in de muur? Schroeven?'

'Ik geloof dat daar jaren geleden een klok heeft gehangen. Om eerlijk te zijn, weet ik het niet meer.'

'Misschien heeft hij een steun in de muur geschroefd.' Caffery haalde de stoel onder Martha's bureau vandaan, duwde hem tegen de deur en ging erop staan. 'Om de camera op te kunnen zetten.' Hij zette zijn bril op en bekeek de schroeven van dichtbij. Een ervan was zilverkleurig en stak een halve centimeter uit de muur, maar de tweede was geen schroef, het was een gat. Hij stak zijn vinger erin en iets in het gat bewoog. Zachtjes vloekend zocht hij in zijn zak naar zijn mes, trok met zijn nagels het pincet eruit en haalde het voorwerp heel voorzichtig voor de dag.

Hij kwam van de stoel en ging met zijn wijsvinger omhoog naar Jonathan toe. Op de vinger lag een klein zwart schijfje, ter grootte van een penny, waar vage elektrische circuits in zaten. Aan de ene kant zat de zilver glanzende lens. Het geheel woog waarschijnlijk nog geen twintig gram.

'Wat is dát?'

Caffery schudde zijn hoofd, nog steeds peinzend. En toen wist hij het opeens. 'Verdomme.' Hij ging op de stoel staan en schoof het ding weer in het gat. Toen kwam hij naar beneden en nam Jonathan mee de kamer uit.

'Wat is er?' Jonathan staarde hem verwilderd aan.

Caffery legde een vinger tegen zijn lippen. Hij ging de lijst met nummers in zijn telefoon na. De haartjes in zijn nek stonden overeind.

'Wat was dat?'

'Sssttt!' Hij belde het nummer, hield de telefoon tegen zijn oor en luisterde hoe hij overging.

Jonathan keek naar de deur van Martha's kamer en toen weer naar Caffery. Hij bracht zijn gezicht dicht bij dat van Caffery en siste: 'Vertel het me, in godsnaam.'

'Een camera,' zei Caffery geluidloos. 'Dat ding is een camera.'

'En wat betekent dat?'

'Dat betekent dat Ted Moon naar ons kijkt.'

56

Het lawaai van het opengaande luik had Flea zo'n angst aangejaagd dat het haar bijna een halfuur had gekost om de moed te vinden verder te gaan. Ze had zich als verlamd voorgesteld hoe het geluid weergalmde in de tunnel voor haar, had golven zwart water omhoog zien komen in de luchtschacht, die haar aanwezigheid verkondigden. Toen er niets gebeurde en ze er zeker van was dat de ontvoerder er niet was, had ze haar schouder in de kier gezet, zich schrap gezet tegen het schot en het luik met een lang aangehouden, slurpend geluid open geduwd. Ze werd overvallen door een koele golf van daglicht en lucht, zodat ze haar adem inhield om de dolle angst die in haar oprees eronder te houden.

Het voorste stuk van de romp was leeg. Het liep licht omhoog door de druk van de rotsblokken op de schuit en boven het water was een lage rand of bank zichtbaar. Aan de onderkant van het dek was een ijzeren kist gelast – een oude opbergplaats om touw droog te houden – en er zaten twee gaten in, waar een afmeerlijn door had moeten lopen. Door die gaten kwam zonlicht en de stralen doorkruisten de holte als de richtlijnen van twee lasergeweren. Ook de honderd jaar oude sporen van kolen waren aanwezig: de binnenkant van de romp was bezet met zwarte kristallen, die loslieten als je ertegen stootte. Ze keek omhoog. Boven haar tekende zich de lichte omtrek af van nog een luik.

Ze keek er stil naar en dacht verlangend aan de ruimte en het licht aan de andere kant. Als ze het open kon krijgen, kon ze naar buiten kruipen. Met haar klimuitrusting kon ze in nog geen halfuur door de luchtschacht naar boven klimmen. Het zou zo eenvoudig kunnen zijn. Als ze hier alleen was.

Ze tilde een arm uit het water en dwong zichzelf haar aandacht te bepalen bij de ronddraaiende horlogewijzer. Ze hoorde niets in het kanaal voor haar. Alleen het gestage gedruppel van water dat van onkruid en plantenscheuten in de luchtschacht viel. Toen er tien minuten voorbij waren gegaan en ze inmiddels klappertandde, begon ze iets van zelfvertrouwen te krijgen. Ze draaide zich om en kroop stilletjes op haar knieën terug om haar rugzak te halen. Het water om haar heen maakte geen geluid, het golfde alleen. Een dode rat botste traag tegen de romp en begon aan een langzame, dwarrelende pirouette.

Met de rugzak voor zich uit en boven het water kwam ze stilletjes de opening weer door naar het warmere water van het voorste ruim. Nog drie passen op haar knieën en ze kon een hand tegen de romp zetten en zich overeind duwen. Ze ging dubbel gebogen door tot ze helemaal in de punt van de boeg was en rechtop kon gaan staan, met haar hoofd nog net tegen de roestige, met spinrag behangen onderkant van het dek. Ze wachtte even, tot haar middel in het water en met het door de gaten schijnende licht op haar gezicht, en haar ademhaling kaatste naar haar terug in de beperkte ruimte.

Er zat een haak aan de onderkant van het dek, waaraan ze de rugzak vastmaakte zodat hij droog zou blijven. Toen haalde ze de mobiel voor de dag, wikkelde het plastic eraf waarmee ze hem beschermd had, zette hem aan en keek of ze bereik had. Niets. Er zat een streep door het masticoontje. Ze ademde heel traag, met haar mond open om het geluid te reduceren, en kroop naar een van de gaten in het dek. Eerst meed ze het nog een beetje, hield alleen een oor in de buurt van het gat en liet haar verbeelding de weergalmende tunnel in kruipen en de geluidspatronen afzoeken naar een aanwijzing dat ze niet alleen was. Toen, nog steeds behoedzaam ademend, bracht ze haar gezicht bij het gat en keek naar buiten.

Een meter of vijf verderop hing de tas aan de haak, solide en omgeven door schaduwen. Nu ze hem goed kon zien, zag ze dat er geen mos of afval op lag. Hij was onlangs gebruikt. Ze had gisteravond geen tijd gehad om dat op te merken. Door haar lichaam plat tegen de romp te drukken en haar wang in het gat te duwen kon ze een ander deel van de tunnel zien. De vage lichtvlek. De kinderschoen. De elektrostatische prikkeling die ze eerder had gevoeld, was hier sterker dan elders. Ze kwam in de buurt. Martha was hier beneden geweest. Geen twijfel mogelijk. Misschien was dit de plek waar ze verkracht was. De plek waar ze vermoord was zelfs.

Flea duwde de mobiel door het gat in het dek. Hield hem op armslengte zo ver mogelijk de tunnel in. Draaide hem zodat ze het schermpje kon zien.

Geen bereik. Dus – ze likte langs haar lippen en keek omhoog – ze was aangewezen op het luik.

Ze zette de mobiel uit, wikkelde hem weer in het plastic, stopte hem in de rugzak en zette haar handen tegen de onderkant van het dek. Het luik moest van boven af geopend worden. Niet zo gemakkelijk als het eerste. Het was ook roestig. Ze haalde de beitel uit haar rugzak en sloeg met het handvat tegen het luik. Er kwamen een paar vlokken roest en wat kolenstof naar beneden, maar het luik bewoog of rammelde niet. Ze viste haar Zwitserse legermes uit haar overlevingspak en begon de roest in de naad weg te bikken. Die was harder en vaster dan de roest op het luik in het schot. Ze moest haar knieën buigen, een stuk van het overlevingspak omhoogtrekken en het tussen het mes drukken om te voorkomen dat het lemmet dicht- klapte. Bij de hardste stukken moest ze boven haar hoofd schuine klappen tegen het luik geven, alsof ze een hamer gebruikte.

Toen de naad vrij was, gaf ze nog drie klappen tegen het luik met het handvat van de beitel. Er gebeurde nog steeds niets. Er was geen roest meer over, dus moest het toch gaan meegeven. Ze klapte het mes weer open en ging nog eens langs de naad, kleine stootjes ge- vend met haar linkerhand onder de rechter om meer kracht te kun- nen zetten. Maar het mes was daar niet tegen bestand en bij de zes- de klap brak het en schoot haar hand naar beneden, tegen haar bovenbeen. Het gebroken lemmet drong door het overlevingspak heen en begroef zich diep in het vlees.

Ze rukte haar been omhoog en kromde haar rug van de pijn. Het stalen lemmet zat in de spier en alleen het kleine, geëmailleerde handvat was zichtbaar en stak uit het blauwe neopreen. Ze vergat haar EHBO-training, trok het er meteen uit en liet het vallen in de modder. Ze liet zich op de rand zakken, ritste het pak open, zette haar voeten in de zware schoenen erop en tilde haar achterwerk op, zodat ze de pijpen omlaag kon duwen. De huid van haar bovenbe- nen was wit en gevlekt, als die van een diepvrieskip, en de haartjes stonden stuk voor stuk stijf overeind. Er zat een dofblauwe plek waar het mes naar binnen was gegaan. Ze zette haar duimen aan weerszijden en keek ernaar. Terwijl ze dat deed, verscheen er een dunne rode lijn. Hij werd dikker en opeens zwol hij op en brak, en het bloed verspreidde zich. Het liep in twee straaltjes over haar op- geheven bovenbeen en doorweekte haar ondergoed.

Ze klemde haar handen over de wond en beet op haar lip. Het was niet de slagader. In dat geval zou het bloed eruit zijn gespoten en had het de wand van de schuit geraakt. Maar ze kon zich geen enkel bloedverlies veroorloven. Niet hier in de kou. Ze trok haar T-shirt uit, drukte het tegen de wond en bond het met een mastworp aan de achterkant van haar been vast. Toen legde ze het been recht op de rand, legde haar handen in haar lies en drukte er zo hard op als ze kon.

Zo bleef ze een hele tijd zitten, als een balletdanser die zijn warming-up deed. Ze duwde de pijn weg en dwong haar hersenen te denken aan een manier om hier weg te komen.

Er kwam een geluid uit de luchtschacht. Het gekras van metaal op steen. Ze hief haar hoofd. Nog een geluid – dit keer wist ze zeker dat ze het zich niet verbeeldde. Een kiezel of iets anders hards was net door de schacht naar beneden gesprongen en in het water beland. Er volgde nog meer: stenen, wat bladeren en een tak.

Het was niet iemand die dingen naar beneden gooide. Het was iemand die naar beneden klom.

57

'Je hebt het mis. Hij kijkt niet naar je. Je hoeft je niet druk te maken.'

Caffery stond in de keuken met iemand van de hightecheenheid uit Portishead, een lange, goedgebouwde man met roodblond haar, die er niet uitzag alsof hij voor de politie werkte. Hij droeg een dunne das en een raar pak uit de jaren zestig met smalle revers, en hij had een tas bij zich van namaakkrokodillenleer. Hij was komen aanrijden in een oude Volvo, als een figurant in een film met Sean Connery. Maar hij leek te weten waar hij het over had. Hij had Caffery de camera uit het gat in de muur laten halen en op een stuk karton op de keukentafel laten leggen. Daarna hadden de twee mannen er samen naar staan kijken.

'Ik kan je verzekeren dat hij niet toekijkt.'

'Maar die dingetjes op de achterkant. Dat is toch een radiozender?'

'Inderdaad. Hij heeft hem waarschijnlijk verbonden met een snelle USB-ontvanger, zodat hij direct op de harde schijf kan opnemen. Ik weet het niet, misschien was hij van plan hier ergens in een auto te gaan zitten en alles op zijn laptop te bekijken, maar dat doet hij nu niet.'

'Weet je het zeker?'

De man glimlachte. Rustig. 'Honderdtwintig procent. We hebben hem gescand. Hoe dan ook, zo indrukwekkend is dit dingetje niet. Heel simpel, kant en klaar, niet duurder dan een zak chips. De spullen die de veiligheidsdiensten gebruiken zijn honderd keer krachtiger en maken gebruik van microgolven, maar dit? Hij moet ergens in de wijk zijn om het signaal op te vangen en de teams hebben alles afgezocht. Er is niemand. Sorry. Ik moet toegeven dat ik even opgewonden was. Ik dacht echt dat we die schoft ergens in zijn auto zouden vinden met een mooie kleine Sony op schoot.'

Caffery bekeek hem nog eens goed. De hightecheenheid had het telefoonnummer al getraceerd waarmee Moon de foto had verstuurd. Het was van een prepaid mobiel, minstens twee jaar geleden verkocht in een Tesco ergens in het zuiden van Engeland. Hij stond uit, maar ze hadden al kunnen vaststellen waar het bericht verstuurd was. Bij afslag 16 van de M4. Halverwege overal en overal. Vervolgens had de eenheid deze roodharige vent naar de pastorie gestuurd. Hij had puntschoenen aan zijn voeten en zijn zwarte bril kwam recht uit *Alfie*. Caffery bekeek de schoenen. Toen zijn gezicht. 'En hoe noemen ze jou? Q?'

De man lachte. Een droog, nasaal geluid. 'Die heb ik nog nooit gehoord. Helemaal nooit. Het is waar wat ze zeggen over de afdeling Zware Misdrijven; jullie zijn echt om je te bescheuren. Het houdt gewoon niet op.' Hij maakte zijn tas open en haalde er een doosje met een rond rood ledschermpje uit. 'Nee, ik ben gewoon een nerd. Twee jaar in hightech en daarvoor twee jaar in de technische ondersteuningseenheid van Georganiseerde Misdaad, je weet wel, die de undercoverjongens onder zijn hoede heeft.'

'Die dingen doen die we niet aan het Openbaar Ministerie willen toegeven?'

'Hé, hé.' Hij raakte de knoop van zijn das aan. Hij had sproeten op zijn neus. Fletse ogen. Als een albino. 'Zie je, ik weet dat dat een grap is. Dat zie ik aan die grappige rimpeltjes rond je ogen.'

Caffery bukte om nog eens naar de camera te kijken. 'Waar zou iemand een apparaatje als dit kunnen krijgen?'

'Dat? Overal. Een paar honderd pond, waarschijnlijk niet eens. Via internet. Ze versturen ze zonder vragen te stellen.' Hij glimlachte en onthulde een set heel kleine, regelmatige tanden. 'Er is niets illegaals aan een onderzoekende geest.'

'Wat ik zou willen weten, is waarom hij een lege slaapkamer in de gaten wil houden. Hij weet dat ze zijn vertrokken.'

'Sorry, makker. Ik ben van de afdeling gadgets. Psychologie is de tweede deur aan de rechterkant.' Hij kwam overeind, ging met zijn handen over zijn das en keek de keuken rond. 'Maar er is er nog een – daarzo. Als dat van belang is.'

Caffery staarde hem aan. 'Wát?'

'Ja. Daar zit er ook een. Zie je hem?'

Caffery bekeek de muren en het plafond. Hij zag helemaal niets.

'Het geeft niet. Je kunt hem niet zien. Kijk hier eens.' Hij hield hem iets voor dat op een kleine zaklamp leek. Aan de bovenkant danste een kringetje van rode dioden. 'Bij Georganiseerde Misdaad had ik mijn eigen budget, ik hoefde nooit dingen voor te leggen aan de afdeling Inkoop. Geloof me, ik heb geen penny verspild. Alles wat ik heb gekocht, heeft zijn geld opgebracht in bespaarde tijd en manuren. Dit is de Spyfinder.'

'Jij bent echt iets uit een Bond-film.'

'Weet je wat? Ik heb een idee. Wat dacht je ervan om die bron van amusement even te laten voor wat hij is – voorlopig.' Hij hield het ding schuin, zodat Caffery het goed kon zien. 'Dat *Close Encounters*-dansje? Dat is licht dat reflecteert van een cameralens.'

'Waar dan?' Caffery's ogen gingen over de muren, de koelkast, het fornuis. De rij verjaardagskaarten op de vensterbank.

'Concentreer je.'

Hij keek dezelfde kant uit als Q.

'In de klok?'

'Volgens mij wel. In het cijfer zes.'

'Verdomme, verdomme.' Caffery ging voor de klok staan, met zijn handen in zijn zij. Hij zag iets glinsteren, maar dat werd steeds minder. Heel klein. Hij draaide zich weer om naar de keuken, de oude fineerkastjes, de gerafelde gordijnen. Het pak room dat Jonathan had gebruikt voor de appeltaart stond zuur te worden. En de stapel kranten, de geur van braaksel. Waarom zou Moon deze lege keuken in de gaten willen houden? Wat bereikte hij ermee? 'Hoe lang heeft het hem gekost om ze aan te brengen?'

'Dat hangt ervan af hoe goed hij is met technische dingen. En hij moet naar buiten zijn gegaan om te controleren of ze werkten, of hij het signaal kon ontvangen.'

'Dus hij moet in en uit zijn geweest? Meerdere keren?'

'Om het goed te krijgen. Ja.'

Caffery zoog lucht tussen zijn tanden door naar binnen. 'Iemand of iets in de gaten houden is een van de duurste dingen die het korps kan doen. Je vraagt je af waarom we de moeite doen.'

'Ik denk dat ik het weet.'

De twee mannen draaiden zich om. Jonathan stond in de deuropening. Hij had Philippa's laptop in beide handen. Zijn gezicht vertoonde een vreemde uitdrukking. Hij hield zijn hoofd schuin alsof hij luisterde naar het eerste geklop van de krankzinnigheid.

'Jonathan. Jij hoort in de auto te zitten.'

'Daar zat ik ook. Maar nu niet meer. Moon heeft die camera's aangebracht om naar Martha te kijken. Hij heeft ze geplaatst voordat hij haar heeft ontvoerd. Ze zitten er al meer dan een maand. Daarom heeft het surveillanceteam niets gezien.'

Caffery schraapte zijn keel. Hij keek naar de technicus en wenkte Jonathan.

'Zet neer.' Hij haalde dingen van de tafel. 'Hier.'

Jonathan kwam stijfjes de keuken in, zette de laptop op de leeggemaakte tafel en klapte hem open. Het duurde een paar tellen, maar toen kwam de computer tot leven. De foto van Moon met het Kerstmanmasker op het bed verscheen op het beeldscherm. Hij was ingezoomd, zodat alleen een deel van de muur en een stuk van zijn schouder te zien waren. 'Daar.' Jonathan tikte tegen het scherm. 'Zie je dat?'

Caffery en Q kwamen dichter bij hem staan. 'Waar kijken we naar?'

'Die tekening.'

Aan de muur boven het bed hing een viltstifttekening – het beeld dat een jong meisje had van een mythisch land. Martha had wolken en hartjes en sterren getekend, en een zeemeermin in de boven-hoek. Ze stond er zelf ook op, aan de zijkant met de teugels van een witte pony in haar handen. Vlakbij haar, alsof ze in de ruimte zweef-den, bevonden zich twee honden.

'Sophie en Myrtle.'

'Wat is daarmee?'

'Geen ketting. Geen bloemen.'

'Hè?'

'Philippa is op 1 november jarig. Martha had Sophie voor die dag opgedirkt. En toen het feest was afgelopen, is ze naar boven gegaan en heeft ze Sophie op deze tekening bloemen en kettingen gege-ven. Rose weet nog dat ze dat gedaan heeft. En Philippa ook. Maar kijk. Geen rozen, geen kettingen op deze tekening.'

Caffery ging rechtop staan. Er prikten hete en koude naalden in zijn rug. Alles waar hij zeker van was geweest, bleek echt helemaal niet te kloppen, was gebaseerd op los zand. De hele zaak was net op zijn kop gezet.

58

De tas botste met onregelmatige schokken tegen de druipende tun-nelmuur en het geluid weerkaatste tegen de schuit. In de boeg ademde Flea oppervlakkig en ze trilde onbeheersbaar. Ze haalde het T-shirt van haar been. Het kwam langzaam los en delen ervan plakten al aan het opdrogende bloed. De wond was inmiddels een korstige rode streep. Ze kneep er even in. Hij bleef dicht. Snel maakte ze het T-shirt helemaal los en trok het over haar hoofd, waarbij het opgedroogde bloed barstte en schilferde. Ze deed haar overlevingspak weer omhoog, ritste het zorgvuldig dicht, liet zich stilletjes van de rand glijden en hurkte in het water op een plek van waaruit ze via een gat naar buiten kon kijken.

Het touw zwaaide en kronkelde en wierp lange, akelige schaduwen. Ze liet zich verder in het water zakken en begon steels met haar hand door de modder te bewegen. Ze was eraan gewend alleen op de tast modder en water te doorzoeken – dat hoorde bij haar beroep: haar vingers waren erop getraind, zelfs met die dikke handschoenen aan. Ze vond het gebroken Zwitserse legermes al snel, veegde het af aan haar pak en trok de schroevendraaier eruit. Ze waadde zonder geluid te maken naar het gat en bleef met haar rug tegen de wand staan, haar hoofd opgeheven zodat ze helemaal in de schacht kon kijken.

Er stond iemand op het rooster. Een man. Zijn voeten staken in bruine wandelschoenen, waar de pijpen van een bruine werkbroek in waren gestoken. Een zwarte heuptas om zijn middel. Hij hield zich vast aan de planten die aan de muren van de schacht groeiden om zijn evenwicht te bewaren toen hij een paar stappen naar de rand van het rooster deed en de tunnel in keek. Hij stond met zijn rug naar haar toe, dus ze kon zijn gezicht niet zien, maar zijn houding maakte duidelijk dat hij twijfelde, alsof hij echt niet wist of hij hier wel goed aan deed. Na een paar tellen van overweging liet hij zich op zijn hurken zakken en schuifelde naar de rand van het rooster. De zwaartekracht nam het over en hij begon te glijden. Hij greep het touw om zijn afdaling te vertragen en liet zich zo in het smerige water onder de schacht zakken.

Hij stond in de schaduw met beide armen verdedigend voor zich uit gestoken, en keek speurend om zich heen. Toen bukte hij om in de donkerder hoeken van de tunnel te kijken. Zijn hoofd en schouders kwamen even in het licht, en Flea blies alle lucht in een keer uit. Het was Prody.

'Paul!' Ze duwde haar gezicht tegen het gat, haar ademhaling luid en onvast. 'Paul, hier ben ik.'

Hij keek met een ruk in de richting van haar stem en zijn handen kwamen verdedigend omhoog. Hij deed een stap achteruit en tuurde naar de schuit alsof hij niet helemaal kon geloven wat hij gehoord had.

'Hier. In de boot.' Ze duwde haar vingers door het gat en wuifde ermee. 'Hier.'

'Verdomme. Flea?'

'Hier!'

'Jezus.' Hij waadde naar haar toe en zijn schoenen en broek kwamen vol natte modder te zitten. 'Jezus, jezus.' Hij bleef op nog geen halve meter afstand staan en knipperde sullig met zijn ogen. 'Jezus, je ziet er niet uit.'

'O, wat kan dat nou verdommen.' Ze huiverde. Een huivering over haar hele lichaam, als bij een hond die het water van zich afschudt. 'Ik dacht echt dat ik hier vastzat. Ik dacht dat je mijn bericht niet gekregen had.'

'Bericht? Dat heb ik ook niet gekregen. Ik ben mijn telefoon kwijt. Ik zag je auto in het dorp staan en dat combineerde ik met de manier waarop je...' Hij schudde zijn hoofd. 'Jezus, Flea. Iedereen zit in de rats over je. Inspecteur Caffery, iedereen. En...' Hij keek naar de schuit alsof hij nog steeds niet helemaal kon geloven dat ze zo dom was geweest om daar in te kruipen. 'Wat doe je daar in godsnaam? Hoe ben je erin gekomen?'

'Vanaf de achtersteven. Die schuit steekt helemaal onder deze wal door. Ik ben door de tunnel aan de andere kant gekomen. Ik kan er niet uit.'

'Door de tunnel? Maar waarom...' Er leek hem iets te dagen. Hij draaide zich langzaam om en keek weer naar de luchtschacht. 'Heb jij dat touw niet in die schacht gehangen?'

'Paul, luister,' siste ze. 'Dit is de plek. Dit is waar hij haar mee naartoe heeft genomen. Hij heeft haar door de velden gedragen.

Dat zijn zíjn klimspullen, niet die van mij.'

Prody ging met zijn rug tegen de schuit staan alsof hij verwachtte dat de ontvoerder hem van achteren zou besluipen. Hij haalde diep adem en liet de lucht met een luide zucht ontsnappen. 'Juist. Oké. Goed.' Hij zocht in zijn heuptasje en haalde er een penlight uit. 'Oké.' Hij klikte hem aan en hield hem voor zich uit alsof het een wapen was. Zijn ademhaling ging snel.

'Het is goed. Hij is er nu niet.'

Prody liet het licht in de donkerste hoeken schijnen. 'Weet je het zeker? Heb je niets gehoord?'

'Ik weet het zeker. Maar kijk, daar in het water. De schoen. Zie je die?'

Prody richtte zijn zaklamp erop. Hij zweeg een hele tijd en alleen het geluid van zijn ademhaling kwam door het gat. Toen duwde hij zich af en waadde hij door het water terug. Naast de schoen bleef hij staan. Hij bukte om hem te bekijken. Ze kon zijn gezicht niet zien, maar hij bleef een hele tijd heel stil staan. Toen kwam hij abrupt overeind. Hij helde een beetje achterover, met een vuist op zijn borst alsof hij last had van brandend maagzuur.

'Wat nou?' fluisterde ze. 'Wat is er?'

Hij haalde een telefoon uit zijn zak en drukte met zijn duim op de toetsen. Zijn gezicht was asgrauw in de lichtblauwe gloed van het schermpje. Hij schudde de telefoon. Hield hem schuin. Stak hem in de lucht. Waadde naar een punt recht onder de schacht en hield de mobiel omhoog, turend naar het scherm, terwijl hij een aantal keer met zijn duim op de belknop drukte. Na een paar minuten gaf hij het op. Hij deed de telefoon weer in zijn zak en kwam terug naar de schuit. 'Op welk netwerk zit jij?'

'Orange. En jij?'

'Verdomme. Ook Orange. Prepaid, op het moment.' Hij deed een stap achteruit en bekeek de hele schuit. 'We moeten je daar uit zien te krijgen.'

'Er zit een luik in het dek. Ik heb het geprobeerd, maar ik krijg er geen beweging in. Paul? Wat is er met die schoen?'

Hij zette beide handen op de rand van het dek, duwde zich om-

278

hoog en bleef op trillende armen hangen, zijn lichaam tegen de romp. Na een paar tellen liet hij zich weer in het water glijden.

'Wat is er met die schoen, Paul?'

'Niets.'

'Ik ben niet dom.'

'Laten we ons erop concentreren je hier uit te krijgen. Je komt nooit door dat luik. Er staat een enorme lier boven op het dek.'

Hij liep langs de zijkant van de schuit, met zijn hand op de romp, en bleef af en toe staan om de wand te bestuderen. Ze hoorde hem erop slaan. Toen hij terugkwam, glansde zijn voorhoofd van het zweet. Hij was nat en modderig en zag er opeens verschrikkelijk slecht uit.

'Luister.' Hij keek haar niet aan. 'We gaan het als volgt doen.' Hij beet op zijn lip en keek naar de schacht. 'Ik klim weer naar boven, waar ik bereik heb.'

'Was er bereik in de schacht?'

'Ik... Ja. Ik bedoel, dat geloof ik wel.'

'Je weet het niet zeker?'

'Ik heb het niet geprobeerd,' gaf hij toe. 'Als ik in de schacht geen bereik heb, krijg ik het boven wel.'

'Ja.' ze knikte. 'Natuurlijk.'

'Hé.' Hij bukte zodat zijn gezicht zich op dezelfde hoogte bevond als het gat en hij haar recht in de ogen kon kijken. 'Je kunt me vertrouwen. Ik laat je niet alleen. Hij komt niet terug. Hij weet dat we de tunnel hebben doorzocht en hij zou wel gek zijn om hierheen te komen. Ik ga niet ver weg.'

'En als je een eindje weg moet om bereik te hebben?'

'Het kan nooit ver zijn.' Hij zweeg even. Staarde haar aan. 'Je ziet bleek.'

'Ja.' Ze trok haar schouders op en huiverde theatraal. 'Ik ben... je weet wel. Het is hier ijskoud. Dat is alles.'

'Hier.' Hij zocht even in het heuptasje. Haalde er een platgedrukte boterham in cellofaan uit en een halfvol flesje Evian. 'Mijn lunch. Sorry, veel stelt het niet voor.'

Ze duwde haar hand door het gat en nam de boterham aan. En

het flesje water. Ze deed ze in de rugzak die onder aan het dek hing. 'Geen whisky bij je, zeker?'

'Eet nou maar op.'

Hij was halverwege het kanaal toen hij opeens stilstond. Hij keek naar haar om. Er viel een stilte. Toen waadde hij zonder iets te zeggen terug en stak zijn hand door het gat. Ze keek er even naar – zijn warme witte vingers tegen de zwarte binnenkant van de romp – en toen hief ze haar eigen hand en legde hem in de zijne. Geen van beiden zei iets. Toen trok Prody zijn hand weg en waadde terug naar het touw. Hij bleef even staan om nog één keer de tunnel door te kijken, naar de naamloze bulten en heuveltjes in het water. Toen trok hij het touw weg van de muur en begon te klimmen.

59

Janice Costello had een zus die bij Chippenham woonde en daar ging Caffery die middag heen. Hij arriveerde in een slaperig dorp met hangmanden met bloemen aan de huizen, een pub, een postkantoor en een plaquette waarop stond: BEST ONDERHOUDEN DORP IN WILTSHIRE 2004. Toen hij bij het huis kwam – een stenen cottage met een rieten dak en in kleine ruitjes verdeelde ramen – deed Nick de lage deur voor hem open. Ze droeg een soepele, mauvekleurige jurk en haar hoge hakken waren vervangen door turkooizen Chinese slippers, die ze geleend moest hebben. Ze hield steeds haar vinger tegen haar lippen om hem te manen zachtjes te praten. De moeder en zus van Janice waren boven in de slaapkamer en Cory was weggegaan, niemand wist helemaal precies waar naartoe.

'En Janice?'

Nick trok een gezicht. 'Je kunt beter even meekomen naar achteren.' Ze ging hem voor door het huisje met zijn lage plafonds en uitnodigende vuur in de open haard, waarvoor twee labradors lagen te slapen, naar het koude terras achter het huis. Hier helde het grasveld af naar een lage heg, waarachter de grote oölietvlakte ten zuiden van de Cotswolds lag. De geploegde velden waren overdekt met rijp en de hemel was loodgrijs.

'Ze heeft tegen niemand meer een woord gezegd sinds ze uit het ziekenhuis is ontslagen.' Nick wees naar een gestalte die op een bankje zat achter in de kleine rozentuin, met haar rug naar het huisje en een dekbed om haar schouders. Haar donkere haar was uit haar gezicht gestreken. Ze staarde over de velden naar waar de herfstbomen de hemel raakten. 'Zelfs niet tegen haar moeder.'

Caffery knoopte zijn jas dicht, duwde zijn handen in zijn zakken en liep over het smalle, met taxus omzoomde pad naar het grasveld. Toen hij voor Janice bleef staan, hief ze haar hoofd en keek ze trillend naar hem op. Op haar huid was geen spoortje make-up te bekennen en haar neus en kin waren rood. De handen die het dekbed om haar hals klemden, waren grauw van de kou. Emily's knuffelkonijn lag op haar schoot.

'Wat is er?' zei ze. 'Hebben jullie haar gevonden? Zeg het alsjeblieft, wat het ook is. Zég het gewoon.'

'We weten nog niets – we weten nog steeds niets. Het spijt me.'

'Jezus.' Ze zakte wat in elkaar, met haar hand tegen haar voorhoofd. 'Jezus, jezus. Ik kan dit niet verdragen. Ik kan het gewoon niet aan.'

'Zodra we iets horen, ben je de eerste die het weet.'

'Slecht of goed? Beloof je dat ik de eerste zal zijn, of het nieuws nu slecht of goed is?'

'Slecht of goed. Ik beloof het je. Mag ik gaan zitten? Ik moet met je praten. We kunnen Nick erbij roepen, als je dat liever hebt.'

'Waarom? Zij verandert er toch ook niets aan? Niemand kan er iets aan veranderen. Of wel soms?'

'Niet echt.'

Hij ging naast haar op de bank zitten, met zijn benen uitgestoken, de enkels gekruist en zijn armen over elkaar. Hij trok zijn schouders op tegen de kou. Aan Janice' voeten zag hij een onaangeroerde mok thee en een hardcoverexemplaar van *Á la recherche du temps perdu* in een plastic bibliotheekhoes. 'Is dat niet dat moeilijke boek?'

zei hij na een tijdje. 'Proust?'

'Mijn zus heeft het meegenomen. Het stond in een of andere zondagskrant in de top tien van dingen die troost bieden bij een crisis. Samen met Kahlil Gibran.'

'En ik wed dat je geen woord uit een van die boeken kunt lezen.'

Ze boog haar hoofd en raakte het puntje van haar neus aan. Zo bleef ze bijna een minuut zitten om zich te concentreren. 'Natuurlijk niet.' Ze haalde haar hand weg en schudde ermee, alsof hij verontreinigd was. 'Ik zit zo'n beetje te wachten tot het gegil in mijn hoofd ophoudt.'

'De mensen in het ziekenhuis worden gek. Je had niet zomaar weg mogen lopen. Maar je ziet er niet slecht uit. Beter dan ik had verwacht.'

'Helemaal niet. Je zit te liegen.'

Hij haalde zijn schouders op. 'Ik moet je mijn verontschuldigingen aanbieden, Janice. We hebben je niet goed beschermd.'

'Inderdaad. Ik ben niet goed beschermd, Emily is niet goed beschermd.'

'Ik moet uit naam van het korps mijn excuses maken voor meneer Prody. Hij had het beter moeten doen. En hij had daar om te beginnen helemaal niet mogen zijn. Zijn gedrag was volkomen ongepast.'

'Nee.' Ze glimlachte met pijnlijke ironie. 'Er was niets ongepasts aan Pauls gedrag. Wat ongepast is, is de manier waarop jullie hiermee zijn omgegaan. En dat mijn man een verhouding heeft met Pauls vrouw. Dat is ongepast. Echt volkomen ongepast, verdomme.'

'Neem me niet...'

'Ja.' Ze stootte een hard lachje uit. 'O, wist je dat niet? Die fantastische man van mij neukt Clare Prody.'

Caffery wendde zich af en keek naar de lucht. Hij had zin om te vloeken. 'Dat is...' hij schraapte zijn keel '... moeilijk. Voor ons allemaal. Moeilijk.'

'Moeilijk voor jullie? Wat dacht je van het feit dat mijn dochter vermist wordt? Wat dacht je van het feit dat mijn echtgenoot sinds dat moment verdomme niets meer tegen me zegt? Dat,' ze stak een vinger naar hem uit en de tranen stonden in haar ogen, 'is verdomme moeilijk. Dat mijn man niets tegen me zegt. Of zelfs maar Emily's naam heeft genoemd. Hij is vergeten hoe hij haar naam moet uitspreken.' Ze liet haar hand zakken en bleef even naar haar schoot zitten kijken. Toen tilde ze het konijn op en drukte het tegen haar voorhoofd. Strak. Alsof de druk de tranen kon tegenhouden.

In het ziekenhuis had de arts-assistent gezegd dat het vreemd was dat haar mond en keel niet de blaren vertoonden die ze hadden verwacht bij inademing van een gas. Ze waren er nog steeds niet uit welke stof Moon had gebruikt om hen uit te schakelen. In sommige kamers waren in terpentine gedrenkte lappen achtergelaten. Daar was die lucht vandaan gekomen, niet van chloroform. Maar de aanwezigen waren niet bewusteloos geraakt door terpentine.

'Het spijt me.' Ze veegde haar ogen af. 'Sorry. Het was niet mijn bedoeling... Het is niet jouw schuld.' Ze bracht het konijn naar haar neus, ademde de geur in. Toen trok ze de hals van haar trui opzij en duwde het naar binnen, alsof het een levend wezen was dat lichaamswarmte nodig had. Ze hield haar hand in de trui en duwde het beestje verder tot hij onder haar oksel zat. Caffery liet zijn blik over de tuin gaan. Koperkleurige bladeren waren op een hoop geveegd in de hoek waar de lage heg de afscheiding vormde met de akkers. Een spinnenweb trilde licht in het briesje dat kwam opzetten en dat rook naar mest van de velden. Caffery keek naar het web en probeerde zich voor te stellen hoe berijpt en bedauwd het 's morgens zou zijn. Hij dacht aan de schedel in het laken. Aan de donzige geelbruine substantie die vlekken in de stof had gemaakt.

'Janice, ik heb geprobeerd met Cory te praten. Hij neemt niet op als ik hem bel. Iemand moet wat vragen beantwoorden. Wil jij dat voor me doen?'

Janice zuchtte. Ze trok haar haar naar achteren, draaide het in een knot in haar nek en liet haar handen over haar gezicht gaan om de huid glad te strijken. 'Ga door.'

'Is er ooit bij jullie ingebroken, Janice?' Hij haalde zijn aantekenboekje uit zijn jas, klikte op zijn knie een balpen aan en schreef de datum en de tijd op. Het boek was slechts voor de vorm. Hij zou nu niet echt iets opschrijven – later pas. Maar het hielp hem zich te concentreren. 'In je huis? Geen inbraken?'

'Wat zeg je?'

'Ik zei: is er ooit ingebroken in jullie huis?'

'Nee.' Ze staarde naar het aantekenboekje.

'Jullie hebben toch een alarmsysteem?'

'Ja.'

'En dat was aan op de dag dat je naar je moeder ging?'

'Het staat altijd aan. Hoezo?'

Haar blik was nog steeds op het boekje gevestigd. Opeens begreep hij waarom en hij voelde zich meteen een eersteklas lul. Door het boekje leek hij onervaren, een stagiair. Hij deed het dicht en stopte het weer in zijn zak. 'Je zus zegt dat je het een en ander hebt laten doen aan het huis, dat je het alarmsysteem toen pas hebt laten aanleggen.'

'Dat is maanden geleden.'

'Je bent een groot deel van de tijd waarin er aan het huis gewerkt werd hier bij je zus geweest, nietwaar? Het huis stond toen dus leeg?'

'Ja.' Janice keek nog steeds naar de zak waarin het boek was verdwenen. 'Maar wat heeft dat ermee te maken?'

'Rechercheur Prody heeft je een foto van Ted Moon laten zien, nietwaar?'

'Ik herkende hem niet. Cory ook niet.'

'Weet je zeker dat hij niet een van de mensen is die bij je thuis is geweest? Die aan het huis heeft gewerkt?'

'Ik heb ze niet allemaal gezien. Er liepen allerlei mensen in en uit – onderaannemers, dat soort lui. We hebben één groep bouwvakkers de zak gegeven en andere ingehuurd. Ik kan me al die gezichten niet meer herinneren, en ook niet alle potten thee die ik heb gezet. Maar ik weet zeker – bijna zeker – dat ik hem nooit eerder heb gezien.'

'Als het mogelijk is, zou ik graag de gegevens hebben van al die bouwvakkers als Cory komt opdagen. En de namen van degenen die jullie ontslagen hebben. Ik zou ze graag zo snel mogelijk willen spreken. Hebben jullie dat allemaal thuis in een dossier? Alle details? Of kunnen jullie je die herinneren?'

Ze bleef even met haar mond half open naar Caffery zitten staren. Toen boog ze haar hoofd en sloeg met haar knokkels tegen haar voorhoofd. Een-twee-drie. Een-twee-drie. Een-twee-drie. Hard: de huid werd er rood van. Alsof ze gedachten uit haar hoofd wilde slaan. Als het nog langer had geduurd, had hij haar hand gegrepen. Maar het slaan hield net zo abrupt op als het was begonnen. Ze beheerste zich – met haar ogen dicht en haar handen kuis op haar schoot. 'Ik weet wat je daarmee wilt zeggen. Je zegt dat hij Emily in de gaten heeft gehouden.' Ze hield haar ogen dicht en sprak snel, alsof ze zich erop moest concentreren elk woord eruit te krijgen voor ze het vergat. 'Dat hij haar... *stalkte*? Dat hij in ons *huis* is geweest?'

'We hebben vandaag camera's aangetroffen in het huis van de Bradleys. Dus zijn we teruggegaan naar Mere om jouw huis te doorzoeken. En daar vonden we hetzelfde.'

'*Camera's?*'

'Het spijt me. Ted Moon is erin geslaagd zonder jouw medeweten camera's in je huis aan te brengen.'

'Er waren geen camera's in mijn huis.'

'Jawel. Je zou ze nooit hebben gezien, maar ze waren er wel. Ze zijn aangebracht lang voordat dit allemaal begon, want er zijn geen braaksporen gevonden nadat je vertrokken was.'

'Je bedoelt dat hij ze heeft geplaatst toen wij hier waren, toen we bij mijn zus logeerden?'

'Waarschijnlijk.'

'Dus hij hield haar in de gaten? Hij hield Emily in de gaten?'

'Waarschijnlijk.'

'O, jezus. O, jezus.' Ze sloeg haar handen voor haar gezicht. 'Ik kan dit niet verdragen. Ik kan het niet verdragen. Ik kan het gewoon niet.'

Caffery wendde zich af en deed alsof hij zich op de horizon concentreerde. Hij dacht nog steeds na over alle dingen die hij zomaar had aangenomen en over alle wegen die hij had genegeerd. Over hoe stom hij was geweest dat hij het allemaal niet eerder had gezien. Toen Moon terugkwam voor Emily en de zaak niet gewoon liet vallen, had hij moeten weten dat hij haar lang voor de ontvoering had uitgekozen. Dat ze geen gelegenheidsslachtoffer was. Maar Caffery dacht vooral dat dit bij uitstek een moment was dat hij dankbaar was voor het feit dat hij alleen was en geen kinderen en beminden had. Het was echt waar wat ze zeiden: hoe meer je hebt, hoe meer je kunt verliezen.

60

Flea had geen honger, maar ze had brandstof nodig. Ze ging op de rand in de schuit zitten, met haar benen in de modder, en kauwde lusteloos op de boterham die Prody haar had gegeven. Ze huiverde zo hard dat haar hele lichaam schokte. Het vlees op de boterham was vet en zwaar, met kleine stukjes kraakbeen erin. Ze moest elke hap wegspoelen met een slok water om hem door haar zere keel te krijgen.

Prody was dood. Daar twijfelde ze niet aan. Ze had eerst zitten kijken hoe het touw heen en weer bewoog en een litteken in het mos en slijm op de muur achterliet. Dat had een minuut of vijftien geduurd. Het was opgehouden toen hij boven aan de twaalf meter hoge schacht was aangekomen. 'Ik ga een eindje lopen,' had hij naar beneden geschreeuwd. Zijn stem had door de tunnel gegalmd. 'Geen bereik.'

Natuurlijk niet, had ze bitter gedacht. Natuurlijk niet. Maar ze had haar lippen bevochtigd en geschreeuwd: 'Oké. Succes.'

En dat was dat geweest.

Er was daarboven iets met hem gebeurd. Ze wist hoe de bovenkant van die luchtschacht eruitzag. Ze was er jaren geleden geweest tijdens een training. Ze herinnerde zich bossen, paden, met gras begroeide open plekken en meters ondoordringbaar struikgewas. Hij zou moe zijn geweest. Was waarschijnlijk boven aan de schacht gaan zitten om bij te komen van de klim. Een gemakkelijk doelwit voor Martha's ontvoerder. En nu liep de dag ten einde. De kring daglicht die door de schacht was gevallen was langzaam over het kanaal getrokken en had de schaduwen van planten erover geworpen. Hij was vervaagd tot een onregelmatige sikkel op de met mos begroeide muur, als een glimlachende mond. Alle schaduwen in de tunnel begonnen in elkaar over te lopen, zodat ze de uithoeken niet meer kon zien als ze door het gat keek. Ze kon amper Martha's schoen onderscheiden.

Prody had slecht gereageerd op die schoen. Hij was bij de verkeersdienst geweest, als eerste ter plekke bij allerlei onvoorstelbare ongelukken. Hij zou onverstoorbaar moeten zijn, maar iets aan die schoen had zelfs hem geschokt.

Ze bracht haar arm omhoog en bekeek haar hand. Op haar vingers zaten paarse en witte vlekken – een van de eerste symptomen van onderkoeling. Dat rillen waar haar hele lichaam aan meedeed zou niet lang duren. Dat zou ophouden als ze dichter bij de dood kwam. Ze maakte een prop van het cellofaan en duwde het in het flesje. Er was bijna geen licht meer. Als ze hier weg wilde, moest ze het nu doen. Ze had een uur in de modder rondgetast en had al een oude bouwstempel gevonden op de bodem van het ruim. Hij zat vol slijm, maar was niet al te roestig en ze had hem met de bovenste plaat tegen het luik gezet. Ze had ook een stevige spijker van vijftien centimeter gevonden, die ze in het schroefmechanisme had gezet, en met behulp daarvan was ze al twee uur moeizaam aan het draaien om de plaat strakker tegen het luik te duwen. Ze was van plan de lier van zijn plek te krijgen. En dan? Naar het oppervlak klimmen en worden neergemaaid als een soldaat uit de Eerste Wereldoorlog die zijn hoofd boven de loopgraaf uit steekt? Beter dan hier doodgaan van de kou.

Hé. Weet je hoe je God aan het lachen krijgt? Vertel hem je plannen.

Ze kwam met krakende en pijnlijke benen overeind. Vermoeid deed ze het flesje in het netje op de rugzak en toen tastte ze naar

287

de spijker om de stempel weer te gaan draaien. Hij was weg.

Hij had op de rand gelegen, vlak naast haar. Ze ging haastig met haar handen over de klinknagels en het slijm. Het had haar een half-uur gekost om die spijker te vinden in de modder op de bodem van het ruim. Ze tastte naar de hoofdlamp in haar rugzak, trok hem eruit en de spijker kwam mee en viel rinkelend op de rand.

Ze verstijfde. Staarde naar de spijker. Hij had in de rugzak gezeten. Maar ze had hem op de rand gelegd. Ze wist nog dat ze zorgvuldig had besloten hem daar neer te leggen. Of niet? Ze bracht haar hand naar haar hoofd en voelde zich even duizelig. Ze herinnerde zich echt dat ze hem op de rand had gelegd, daar was ze zeker van. Dat betekende dat haar geheugen haar in de steek liet. Nog een bewijs van het feit dat haar lichaam door de onderkoeling ophield te functioneren.

Ze pakte de spijker op met verstijfde vingers. Hij was niet echt dik genoeg voor het gat in de stempel en ze duwde hem gemakkelijk in de schroefdraad. Er zaten gevoelige groeven in haar handen, waar de spijker bij eerdere pogingen zelfs door de handschoenen heen in haar vlees had gesneden, en ze legde hem nu weer in die groeven, negeerde de pijn en leunde met haar hele gewicht tegen de spijker. Hij bewoog niet. Met een grom probeerde ze het nog eens. En nog eens. Geen beweging in te krijgen. Dat verdomde ding. Ze sloeg ertegen. Nog steeds niets. En nog eens.

'Verdomme.'

Ze ging op de rand zitten. Ondanks de kou prikte het zweet in haar oksels. De laatste keer dat de spijker had bewogen, was meer dan een uur geleden. En toen was het nog geen halve centimeter geweest. Dat was het teken om het op te geven.

Maar ze had geen andere keus.

De rechtermanchet van haar overlevingspak voelde niet goed. Ze stak haar hand in het water en raakte voorzichtig haar enkel aan. Met de manchet zelf was niets aan de hand, maar daarboven zat een strakke bult in het neopreen, alsof er water vastzat. Ze tilde met haar handen haar been uit de modder en zette hem op de rand. Ze deed de hoofdlamp om en boog voorover om het pak te bekijken.

Boven de enkel zat een uitstulping. Toen ze haar been bewoog, voelde ze vloeistof heen en weer bewegen. Ze stak voorzichtig een vinger onder de manchet en trok eraan. Er gutste iets als water naar buiten. Warm. Rood in het licht van de lamp.

Verdomme. Ze leunde met haar hoofd tegen de wand en haalde diep en langzaam adem om de duizeligheid te bestrijden. De wond in haar bovenbeen was weer opengegaan en dat was een hoop bloed om zomaar kwijt te zijn. Als ze iemand anders zoveel bloed zag verliezen, zou ze hem naar het ziekenhuis brengen. En snel ook.

Dit was niet goed. Dit was helemaal niet goed.

61

Damien Graham deed zelf niets om andermans vooroordelen te weerleggen. Toen Caffery net na zes uur in de avond bij zijn kleine rijtjeshuis arriveerde, stond hij in de deuropening de straat af te kijken, nota bene met een cigarillo in zijn mond. Hij droeg een *wraparound* zonnebril van Diesel en over zijn schouders hing een lange camel jas. Alleen de paarse fluwelen hoed ontbrak. Ergens voelde Caffery iets van medelijden met de man.

Toen hij het pad op kwam, haalde Damien de cigarillo uit zijn mond en knikte hem toe. 'Vind je het erg als ik rook?'

'Zolang jij het niet erg vind dat ik eet.'

'Nee, ga je gang, man, ga je gang.'

Toen hij zich die morgen voor een spiegel op het bureau had geschoren, had Caffery gezien dat hij er doodmoe uitzag. Bij zijn andere notities was een inwendige notitie gekomen om iets te eten. En nu lag de passagiersstoel vol broodjes en chocoladerepen – Mars, Snickers, Dime – van het benzinestation. Een typische mannenoplossing voor het probleem. Hij moest eraan denken ze op een veilige plek op te bergen voordat Myrtle weer in de auto kwam. Hij pakte een Caramac, haalde de wikkel eraf, brak er twee stukjes van af en stopte die in zijn mondhoek om te smelten. Hij en Damien stonden met hun rug naar het huis en keken naar de voertuigen in de straat zonder ze echt te zien. Het busje van de technische recherche. Q's krankzinnig oude Volvo.

'Ga je me nog vertellen wat er aan de hand is?' vroeg Damien. 'Ze halen de hele boel overhoop daarbinnen. Ze zeggen dat er camera's in mijn huis zitten of zo.'

'Dat klopt.' Damien was niet de enige. De Blunts hadden ook een setje in dat van hun. Turner was daar nu om met hen te praten. Eigenlijk was iedereen op pad. Iedereen behalve Prody. Caffery kon hem niet bereiken via de telefoon. Hij had graag willen weten waar hij was en wat hij had ontdekt met betrekking tot Flea. Hij had er graag zeker van willen zijn dat hij dat aan het doen was – Flea zoeken – en niet weer het dossier van Kitson zat te bekijken. 'Damien,' zei hij, 'die camera's. Je weet zeker niet hoe die daar gekomen zijn?'

Damien maakte een verachtelijk geluidje tussen zijn tanden door. 'Wat wou je nou zeggen? Denk je dat ik ze daar heb aangebracht?'

'Nee. Ik denk dat er iemand in je huis is geweest en dat die iemand ze heeft geplaatst. Maar ik weet niet hoe hij de gelegenheid heeft gekregen. Jij?'

Damien zweeg even. Toen schoot hij het stompje van de sigaar op het miezerige grasveldje. 'Ja,' gaf hij toe, en hij trok de jas dichter om zijn schouders. 'Misschien wel. Ik heb erover staan denken.'

'En?"

'Een inbraak. Heel lang geleden. Voordat de auto werd gestolen. Ik heb zelf altijd gedacht dat het iets met mijn vrouw te maken had – ze had in die tijd een paar schimmige vriendjes. We hebben het aangegeven, maar het was een vreemd geval – er was niets gestolen. En nu ik erover denk, begin ik... nou ja... me dingen af te vragen.'

Caffery stopte het laatste stukje van de Caramac in zijn mond. Hij keek langs Damien naar de foto's aan de muur van de gang: ingelijste professionele zwart-witfoto's van Alysha, met haar haar onder een brede haarband. Hij voelde de ziekmakende desoriëntatie van een zaak die er binnen een paar uur totaal anders was gaan uitzien. Het team verlegde zijn aandachtspunten: in plaats van Ted Moon te bestuderen, bestudeerde het nu de slachtoffers, want Moon koos de meisjes van tevoren en daardoor was het een compleet ander onderzoek geworden. Erger was nog dat iedereen het ongemakkelijke gevoel had dat het niet lang zou duren voordat hij het allemaal nog een keer deed. Dat er nog een gezin was dat al camera's in het huis had. De afdeling Zware Misdrijven hoefde er alleen maar achter zien te komen waar dat gezin zich bevond, en Caffery was er zeker van dat ze daarvoor moesten uitzoeken waarom hij Alysha, Emily, Cleo en Martha had gekozen.

Damien zei: 'Wat gebeurt er toch allemaal? Het voelt alsof ik nagezeten word. Het staat me niets aan.'

'Dat zal wel niet.' Caffery verfrommelde de verpakking en stopte hem met zijn ingesleten instinct als het om plaatsen delict ging in zijn zak. 'Wat er gebeurt, is dat we een stapje verder zijn gekomen. We zien Ted Moon in een ander perspectief. Hij is slim. Toch? Kijk naar wat hij in jouw huis heeft gedaan. Hij had Alysha – of een van de anderen – kunnen ontvoeren wanneer hij daar maar zin in had. Maar dat deed hij niet. Hij ensceneerde het. Hij nam de meisjes mee vanaf een openbare plek om de schijn te wekken dat ze willekeurige slachtoffers waren. Dat deed hij om het feit te verhullen dat hij jullie meisjes al kende.'

'Al kende?' Damien sloeg zijn armen over elkaar en schudde zijn hoofd. 'Nee. Dat gaat er bij mij niet in. Ik heb de foto van die schoft gezien. Ik ken hem niet.'

'Misschien niet. Maar hij kent Alysha. Ergens van. Misschien heeft hij haar via vrienden ontmoet. Ging ze vaak ergens anders heen – naar vriendinnetjes of zo?'

'Nee. Ik bedoel, ze was nog maar klein in die dagen. Een klein meisje. Lorna en ik hielden haar altijd bij ons. We hebben hier geen familie. Mijn familieleden zitten allemaal in Londen en die van haar op Jamaica.'

'Geen goede vrienden met wie ze meeging?'

'Niet op die leeftijd. Ik weet niet wat haar moeder haar nu laat doen.'

'Werd ze wel eens alleen gelaten?'

'Nee. Echt, ik meen het. Ondanks al haar lage streken is Lorna wel een goede moeder. Als je meer wilt weten over die tijd, is zij degene met wie je moet gaan praten.'

Caffery wilde dat hij dat kon doen. Ondanks de naspeuringen die Turner via Interpol in gang had gezet, had de Jamaicaanse politie geen enkel resultaat geboekt. Hij slikte de chocola door. Zijn mond was beslagen en droog van al die suiker. Het gaf hem het gevoel dat hij verkeerd en ongeorganiseerd bezig was en droeg bij tot het gekmakende idee dat er iets net buiten zijn bewustzijn rondwaarde dat hij nog steeds niet zag. 'Damien. Kunnen we naar boven gaan?'

Damien zuchtte. 'Vooruit dan maar.' Hij stapte naar binnen en deed de voordeur dicht. Hij trok de opzichtige jas uit, hing hem aan een knop aan de muur en wenkte dat Caffery hem moest volgen. Hop de trap op, klikkerdeklik, snel met zijn hand op de leuning en zijn tenen naar buiten, zijn massieve benen te groot en sterk voor het oude hout. Caffery volgde iets langzamer. Op de overloop troffen ze Q in een pak dat de glans had van tafzijde. Hij stond te prutsen met een elektronisch apparaatje dat op de trapleuning stond. Hij keek niet op en liet niet merken dat hij hen zag toen ze langsliepen over de overloop.

De grote slaapkamer aan de voorkant van het huis was overdadig ingericht. Drie muren waren truffelbruin geschilderd en er hingen airbrushdoeken van naakte vrouwen. De vierde was behangen met fluweelpapier in zilver en zwart. Het bed had een zwart suède hoofdeinde en zilveren kussentjes en er was een chic kastensysteem met spiegeldeuren.

'Mooi.'

'Vind je het iets?'

Caffery haalde een Twix uit zijn zak en pakte hem uit. 'Een vrijgezellenkamer. Niet wat je had toen Lorna er nog was, zeker? Hebben jullie hier geslapen?'

'Ik heb hem veranderd toen ze weg was. Om wat van haar troep kwijt te raken. Maar dit was wel onze kamer. Hoezo?'

'En daarvoor? Dit is nooit Alysha's kamer geweest?'

'Nee. Zij heeft altijd de kamer aan de achterkant gehad. Al vanaf dat ze geboren was. Wil je hem zien? Ik heb daar niets, alleen de spullen van Alysha. Voor als ze ooit nog thuiskomt.'

Caffery wilde hem niet zien. Hij had al te horen gekregen in welke kamers Moon camera's had geplaatst. Damien wist het nog niet, maar er zat er een in het plafond van zijn kamer. Q wachtte op een ladder zodat hij erbij kon om het verdomde ding weg te halen. Het was hier precies zoals bij de Costello's en de Blunts en het was niet erg logisch; de camera's bevonden zich niet op de plekken waar Caffery ze verwacht had. Hij had gedacht dat Moon zich zou concentreren op de plekken waar de meisjes zich zouden uitkleden. De slaapkamers en de badkamers. Maar behalve in Martha Bradleys kamer had er niet één camera in de slaapkamers van de meisjes gezeten. In plaats daarvan waren ze gevonden in de woonkamers en – wat nog vreemder was – de slaapkamers van de ouders. Zoals hier.

'Damien, bedankt voor je geduld. Er neemt nog iemand contact met je op. Met een onkostenformulier. Voor de – je weet wel – de rotzooi.' Hij duwde de Twix in zijn mond, veegde zijn handen af en liep al kauwend terug over de overloop, langs Q en de trap af. Onderaan keek hij op naar de foto's van Alysha. Drie foto's, drie heel verschillende setjes kleding, maar de houding was steeds hetzelfde. Handen onder de kin. Tanden bloot. Een klein meisje dat haar best deed om naar de camera te lachen. Hij had de voordeur al half open toen iets aan die foto's hem tegenhield, zodat hij stilstond en ze nog eens goed bekeek.

Alysha. Heel anders dan Martha. Heel anders dan Emily. Alysha was zwart. Ergens in Caffery's achterhoofd kwam iets op dat in de literatuur stond – dat pedofielen altijd hetzelfde type zochten. Qua uiterlijk en leeftijd. Dat bleek keer op keer. Als Moon de moeite deed om deze meisjes te selecteren, waarom leken ze dan niet meer op elkaar? Allemaal blond en elf? Allemaal brunettes en vier? Of allemaal zwart en zes?

Caffery ging met zijn tong door zijn mond en maakte de chocola los van zijn tanden. Hij dacht aan Martha's tand in de taart. En toen dacht hij aan de brieven. Waarom, dacht hij, heb je die brie-

293

ven gestuurd, Ted? En opeens viel hem in wat Cleo had gezegd – dat de ontvoerder had gevraagd naar het werk van haar ouders. Toen kreeg Caffery opeens het hele beeld. Hij deed de voordeur dicht en stond beverig in de gang, met zijn hand tegen de muur. Hij begreep alles. Hij wist waarom alles zo lang zo verkeerd had gevoeld. En hij wist waarom de ontvoerder Cleo die vraag had gesteld. Hij had gecontroleerd of hij echt het juiste kind had.

Caffery keek op naar Damien, die onder aan de trap stond en een cigarillo uit een plat blikje opstak. Hij wachtte tot hij hem aan had en glimlachte toen strak tegen de man. 'Je hebt er zeker niet eentje over?'

'Ja, natuurlijk. Alles goed met jou?'

'Het zal goed zijn als ik iets te roken heb gehad.'

Damien maakte het blikje open en stak het hem toe. Caffery nam een sigaartje, stak het aan, inhaleerde de rook en wachtte even om zijn hartslag te laten bedaren.

'Ik dacht dat je wegging. Van gedachte veranderd? Blijf je toch hier?'

Caffery haalde de cigarillo uit zijn mond en blies de rook in een lange, heerlijke sliert voor zich uit. Hij knikte. 'Inderdaad. Wil je water opzetten? Ik geloof dat ik hier nog wel even ben.'

'Hoezo?'

'Ik moet ernstig met je praten. Ik moet je dingen vragen over *jouw* leven.'

'Mijn leven?'

'Dat klopt. Jouw leven.' Caffery keek naar Damien. Hij voelde de trage, behaaglijke gloed waarmee alles op zijn plaats viel. 'We hadden het namelijk mis. Alysha is nooit zijn slachtoffer geweest. Het kan hem niet schelen wat er met haar gebeurt. Dat heeft hem nooit kunnen schelen.'

'Wat dan wel? Wat wil hij?'

'Jou, makker. Hij heeft belangstelling voor *jou*. Het zijn de ouders die hij moet hebben.'

62

Janice zat aan de grote houten tafel van haar zus in de enorme keuken achter in het huis. Ze zat daar al het grootste deel van de middag, sinds het moment dat Nick haar uit de ijskoude tuin naar binnen had geholpen. Er waren potten thee gezet, er was iets te eten aangeboden, iemand had ergens een fles cognac vandaan gehaald. Ze had er niets van aangeraakt. Het leek haar allemaal zo onwezenlijk. Alsof het voor iemand anders bedoeld was. Alsof er een onzichtbare barrière bestond in de natuurlijke wereld en of alledaagse dingen als borden, lepels, kaarsen en aardappelschillers alleen gebruikt konden worden door mensen die gelukkig waren. Alsof ze niet bestemd waren voor mensen zoals zij. De dag had zich voortgesleept. Om een uur of vier was Cory komen opdagen. Hij was in de deuropening van de kamer verschenen. 'Janice,' had hij eenvoudig gezegd. 'Janice?' Ze had geen antwoord gegeven. Het was haar zelfs nog te veel moeite om naar hem te kijken en uiteindelijk was hij weggelopen. Ze vroeg zich niet af waar hij naartoe was. Ze zat daar maar, met haar armen om zich heen geslagen en Jasper het konijn stevig onder haar oksel gedrukt.

Ze probeerde de laatste momenten terug te halen die ze met Emily had doorgebracht. Ze hadden samen in één bed geslapen, dat wist ze nog wel, maar ze kon zich niet herinneren of ze op haar zij had gelegen, lepeltje-lepeltje met Emily, of dat ze op haar rug had gelegen met haar arm om haar heen, of zelfs, en die gedachte deed meer pijn dan al het andere, of ze bij die gelegenheid met haar rug naar Emily in slaap was gevallen. De kille waarheid was dat er een fles prosecco was leeggedronken en dat Janice meer met haar gedachten bij Paul Prody was geweest, die lag te slapen op de bank in de woonkamer, dan bij het vasthouden van Emily en haar zo diep mogelijk inademen. Nu worstelde ze zich naar de herinnering toe, reikte ernaar als een uitgeputte zwemmer die zich inspant om toch nog de kust te bereiken. Ze zocht en zocht naar het kleinste spoortje van Emily. De geur van haar haar, de beroering van haar adem.

Janice boog voorover en legde haar voorhoofd op de tafel. Emily. Er ging een huivering door haar heen. De overweldigende aandrang om haar hoofd tegen het hout te slaan. Om haar lichaam te doorboren. Om de gedachten te laten verdwijnen. Ze kneep haar ogen stijf dicht. Probeerde zich op iets praktisch te concentreren. De stoet arbeiders die tijdens de renovatie het huis in en uit was gelopen – Emily had ze fantastisch gevonden; ze hadden haar hun trappen laten beklimmen en hun gereedschap en lunchdoosjes laten bekijken om de ingepakte boterhammen en zakjes chips te inspecteren. Janice probeerde het gezicht van Moon ertussen te vinden, probeerde hem in de keuken te zien aan de ontbijtbar met een kop thee in zijn handen. Ze probeerde het, maar het lukte niet.

'Janice, liefje.'

Ze keek met een ruk op. Nick stond in de deuropening. Ze hield haar rode haar in een lus tegen haar achterhoofd en masseerde vermoeid haar nek.

'Wat is er?' Het was net of haar gezicht van ijs was. Janice had het niet tot een uitdrukking kunnen dwingen al had ze dat gewild. 'Wat is er? Is er iets gebeurd?'

'Nee. Geen nieuws. Maar ik moet met je praten. Inspecteur Caffery heeft een paar vragen die ik je moet stellen.'

Janice legde haar handen op de tafel, twee bonken dood vlees, en duwde de stoel achteruit. Ze kwam langzaam en houterig overeind. Ze zag er vast uit als een marionet, dacht ze toen ze met haar armen iets voor zich uitgestoken en met zware voeten begon te lopen. Ze schuifelde naar de grote formele woonkamer, waar het hout in de open haard klaarlag, maar niet was aangestoken, waar de grote comfortabele stoelen stil leken te wachten en waar de geur van rook in de lucht hing. Ze ging log op de bank zitten. Ergens aan de andere kant van het huis hoorde ze een televisie. Misschien zaten haar zus en haar man daar, met het volume hoog zodat ze 'Emily' konden zeggen zonder dat Janice het hoorde. Want dan ging ze misschien gillen, dan zou ze het huis vullen met haar gegil tot de ramen rammelden en kapot sprongen.

Nick deed een kleine schemerlamp aan en ging tegenover haar zitten. 'Janice,' begon ze.

'Laat maar, Nick. Ik weet wat je gaat zeggen.'

'Wat dan?'

'Het gaat niet om Emily, hè? Het gaat om ons. Hij moet ons hebben, nietwaar? Mij en Cory. Niet Emily. Ik heb het allemaal uitgedacht.' Ze wees met een vinger op haar voorhoofd. 'Mijn hersenen zweten van de inspanning om alles op een rijtje te krijgen. Ik heb alle informatie die de goedbedoelende, maar altijd ietwat inefficiënte politie me wil geven. Ik heb alles samengevoegd, een en een bij elkaar opgeteld en er komt tien uit. Het gaat om ons. Om Cory en mij. Om Jonathan Bradley en zijn vrouw. Om de Blunts en de Grahams. De volwassenen. Dat denkt de politie toch ook?'

Nick vouwde de ene hand over de andere. Haar schouders waren gebogen en ze liet haar hoofd hangen. 'Je bent slim, Janice. Heel slim.'

Janice zat heel stil naar Nicks kruintje te staren. Aan de andere kant van het huisje juichte iemand op de televisie. Er reed een auto voorbij over de weg en de koplampen verlichtten heel even de verlaten meubels. Janice dacht eraan hoe inspecteur Caffery eerder naast haar op de bank in de tuin had gezeten. Ze dacht aan zijn aantekenboekje met de krabbels in blauwe balpen. Het had haar een misselijk gevoel gegeven, dat boekje. Een onbetekenend rechthoekje karton en papier – het enige dat hij had om Emily terug te brengen.

'Nick,' zei ze na een hele tijd. 'Ik mag je. Ik mag je heel graag. Maar ik vertrouw de politie niet. Voor geen meter.'

Nick keek op. Ze was bleek en haar ogen waren hol van vermoeidheid. 'Janice, ik weet niet wat ik moet zeggen, ik weet niet wat ik moet doen. Ik heb me nog nooit in deze positie bevonden. De politie? Dat is een instelling als alle andere. Ze heeft 'dienstbaarheid' hoog in het vaandel staan, maar ik heb haar nooit anders gezien dan een bedrijf. Alleen mag ik dat niet zeggen, hè? Ik moet je in het gezicht zeggen dat het onderzoek perfect uitgevoerd wordt. Dat is het moeilijkste wat ik moet doen. Vooral als je op een gezin gesteld raakt. Als dat gebeurt, is het net alsof je zit te liegen tegen je vrienden.'

'Luister dan.' Het kostte Janice enorme inspanning om te praten. Het putte haar uit. Maar ze wist wat ze nu moest doen. 'Er is een manier om dit op te lossen, maar ik geloof niet dat de politie het zal willen doen. Dus doe ik het zelf. En ik heb jouw hulp nodig.'

Nicks mondhoek trok. 'Hulp,' zei ze neutraal. 'Aha.'

'Je moet wat gegevens voor me opzoeken. Ik wil dat je wat telefoontjes voor me pleegt. Wil je dat doen? Wil je helpen?'

63

'Mijn zoon is geen pedo. Hij is een slechte jongen, een heel slechte jongen, maar hij is verdomme geen pedo.'

Het was bijna middernacht. Het licht brandde nog in het gebouw van de afdeling Zware Misdrijven. Nog steeds klonk het geratel van toetsenborden in verre kantoren, het gerinkel van telefoons. Turner en Caffery zaten in de vergaderruimte aan het eind van een van de gangen op de tweede verdieping, met de jaloezieën dicht en de tl-buizen aan. Caffery zat met een paperclip te spelen. Op de tafel stonden drie koppen koffie en Peter Moon zat aan de andere kant van het bureau op een draaistoel, gekleed in een geruite trui en een wijde blauwe joggingbroek. Hij had aangegeven dat hij wilde praten, onder voorwaarde dat ze hem de volgende morgen vrijlieten. Hij wilde niets weten van zijn rechten en hij wilde geen advocaat, maar hij had er de hele nacht over liggen denken en nu wilde hij alles rechtzetten. Caffery liet hem zijn gang gaan. Hij was niet van plan die kerel zomaar te laten lopen. Hij wilde hem weer opsluiten zodra hij zijn zegje had gedaan.

'Geen pedo.' Caffery keek hem dof aan. 'Waarom heb je hem dan gedekt?'

'De auto's. Hij heeft een probleem met auto's. Wat dat betreft is hij net een klein kind. Hij heeft er tientallen gejat. Het is alsof hij het niet kan laten.'

'We vonden de meeste ervan in zijn garage.'

'Daarom is hij hier gaan werken.' Peter zag er mager en verslagen uit. Gegeneerd. Dit was een man die de wereld niets anders na liet dan twee zoons, waarvan de ene voor zijn dertigste in bed zou sterven en de andere in de gevangenis zou belanden. Op het whiteboard aan de muur was een A'4tje met Ted erop geprikt. Het was een vergroting van de foto op zijn personeelspasje. Ted staarde de kamer in met zijn dode, nietszeggende ogen, zijn schouders iets naar voren en zijn hoofd iets naar beneden. Peter Moon vermeed het ernaar te kijken, zag Caffery. 'Hij heeft er zoveel gestolen dat hij dacht dat jullie hem in de gaten hadden. Hij dacht dat hij – ik weet het niet – in jullie computers zou kunnen als hij hier werkte. Dat hij de gegevens zou kunnen veranderen of zoiets.' Hij hief zijn handen. 'God mag weten wat hij zich in het hoofd had gehaald, dat hij een soort computergenie was of zo.'

'Hij is inderdaad in het systeem geweest, maar of dat was om te achterhalen wat wij weten over zijn gestolen auto's?' Caffery keek naar Turner. 'Klinkt jou dat logisch in de oren? Dat hij naar gestolen auto's zocht?'

Turner schudde zijn hoofd. 'Nee, baas. Dat klinkt mij niet logisch in de oren. Het lijkt mij meer dat hij het deed om erachter te komen waar we dat gezin hadden ondergebracht. Het gezin waar hij het op gemunt had. En waar de verkeerscamera's waren geplaatst.'

'Ja, die verkeerscamera's. Verbazingwekkend hoe hij die heeft weten te vermijden.'

'Verbazingwekkend,' beaamde Turner.

'Zie je, Moon, je zoon heeft nu vier kinderen ontvoerd. Twee daarvan heeft hij niet losgelaten. Hij heeft goede reden om ons uit handen te willen blijven.'

'Nee, nee, nee. Ik zweer op de hoofden van alle heiligen dat hij geen pedo is. Mijn zoon is geen pedo.'

'Hij heeft een dertienjarig meisje vermoord.'

'Niet omdat hij een pedo is.'

Op het bureau lag een enkel velletje met Caffery's handschrift – de krabbels die hij had gemaakt bij telefoongesprekken van eerder op de avond. Na de sectie op het lichaam van Sharon Macy had Caffery een kort, informeel gesprek gehad met de patholoog. De man wilde geen officiële mededelingen doen, die zouden later in het rapport vermeld worden, maar hij kon hem wel een paar dingen vertellen. Het lichaam van Sharon Macy was in zo'n verregaande staat van ontbinding dat niemand ook maar ergens honderd procent zeker van kon zijn, maar als hij moest wedden, zou hij zeggen dat ze was gestorven door een klap met een stomp voorwerp op haar achterhoofd of door bloedverlies uit de enorme wond in haar hals. Er waren aanwijzingen dat ze zich verzet had; een van de vingers van haar rechterhand was gebroken, maar de patholoog had geen bewijs kunnen vinden van verkrachting. Ze was volledig gekleed en de houding waarin het lichaam was achtergelaten was niet seksueel beladen.

'Ik weet het,' zei Caffery nu. 'Ik weet dat hij geen pedo is.'

Peter Moon knipperde met zijn ogen. 'Wat?'

'Ik zei, ik weet dat hij geen pedofiel is. Het feit dat hij meisjes heeft meegenomen? Allemaal onder de dertien? Dat is een afleidingsmanoeuvre. Toeval. Het hadden net zo goed jongens kunnen zijn. Of tieners. Of baby's.'

Caffery haalde een set kopieën van foto's uit een envelop, stond op en plakte ze heel zorgvuldig op het whiteboard, een voor een, onder de foto van Ted Moon. Caffery had een van de rechercheurs etiketjes laten printen met alle relevante informatie die hij kon bedenken: naam, leeftijd, uiterlijk, sociaaleconomische klasse, baan, achtergrond enzovoort. Hij plakte de etiketjes onder de gezichten. 'Je bent hier omdat je zoon een lijst met slachtoffers heeft. Een hele rij mensen tegen wie hij iets heeft. Het zijn niet de kinderen die hij haat, maar de ouders. Lorna en Damien Graham. Neil en Simone Blunt. Rose en Jonathan Bradley. Janice en Cory Costello.'

'Wie mogen dat verdomme wel zijn?'

'De slachtoffers van je zoon.'

Peter Moon bleef heel lang naar de foto's zitten staren. 'Wil je echt zeggen dat mijn jongen het op deze mensen had gemunt?'

'In zekere zin. God mag weten wat hij gedaan heeft met de kinderen die hij heeft ontvoerd. Ik heb alle hoop verloren. Maar hij zal zich vast niet veel hebben aangetrokken van hun rechten, want ze zijn van weinig belang. Hij heeft ze niet nodig. Hij weet hoe het leven in elkaar zit: als je de kinderen iets aandoet, is het alsof je de ouders vermoordt. En dát is wat hij wil. Al deze mensen.' Caffery ging zitten en wuifde naar de foto's. 'Dit zijn de mensen die iets betekenen voor je zoon. Daar kijken we nu naar. Ooit gehoord van victimologie?'

'Nee.'

'Je zou meer tv moeten kijken, Moon. Soms onderzoeken we een misdaad door de mensen te bestuderen die er het slachtoffer van zijn. Dat doen we meestal om erachter te komen wie de dader is. In dit geval hoeven we niet te achterhalen wie het doet, want dat weten we al, maar waarom hij deze mensen heeft gekozen. Dat moeten we weten omdat hij het weer gaat doen. En snel ook. Iets – iets in het hoofd van je zoon zegt hem dat hij het nog eens moet doen. Kijk naar deze gezichten, Moon. Kijk naar de namen. Wat betekenen die voor je zoon? Deze man aan de linkerkant is Neil Blunt. Neil werkt voor het burgeradviesbureau. Toen ik vanavond bij hem was, zei hij dat hij wist dat mensen soms kwaad op hem werden en hij is al een paar keer bedreigd door cliënten van zijn werk. Heeft Ted bemoeienis met het burgeradviesbureau?'

'Mijn vrouw is ernaartoe geweest toen we die brand hebben gehad. Maar dat is elf jaar geleden.'

'En sinds hij uit de gevangenis is?'

'Niet dat ik weet.'

'Hij werkt als klusjesman. Maar toen ik zijn referenties controleerde, bleken ze allemaal vals. Wat heeft hij voor ervaring in de bouw?'

'Hij is handig. Heel handig. Hij kan alles...'

'Ik vroeg je niet hoe handig hij is. Ik vroeg je wat voor ervaring hij heeft.'

'Geen. Voor zover ik weet.'

'Hij heeft nooit in Mere gewerkt? Helemaal bij Wincanton? Gillingham? Mooie plek. Gezinswoning. Op de naam van Costello. Dat zijn zij, daar onderaan.'

'Costello? Dat zegt me niets, ik zweer het je.'

'Kijk naar de man aan de linkerkant.'

'Die zwarte gozer?'

'Hij werkt in een showroom in Cribbs Causeway – een BMW-dealer. Doet dat een belletje rinkelen? Omdat Ted zo dol is op auto's?'

'Nee.'

'Zijn naam is Damien Graham.'

Moon staarde naar de foto en schudde zijn hoofd. Hij wees naar het gezicht van Jonathan Bradley. 'Die vent.'

'Ja?'

'Die priester.'

'Ken je hem?'

'Nee. Ik heb hem op het nieuws gezien.'

'Kende Ted hem?'

'Hoe zou Ted in godsnaam zo iemand kennen?'

'Voordat meneer Bradley werd gewijd, was hij schoolhoofd. Op St. Dominic's School. Heeft Ted misschien connecties in die richting?'

'Ik heb toch gezegd dat hij geen pedo is. Hij hangt niet rond bij scholen.'

'En Farrington Gurney, Radstock? Waarom voelt hij zich daar zo thuis? Hij kent de wegen in die buurt als zijn broekzak.'

'Ted zou Farrington Gurney nog niet kennen als het de laatste plaats op de aarde was. Het afvoerputje van de Mendips, is het niet?'

Caffery keek naar de foto van Ted Moon. Keek in zijn ogen, staarde erin in een poging er iets uit te halen. 'Kijk nog eens naar de foto's, Moon. Concentreer je. Zeggen ze je iets? Wat dan ook? Je hoeft je niet dom te voelen. Zeg het gewoon.'

'Nee. Dat heb ik al gezegd. Helemaal niets. Ik probeer jullie te helpen.'

Caffery gooide de paperclip waarmee hij zat te spelen weg. Hij kwam overeind. Hij had buikpijn van al die verdomde troep die hij naar binnen had geschoven. Daar raakten dit soort zaken je altijd. In je buik. Hij ging naar het raam, zette het open en bleef er even met zijn handen op het kozijn voor staan om de koele lucht op zijn gezicht te voelen.

'Oké. Hier moet je je even voor openstellen, Moon. Ik moet je vragen om diep te graven.' Hij draaide zich om en liep naar het whiteboard. Daar haalde hij de dop van een markeerstift en zette die bij de naam van Janice Costello. Hij tekende langzaam een lijn van haar foto naar die van Rose Bradley. 'Kijk naar de vrouwen – Simone Blunt, Janice Costello, Lorna Graham, Rose Bradley. Ik wil dat je iets moeilijks doet. Ik wil dat je aan je vrouw denkt.'

'Sonja?' Moon maakte een keelgeluidje. 'Wat is er met haar?'

'Is er iets aan deze vrouwen dat je aan haar doet denken?'

'Je maakt een grapje, zeker?' zei Moon ongelovig. 'Dat moet een grap zijn.'

'Ik vraag je alleen om je ervoor open te stellen. Om me te helpen.'

'Ik kan je niet helpen. Geen van die vrouwen lijkt ook maar een beetje op haar.'

Peter Moon had natuurlijk gelijk. Als er ooit een tijd geweest was dat Caffery zich aan elke strohalm vastklampte, was het nu wel. De vrouwen leken inderdaad helemaal niet op elkaar; Janice Costello had een fris gezicht en zag er gewoon aardig uit, Rose Bradley was vijftien jaar ouder en dertien kilo zwaarder. Zelfs hun haarkleur was verschillend. De uiterst verzorgde Simone zag eruit als een hardere blonde versie van Janice, dat was waar, maar Lorna Graham, de enige die hij niet had ontmoet, was zwart. Als hij eerlijk was, zag ze er meer uit alsof ze aan de arm van een R&B-vent thuishoorde, met haar gelakte nagels en haarextensions.

De mannen dan. Iets met de mannen? Hij zette de markeerstift naast de naam van Cory Costello. Hij wilde dolgraag weten wat er gebeurd was tussen Janice Costello en Paul Prody op de avond dat Moon had ingebroken. Maar daar zou hij wel nooit achter komen. En misschien was er geen reden om kwaad te zijn op Prody. Maar dat Cory Costello van bil ging met de vrouw van Prody? Rare kerel, Prody, dacht hij. Gesloten. Als je hem sprak, zou je niet zeggen dat hij een gezin had. Hij ging terug naar Cory's gezicht en keek er nog eens naar. In zijn ogen. Hij dacht – *verhoudingen*. 'Moon?'

'Wat?'

'Zeg eens – want het komt nooit verder dan deze kamer, dat kan ik je garanderen – heb je ooit een verhouding gehad? Toen Sonja nog leefde?'

'Jezus. Nee. Natuurlijk niet.'

'Natuurlijk niet?' Caffery trok een wenkbrauw op. Het antwoord was daar geweest. In de mond van Peter Moon. Wachtend. 'Weet je het zeker?'

'Ja. Ik weet het zeker.'

'Je had toch niets met de moeder van Sharon Macy, hè? Al was het nog zo oppervlakkig?'

Peter Moons mond ging open, dicht en toen weer open. Zijn gezicht verstrakte en hij stak zijn hoofd naar voren. Als een salamander. Om een spiertrekking uit zijn hoofd te halen. 'Ik geloof niet dat ik je goed heb verstaan. Wat zei je?'

'Ik zei, je had toch niets met de moeder van Sharon Macy? Voordat Sharon werd vermoord?'

'Zal ik je eens iets vertellen?' Hij deed zijn mond even dicht, alsof hij moeite moest doen om zijn zelfbeheersing te bewaren. 'Je hebt geen idee – geen idee – hoe graag ik je op je duvel zou geven om die vraag.'

Caffery trok een wenkbrauw op. 'Ik probeer alleen een verband te leggen, Moon.' Hij deed de dop weer op de stift. Gooide hem op het bureau. 'Ik probeer nog steeds het verband te zien tussen die gezinnen. Tussen de Macy's en deze mensen.'

'De Macy's? Die verdomde Macy's? Niets hiervan heeft iets van doen met de Macy's. Ted heeft Sharon niet vermoord vanwege die klote-ouders van haar.'

'Jawel.'

'Nee! Nee, dat is verdomme helemaal niet zo. Hij heeft het gedaan vanwege de brand. Vanwege wat ze Sonja had aangedaan.'

'Wat Sharon je vrouw heeft aangedaan?'

Moon keek van Caffery naar Turner. 'Je weet het verdomme niet, hè? Sharon heeft het gedaan. Zij was de brandstichter, die kleine teef. Zeg me dat je dat tenminste wist.'

Caffery keek naar Turner, die terugkeek en langzaam zijn hoofd schudde. De psychiatrische rapporten van het ziekenhuis en die van de mensen die Ted Moon voorwaardelijk hadden vrijgelaten hadden niet bij de papieren gezeten die waren doorgestuurd. Volgens de afschriften van de verhoren had Moon geweigerd te zeggen waarom hij Sharon Macy had vermoord. Hij had geweigerd ook maar iets te zeggen, zelfs om het te ontkennen.

Peter Moon leunde met over elkaar geslagen armen achterover. Boos omdat je ook echt helemaal niets had aan de politie. 'Dat verdomde systeem. Het laat je elke keer in de steek, waar of niet? Als het je niet op de ene manier kan pakken, vraagt het je je om te draaien, zodat het nog eens goed kan kijken of het je niet op een andere manier kan naaien. Dat gebeurde toen ook met ons. Niemand had ons ooit verteld dat Ted niet goed in zijn hoofd was.' Hij tikte tegen zijn slaap. 'Schizofrenie. De mensen dachten gewoon dat hij stom was. Ted de idioot. Sharon Macy dacht dat hij daarom een goed slachtoffer was, dus op een dag doet hij er iets tegen en scheldt haar een beetje uit, en vervolgens giet zij benzine door onze brievenbus en zet het hele verdomde huis in brand. Eerst dachten we dat het iets te maken had met die spleetogen van beneden, maar toen ging die Sharon erover opscheppen tegen mijn jongens en zeggen dat het hun verdiende loon was. Maar er was natuurlijk helemaal niemand in Downend die voor de rechter wilde verklaren dat zij het had gedaan. Als je haar en haar familie had ontmoet, zou je weten waarom.'

Caffery had een foto van Sharon Macy uit die tijd op het enorme prikbord aan de tegenoverliggende muur gehangen. Toen hij hem voor het eerst had gezien, had hij instinctief gedacht dat je

Sharon Macy moest gebruiken als het woord 'disfunctioneel' ooit een menselijk gezicht nodig had ter illustratie. Op haar dertiende had ze al een abortus achter de rug en een hele rij waarschuwingen van de politie op haar naam. Je zag haar verleden en haar toekomst in haar lome ogen. Hij had de politieman in hem nodig gehad om hem eraan te herinneren dat ze een slachtoffer was. En dat ze evenveel recht op zijn aandacht had als ieder ander.

'Je denkt wat ik denk, waar of niet?' De ogen van Moon waren hard. 'Je denkt dat Sharon een hele kast vol zou hebben als de politie in die tijd waarschuwingen wegens asociaal gedrag had uitgedeeld. Ik wil maar zeggen, ze stond haar mannetje, die griet, en het was een grote meid ook nog. Breed, weet je wel. Ted was natuurlijk groter. En bozer. Mijn Sonja pleegt zelfmoord – laat ik niet ingaan op hoe dat was. Het was alsof mijn hele hart door mijn mond naar buiten werd getrokken, zo was het om haar kwijt te raken, want nee, ik had geen verhouding of wat die smerige politiehersenen van jou ook zeggen – maar zij pleegt zelfmoord en als dat al slecht was voor mij, was het voor Ted nog erger. Zó was-ie.' Moon stak zijn hoofd naar voren, ontblootte zijn tanden en balde een vuist. De spieren in zijn hals tekenden zich af, gespannen en strak. 'Voor ik het wist, zei hij tegen mij en Richard: "Ik blijf niet langer stilzitten, pa." Hij heeft nooit moeite genomen te verbergen wat hij daarna heeft gedaan. Hij heeft die meid door de straten gesleept – iedereen zag het en dacht dat het een ruzie was tussen een jongen en zijn meisje, het soort ruzie dat je daar heel veel ziet. Ze lijken ongeveer even oud, dus niemand meldt het, hè. Dus hij heeft haar te pakken en voor iemand het weet, brengt hij haar in de slaapkamer om zeep. In zijn eigen slaapkamer. Met een keukenmes.' Hij schudde zijn hoofd. 'Ik en Richard waren er niet. Maar de buren hoorden alles door de muren heen.'

Er viel een lange stilte. Moons blik ging heen en weer tussen Caffery en Turner. 'Hij heeft haar vermoord.' Hij stak zijn handen in de lucht. 'Ik zeg niet dat het niet zo is. Hij heeft Sharon Macy vermoord. Maar niet om haar ouders te raken. En ik had geen verhouding met die slons van een vrouw. Zeker niet. Snij me maar open.' Hij tikte op zijn borst. 'Snij me maar open en geef me aan je wetenschappers. Zij zullen je vertellen wat er in mijn hart leeft en wat niet. *Ik had geen verhouding met haar.*'

Caffery glimlachte lichtjes, alsof hij wilde zeggen: ja, hoor. Fantaseer jij maar lekker door, Peter, maar we komen er wel achter hoe het echt zit. 'Weet je zeker dat je hier niets aan toe wilt voegen?' zei hij. 'Vooral als je bedenkt dat we vanavond nog met de Macy's zullen praten?'

'Helemaal niets.'

'Ik heb zomaar het idee dat we van hen een heel ander verhaal zullen horen.'

'Dat denk ik niet.'

'Ik denk van wel. Ik denk dat we zullen horen dat jij mevrouw Macy naaide en dat je zoon daarom Sharon heeft vermoord. Ik denk dat we straks een hele lijst zullen horen van dingen die hij ze later nog heeft aangedaan. De brieven die hij ze achteraf heeft gestuurd.'

'Nee, dat zul je niet horen. Want dat heeft hij niet gedaan. Hij is meteen daarna in de cel beland.'

'Ik denk toch dat we dat zullen horen.'

'Toch niet. Het is hem niet,' zei Moon. 'Je moet mijn zoon niet hebben.'

Er werd geklopt. Caffery bleef nog even naar Moon zitten kijken. Toen stond hij op en ging naar de deur. Prody stond in de gang, een beetje buiten adem. Hij had een schram op zijn wang die Caffery volgens hem die morgen bij het safehouse niet had gezien. Zijn kleren waren verfomfaaid.

'Jezus.' Caffery deed de deur achter zich dicht. Hij legde een hand op Prody's arm en nam hem een paar stappen mee door de gang, weg van de vergaderkamer naar de achterkant van het gebouw, waar het rustig was en ze de telefoons in de kantoren niet konden horen. 'Alles goed met jou?'

Prody haalde een zakdoek uit zijn zak en veegde zijn gezicht af. 'Zo'n beetje.' Hij leek uitgeput, helemaal leeg. Caffery had bijna tegen hem gezegd: 'Hé, over je vrouw. Het spijt me. Laat je niet kisten.' Maar hij was nog steeds nijdig over een heleboel dingen. Dat hij die nacht bij Janice was gebleven, dat ten eerste. En dat Prody hem niet had gebeld over zijn onderzoek naar wat er in godsnaam met Flea was gebeurd. Hij haalde zijn hand weg van Prody's arm. 'Nou? Ben je iets te weten gekomen?'

'Het is een interessante middag geweest.' Hij duwde de zakdoek weer in zijn zak en haalde een hand door zijn stekelige kapsel. 'Ik ben een hele tijd op haar kantoor geweest. Het blijkt dat ze vandaag was ingeroosterd en nooit is komen opdagen. Dus de mensen daar worden een beetje zenuwachtig en zeggen dat het niets voor haar is, enzovoorts enzovoorts. Dus ben ik naar haar huis gegaan, maar dat is helemaal dicht en op slot. Geen auto te bekennen.'

'En?'

'Ik heb de buren gesproken. Die blijken de hele zaak heel wat rustiger op te vatten en in het juiste perspectief te zien. Ze zeggen dat ze haar gistermorgen de auto hebben zien volladen – duikuitrusting, koffer. Ze heeft hun verteld dat ze een lang weekend wegging en drie dagen weg zou blijven.'

'Ze had naar haar werk gemoeten.'

'Dat weet ik. Het enige dat ik kan bedenken, is dat ze het rooster verkeerd heeft gelezen of een verkeerde uitdraai heeft gehad of zoiets en denkt dat ze een weekend vrij heeft of zo. De buren waren er heel duidelijk over. Zij hebben haar gesproken. Tenzij een van hen haar in stukjes heeft gesneden en onder de vloer heeft verstopt.'

'Ze wisten niet waar ze heen ging?'

'Nee. Maar het zou ergens kunnen zijn waar ze geen bereik heeft. Niemand kan haar te pakken krijgen op haar mobiel.'

'Is dat alles?'

'Dat is alles.'

'En wat is dat?' Hij wees naar de schram op Prody's gezicht. 'Waar heb je dat juweeltje opgelopen?'

Prody drukte voorzichtig zijn vingers ertegenaan. 'Ja – Costello had me aardig te pakken. Ik neem aan dat ik het verdiend heb. Is het zo erg?'

Caffery dacht aan wat Janice had gezegd: 'Mijn man neukt Paul

Prody's vrouw.' God, het leven was niet gemakkelijk.

'Ga naar huis, jongen.' Hij legde zijn hand op Prody's rug. Klopte er even op. 'Je hebt in geen twee dagen rust gehad. Ga naar huis en doe iets op die schram. Ik wil je tot morgenochtend niet op kantoor zien, oké?'

'Nou ja, je zult wel gelijk hebben. Dank je.'

'Ik loop met je mee naar het parkeerterrein. De hond moet er even uit om te pissen.'

Ze gingen langs Caffery's kantoor en haalden Myrtle van haar plekje voor de radiator. Daarna liepen ze zwijgend met zijn drieën door de donkere gangen, waarin het licht aansprong als ze langskwamen. De mannen lieten de oude hond het tempo bepalen. Op het parkeerterrein stapte Prody in zijn Peugeot. Hij startte de motor en wilde net wegrijden toen Caffery op het raam bonsde.

Prody bleef even voorovergebogen zitten, met zijn hand op de sleutel. Er ging een geërgerde trek over zijn gezicht en even werd Caffery herinnerd aan wat hem niet aanstond aan Prody. Dat de man een indringer was. Dat hij Caffery van zijn plek wilde verdringen. Maar hij zette de motor uit. Draaide geduldig het raampje naar beneden. Zijn bleke ogen waren heel star. 'Ja?'

'Ik wilde je nog iets vragen. Over vandaag in het ziekenhuis.'

'Wat is daarmee?'

'De tests die ze gedaan hebben – ze kunnen er niet achter komen wat Moon heeft gebruikt om je te vloeren. Niemand van jullie was positief voor de belangrijkste groep stoffen die geïnhaleerd kunnen worden. En jij had andere symptomen dan de Costello-vrouwen. Jij was de enige die braakneigingen had. Missschien kun je het ziekenhuis even bellen. Om ze wat meer informatie te geven.'

'Wat meer informatie?'

'Ja. Geef ze anders gewoon het overhemd dat je droeg met het braaksel, als je het nog niet hebt gewassen. Dan kijken ze naar je maaginhoud. Bel ze gewoon even, maat. Maak de mannen in de witte jassen blij.'

Prody blies alle lucht uit zijn longen. Zijn ogen bewogen nog steeds niet. 'Jezus. Ja. Natuurlijk. Als het moet.' Hij draaide het raampje omhoog. Startte de auto weer en reed de straat op. Caffery liep achter hem aan en bleef met één arm vermoeid over het hek geslagen staan kijken tot het leeuwtje van de Peugeot, rood verlicht door de remlichten, uit het zicht verdween.

Hij draaide zich om naar Myrtle. Ze liet haar kop hangen en keek niet naar hem. Caffery vroeg zich af of ze zich net zo leeg voelde als hij. Net zo leeg en net zo bang. Er was niet veel tijd meer. Hij had geen psycholoog nodig om hem te vertellen wat er nu zou gebeuren. Ergens was een gezin met camera's in de keuken. En in de ouderslaapkamer. Hij kon het ruiken. Hij voelde het aankomen. Als hij het zou moeten klokken, zou hij zelfs zeggen dat ze minder dan twaalf uur hadden voordat het weer gebeurde.

64

Jill en David Marley zaten boven in de platanen aan de rand van de tuin. 'Londense platanen. De longen van Londen.' David Marley glimlachte terwijl hij het zei. Hij schonk thee uit een rijkversierde samovar in een broos porseleinen kopje. 'Adem in, Flea. Je moet blijven inademen. Geen wonder dat je je zo ziek voelt.'

Flea begon in de boom te klimmen, naar haar ouders toe. Maar het was moeilijk – de bladeren zaten in de weg. Te dik, te verstikkend. Elk ervan had een andere kleur en een andere structuur, die zij ervoer als een smaak in haar mond, dun en zuur of glad en verstikkend. Het kostte haar een eeuwigheid om zelfs maar dertig centimeter dichterbij te komen.

'Blijven ademen,' kwam de stem van haar vader. 'En kijk niet naar jezelf.'

Flea wist waarom hij dat zei. Ze wist dat haar buik opzwol. Ze hoefde niet te kijken om het te weten. Ze kon het voelen. Veelkleurige wormen zo dik als vingers kronkelden door haar ingewanden. Parend en rollend en groeiend.

'Dat had je niet moeten eten, Flea.' Ergens boven haar in de bomen riep haar moeder. 'O Flea, je had die boterham niet moeten opeten. Je had nee kunnen zeggen. Je moet nooit een man met een schone broek vertrouwen.'

'Een schone broek?'

'Dat zei ik. Ik zag wat je deed met die man met de schone broek.'

De tranen liepen over Flea's gezicht en er kwam een snikkend geluid uit haar mond. Ze was helemaal tot boven in de boom geklommen. Maar nu was het opeens geen boom meer. Het was een trap – een trap als uit een schilderij van Escher, een trap die begon in een vervallen gebouw in Barcelona en die boven de daken de lucht in kronkelde en naakt en nergens door ondersteund omhoogstak in de blauwe hemel, waar de wolken voorbijsnelden. Ma en pa stonden bovenaan. Pa was een paar treden naar beneden gekomen en stak zijn hand naar haar uit. Aanvankelijk had ze er blij naar gegrepen, wetend dat pa's hand haar redding zou zijn, maar nu huilde ze omdat hij op subtiele wijze voorkwam dat ze hem te pakken kreeg, hoe hard ze ook probeerde hem vast te pakken. Hij wilde dat ze luisterde.

'Ik zei toch dat het geen snoepje is. Het is geen snoepje.'

'Wat?'

'Het is geen snoepje, Flea. Hoe vaak moet ik je nog zeggen...'

Haar ogen schoten open. Ze was weer in de kolenschuit. Het restant van haar droom sloeg vergeefs tegen de binnenkant van haar ogen en pa's stem weergalmde door de holle schuit – *het is geen snoepje*. Ze lag in het donker en haar hart ging als een razende tekeer. Het maanlicht kwam door de twee gaten in de romp. Ze keek op de Citizen. Het was drie uur geleden dat ze hiernaartoe was gekropen. Ze had pijn en was licht in het hoofd van uitputting en bloedverlies. Het T-shirt zat strak rond de wond; het leek voorlopig het bloeden te stelpen, maar ze voelde de gevolgen van de hoeveelheid die ze al had verloren. Haar huid was klam en ze had snelle, onregelmatige hartkloppingen, alsof er pure adrenaline in haar aderen zat. Ze had de bouwstempel onder het luik vandaan gehaald en op de rand gelegd. Toen was ze tussen de stempel en de romp gekropen en op het moment dat ze voelde dat ze het bewustzijn verloor door het bloedverlies was ze op haar zij gaan liggen, met één arm gestrekt tegen de romp.

De stempel had misschien voorkomen dat ze in het water was gevallen terwijl ze bewusteloos was, maar hij kon haar niet helpen hier weg te komen. Ze had er uren mee staan worstelen, hoewel ze in haar hart had geweten dat ze het luik er nooit mee open kon krijgen met die lier erop. Er moest een andere manier zijn.

Het is geen snoepje, Flea...

Ze draaide haar hoofd en keek naar het luik waar ze doorheen was gekomen. Achter haar liep de schuit schuin af. In het achterste ruim stond het water bijna tot aan het dak. *Geen snoepje.* Acetyleen – het gas dat het stuk calciumcarbide zou produceren als je het in het water gooide – was iets lichter dan lucht. Ze duwde zich op haar ellebogen overeind en dacht aan de stand van het water en toen aan de onderkant van het dek met zijn spinrag en roest. Ze draaide haar kin omhoog en keek naar de kist voor het touw. De roest had er een klein gaatje in gemaakt. Het zou tijdverspilling zijn om het verder open te maken, want het gat waar het touw door naar buiten gehaald was, zou heel klein zijn – ze had al met haar lamp naar binnen gekeken om het te bestuderen en het had de grootte van een vuist. Toch zorgde die kist ervoor dat er dingen gebeurden in haar hoofd. Het acetyleen zou opstijgen naar de bovenkant van een dergelijke kist. Er zou wat in de romp lekken, maar het zou misschien – misschien – niet onder de rand van het luik door komen. Als ze daarachter bleef, achter het schot. En als het gas hier bleef...

Het was gevaarlijk, het was krankzinnig, en het was net iets dat pa zonder een moment te aarzelen zou hebben gedaan. Ze schoof de bouwstempel met een grom van de rand en liet hem in het water vallen. Ze liet haar benen over de rand bungelen. Voelde hoe het bloed uitputtend en moordend wegvloeide uit haar hoofd naar haar lichaam, het hortende bonzen van haar hart en de verblindende golven statische elektriciteit in haar schedel. Ze moest met haar ogen dicht blijven zitten en in een traag, geconcentreerd ritme blijven ademen tot de schuit niet meer om haar heen draaide.

Toen haar hart weer op de plek zat waar het hoorde, stak ze haar armen omhoog en vond het brok calciumcarbide in de rugzak. Ze had het bijna uit de plastic zak gehaald toen er een geluid uit de tunnel kwam. Het bekende kletteren van een kiezelsteen die door de luchtschacht naar beneden viel. Een plons in het water. Ze bleef met bonzend hart zitten, haar hoofd iets gedraaid, haar mond iets open. Voorzichtig deed ze de brok chemicaliën weer in de rugzak. En toen, bijna alsof degene daarbuiten stiekem was komen aansluipen, hoorde ze het geknars van het rooster dat meegaf onder het gewicht van een mens en een plons in het water. Twee plonzen. Drie.

In absolute stilte liet ze zich van de rand in het water glijden. Ze legde haar hand tegen de romp om steun te zoeken en bewoog zich langzaam naar de andere kant van de schuit. Af en toe kwam de duizeligheid weer opzetten en stond ze stil en haalde snel en stil adem door haar mond om het misselijkmakende, golvende gevoel te weren. Op vijftien centimeter van het gat bleef ze staan, met haar rug tegen de romp zodat ze naar buiten kon kijken. De tunnel leek leeg. Het maanlicht stroomde naar binnen. Maar aan de verste muur zwaaide het touw. Ze hield haar adem in en luisterde.

Er kwam een hand door het gat, met een zaklamp erin. Ze schoot naar achteren.

'Flea?'

Ze hervond haar evenwicht. Hijgde.

Prody? Ze haalde onhandig de hoofdlamp van haar hals, klemde haar hand in een vuist rond de zijne, duwde hem terug door het gat, deed een stap naar voren en scheen hem vol in het gezicht. Hij stond tot aan zijn knieën in het water naar haar te knipperen. Ze liet alle lucht in één keer uit haar longen ontsnappen.

'Ik dacht dat je dood was.' De tranen sprongen in haar ogen. Ze wees met een vinger op haar voorhoofd. 'Verdomme, Paul. Ik dacht echt dat hij je te pakken had gekregen. Ik dacht dat je dood was.'

'Niet dood. Ik ben hier.'

'Verdomme, godverdomme.' Er liep een traan over haar gezicht. 'Verdomme, dit is afschuwelijk.' Ze veegde de traan weg. 'Paul –

313

komen ze eraan? Ik bedoel, ik moet hier echt snel uit. Ik heb een hele lading bloed verloren en het wordt zo erg...' Ze zweeg even. 'Wat is dat?'

Prody had een groot voorwerp vast, gewikkeld in een stuk plastic.

'Wat? Dit?'

'Ja.' Ze veegde beverig haar neus af. Draaide de lamp naar beneden om het voorwerp te bestuderen. Het had een vreemde vorm. 'Wat heb je daar?'

'Niets, eigenlijk.'

'Niets?'

'Echt. Niet veel. Ik ben naar mijn garage geweest.' Hij haalde het stuk plastic weg en legde het voorzichtig op de helling onder het touw. Er zat een haakse slijptol in. 'Ik dacht dat ik je hiermee zou kunnen bevrijden. Hij werkt op een accu.'

Ze staarde ernaar. 'Is dat wat ze zeiden dat je....' Ze sloeg haar ogen op naar zijn gezicht. Hij zweette. En het zweet zag er niet normaal uit. Er liepen lange slakkensporen zweet over zijn gezicht, als vingers. De giftige wormen in haar ingewanden roerden zich weer. Had hij de politie gebeld en was hij toen helemaal naar zijn huis gegaan om de slijptol te halen? En de reddingsploeg was er nog niet? Ze scheen met de lamp in zijn gezicht. Hij keek haar recht in de ogen, zijn tanden net zichtbaar tussen zijn iets wijkende lippen.

'Waar zijn de anderen?' mompelde ze afstandelijk.

'De anderen? O, die komen eraan.'

'Hebben ze je alleen terug laten gaan?'

'Waarom niet?'

Ze snoof. 'Paul?'

'Wat is er?'

'Hoe wist je door welke luchtschacht je moest afdalen? Er zijn er drieëntwintig.'

'Hè?' Hij zette een been naar voren en liet de slijptol op zijn bovenbeen rusten. Toen begon hij er een schijf op te zetten. 'Ik ben aan het westelijke uiteinde begonnen en ben via alle schachten naar beneden geklommen tot ik je gevonden had.'

'Nee. Dat klopt volgens mij niet.'

'Hm?' Hij keek even op. 'Hoe bedoel je?'

'Nee. Er zijn negentien schachten aan die kant. Je broek was schoon. Toen je naar beneden kwam, was je broek schoon.'

Prody liet de slijptol zakken en glimlachte raadselachtig. Er volgde een lang, stil moment waarin ze elkaar strak aankeken. Toen ging hij weer verder met de slijpschijf, alsof er helemaal niets gezegd was. Hij schroefde de schijf vast, controleerde of hij goed zat en kwam overeind. Hij glimlachte weer naar haar.

'Wat?' fluisterde ze. 'Wat is er?'

Hij draaide zich om en liep weg, maar hoewel zijn lichaam naar voren ging, draaide zijn hoofd akelig ver om op zijn nek, zodat hij haar in het oog kon houden. Voor ze wist wat er gebeurde, was hij om de schuit heen geslopen en uit haar gezichtsveld verdwenen. Het werd meteen stil in de tunnel.

Ze deed de lamp uit, zodat ze in het donker stond. Met bonzend hart deed ze tastend een paar stappen naar achteren en vroeg zich wanhopig af wat ze moest doen. Verdomme, verdomme. Prody? Haar hoofd verstrakte helemaal. Haar benen werden zuilen van zand, zodat ze hijgend wilde gaan zitten. Prody? Echt – Prody? Een meter of drie links van haar werd een motor opgestart. Met een gejank dat als klauwen in haar hoofd stak. De slijptol. Ze deed verward een stap opzij, tastend naar iets waaraan ze zich vast kon houden, en botste tegen de rugzak, zodat die een enorme slinger maakte. De slijptol beet met een hoog gegil in het metaal. Door het gat zag ze dat de stroom van vonken de tunnel verlichtte alsof er vuurwerk werd afgestoken.

'Stop!' riep ze. 'Hou op!'

Hij gaf geen antwoord. De halve cirkel van de schijf was te zien door de romp, samen met een schijf maanlicht. Hij bevond zich op een punt halverwege haar en het luik. Hij bewoog langzaam naar beneden en knaagde aan de ijzeren romp. Hij kwam ongeveer vijfentwintig centimeter ver. Toen raakte hij iets dat niet meegaf. De slijptol schokte en ratelde en de vonken schoten in de lucht. Er ketste iets door de romp, dat ergens in het donker met een tinkelend geluid in het water verdween. De schijf herstelde zich en beet weer in het metaal, maar er was iets mis. De motor haperde. Schuurde luidruchtig tegen het ijzer. Jankte en viel stil.

Aan de andere kant van de romp vloekte Prody zachtjes. Hij haalde de schijf van het apparaat en bleef er even mee staan prutsen. Ze luisterde naar hem, bijna zonder adem te halen. Hij startte de slijptol weer. Weer stotterde hij. Hoestte. Jankte en viel sidderend weer stil. De scherpe, brandgeur van een kapot apparaat dreef de romp in.

Uit het niets ging er een losse zin door haar heen. *Ik heb eens een meisje gezien dat door de voorruit ging; ze heeft de laatste zes meter op haar gezicht afgelegd.* Dat had Prody gezegd op de avond dat hij haar een blaastest had afgenomen. Achteraf was er iets engs geweest aan de manier waarop hij het gezegd had. Er had iets van plezier in gelegen. Prody? Prody? *Prody?* Een rechercheur van de afdeling Zware Misdrijven? De man die ze altijd uit de sportzaal zag komen met zijn tas over zijn schouder? Ze dacht aan dat moment in de pub – hoe ze naar hem gekeken had, hoe ze eraan had gedacht dat er misschien iets tussen hen zou gebeuren.

Opeens werd het buiten stil. Ze hief haar hoofd. Keek met tranende ogen naar het gat. Niets. Toen een plons, ongeveer zes meter bij haar vandaan. Ze verstrakte, klaar voor het gejank van de slijptol. In plaats daarvan stierf het geluid van zijn voetstappen weg, alsof hij helemaal naar de andere kant van de ruimte ging, naar het ingestorte deel.

Ze veegde onhandig langs haar lippen, slikte de zure smaak in haar mond weg en knielde voorzichtig op de rand, ervoor zorgend dat ze niet te snel bewoog en ze niet duizelig werd. Ze klemde haar handen om de rand van het gat aan stuurboord om houvast te hebben en keek naar buiten.

Van deze kant van de schuit kon ze het deel van de tunnel zien dat tot aan de instorting liep. Het water in het kanaal glansde dof; de maan was van positie veranderd en scheen nu recht in de schacht. De muren helden in een misselijkmakende hoek over, zodat het leek of ze zou vallen, maar ze kon Prody duidelijk zien. Op een afstand van ongeveer zes meter. Bijna helemaal in het donker. Concentreer je, zeiden haar uitgeputte hersenen, kijk goed – hij doet iets belangrijks.

Hij bevond zich een heel eind verder in de ruimte, aan de rand van de tunnel, waar het waterpeil in de loop der jaren was gedaald en er een strook grond van ongeveer een meter breed vrij was gekomen – hetzelfde pad langs het kanaal waar ze dinsdag met Wellard over gelopen had. Prody stond met zijn zijkant naar haar toe. Zijn overhemd was smerig van het zwarte kanaalwater en ze kon zijn gezicht niet zien in het zwakke licht, maar hij keek naar iets in zijn hand. De schoen van Martha. Hij stopte hem in de zak van zijn fleece trui en deed het drukkertje dicht om te zorgen dat hij er niet meer uit kon. Toen ging hij onelegant op zijn hurken zitten en begon de grond te bestuderen. Flea greep de rand van het gat steviger vast en drukte haar gezicht ertegenaan, ademde met open mond en spande zich in om te zien wat hij deed.

Hij veegde de bladeren en de modder weg, schepte ze met grote handenvol weg en wierp ze achter zich zoals een hond zou doen die een gat groef. Na een paar minuten hield hij ermee op. Hij schoof een beetje dichterbij en begon voorzichtig te schrapen. De grond was hier zacht – net als de wallen die dit stuk tunnel afsloten bestond hij voor het grootste deel uit vollersaarde, met slechts een paar rotsblokken erin – maar ze dacht niet dat het een rotsblok was dat hij wilde blootleggen. Het was te regelmatig. Een te duidelijke vorm. Het leek nog het meest op golfplaat. Ze werd overmand door een gevoel van zwakte. Ze stikte haast en er schoten lichtgevende spelden door haar hoofd. Het was een gat. Ze had het niet eerder gezien – zou het nooit gezien hebben – omdat hij het zo goed met aarde had bedekt, maar ze wist instinctief wat het was. Een graf. Op de een of andere manier had Prody een kuil gemaakt in de bodem van het kanaal. Dat zou de plek zijn waar Martha was begraven.

Hij bleef even naar de vorm zitten kijken. Toen, schijnbaar tevreden over wat hij gezien had, begon hij de aarde weer terug te schuiven. Flea kwam bij uit haar trance. Ze dook onder de rugzak door en begon terug te waden naar de plek waar ze de bouwstempel had laten vallen. Ze tastte er blindelings naar, met haar armen in het donkere water. Ze kon hem naar het achterste compartiment slepen. Hem ergens vastzetten en tegen het dichte luik laten duwen. Dat zou haar wat tijd geven. Maar niet lang genoeg. Ze kwam overeind en haar ogen schoten van de ene kant naar de andere. Haar blik bleef rusten op de kist voor het touw.

Het is geen snoepje, Flea...

Ze stak voorzichtig haar hand in de rugzak, langs de harde, zoutachtige chemische bal, tastend naar andere dingen. De beitel, de friends, het stuk groene parachutelijn dat ze overal meenam omdat haar vader erbij had gezworen. *Onderschat nooit uit welke problemen een stuk parachutelijn je kan helpen, Flea.* Haar vingers stuitten op iets kleins, van plastic – een aansteker. Nog zoiets waar je volgens haar vader niet buiten kon. Ze had er meestal twee bij zich – nee, vandaag waren het er drie: er zat er nog eentje extra onderin. Met haar tanden op elkaar keek ze weer naar de kist.

Ze hoorde een plons. Dichter bij de schuit dan ze had verwacht. Nog een. Nog dichterbij. En nog een. Tegen de tijd dat ze besefte dat hij naar haar toe kwam rennen, was de klap al gekomen; de schuit leek als in een nachtmerrie omhoog te gaan en trilde en schokte toen hij zich tegen de romp wierp. Ze hoorde hoe hij spetterend achterover in het water viel. Ze kromp ineen en deinsde weg van de rugzak. Ze zag een flikkering van licht en donker langs het gat gaan. Toen werd het weer stil

Ze begon te hijgen van angst. Ze kon het niet helpen. Ze keek naar het schot – het leek kilometers ver weg. Aan de andere kant van een heel lange, smalle tunnel. De wanden golfden van de ene kant naar de andere. Niets was meer echt. Het was als iets dat ze gedroomd had.

Nog een reeks plonzen. Dit keer van achteren. Ze verkrampte. Prody landde precies achter de plek waar zij stond. Ze voelde zijn gewicht op de romp. Voelde hem als een sonische klap in haar eigen spieren en organen doortrillen. Alsof hij de schuit uit het water wilde tillen.

'Hé!' Hij sloeg op de romp. Een reeks scherpe hamerslagen.

'Word wakker, daarbinnen. Word wakker!'

Ze tastte suf naar de rand, ging erop zitten en legde haar hoofd in haar handen om te voorkomen dat het bloed nog verder uit haar hersenen liep. Haar borstkas ging schokkerig op en neer. Er trokken rillingen over haar armen.

God, god, god. Dit was de dood. Dit was haar dood. Dit was het einde.

65

De vrouw die in haar ochtendjas op het grind van de oprit stond, had het grootste deel van haar leven Skye Blue geheten. Hoe zouden mevrouw en meneer Blue als verstokte hippies hun enige dochter anders hebben kunnen noemen? Het lag voor de hand en ze mocht nog van geluk spreken dat ze geen Brown hadden geheten. Pas het laatste jaar, nu er een goede en fatsoenlijke man met de verstandige naam Nigel Stephenson was gekomen die haar tot zijn vrouw had gemaakt, hoefde ze niet meer elke keer dat ze ergens haar naam onder moest zetten verdedigende antihippiegrapjes te maken.

Skye Stephenson had nog veel meer dan de naam om Nigel dankbaar voor te zijn, dacht ze toen de achterlichten van de taxi aan het eind van de weg verdwenen. Veel meer. Ze had rust, lol en fantastische seks en voor een heerlijke knuffel hoefde ze haar armen maar uit te steken. Ze had ook een prachtig huis, dacht ze terwijl ze de ochtendjas dichter om zich heen trok en het stille tuinpad weer op liep naar de open voordeur – een vrijstaand victoriaans huis met erkers en een voortuin vol pioenen, dat haar echt het gevoel gaf dat ze er thuis was. De ramen moesten vervangen worden en ze zouden waarschijnlijk voor de volgende winter een nieuw verwarmingssysteem moeten laten aanleggen, maar het was precies het gezinshuis dat zij zich altijd had voorgesteld. Ze glimlachte naar de weg waarover Nigel verdwenen was, deed de deur achter zich dicht en maakte de ketting vast, omdat hij twee dagen weg zou blijven voor een zakenreisje en de deur vanaf de straat niet te zien was, wat haar soms een vaag gevoel van onveiligheid gaf.

Ze duwde met haar tenen de tochtrol op zijn plek om de koude lucht buiten te houden die anders geniepig door de benedenkamers zou gaan.

Skye's hechtingen waren nu geheeld en ze kon zich weer bewegen als een normaal mens. Tien dagen geleden had ze het maandverband weg kunnen laten en nu was ze echt weer helemaal de oude. Toch ging ze uit gewoonte langzaam de trap op, want haar lichaam voelde nog steeds een beetje vol en log aan. Haar borsten deden de hele tijd pijn. Er hoefde maar even iets langs te gaan en ze begonnen meteen te lekken. Soms dacht ze dat ze de voeding nog liever achter de rug wilde hebben dan Charlie.

Ze waggelde door de lange, koude gang naar de kinderkamer en bleef even in de deuropening staan kijken hoe hij lag te slapen, op zijn rug met zijn armen boven zijn schouders en zijn hoofd opzij. Zijn mondje maakte zuigende beweginkjes. Charlie – het grootste en belangrijkste waar ze Nigel dankbaar voor moest zijn. Ze ging naar het bedje en keek glimlachend op hem neer. Als het aan haar had gelegen, had ze Charlie bij haar in bed laten slapen. Dan zou het gemakkelijker zijn hem te sussen als hij wakker werd. Om een arm om zijn hoofdje te leggen en een tepel in zijn slaperige mond te duwen. Maar de bemoeizuchtige brigade kraamverpleegsters, verwanten en babyboeken had haar eronder gekregen. Haar eraan herinnerd dat ze de afstammeling was van hippies en dat Charlie nooit zou weten wat zijn bed was en wat dat van mama en papa als ze geen grenzen leerde stellen. Hij zou voor zijn leven getekend zijn en hopeloos in de knoop komen door de scheidingsangst.

'Maar een paar minuutjes kunnen geen kwaad, nietwaar, jochie? Beloof je me dat je daarna weer lief teruggaat?'

Ze tilde hem uit het bedje, dankbaar dat ze de hechtingen niet meer voelde trekken. Ze legde hem tegen haar schouder en sloeg de deken om hem heen. Toen, met één hand op zijn warme hoofdje en de andere onder zijn billetjes, en voorzichtig lopend omdat ze soms doodsbang werd van de gedachte dat ze zou kunnen struikelen en hem zou kunnen laten vallen, stiefelde ze naar de naastgelegen kamer aan de voorkant van het huis, waar zij en Nigel sliepen. Ze schopte de deur achter zich dicht en ging op het bed zitten. Het licht was uit, maar de gordijnen waren open en de kamer werd verlicht door de gele straatlantaarn aan het begin van de oprit.

Ze bracht haar hoofd omlaag om aan Charlies billetjes te ruiken, voorzichtig om hem niet wakker te maken. Niets. Ze maakte de drukkertjes in de pijpen van zijn slaappakje open en duwde een controlerende vinger in zijn luier. Vochtig.

'Tijd voor een schone luier, mannetje.'

Met een beetje moeite, omdat ze haar handen niet kon gebruiken, kwam ze weer overeind. Ze droeg hem naar de commode bij het raam. Het was een enorm geval in groen en oranje, met een gordel om hem veilig vast te maken en een heleboel laatjes voor verschillende dingen: luiers, zakjes voor de vuile exemplaren, doekjes, zalf. Skye's collega's hadden haar voor haar gekocht. Het geschenk getuigde van een tederheid voor baby's die ze niet had gezocht achter de voornamelijk mannelijke juristen met wie ze werkte en ze was er zeker van dat ze haar alleen uit medelijden hadden gekocht. Ze dachten waarschijnlijk dat Charlie het einde betekende van haar nuttige carrière als scheidingsadvocaat.

Misschien hadden ze wel gelijk, dacht ze terwijl ze de drukkertjes op het rompertje losmaakte, want als ze eraan dacht om weer aan het werk te moeten, kon ze wel huilen. Ze zag niet alleen op tegen de lange uren. Of de onderlinge competitie. Het was de gedachte dat ze weer in contact zou komen met het scherpe uiteinde van de menselijke wreedheid, alsof de geboorte van Charlie een beschermend laagje had weggenomen. Ze dacht niet dat ze in staat zou zijn de menselijke aard in zijn meest rauwe vorm weer onder ogen te zien. En dan ging het niet alleen om de paar gevallen waarin ze tijdens de scheidingsprocedures beschuldigingen had gehoord van kindermishandeling. Het was de bitterheid, het elkaar de schuld toeschuiven, de woeste strijd voor eigen gewin. In slechts een paar korte weekjes was haar geloof in haar werk helemaal verdwenen.

'Hé, mannetje.' Ze glimlachte naar Charlie, die half wakker was geworden, zwak zijn vuistjes op en neer bewoog en zijn mond al opendeed om te gaan huilen. 'Even een schone luier. En een knuffel. En dan ga je weer je bedje in.' Maar hij huilde niet en ze wist hem te verschonen zonder hem helemaal wakker te maken. Ze kleedde hem aan en legde hem op de deken op haar bed. Toen zette ze haar kussens tegen het hoofdeinde. 'Luister goed, kleine Charlie, je mag niet gewend raken aan mama's bed. Anders komen de nazi's mama halen.'

Ze schopte haar slippers weg, trok de ochtendjas uit en kroop op handen en knieën over het bed naar hem toe. Ze dacht dat hij misschien wakker zou worden en zou willen drinken, maar dat gebeurde niet. Na een paar tellen hield hij op met zijn armen en zijn mond te bewegen en vielen zijn ogen weer dicht. Zijn gezicht ontspande. Ze ging op haar zij liggen, met een hand onder haar wang, en keek hoe hij lag te slapen. Kleine Charlie. Kleine Charlie, die alles was voor haar.

Het was stil in de slaapkamer. Het licht van de straatlantaarn viel door het raam naar binnen en weerspiegelde in sommige dingen in de kamer: het glas water op het nachtkastje, de spiegel, de rij nagellakflesjes op een hoge plank. Elk oppervlak kreeg een doffe glans. Maar er was een extra glinstering in de kamer die ze niet zou hebben kunnen thuisbrengen als ze hem had gezien. Hoog boven haar hoofd, tussen de sierlijke vouwen en plooien van de gepleisterde plafondroos, zat een piepklein glazen schijfje. De onvermoeibare, altijd toekijkende lens van een bewakingscamera.

66

Beng. De schuit trilde. Het gepiep van roestend metaal weerkaatste door de tunnel. *Beng.*

Prody bevond zich niet meer in het water. Hij was op het dek van de schuit geklommen en trok de lier heen en weer om hem van het luik te krijgen. Een meter onder hem staarde Flea omhoog naar het luik. Elke keer dat Prody bewoog werden de strepen maanlicht die het donker doorkruisten onderschept. Ze deed haar ogen dicht. Er zat een harde knoop in haar maag – een harde knoop van het denken aan Martha's schoen. Aan haar graf en aan de slijptol en aan de manier waarop de motor was vastgelopen. Hoe kwam dat? Omdat hij al gebruikt was om door vlees en bot te snijden? En wat had er in die boterham gezeten? Ze kon van Prody alles verwachten. Alles.

Ze deed haar ogen open, draaide haar hoofd en keek naar het luik en toen naar de kist. Ze had geen tijd om hier zomaar te blijven zitten. Ze moest...

Boven haar hield Prody op met tegen de lier duwen.

Stilte. Ze staarde met heldere ogen naar de omtrek van het luik en hield haar adem in. Er viel een lange stilte en toen liet hij zich zwaar op het dek vallen en blokkeerde de strepen maanlicht. Hij lag recht boven haar. Met slechts een paar centimeter dek tussen hen in. Ze hoorde zijn ademhaling. Ze hoorde het geritsel van zijn nylonjas. Het verbaasde haar dat ze zijn hart niet kon horen bonzen.

'O, kijk! Ik kan je hoofd zien.'

Ze deinsde terug. Drukte zich zo stijf mogelijk tegen de wand.

'Ik kan je zien. Wat is er? Wat ben je opeens stil?'

Ze drukte haar vingers tegen haar voorhoofd, voelde een adertje kloppen, kneep haar ogen stijf dicht en probeerde dit krankzinnige gedoe een plekje te geven. Toen ze geen antwoord gaf, verschoof hij zodat zijn mond tegen de spleet van het luik lag. Zijn ademhaling veranderde, kwam met horten en stoten. Hij masturbeerde – of deed alsof. De knoop in haar maag werd strakker – ze dacht aan het kleine meisje dat waarschijnlijk niet eens wist wat seks was, laat staan waarom een volwassen man het wilde doen met een klein kind. Een klein meisje, of wat er van haar over was, dat nog geen vijftig meter verderop in haar graf lag. Boven haar hoofd lag Prody te snuiven, een geluid alsof hij zijn wangen naar binnen zoog. Er lekte iets – een druppel vocht – door de spleet, dat aan de onderkant van het dek bleef hangen. Een traan of speeksel, ze wist niet welk van de twee. De druppel trilde in het maanlicht, brak af en viel met een zacht tinkelend geluidje in de schuit.

Ze bracht haar hand naar beneden en keek kil naar het luik. Het was een druppel vloeistof geweest, maar geen sperma. Maar het was de bedoeling dat ze dacht dat het dat wel was. Hij wilde haar kwellen. Maar waarom zou hij de moeite doen? Waarom maakte hij het niet gewoon af? Haar blik ging naar de plek waar het maanlicht door de snee drong die hij met de slijptol in de romp had gemaakt. Ze dacht dat ze begreep waarom. Hij deed het omdat hij wist dat hij niet bij haar kon komen.

De energie stroomde weer door haar lichaam. Ze duwde zich weg van de wand.

'Wat ga je doen? Hé, teef!'

Ze ademde langzaam door haar mond in en uit en liep rustig naar de rugzak.

'Stuk secreet.'

Hij bonsde weer op het dek – beng beng beng – maar ze vertrok geen spier. Ze had gelijk. Hij kon niet bij haar komen. Hij kon echt niet bij haar komen. Ze begon dingen uit haar rugzak te halen. Het calciumcarbide, de parachutelijn en de aanstekers. Ze legde ze allemaal op de rand, net onder de kist. De truc was om het gat tussen de kist en het dek dicht te maken. Dat kon ze doen met haar bebloede T-shirt, maar ze zou moeten wachten tot hij het dek verliet. Dat moment zou komen. Ze was er zeker van. Hij bleef niet eeuwig daar liggen. Ze vond de lege fles die hij haar had gegeven, haalde de dop eraf, hield hem onder water en duwde er zachtjes in tot hij vol was. Ze hield hem boven haar hoofd en spoot hem leeg in de kist, vulde hem weer en herhaalde het proces.

'Wat ben je aan het doen, teef?' Hij verschoof op het luik. Ze kon hem boven haar voelen bewegen als een afzichtelijke grote spin, die wilde zien wat ze deed. 'Zeg het of ik kom naar beneden om er zelf achter te komen.'

Ze slikte. Toen er ongeveer een liter water in de kist zat, schudde ze de fles leeg en deed hem ondersteboven in het netzakje van de rugzak om te drogen. In het maanlicht vond ze de beitel en de spijker die ze had gebruikt bij de bouwstempel. Ze nam de tijd om de spijker goed op zijn plaats te zetten om de plastic behuizing van de aanstekers met een kort tikje van de beitel te doorboren. Prody luisterde naar alles wat ze deed; zijn ademhaling was recht boven haar. Ze kon zijn kille ogen bijna voelen bewegen om haar te volgen toen ze bukte en voorzichtig de inhoud van de aanstekers in de waterfles goot.

Ze ging weer rechtop staan en schudde met de fles, zodat de inhoud ronddraaide. De aanstekers waren vol geweest, maar hadden niet veel vloeistof opgeleverd – nog geen honderd milliliter. Het was genoeg om een stuk van de parachutelijn nat te maken en een soort lont te maken die tot in het andere ruim zou reiken. De rest zou ze in de kist moeten gebruiken om het acetyleen wat extra explosieve kracht te geven.

'Zeg me verdomme wat je aan het doen bent, anders kom ik naar binnen.'

Ze slikte. Ze legde haar duim en wijsvinger tegen haar hals en drukte licht. Ze probeerde haar stem niet te laten trillen toen ze zei: 'Vooruit dan. Kom hierheen, dan zie je het vanzelf.'

Er viel een stilte. Alsof hij niet kon geloven wat ze gezegd had. Toen begon hij op het luik te bonzen en eraan te trekken, schreeuwend en vloekend en schoppend. Ze keek omhoog. Hij kan er niet in, hield ze zichzelf voor. Hij kan er niet in. Met haar blik strak op het luik begon ze haar rugzak te doorzoeken om iets te vinden waar ze de aanstekervloeistof in kon doen om het te beschermen tegen het water in de kist. Prody hield op met schreeuwen. Zwaar ademend gleed hij naar de rand van het dek en liet zich in het kanaal zakken. Ze hoorde hoe hij langzaam om de schuit heen liep, zoekend naar een manier om binnen te komen. Die zou hij niet vinden. Tenzij hij de slijptol weer aan de praat kreeg of weer door de schacht naar boven ging om een ander stuk gereedschap te halen, zou hij er niet in kunnen komen. Ze zou hem bij zijn eigen spelletje verslaan.

Ze vond het plastic houdertje met batterijen voor haar lamp. Ze nam het mee naar de rand en had zich omgedraaid om de fles aanstekervloeistof te pakken toen ze werd overmand door misselijkheid en zwakte.

Ze zette de fles meteen op de rand, ging zitten en haalde diep adem om weer tot zichzelf te komen. Ze deed haar mond open en zoog de lucht naar binnen, maar haar lichaam was aan het eind van zijn Latijn. De damp van de aanstekerbrandstof en de stank van rotting en angst overweldigden haar. Ze had net tijd om op de rand te gaan liggen toen iets dat dicht en bitter was door haar borst en nek omhoogkwam en haar met haar voeten vooruit naar beneden trok tot alles, elke gedachte, elke impuls, was teruggebracht tot niet meer dan een kleine rode punt van elektrische activiteit in het zachte centrum van haar hersenen.

67

Om halfvijf knipperde Charlie Stephenson met zijn ogen, deed zijn mond open en begon te huilen. In de kamer aan de voorkant van het huis werd ook Skye wakker. Ze wreef in haar ogen en reikte slaperig naar Nigel, maar vond koude lakens op een lege plek in plaats van zijn warme lichaam. Ze kreunde, rolde op haar rug en tilde haar hoofd op om de cijfers die op het plafond werden geprojecteerd te zien – 4:32. Ze liet haar handen over haar gezicht vallen. Halfvijf. Charlies favoriete tijd.

'O god, Charlie.' Ze trok haar ochtendjas aan en schoof slaperig haar voeten in haar pantoffels. 'O god.'

Ze schuifelde de kinderkamer in en liep als een zombie naar de zachte gloed van zijn Winnie the Pooh-nachtlampje. Het was donker in de kamer. En koud – te koud. Het schuifraam stond open. Ze liep er slaperig naartoe en deed het dicht. Ze kon zich niet herinneren dat ze het open had laten staan, maar ze was tegenwoordig zo suf. Ze bleef even staan om de maanverlichte steeg aan de zijkant van het huis in te kijken. Naar de rij vuilnisemmers. Een paar maanden geleden was er bij hen ingebroken. Iemand was binnengekomen door de openslaande deuren in de woonkamer. Er was niets gestolen, maar in zekere zin had ze dat nog angstiger gevonden dan als alles weg was geweest. Nigel had daarna sloten op de benedenramen gezet. Ze moest er echt aan denken die dicht te doen.

In het bedje vertrok Charlies gezicht. Door het snikken ging zijn borstje op en neer.

'O, mormeltje van me.' Ze glimlachte. 'Om mama zo wakker te maken.' Ze sloeg zijn deken om hem heen, bedekte zijn armen ermee, tilde hem op en droeg hem naar haar kamer, voortdurend fluisterend dat hij nog eens haar dood zou worden en dat ze hem hieraan zou herinneren als hij achttien was en met meisjes uitging. Het was buiten winderig. De bomen in de voortuin wierpen vreemde bewegende schaduwen op het plafond terwijl ze bogen en wiegden. De tocht die van het raam kwam, liet de gordijnen bewegen. Ze waaiden naar binnen.

Charlies luier was droog, dus legde ze hem op een kussen en stapte slaperig naast hem in bed. Ze begon haar voedingsbeha open te maken. Opeens stopte ze daarmee. Ze ging rechtop zitten, met wijd open ogen en bonzend hart, in één klap helemaal wakker. Er had iets gekletterd in het steegje onder Charlies raam.

Ze hield een vinger tegen haar mond. 'Blijf hier, Charlie.' Ze wipte stilletjes uit bed en ging op haar blote voeten terug naar de kinderkamer. Het raam rammelde. Ze ging ernaar toe, drukte haar voorhoofd tegen het glas en keek het steegje in. Het deksel van een van de vuilnisemmers lag op de grond. Eraf gewaaid.

Ze sloot de gordijnen, ging terug naar de slaapkamer en stapte in bed. Dat was het probleem als Nigel er niet was. Dan sloeg haar verbeelding op hol.

'Domme mama.' Ze trok Charlie in haar armen, trok haar beha naar beneden om haar tepel te ontbloten en legde hem aan. Toen leunde ze achterover en sloot dromerig haar ogen. 'Domme mama met haar domme verbeelding.'

68

Toen de dag aanbrak, lag Caffery volledig gekleed te slapen op vier stoelkussens die hij om drie uur op de vloer van zijn kantoor had gegooid. Hij droomde vreemd genoeg over draken en leeuwen. De leeuwen zagen er heel echt uit. Hun tanden waren vlekkerig geel en zaten vol bloed en speeksel. Hij kon hun hete adem ruiken en de klitten in hun manen zien. Maar de draken waren tweedimensionaal, blikken kinderdraakjes, alsof ze een harnas droegen. Ze kletterden en ratelden over het slagveld met hun wapperende banieren. Ze steigerden en kronkelden met hun lange metalen nekken. Ze waren enorm. Ze verpletterden de leeuwen als mieren.

Van tijd tot tijd werd hij half wakker. Dan kwam hij enigszins aan de oppervlakte van de plek waar de resterende, brandende twijfel vandaan kwam. Kleine, knagende dingen waar hij nog geen oplossing voor had gevonden voordat hij in slaap viel. Prody's zure gezicht voordat hij gisteravond wegreed in zijn auto en hoe dat hem had gestoken. Het feit dat Flea drie dagen was gaan klimmen en dat dat er niet goed uitzag. Erger, het hele trieste, onontkoombare feit dat Ted Moon nog vrij rondliep. En dat Martha en Emily na zes dagen nog steeds niet gevonden waren.

Hij werd helemaal wakker en bleef even met gesloten ogen liggen. Hij voelde de kou en de stijfheid in zijn lichaam. Hij rook Myrtle – de geur van een rustige oude hond – op haar plekje voor de radiator, iets verderop. Hij hoorde het verkeer buiten, pratende mensen in de gangen en de geluiden van mobiele telefoons. Het was dus ochtend.

'Baas?'

Hij deed zijn ogen open. De vloer van het kantoor was stoffig. Onder het bureau lagen paperclips en proppen papier. En in de deuropening stond een stel mooie, vrouwelijke enkels in goed gepoetste schoenen met hoge hakken. Met daarnaast een paar mannenschoenen en een mannenbroek. Hij keek op. Turner en Lollapalooza. Allebei met stapels papier. 'Jezus. Hoe laat is het?'

'Halfacht.'

'Shit.' Hij wreef in zijn ogen en kwam knipperend op een elleboog overeind. Op haar geïmproviseerde bedje onder het raam geeuwde Myrtle, ging overeind zitten en schudde zich even. Het kantoor was een zootje; overal lagen sporen van Caffery's nachtelijke werk. Het whiteboard zat vol foto's en aantekeningen die hij had zitten bestuderen – van de autopsiefoto's van Sharon Macy tot die van de keuken in het safehouse van de Costello's met het kapotte raam en op het aanrecht de afgewassen chocoladebekers. Ook zijn bureau lag vol spullen – de ene stapel papieren na de andere, plastic enveloppen in verschillende kleuren met foto's van plaatsen delict, hele verzamelingen haastig neergekrabbelde aantekeningen en talloze half opgedronken kopjes koffie. Een smeltpot waar niets uit was gekomen. Geen enkele aanwijzing. Niets waaruit ze zouden kunnen afleiden wat Moon nu ging doen.

Hij wreef over zijn pijnlijke nek en keek op naar Lollapalooza. 'Heb je al antwoorden voor me?'

Ze trok een zuur gezicht. 'Alleen meer vragen. Is dat ook goed?'

'Kom binnen.' Hij zuchtte en wenkte ze binnen te komen. 'Kom binnen.'

Ze kwamen het kantoor in. Lollapalooza sloeg haar armen over elkaar en leunde tegen het bureau, met haar voeten streng naast elkaar. Turner draaide een stoel om en ging als een cowboy met zijn ellebogen op de rugleuning naar zijn baas zitten kijken.

'Oké. Het belangrijkste eerst.' Turner had duidelijk ook niet veel geslapen. Zijn das zat een beetje scheef en zijn haar had de laatste tijd geen douche gezien. Maar nog steeds geen oorring. 'De lijkenhonden van de Londense politie hebben vannacht Moons konijnenhol onder de garage doorzocht.'

'En iets gevonden? O.' Caffery wuifde afwijzend met zijn handen. 'Laat maar. Ik zie het al aan je gezicht. Niets. En verder?'

'Moons psychiatrische beoordeling is gearriveerd. Hij zat vanmorgen bij mijn e-mails.'

'Heeft hij gepraat? Toen hij de gevangenis in ging?'

'Ze konden hem gewoon niet tot zwijgen brengen, zo te lezen. Iedereen die meer dan een seconde stilstond kreeg de volle laag. In de tien jaar dat hij heeft gezeten, heeft hij zowat iedere dag een bekentenis afgelegd.'

Dat was belangrijk. Caffery trok zijn benen op, ging rechtop zitten en probeerde de kamer minder wazig te zien. 'Dus hij heeft gepraat.'

'Maar het is precies zoals zijn vader zei. Ted heeft Sharon vermoord vanwege de brand en vanwege de dood van Sonja. Geen excuses, geen zelfrechtvaardiging. Zwart-wit. Alle psychiatrische rapporten zeggen hetzelfde.'

'Verdomme. En de Macy's? Heb je die gevonden?'

Turner knikte naar Lollapalooza. Zijn gezicht zei: jouw beurt in het beklaagdenbankje, meid.

Ze schraapte haar keel. 'Oké. Een van mijn mannen heeft om twee uur vannacht eindelijk de Macy's weten te vinden toen ze van de pub naar huis gingen. Ik heb net met ze ontbeten.' Ze trok een wenkbrauw op. 'Aardig stel. Heel beschaafd. Je weet wel, van het soort dat vindt dat auto's op stapels stenen horen te staan en dat de voortuin de juiste plaats is voor een koelkast. Ze hebben zeker vaak tuinfeesten, meer kan ik er niet van maken. Maar ze hebben met me gesproken.'

'En?'

'Er is niets gebeurd. Nadat Sharon was verdwenen, hebben ze nooit meer iets van Moon gehoord. Helemaal niets.'

'Geen brieven? Al was het maar een kattebelletje?'

'Helemaal niets. Zelfs niet toen Ted was gearresteerd. Zoals je weet, heeft hij bij het proces geen woord gezegd en de familie verwacht ook niets van hem te horen. Geen van hen wilde zelfs maar zijn naam uitspreken. Ik heb je vriend van de hightecheenheid rond laten kijken. Q? Hij zei dat hij zo heette, hoewel ik persoonlijk denk dat hij een verwrongen gevoel voor humor heeft. Elk speeltje dat hij had heeft hij gebruikt en hij heeft niets kunnen vinden. Geen camera's, nada. De Macy's wonen al jaren in hetzelfde huis en hebben het een paar keer opnieuw behangen en geschilderd, maar nooit iets verdachts gevonden.'

'En Peter Moon en Macy's moeder? Was er nog iets tussen die twee?'

'Geen verhouding. En ik geloofde haar ook.'

'Verdomme.' Hij streek het haar uit zijn gezicht. Waarom leek elke weg die Caffery insloeg met Ted Moon uit te lopen op een massieve stenen muur? Het was gewoon geen soepel proces om Moon en zijn daden samen te voegen. Niet zoals in de beste zaken, waar de verbanden, als ze duidelijk werden, zo gladjes en natuurlijk leken als honing. 'En de anderen? De Bradleys, de Blunts?'

'Nee. En dat komt rechtstreeks van de familierechercheurs, die zoals we weten meestal de waarheid wel boven tafel krijgen. Statistisch klopt er misschien niets van, maar dit zouden wel eens de enige echtparen in het Verenigd Koninkrijk kunnen zijn die nooit naast de pot piesen.'

'En Damien? Hij leeft niet met zijn vrouw.'

'Maar hij heeft geen eind gemaakt aan dat huwelijk. Dat was Lorna. Als het een huwelijk was. Hij zegt dat ze getrouwd waren, maar daar kunnen wij helemaal geen officieel bewijs van vinden. Laten we het maar een internationale regeling noemen.'

Caffery kwam overeind en liep naar zijn whiteboard. Hij bestudeerde de foto's van het safehouse van de Costello's, waar Moon had ingebroken: de keuken, het lege tweepersoonsbed waarin Emily en Janice hadden geslapen. Ze hadden inmiddels vooruitgang moeten boeken. Er had al een nieuw perspectief moeten zijn. Hij staarde naar de foto van een donkerblauwe Vauxhall, de foto's van de auto van de Costello's in de werkplaats van de technische recherche. Hij bestudeerde de gezichten – Cory Costello keek heel ernstig in de camera – en alle lijnen die hij tussen de foto's had getrokken en waarmee hij ze verbonden had met die van Ted Moon boven aan het bord. Caffery hief zijn gezicht en keek weer in Moons ogen. Hij voelde niets. Helemaal niets.

Zonder iets te zeggen pakte hij een stoel en zette hem bij het raam. Hij ging met zijn rug naar de kamer zitten en keek naar de deprimerende straat. De hemel was loodgrijs. Passerende auto's reden spetterend door de plassen. Hij voelde zich oud. Zo oud. Straks had hij deze zaak afgerond, en wat kwam er dan? Weer een straatrover, verkrachter of kinderlokker die hem schaafwonden op zijn ziel en pijnlijke botten zou bezorgen?

'Meneer?' begon Lollapalooza, maar Turner legde haar met een 'sssttt' het zwijgen op.

Caffery draaide zich niet om. Hij wist wat dat *sssttt* betekende. Het betekende dat Turner niet wilde dat Lollapalooza hem stoorde. Omdat hij geloofde dat het feit dat Caffery daar bij het raam zat betekende dat hij aan het denken was, dat hij alle informatie die hij had gekregen bij elkaar voegde en er met zijn briljante brein logica uit haalde. Turner dacht echt dat Caffery zich zo meteen zou omdraaien op zijn stoel en een theorie tevoorschijn zou toveren, als een felle bos circusbloemen uit een hoed.

Nou, dacht hij somber, welkom in het land van verpletterende teleurstellingen, makker. Ik hoop dat het je hier bevalt, want je bent er voorlopig niet weg.

69

Het was niet lang na de dageraad en de enorme tuin in Yatton Keynell was overdekt met rijp. Maar binnen was het warm – Nick had een vuur aangelegd in de open haard en Janice zat erbij, in een stoel bij het raam, waartegen het sombere winterse zonlicht haar gestalte scherp aftekende. Ze verroerde zich niet toen haar zus op het afgesproken tijdstip de voordeur opendeed en de gasten binnenliet. Niemand stelde Janice voor, maar ze wisten allemaal onmiddellijk wie ze was. Het moest iets te maken hebben met de manier waarop ze daar zat. Ze kwamen allemaal automatisch naar voren, stelden zich aan haar voor en maakten zachte opmerkingen.

'Ik vond het zo erg toen ik het hoorde van je kleine meid.'

'Bedankt dat je ons gebeld hebt. We wilden echt met iemand praten.'

'De politie heeft ons hele huis op zijn kop gezet. Ik kan gewoon niet geloven dat hij ons in de gaten heeft gehouden.'

Janice knikte, schudde hen de hand en probeerde te glimlachen. Maar haar hart was koud. De Blunts kwamen eerst. Neil was lang en slank en had hetzelfde Schotse uiterlijk als Cory – roodblonde haren, wenkbrauwen en wimpers. Simone had blond haar, een licht olijfkleurige huid en bruine ogen. Janice bestudeerde hen. Had een zekere uiterlijke gelijkenis iets losgemaakt in het hoofd van Moon? Waardoor hij hen als slachtoffers had gekozen? Rose en Jonathan Bradley zagen er nog vermoeider uit dan op de krantenfoto's. Rose had fijn blond haar en haar huid was zo dun en licht dat je de aderen erdoorheen kon zien. Ze droeg een gemakkelijke joggingbroek, zachte schoenen, een roze trui met bloemen en een roze sjaal om haar hals. Die sjaal had iets zieligs – een poging om de schijn op te houden. Zij en Jonathan schudden Janice de hand en slopen bijna verontschuldigend naar hun stoel, gingen iets uit elkaar zitten en klemden hun handen om de kopjes thee die Janice' zus inschonk uit de pot naast het vuur. Toen kwam Damien Graham binnen en wist Janice zeker dat het idee van lichamelijke gelijkenissen het raam uit kon. Hij was lang en zwart, had krachtige benen en schouders en zijn haar was heel kortgeknipt. Hij leek in niets op Cory, in niets op Jonathan, in niets op Neil.

'Alysha's moeder kan niet komen.' Hij was een beetje verlegen, niet op zijn plaats in de landelijk ingerichte kamer. Hij ging op de enige stoel zitten die nog vrij was – een fragiel geval met grote zijstukken, dat hem nog krachtiger deed lijken – en zat slecht op zijn gemak aan de plooien van zijn broek te plukken. 'Lorna.' Hij sloeg een been over het andere, zodat het stoeltje kraakte.

Janice staarde hem dof aan en werd overvallen door een enorme vermoeidheid. Mensen zeiden altijd dat ze zich in dergelijke situaties leeg en versuft voelden. Ze zou willen dat ze dat kon voelen. Het was allebei beter dan deze harde, scherpe pijn onder haar ribben, waar haar maag vroeger zat. 'Luister. Ik moet me even behoorlijk aan jullie voorstellen. Ik ben Janice Costello. Dat is mijn man Cory, daar in de hoek.' Ze wachtte tot iedereen had omgekeken en een groetende hand had opgestoken. 'Jullie zullen onze namen niet hebben gehoord omdat ze het stil hebben gehouden toen onze... onze kleine meid is meegenomen.'

'In de kranten stond dat er nog een geval was,' zei Simone Blunt. 'Iedereen weet dat het gebeurd is. Alleen weet niemand jullie naam.'

'Ze hebben het stilgehouden omdat ze ons wilden beschermen.'

'De camera's,' mompelde Rose. 'Heeft hij in jullie huis ook camera's geplaatst?'

Janice knikte. Ze legde haar handen in haar schoot en keek ernaar, naar de aderen op de rug, die door de huid te zien waren. Ze kon geen enkele emotie in haar stem leggen. Elk woord dat haar mond uit kwam, kostte haar moeite. Uiteindelijk keek ze weer op. 'Ik weet dat de politie met jullie gesproken heeft. Ik weet dat ze alles steeds weer heeft doorgenomen en dat ze niet ziet wat we gemeen hebben. Maar ik dacht, als we nu eens bij elkaar kwamen, zouden we misschien kunnen achterhalen waarom hij ons heeft gekozen. Dan zouden we kunnen raden wie hij hierna gaat pakken. Want ik denk dat hij het nog eens gaat doen. En de politie ook. Ook al zeggen ze het niet. En als we kunnen bedenken wie er nu gaat volgen, zou er een kans zijn om hem te pakken, om erachter te komen wat hij met onze...' Ze haalde adem en hield de lucht vast. Ze meed de blik van Rose, wetend wat ze erin zou lezen en dat een glimp daarvan iets los zou maken dat nu nog als een strakgespannen veer in haar borst lag. Toen ze haar stem weer onder controle had, liet ze de adem ontsnappen. 'Maar nu ik jullie allemaal ontmoet heb, begin ik te denken dat ik gewoon een idioot ben. Ik had zo'n beetje gehoopt dat we op elkaar zouden lijken. Ik dacht dat we er hetzelfde uit zouden zien of misschien van dezelfde dingen zouden houden, in dezelfde huizen zouden wonen, ons in dezelfde situatie zouden bevinden, maar dat is niet zo. Je hoeft ons maar aan te kijken om te zien dat we enorm verschillen. Het spijt me.' Ze was moe. Zo moe. 'Het spijt me echt.'

'Nee.' Neil Blunt boog naar haar toe en duwde zijn hoofd naar voren, zodat ze gedwongen was hem in het gezicht te kijken. 'Het hoeft je niet te spijten. Je hebt hier een gevoel over, en dat moet je vasthouden. Misschien heb je gelijk. Misschien is er echt iets dat ons verbindt. Iets dat niet meteen opvalt.'

'Nee. Kijk ons nou.'

'Er moet iets zijn,' drong hij aan. 'Iets. Misschien doen we hem aan iemand denken. Uit zijn jeugd.'

'Ons werk?' zei Simone. 'Iets aan ons werk.' Ze wendde zich tot Jonathan. 'Ik weet wat jij doet, Jonathan, het heeft in alle kranten gestaan. Maar Rose, wat doe jij?'

'Ik ben medisch secretaresse. Ik werk voor een team van osteopaten in Frenchay.' Ze wachtte even of iemand commentaar had. Niemand. Ze glimlachte triest. 'Niet erg interessant, ik weet het.'

'Damien?'

'Ik werk voor BMW. In de verkoop. Ik heb altijd gedacht dat de verkoop de afdeling is waar je moet zijn. Als je het daar goed kunt doen, ligt de wereld aan je voeten. Maar je moet van de jacht houden, je moet je prooi binnen weten te halen...' Hij brak af – iedereen staarde hem zwijgend aan. Hij leunde achterover en stak zijn handen op. 'Ja, nou,' mompelde hij. 'Dat ben ik dus. Autoverkoop. BMW. In Cribbs Causeway.'

'En jij, Janice? Wat doe jij voor de kost?'

'Ik zit in de uitgeverij. Ik was redacteur. Nu werk ik freelance. En Cory is...'

'Consulent voor een drukkerij.' Cory keek niemand aan terwijl hij het zei. 'Ik adviseer ze over marketingstrategieën. Vertel ze hoe ze een groen image moeten opbouwen.'

Simone schraapte haar keel. 'Financieel analist. En Neil werkt voor het burgeradviesbureau in Midsomer Norton. Hij is gespecialiseerd in voogdijzaken bij scheidingen. Maar dat zegt niemand van jullie iets. Toch?'

'Nee.'

'Het spijt me. Nee.'

'Misschien bekijken we het helemaal verkeerd.'

Iedereen keek op. Rose Bradley zat ineengedoken in haar stoel, een beetje gegeneerd, maar ook wat koppig. Ze had haar trui hoog op haar schouders getrokken, zodat hij halverwege haar achterhoofd zat – als een bange salamander in een te ruim vel. Haar doffe ogen keken onzeker onder haar gefronste wenkbrauwen uit.

'Hoe bedoel je?' zei Simone.

'Ik zei, misschien bekijken we het helemaal verkeerd. Misschien kennen we hem toch.'

Iedereen keek elkaar aan.

'Maar we zijn het er net over eens dat we hem niet kennen,' zei Simone. 'Niemand van ons heeft ooit van Ted Moon gehoord.'

'Maar stel dat hij het niet is?'

'Stel dat wie wat niet is?'

'De ontvoerder. Degene die dit allemaal doet. Ik bedoel, we gaan er zomaar van uit dat de politie het bij het rechte eind heeft. Dat het Ted Moon is. Stel dat ze het mis hebben?'

'Maar...' zei iemand, maar de zin werd niet afgemaakt. Iedereen in de kamer was opgehouden met praten en bewegen. Hun gezichten waren verslapt. Er viel een lange stilte terwijl ze dit idee in zich opnamen. Een voor een wendden ze zich met een gezicht vol verwachting van Rose naar Janice. Het was precies de manier waarop kinderen naar een leraar zouden kijken. Wachtend tot er iemand met gezag kwam om ze uit de problemen te halen waar ze zich in hadden gewerkt.

70

Het autostoeltje was ook een van de vele cadeaus waarmee ze bij de komst van Charlie overladen waren. Dit keer van Nigels ouders. Het was blauw met gele ankertjes erop. Om kwart over acht op die koude morgen stond het in de gang te wachten tot het in de auto zou worden gezet. Charlies tas stond ernaast, helemaal ingepakt: luiers en speelgoed en schone kleertjes.

Skye dronk snel een derde kop koffie. Ze stond in de keuken in haar grote trui en keek naar de condens op de ramen zonder die echt te zien. Er lag rijp op de bomen in de tuin en ze voelde de vrieskoude buitenlucht door de kieren in de slecht sluitende schuiframen komen. Ze dacht aan de afgelopen nacht. Aan het open raam. Aan het deksel van de vuilnisemmer. Ze spoelde het kopje af en zette het op het afdruiprek. Ze draaide de thermostaat iets hoger en controleerde of de ramen op slot zaten. In de gang hing haar rode jas aan een haakje bij de deur, met daarnaast haar handtas. Het was een goed idee om vanmorgen weg te gaan. Een bezoekje aan kantoor. Alleen om Charlie aan de partners te laten zien. Waarom niet?

Ja. Het was een heel goed idee.

71

Ondanks het vuur had Janice het ijskoud. Haar hoofd voelde aan als een steen. Koud en hard. Iedereen staarde haar aan in de verwachting dat ze iets zou zeggen. Ze sloeg haar armen over elkaar en stopte haar handen onder haar oksels tegen het trillen. Probeerde zich te vermannen.

'Misschien – eh... misschien heeft Rose wel gelijk.' Haar tanden klapperden. Ze stootten onbeheersbaar tegen elkaar. 'Het zou niet de eerste keer zijn dat de politie het mis had. Misschien is Ted Moon de verkeerde man.' Ze dacht aan alle mannen met wie Emily in de loop der jaren in contact was geweest. Er trok een hele rij gezichten door haar hoofd – leraren van school, een slungelige voetbalcoach met een slechte huid die altijd een beetje te vriendelijk was tegen de moeders, de melkboer die soms op de stoep met Emily stond te praten. 'Misschien staan we allemaal in verband met iemand anders. Iemand aan wie we niet eens hebben gedacht.'

'Maar wie dan?'

'Ik weet het niet... ik weet het niet.'

Er viel een lange stilte over de groep. Buiten lieten Janice' zus en Nick Philippa Bradley de tuin zien. Ze had haar spaniël meegebracht en die speelde met de labradors. Van tijd tot tijd zagen ze de drie vrouwen door de openslaande deuren heen en weer lopen en ballen gooien, weggedoken in hun jassen en sjaals. Ze maakten zwarte voetafdrukken op het berijpte grasveld. Janice staarde naar hen. Ze herinnerde zich hoe Emily daar als kleuter gespeeld had, lachend omdat ze zich achter de lavendelstruiken kon verstoppen, zodat Janice naar buiten kwam en zogenaamd bang zei: *O, nee! Mijn kleine meid is weg! Waar is mijn Emily? Heeft het monster haar te pakken gekregen?*

Niet Ted Moon? Wie dan wel? Wie verbond haar en Cory met deze vijf andere mensen?

Uit de hoek kwam de zachte stem van Damien. 'Hoor eens.' Hij opende zijn handen en draaide zich om naar de mensen opzij van hem. 'Ik heb die schoft op de foto ook nooit ontmoet, maar ik wil toch iets zeggen.' Hij wees naar Jonathan. 'Jij, man. Sorry dat ik het zeg, maar jou ken ik ergens van. Dat denk ik al sinds ik binnen ben.'

Iedereen keek naar Jonathan. Hij fronste. 'Uit de krant, bedoel je? Ik heb deze week in alle kranten gestaan.'

'Nee. Ik heb de foto's gezien op het journaal en daarvan heb ik je niet herkend, anders had ik wel iets tegen de politie gezegd. Maar toen ik net binnenkwam en je zag, dacht ik, ik ken die man toch ergens van.'

'Waarvan?'

'Dat weet ik niet meer. Misschien verbeeld ik het me.'

'Ga je wel eens naar de kerk?'

'Niet meer sinds ik een kind was. De zevendedagsadventisten in Deptford. Maar niet meer sinds ik op mezelf woon. Het is niet rot bedoeld, maar ik zou er nog niet dood gevonden willen worden.'

'En je kind,' zei Jonathan. 'Je dochter. Hoe heette ze ook weer?'

'Alysha.'

'O, ja. De politie heeft me naar haar gevraagd. Ik heb wel eens een Alysha gekend, maar dat was niet Alysha Graham. Het was Alysha Morefield, of Morton. Ik weet het niet meer precies.'

Damien staarde hem aan. 'Moreby. Alysha Moreby. Moreby is de naam van haar moeder, de naam waaronder Lorna haar op school heeft ingeschreven.'

Er kwam iets van kleur in Jonathans gezicht. Iedereen in de kamer was iets naar voren geschoven en staarde naar de twee mannen. 'Moreby. Alysha Moreby. Die ken ik.'

'Waar ken je haar van? We zijn nooit met haar naar de kerk geweest.'

Jonathans mond hing half open. Alsof er een verschrikkelijke waarheid onthuld ging worden. Iets dat er al die tijd al geweest was en dat de wereld had kunnen redden als ze er maar vroeg genoeg aan gedacht hadden. 'School,' zei hij als van ver weg. 'Voordat ik ben gewijd, was ik schoolhoofd.'

'Dat is het.' Damien sloeg tegen zijn bovenbeen. Stak een vinger in de lucht. 'Meneer Bradley – natuurlijk. Ik herinner me jou, man. Ik bedoel, ik heb je nooit ontmoet of zo – Lorna bemoeide zich altijd met alle schoolzaken van Alysha. Maar ik heb je gezien. Ik heb je gezien – bij het hek en zo.'

Janice schoof met bonzend hart naar voren. 'Iemand op school. Jullie kenden allebei mensen van de school.'

'Nee. Ik ging nooit naar de school,' zei Damien. 'Bijna nooit. Dat was Lorna's taak, naar school brengen en ophalen.'

'Geen ouderavonden?'

'Nee.'

'Feesten of tentoonstellingen?'

'Nee.'

'Je hebt echt de andere ouders nooit ontmoet?'

'Ik zweer het – ik bemoeide me er gewoon nooit mee. Zo is het altijd geweest in onze families – de vrouw doet de schoolzaken.'

'Maar je vrouw,' zei Jonathan effen, 'die was bevriend met de andere ouders. Dat weet ik, omdat ik me haar nog goed herinner. Ze stond altijd met een groepje vriendinnen bij het schoolhek.'

'Iemand in het bijzonder?' vroeg Simone.

'Nee. Maar...' Jonathan keek omhoog alsof hij zich iets herinnerde.

'Wat is er?' Janice was al half uit haar stoel. 'Wat is er?'

'Ze raakte betrokken bij een incident.' Hij keek naar Damien. 'Herinner je je dat niet?'

'Wat voor incident?'

'Met een van de andere ouders. Het werd vrij onaangenaam.'

'Dat met die snoeptrommel? Heb je het daar over?'

Jonathan maakte zijn kraag wat losser en keek met bloeddoorlopen ogen naar Janice. Opeens was het warm in de kamer. Alsof er een elektrische lading hing. 'Het was de maandag na een bazaar. Lorna, de partner van meneer Graham, kwam naar mijn kantoor. Ze had een snoeptrommel bij zich. Ze zei dat ze die op de bazaar had gekocht. Ik herinner het me nog heel duidelijk, omdat het toen zo ontzettend vreemd leek.'

'Een snoeptrommel?'

'Ik had de ouders gevraagd oude trommeltjes vol snoep mee te nemen om op de bazaar te verkopen. Voor een pond of zo. Het was dat jaar om geld bijeen te krijgen voor het schooldak, maar toen mevrouw Graham met haar trommel thuiskwam, zat er...'

'... een briefje in,' zei Damien. 'Een Post-it. Er stond iets op.'

'Lorna, mevrouw Graham, had het briefje gelezen en kwam er meteen mee naar mij toe. Ze had ermee naar de politie willen gaan, maar ze was bang dat het misschien een grap was. Ze wilde de school niet in de problemen brengen.'

'Wat stond er op het briefje?'

'Er stond op,' hij keek haar ernstig aan, '"papa slaat ons. Hij sluit mama op."'

'Papa slaat ons. Hij sluit mama op?' Het was alsof Janice bij die woorden ijs in haar aderen kreeg en ze wilde ophouden met ademen. 'Zijn jullie erachter gekomen wie het had geschreven?'

'Ja, twee van mijn leerlingen. Ik herinner me ze nog heel goed, broertjes. Ik geloof dat hun ouders in scheiding lagen. Ik nam de zaak serieus op en ik heb maatschappelijk werk erbij gehaald. We waren er al snel achter dat het waar was. Twee jongens die werden mishandeld door hun vader. Maanden voor dat voorval met de snoeptrommel waren ze een week weggebleven van school. Toen ze terugkwamen, waren ze heel stil.' Hij wreef over zijn armen alsof hij het koud kreeg bij de herinnering. 'Toen maatschappelijk werk zich er eenmaal mee bemoeide, kreeg de moeder de voogdij over de kinderen. De vader heeft het nooit op een rechtszaak laten aankomen. Hij was van de politie, geloof ik. Hij trok zich terug en heeft de zaak nooit aangevochten...' Zijn stem stierf weg. Janice, Cory en Neil Blunt keken hem met bleke gezichten aan. 'Wat is er?' zei hij. 'Wat heb ik gezegd?'

In haar stoel, haar enkels nog steeds gekruist, begon Janice te trillen.

72

Een man, een vrij grote man, hurkte onopgemerkt achter een oude olijfgroene schakelkast in een woonstraat in Southville en staarde naar een voortuin aan de andere kant van de weg. Hij droeg een spijkerbroek, een sweater en een nylon trainingsjasje. Niets opmerkelijks, eigenlijk, maar uit zijn achterzak hing een stuk gekleurd rubber. Een gezicht, slap en vormeloos. De grijnzende mond van een rubber Kerstmanmasker – het soort masker dat je voor een paar pond bij elke feestzaal kon krijgen. Zijn donkerblauwe Peugeot stond een paar honderd meter verderop geparkeerd. Sinds de vrouw in Frome hem voor haar huis had zien staan, had hij geleerd meer afstand te bewaren.

Er kwam een vrouw door de voordeur, gekleed in een felrode jas, die twee tassen en een blauw met geel autostoeltje droeg. Ze zette alles in de auto: eerst het autostoeltje, dat ze veilig op de achterbank bevestigde, met een netjes ingestopte deken erover. Toen een handtas op de passagiersstoel en de luiertas daarvoor op de grond. Ze haalde een ijskrabber uit het handschoenenkastje en leunde over de motorkap om bij de voorruit te kunnen. Ze stond even met haar rug naar de man en die gelegenheid greep hij aan om uit de schaduw van de schakelkast te komen. Hij stak rustig de straat over, met rechte rug, en keek intussen om zich heen. Toen dook hij de oprit van een buurhuis in en liep over het bevroren grasveld. Hij stopte bij de rij struiken die de twee percelen van elkaar scheidde en keek toe terwijl de vrouw naar de achterkant van de auto liep en de ruitenwisser omhoogzette om het raam schoon te schrapen. De vrouw gaf de ruiten nog een laatste veeg en liep weer naar de voorkant. Ze bleef even staan om de zijspiegels schoon te maken, ging achter het stuur zitten, blies in haar koude handen en stak onhandig de sleutel in het contact.

De man zette het Kerstmanmasker op, stapte over de lage stenen muur – een wolf die er de tijd voor nam – en liep rustig naar haar kant van de auto. Opende het portier.

'Eruit.'

De vrouw reageerde door haar handen omhoog te brengen. Het was een instinctief gebaar om haar gezicht te beschermen, maar het maakte voor hem de weg vrij om haar gordel los te maken. Tegen de tijd dat ze besefte wat er gebeurde, was het te laat. Hij trok haar al uit de auto.

'Eruit, kreng.'

'Nee! Nee! *Nee!*'

Maar hij was sterk. Hij greep haar haar en sleepte haar naar buiten. Haar handen tastten naar haar hoofd, ze schopte en probeerde in paniek iets te vinden om haar benen achter te haken. Ze kreeg een knie onder het stuur en haar linkerhand op de deuropening boven het portier, maar ze kon ze daar niet houden. Met een extra ruk was ze eruit. Ze wankelde en viel, haar panty ging bij de knie kapot. Ze wist haar vingers in zijn handschoen te wringen en probeerde zijn hand los te krijgen, maar hij trok haar naar achteren en negeerde haar nagels in zijn handen. Ze sprong met haar voeten van de grond, schopte en gilde. Hij voelde plukken haar uit haar hoofdhuid scheuren toen hij haar tegen de voordeur van het huis gooide.

'Rot op.' Ze duwde hem zo hard ze kon weg. 'Blijf van me af.'

Hij gaf haar een duw, zodat ze door het portiek schoot. Haar armen gingen omhoog en sloegen tegen de stenen pilaar, zodat ze de huid van haar handen schaafde. Haar linkerbeen schoot naar voren en hield haar bijna tegen, maar net niet helemaal. Ze struikelde, viel en landde op haar rechterschouder. Ze rolde op haar zij en zag nog net de man achter het stuur springen en de motor starten. De radio kwam tot leven en 'When A Child Is Born' schalde door de koude lucht. Hij gaf gas, haalde de handrem eraf en draaide om op zijn stoel om de auto snel achteruit van de oprit te kunnen rijden.

De man stopte net lang genoeg midden op de weg om te schakelen en scheurde toen weg. Pas toen het felle gepiep van remmen door de straat weerklonk beseften Skye Stephensons buren wat er gebeurde. Een of twee ervan kwamen naar buiten hollen, maar het was al te laat. De kersrode terreinwagen was al aan het eind van de straat en verdween om de hoek.

73

Clare Prody gebruikte geen make-up en verfde haar futloze blonde haar niet. Ze kleedde zich netjes en eenvoudig in neutrale tinten en pastelkleuren uit gemiddeld geprijsde winkels als Gap. Platte schoenen. Ze leek uit hetzelfde sociaaleconomische milieu te komen als Janice Costello. Maar als ze haar mond opendeed, kwam er een zuiver plattelandsdialect uit. Een meisje uit Somerset, Bridgewater, en ze was nooit verder de streek uit geweest dan twee keer met de trein naar Londen – een keer voor *Les Miserables* en een keer voor *The Phantom of the Opera*. Ze had op de verpleegstersopleiding gezeten in het Bristol Royal en ervan gedroomd met kinderen te werken toen Paul Prody in haar leven was verschenen. Hij was met haar getrouwd en had haar overgehaald haar werk op te geven en thuis te blijven bij de twee kinderen, Robert en Josh. Paul had een goede baan en Clare was van hem afhankelijk. Pas na jaren van mishandeling had ze de moed bij elkaar kunnen schrapen om weg te gaan.

Caffery bestudeerde haar toen ze aan de andere kant van zijn bureau zat. Ze was op het kantoor verschenen in de eerste kledingstukken die ze bij de hand had gehad toen hij had gebeld, een T-shirt en een kakibroek. Om een of andere reden had ze ook een geblokte blauwe deken om haar schouders, die ze met bloedeloze vingers voor haar borst vasthield. Het was niet omdat ze het koud had. Het was meer. Het was omdat ze zich een vluchteling voelde. Iemand die altijd op de vlucht was. Ze zag bleek, alsof ze niet genoeg bloed in haar lichaam had, maar haar neus was afschuwelijk rood en schraal. Sinds ze een halfuur geleden was gearriveerd, had ze genoeg gehuild om ieders hart te breken. Ze kon gewoon niet geloven dat dit haar gebeurde. Ze kon het gewoon niet geloven.

'Ik kan niets meer bedenken.' Haar blik was gevestigd op de namen op het whiteboard achter hem. Haar lippen trilden. 'Echt niet.'

'Het is goed. Jaag jezelf niet op. Het komt vanzelf.'

Clare had een uitgebreide lijst gemaakt met iedereen die ze kon bedenken – iedereen die haar man zou kunnen betrekken bij zijn afschuwelijke wraakactie. Sommige namen had het team zelf al gevonden, andere niet. Een paar deuren verderop was een hele zaal rechercheurs er haastig mee aan het werk. Contact leggen met de plaatselijke politie. Directe telefonische waarschuwingen. Iedereen op de afdeling Zware Misdrijven stond stijf van de spanning, want er was niemand in de eenheid die er niet absoluut van overtuigd was dat Prody nog eens zou toeslaan. En hun grootste hoop lag in het bijtijds vinden van zijn volgende slachtoffer. Caffery, die vanwege zijn woede geloofde dat hij Prody beter aanvoelde dan wie ook in het gebouw, dacht dat het snel zou gebeuren. Heel snel. Vanmorgen, misschien.

'Zij hadden geluk.' Clares blik was van de lijst met namen weg gedwaald en was blijven rusten op de opgeprikte foto's. Ze keek naar Neil en Simone Blunt. Naar Lorna en Damien Graham. 'Zoveel geluk.'

'Hij heeft ze er goed van af laten komen.'

Ze stootte een droog, hopeloos lachje uit. 'Echt iets voor Paul. Hij is erg precies. De straf past altijd bij de misdaad. Als je hem echt van streek maakte, kreeg je er erger van langs. Hij was niet zo boos op de moeder van Alysha, op Neil...' ze keek naar de naam '... Blunt. Hij zal zich wel hebben voorgesteld bij het burgeradviesbureau, dat weet ik niet meer. Ik herken zijn gezicht wel ergens van, maar ik had zijn naam nooit geweten. Maar ik herinner me die dag wel, want naderhand stond Paul buiten op me te wachten. Hij dreigde me te vermoorden.' Ze schudde haar hoofd alsof ze er nog steeds niet bij kon hoe dom ze was geweest. 'Ik heb het compleet gemist. Jonathan Bradley was het schoolhoofd van Robert en Josh – de jongens en ik zijn zelfs naar Oakhill geweest toen Martha was ontvoerd en hebben bloemen bij zijn huis gelegd, en nog heb ik het verband niet gezien.'

'Hij is heel erg slim, Clare. Je man is heel erg slim. Je moet jezelf niet de schuld geven.'

'Jij wist het. Jij bent erachter gekomen.'

'Ja, maar ik had hulp. En ik ben van de politie. Het is mijn werk om verbanden te leggen.'

Caffery wilde dat hij in dit geval aanspraak kon maken op wat subtiel speur- en denkwerk, maar dat was helaas niet zo. Het was een eenvoudig telefoontje van het ziekenhuislab geweest, een routinekwestie, dat de puzzelstukjes voor hem op zijn plaats had laten vallen. Paul Prody had nog steeds zijn overhemd niet gebracht om er tests mee te laten doen. De laboranten hadden alle tests voor inhalatiestoffen gehad en begonnen zich af te vragen of de ontvoerder niet oraal een bedwelmingsmiddel had toegediend. Prody's maaginhoud zou een welkome aanvulling zijn op hun pipetten en reageerbuizen. Na het telefoontje moest Caffery er steeds weer aan denken hoe schoon Janice' mond er gisteren in de tuin had uitgezien. Wit en roze, geen korstje te bekennen. Onrustbarend schoon. En toen had hij begrepen wat hem dwars had gezeten aan de foto van de keuken in het safehouse. Het was het rijtje mokken op het afdruiprek. Het laatste dat Paul Prody in de flat had gedaan, was chocolademelk serveren aan het gezin. Aan Janice, haar moeder en Emily.

Caffery kwam overeind, ging naar het raam, waar Myrtle op haar bedje lag, en keek naar de waterige hemel. Hij had zich snel even opgefrist in het herentoilet met zeep uit het pompje en handdrogers en zich snel geschoren met het wegwerpmesje dat hij in zijn dossierkast bewaarde, maar zijn pak was gekreukt en op de een of andere manier voelde hij zich nog steeds vies. Alsof Paul Prody onder zijn huid was gekropen. Het wachten op nieuws was wachten op een storm. Zonder te weten uit welke richting hij zou komen, boven welke daken de donkere wolken zich zouden verzamelen. Maar hij voelde Prody op deze regenachtige winterdag als een trilling in zijn huid, lenig bewegend in de koude stad en op het platteland. Er gebeurde al het een en ander; het korps had zijn voelsprieten uitgestoken. Ze zouden hem vandaag vinden. En dan zouden ze ook Flea Marley vinden. Van die verschrikkelijke realiteit was Caffery honderd procent zeker. Een uur geleden had een jonge rechercheur het kantoor verlaten en was naar haar huis gegaan, en het hele duikteam was uit zijn bed gebeld door het telefoonteam in het naastgelegen kantoor. Maar iedereen vermoedde dat Prody het antwoord had.

'Hij heef me zo schofterig behandeld,' klonk de stem van Clare achter Caffery. 'Het is een echte klootzak. Ik weet niet meer hoeveel blauwe ogen hij me geslagen heeft.'

'Ja.' Caffery legde zijn vingers tegen het raam en dacht: je komt naar ons toe, Prody. Je komt. 'Het is jammer dat je nooit iets tegen de politie hebt gezegd.'

'Ik weet het. Ik zie nu natuurlijk wel hoe stom dat was, maar ik geloofde alles wat hij tegen me zei, en de jongens ook. We hadden

nooit gedacht dat de politie ons zou helpen, zo had hij ons geher-
senspoeld. We dachten dat jullie een hecht clubje vormden. Dat jullie altijd achter elkaar zouden staan en je nooit tegen een van jullie
zouden keren. Ik was banger van de politie dan van Paul. En de jongens ook. Het is gewoon...' Ze brak haar zin af. Er viel een korte
stilte. Toen hoorde hij haar geschokt naar adem happen.

Hij draaide zich om. Ze stond voor zich uit te staren met een uitdrukking van doorbrekende afschuw op haar gezicht. 'Wat is er?'

'Jezus,' zei ze zwakjes. 'O, jezus.'

'Clare?'

'Uitdroging,' mompelde ze.

'Uitdroging?'

'Ja.' Ze keek hem aan. Haar ogen glinsterden. 'Meneer Caffery,
weet u hoe lang het duurt voor je doodgaat door uitdroging?'

'Dat hangt ervan af,' zei hij voorzichtig, en hij ging tegenover
haar zitten. 'Van de omstandigheden. Hoezo?'

'We hadden een keer ruzie. De ergste ruzie van allemaal. Paul
sloot me op in het toilet – het benedentoilet, dat geen raam had
waardoor ik zou kunnen schreeuwen. Hij stuurde de jongens naar
zijn moeder en zei tegen iedereen dat ik op vakantie was met vriendinnen.'

'Ga door,' zei Caffery, en hij voelde iets losser worden in zijn
borst, iets dat sinds het moment dat hij de keuken van Rose Bradley in was gelopen een strakke knoop had gevormd. 'Ga verder.'

'Hij sloot het water af. Een tijdlang dronk ik uit de stortbak van
het toilet, en toen sloot hij die ook af.' Haar gezicht stond strak.
'Hij liet me daar vier dagen zitten. Ik weet het niet, maar volgens
mij ben ik toen bijna doodgegaan.'

Caffery ademde langzaam en rustig. Hij had zin om zijn hoofd
op het bureau te leggen en te schreeuwen. Want hij wist instinctief
dat Clare gelijk had; het was wat Prody met Martha en Emily had
gedaan. En dat betekende dat ze nog in leven konden zijn. Net.
Emily had een goede kans. Martha – waarschijnlijk niet. Caffery had
in het kader van een zaak in Londen eens met dokters gesproken
over uitdroging en hij wist dat een mens soms wel tien dagen zon-

der water kon, ook al luidde de vuistregel dat dit maar drie dagen was. Martha was een kind en dat zou haar kansen verkleinen, maar als hij als onwetende politieman voor dokter zou moeten spelen, zou hij haar vijf, op zijn hoogst misschien zes dagen geven. Als het lot haar goed gezind was.

Zes dagen. Hij keek op de kalender. Ze was precies zo lang weg. Zes dagen. Op zes uur na.

De telefoon op zijn bureau ging. Zowel hij en Clare bleven er even roerloos naar zitten staren. Zelfs Myrtle ging rechtop zitten, haar oren gespitst en opeens een en al aandacht. De telefoon rinkelde weer en dit keer nam hij de hoorn op. Hij luisterde met bonzend hart. Toen legde hij de hoorn neer en keek naar Clare. Ze gaapte hem met wijd open ogen aan.

'Skye Stephenson.'

'Skye? De advocaat? Verdomme.'

Caffery pakte zijn jas van de rugleuning van zijn stoel. 'Je moet iets voor me doen.'

'Ze heeft een baby. Skye heeft een baby. Een jongetje. Ik heb helemaal niet aan haar gedacht...'

'Ik geef je een escorte. Rechercheur Paluzzi. Zij rijdt je erheen.'

'Waarheen?' Clare greep zich vast aan het bureau alsof ze wilde voorkomen dat ze ergens heen gebracht zou worden. De blauwe deken schoof weg en viel op de grond, zodat haar magere schouders in het zwarte T-shirt te zien waren. 'Waar brengt ze me heen?'

'Naar de Cotswolds. We denken dat we weten waar hij is. We denken dat we hem misschien te pakken hebben.'

74

Buiten regende het. De zijstraat naar het parkeerterrein stond vol voertuigen. Er stonden mensen op de stoep, mannen in pakken en geüniformeerde agenten. Er was een gepantserde Sprinter waarvan de achterportieren openstonden. Op de daken van de voertuigen draaiden koude blauwe lampen.

Janice wist al dat de afdeling Zware Misdrijven Prody doorhad; op het moment dat zij en de andere ouders bij elkaar hadden gezeten, had ook Caffery alles op een rijtje gekregen. Maar toen ze met zijn vieren – Janice, Nick, Cory en Rose – in de Audi aan kwamen rijden, zag ze aan de ernstige gezichten van de mannen dat er nog iets was gebeurd. De concentratie van de agenten en hun korte, afgemeten zinnen hadden iets verschrikkelijks. Iets dringends. Die ernstige vastberadenheid was voor Janice het ergste. Het betekende dat dit geen droom was. Dat ze hem misschien te pakken hadden. De meisjes hadden gevonden.

Nick zag het ook. Ze maakte met een strak gezicht haar gordel los. 'Wacht hier.' Ze stapte uit en liep snel in de richting van de kantoren.

Janice aarzelde even, maar toen maakte ook zij haar gordel los en stapte uit. Ze ging door de straat achter Nick aan, haar schouders gebogen tegen de regen, haar jas half boven haar hoofd. Langs de voertuigen, door het hek dat wijd open stond en het parkeerterrein op. Ze was een lage zwarte auto, die langs een muur geparkeerd stond, al bijna voorbij toen iets haar aandacht trok. Ze kwam abrupt tot stilstand. Even bleef ze roerloos staan, nog steeds met haar blik naar voren gericht.

Er zat iemand achter in de auto. Een vrouw. Een vrouw met licht haar en een verdrietig, betrokken gezicht. Clare Prody.

Janice draaide zich heel langzaam om. Clare staarde haar aan vanachter de ruit vol regendruppels. Ze had een deken om haar schouders alsof ze uit een brandend huis was gered en er lag pure afschuw in haar ogen nu ze zo plotseling oog in oog stond met Cory's vrouw. Met Emily's moeder.

Janice kon zich niet bewegen. Ze kon zich niet afwenden, ze kon niet verder lopen. Ze kon alleen maar kijken. Haar ogen waren droog – droog en pijnlijk, alsof ze nooit meer dicht zouden kunnen. Er was niets te zeggen. Niets dat kon uitdrukken hoe ze zich voelde nu ze daar zo in de regen stond. Hopeloos. Bekeken door de

vrouw die met Cory naar bed ging en wier man Emily had ontvoerd. Ze had zich in haar leven nog nooit zo doorschijnend zwak
en ellendig gevoeld.

Haar hoofd viel naar voren. Ze kon niet meer – zelfs staan was
een te grote inspanning. Ze draaide zich om en wilde terugsjokken
naar de Audi. Achter haar ging het raampje van de zwarte auto met
een schuivend geluid open. 'Janice?'

Ze bleef staan. Ze kon geen stap meer verzetten, kon zich niet
omdraaien. Zo moe was ze.

'Janice?'

Ze bracht met veel inspanning haar kin omhoog en draaide haar
hoofd om. Het gezicht van Clare was zo wit dat het bijna licht gaf.
Er zaten sporen van tranen op haar wangen. Ze zag er gekweld uit,
vol schuldgevoelens. Ze boog zich half uit het raampje en keek snel
het parkeerterrein rond of niemand naar hen keek. Toen boog ze
zich nog verder naar Janice toe en fluisterde: 'Ze weten waar hij
is.'

Janice' mond ging wezenloos open. Ze schudde haar hoofd. Ze
snapte het niet. 'Wat?'

'Ze weten waar hij is. Ze brengen me er nu naartoe. Ik mag niets
zeggen, maar ik weet het.'

Janice deed een stap naar de auto. 'Wat?'

'Hij zit in een plaatsje dat Sapperton heet. Volgens mij is dat in
de Cotswolds.'

Janice voelde haar gezicht verslappen. Voelde hoe een samenge-
trokken deel van haar gezicht weer tot leven kwam. Sapperton. Sapperton. Ze kende die naam. Daar was de tunnel waar de teams naar
Martha hadden gezocht.

'Janice?'

Ze luisterde niet meer. Ze rende terug naar de Audi, zo snel haar
benen haar konden dragen, dwars door de plassen heen. Cory was
nu ook uitgestapt en had een vreemde trek op zijn gezicht. Hij keek
niet naar haar, maar naar Clare in de auto. Janice bleef niet staan.
Het kon haar niet schelen. Ze zwaaide haar arm naar achteren. 'Ze
is helemaal voor jou, Cory. Ga je gang.'

Ze sprong in de auto. Rose boog van de achterbank naar voren, met een gezicht vol vragen.

'Ze hebben hem gevonden.'

'Wat?'

'De Sapperton Tunnel. De plek waar ze naar Martha hebben gezocht. Ze willen ons niet mee hebben, maar dat maakt niet uit.' Ze stak haar sleutels in het slot en startte de motor. De ruitenwissers gingen aan en schoten met dringende piepgeluiden heen en weer. 'We gaan erheen.'

'Hé.' Het portier aan de passagierskant ging open en Nick keek naar binnen, druipend van de regen. 'Wat is er aan de hand?'

Janice zette het navigatiesysteem aan en tikte 'Sapperton' in.

'Janice. Ik vroeg je wat. Wat ben je in godsnaam aan het doen?'

'Ik denk dat je dat wel weet. Ze hebben het je verteld.'

Het navigatiesysteem verwerkte de instructies. En toen verscheen de kaart op het scherm. Janice draaide aan een knop om een breder beeld te krijgen.

'Janice, ik weet niet wat je van plan bent.'

'Jawel.'

'Dat kan ik niet laten gebeuren. Je zult me moeten ontvoeren als je wilt dat ik bij je blijf.'

'Dan ben je ontvoerd.'

'Jezus.' Nick sprong op de passagiersstoel en sloeg het portier dicht. Janice zette de auto in de versnelling, haalde de handrem eraf en wilde wegrijden. Maar ze moest op de rem gaan staan. Voor de motorkap, half onzichtbaar in de regen, stond Cory. Zijn ogen waren triest neergeslagen en zijn bovenlichaam hing naar voren, alsof zijn armen en handen te zwaar voor hem waren. Ze staarde naar hem zonder te begrijpen wat er gebeurde. Achter hem zat Clare in de zwarte auto als een standbeeld de andere kant uit te kijken. Met eindelijk kleur in haar gezicht. Haar wangen waren rood. Janice begreep het al. Ze hadden ruzie gehad.

Ze zette de auto in zijn vrij en Cory liep naar de bestuurderskant. Ze deed het raampje open en keek hem lang en onderzoekend aan. Ze bestudeerde zijn bruine kleurtje, opgespoten in een cabine in

Wincanton. Was hij daaronder net zo bleek als zij zich voelde? Moeilijk te zeggen. Ze bestudeerde het pak – netjes geperst, want daar had hij op de een of andere manier tijd voor gevonden, terwijl zij eerst moest kijken als ze wilde weten wat ze aanhad. En hij huilde. Al die tijd dat Emily weg was had hij niet gehuild. Niet één keer. Daar was Clare voor nodig geweest, om hem aan het huilen te brengen.

'Ze heeft me de bons gegeven. Ik weet niet wat je tegen haar gezegd hebt, maar ze heeft me de bons gegeven.'

'Het spijt me.' Janice hield haar stem in bedwang. Bleef rustig. 'Het spijt me heel erg.'

Hij keek haar aan en zijn lippen trilden een beetje. Toen vertrok zijn gezicht. Zijn schouders kwamen omhoog. Hij liet zijn hoofd naar voren vallen, zette zijn handen tegen de auto en begon te snikken. Janice keek in stilte toe en zag de kwetsbare kale plek boven op zijn hoofd. Ze voelde niets voor hem. Geen medelijden, geen liefde. Alleen een koude, harde wig van niets. 'Ik vind het heel erg,' zei ze en dit keer bedoelde ze dat ze alles erg vond. Hem, hun huwelijk, hun arme, arme kleine meisje. De hele wereld. 'Het spijt me, Cory, maar wil je nu aan de kant gaan?'

75

De regen in de stad had nog niet het platteland ten noordoosten van Bristol bereikt. De aanhoudende wind had de hemel helder en de temperaturen laag gehouden, waardoor de velden tegen de middag nog helemaal berijpt waren. Turner reed Caffery's Mondeo snel over de smalle weggetjes naar het bos bij het Thames and Severn Canal, waar Prody Skye Stephensons terreinwagen had achtergelaten. Caffery zat stil naast hem. Zijn hoofd wiebelde een beetje mee met de bewegingen van de auto. Het kogelvrije vest dat hij onder zijn pak droeg, sneed in zijn rug.

'Een leeuw,' zei hij afwezig. 'Dat miste ik.'

Turner keek hem even aan. 'Pardon?'

'Een leeuw.' Hij knikte. 'Ik had het moeten zien.'

Turner volgde zijn blik. Caffery keek naar het embleem op het stuur. 'Peugeot? De leeuw?'

'Prody rijdt in een Peugeot. Dat heb ik gezien toen hij gisteravond het parkeerterrein af reed. Het deed me aan iets denken.'

'Wat dan?'

'Je zou hem voor een draak kunnen aanzien, nietwaar? Als je een vrouw van in de zestig was die niet veel verstand had van auto's?'

'Zodat je hem aanzag voor een Vauxhall?' Turner zette de richtingaanwijzer aan. Ze waren bij het ontmoetingspunt. 'Ja. Dat zou kunnen.'

Caffery dacht aan de vele straten die de eenheden hadden afgezocht naar een Vauxhall, terwijl Prody in een donkerblauwe Peugeot reed. Ze hadden op het verkeerde spoor gezeten, keken uit naar een draak en negeerden alle leeuwen die ze passeerden. Als ze beelden hadden gehad van de camera van die winkel hadden ze geweten dat het om een Peugeot ging. Maar ook daar had Prody voor gezorgd. Caffery wilde erom wedden dat hij de agent was geweest die de geheugenkaart uit de camera had gehaald om de beroving te onderzoeken en was vergeten de camera weer aan te zetten. Bovendien hadden Paul en Clare Prody tien jaar in Farrington Gurney gewoond, iets waar Caffery op dat moment niet aan had gedacht. Nu dacht hij na over de laatste zes dagen en zag ze als een pad achter hem liggen. Hij zag elke verspilde seconde. Elk bitter verslappen van de concentratie. Elke kop koffie die hij had gezet en opgedronken, elke keer dat hij was gaan plassen. En dat alles afgezet tegen de tijd – minuten of uren – die Martha wellicht nog had gehad. Hij legde zijn voorhoofd tegen het raampje en staarde naar buiten. Vanmorgen had Ted Moon geprobeerd zich te verhangen aan dezelfde boom die zijn moeder daarvoor had gebruikt. Hij lag nu in het ziekenhuis, omringd door zijn familie. Kon het nog akeliger worden?

Turner reed het parkeerterrein op van een pub bij de oostelijke ingang van de Sapperton Tunnel. Het krioelde er van de politie-mensen: busjes met honden, busjes van de technische recherche, busjes van de ondersteunende eenheden. Boven hen brulde een helikopter van de luchteenheid. Turner trok de handrem aan en wendde zich met een ernstig gezicht tot Caffery. 'Baas. Aan het eind van de dag kookt mijn vrouw altijd voor me. Dan gaan we ervoor zitten en trekken een fles wijn open en dan vraagt ze me wat er op het werk is gebeurd. Wat ik wil weten is, zal ik het haar kunnen vertellen?'

Caffery keek uit het raampje naar waar de middaghemel halverwege werd onderbroken door de toppen van de bomen in het bos, met daarboven de staartrotor van de helikopter. De eerste bomen stonden ongeveer vijftig meter van het parkeerterrein – de vage witte lijn van het binnenste afzetlint hing al op zijn plek en bewoog lui in de wind. Hij leunde achterover. 'Ik denk het niet, makker,' zei hij zachtjes. 'Ik denk niet dat ze hier iets over zal willen horen.'

Toen stapte hij uit de auto, liep langs de mensen op het parkeerterrein en tekende het logboek van de man die bij het buitenste afzetlint stond. Er was een enorm gebied afgezet en ze moesten een heel eind lopen – over een spoor onder de druipende bomen door, langs het vijf planken hoge hek dat Prody in stukken had gereden toen hij door twee patrouillewagens werd achtervolgd tot aan de plek waar hij een botsing had gehad en te voet verder was gegaan. Ze liepen in stilte. Ze bevonden zich nog geen halve kilometer van het punt waar Prody de Yaris van de Bradleys had geparkeerd op de avond dat hij Martha had ontvoerd. Je kent dit gebied, dacht Caffery toen ze het spoor oppikten dat de technische recherche met loopplaten had gemaakt en dat het bos in liep. En je zit niet ver weg. Je kunt niet ver weg zijn gekomen nu je te voet bent.

Tegen de tijd dat ze bij de plek van de botsing kwamen, was de helikopter opgehouden met rondcirkelen en bleef hij een paar honderd meter naar het zuiden boven een dicht stuk bos hangen. Caffery keek ernaar en zag waar hij hing. Hij vroeg zich af waar de bemanning zich op richtte en wanneer hij iets zou horen. Hij liet zijn penning zien en dook onder het binnenste lint door, gevolgd door Turner, naar waar de terreinwagen van Skye Stephenson op zijn eigen afgezette plek stond. Caffery deed zijn penning weer in zijn zak en bleef even naar de plek staan kijken om wat tot rust te komen. Hij probeerde zijn hart wat te kalmeren, zodat het niet meer zou lijken alsof het uit zijn borstkas wilde bonzen.

Het voertuig had een donkere, bijna kersrode tint en de flanken zaten vol modder, opgeworpen bij Prody's verwoede pogingen om het over dit spoor te loodsen. Hij wist tegen die tijd dat hij werd gevolgd. De bumper had aan de rechterkant een deuk en het profiel van een band was wijd uiteen gedrukt, zodat de radiaaldraden te zien waren. De deur aan de passagierskant en beide achterportieren stonden open. Aan de passagierskant hing een deken naar buiten, die de auto verbond met een kinderstoeltje dat was omgevallen, zodat de onderkant met de gele ankertjes naar Caffery en Turner was toegekeerd. Overal lagen babykleertjes. In de bocht van het stoeltje was net een armpje zichtbaar met een gebald vuistje.

De LPD keek op. Hij zag Caffery, kwam naar hem toe en trok zijn capuchon naar beneden. Zijn gezicht was asgrauw. 'Die vent is gestoord.'

'Dat weet ik.'

'De agenten die achter hem aan zaten, denken dat hij ze de laatste vijftien kilometer al in de gaten had. Hij had het raampje open kunnen doen en het kinderstoeltje naar buiten kunnen werken. Maar dat deed hij niet. Hij hield het in de auto.'

Caffery keek naar het stoeltje. 'Waarom?'

'Hij sloopte het verdomde ding gewoon onder het rijden. Ik denk dat hij woedend op ons was.'

Ze gingen naar het stoeltje en keken erop neer. De levensgrote babypop die Skye Charlies kleertjes had aangetrokken, was door Prody gereduceerd tot een stapel plastic ledematen, die hij in het stoeltje had gelegd. Dertig centimeter verderop, half bedekt door Charlies boxpakje, lag het poppenhoofd. Platgestampt. Met een modderige voetafdruk erop.

'Hoe is het met haar?' vroeg de LPD. 'Met de plaatsvervanger?'

Caffery haalde zijn schouders op. 'Helemaal over haar toeren. Ik geloof niet dat ze echt geloofde dat het zou gebeuren op de manier zoals wij hadden gezegd.'

'Ik ken haar. Al sinds ze bij de politie is komen werken. Ze is een goede politievrouw, maar als ik had geweten dat ze zich vrijwillig zou opgeven voor een dergelijke stunt zou ik haar hebben gezegd een donkere kamer op te zoeken en er daar nog eens rustig over na te denken. Maar goed,' zei hij onwillig, 'het was wel een goede gok. Om te raden waar hij zou toeslaan.'

'Niet echt. Ik heb geluk gehad. Heel veel geluk. Ook omdat iedereen zijn rol goed speelde. Zodat het werkte.'

Pas nu besefte Caffery dat er voor het eerst in deze ellendige zaak iets in het grote onkenbare universum goed voor hem was uitgevallen: nog voor Clare op het bureau was gearriveerd en hem een lijst met mogelijke slachtoffers van Prody had gegeven, hadden Caffery, Turner en Lollapalooza al drie namen genoteerd die volgens hen in aanmerking kwamen. Die mensen waren door de politie gewaarschuwd. Ze hadden de hele morgen verdekt opgestelde surveillance-eenheden bij hun huis gehad. Maar het team had gehoopt dat het Skye Stephenson zou worden, omdat zij de enige persoon was die ze door iemand anders konden vervangen. Prody had haar tot vandaag nooit persoonlijk ontmoet – hij kende alleen haar adres en de foto op de website van het bedrijf waar ze werkte. Het geluk was nu eens op de hand van de politie.

Caffery boog voorover en steunde met zijn handen op zijn knieën om het zendertje te bestuderen dat Q op Skyes terreinwagen had bevestigd voor het geval de surveillanten bij het huis Prody uit het oog zouden verliezen.

'Wat is er?' zei de LPD.

'Zijn dit de zenders die de politie altijd gebruikt?'

'Ik geloof van wel. Hoezo?'

Hij haalde met een ironisch gebaar zijn schouders op. 'Niets. Het is eenzelfde zender als Prody aan de auto van de Costello's had bevestigd. Hij moet hem hebben gestolen op de technische afdeling. Sluwe vos.'

'Hij weet wat hij doet, dus.'

'Dat kun je wel zeggen.'

Aan de andere kant van het bos begon een hond te blaffen. Hard genoeg om boven het geluid van de helikopter uit te komen. Iedereen op de plaats delict hield op met wat hij aan het doen was. Ze gingen rechtop staan en keken naar de bomen. Caffery en Turner wisselden een blik. Ze herkenden de toon van dat geblaf. Een speurhond maakte dat geluid maar om één enkele reden. Hij had zijn prooi gevonden. De twee mannen draaiden zich zonder iets te zeggen om, doken onder het lint door en haastten zich over het pad in de richting van het geluid.

Toen ze door het bos liepen, verschenen er andere gestalten in uniform tussen de hen omringende bomen, allemaal op weg naar de plek waar de hond blafte. Caffery en Turner kwamen door een zacht en stil dennenbos, waar hun voetstappen werden gedempt door een tapijt van hennakleurige naalden, en hoe dichterbij ze kwamen, hoe luider het gekletter van de helikopterrotors werd. Er klonk ook nog een ander geluid – gebrul door een megafoon. Caffery ging harder lopen. Hij sprintte over een open plek vol gevelde zilverberken een kort hellinkje op, inmiddels met zijn broek vol modder en bladeren, en vervolgens over een vrijgemaakt spoor waarover een mager winterzonnetje zijn stralen uitwierp. Daar bleef hij staan. Er kwam een lange man in ME-uitrusting naar hem toe, zijn vizier omhoog en een arm in de lucht om hen tot stoppen te manen. 'Inspecteur Caffery? De onderzoeksleider?'

'Ja?' Caffery liet zijn identiteitskaart zien. 'Wat gebeurt er? Het klinkt alsof de honden beethebben daarginds.'

'Ik ben vandaag Brons.' Hij stak zijn hand uit. 'Aangenaam kennis te maken.'

Caffery haalde diep adem. Hij dwong zichzelf de kaart weer in zijn zak te steken en rustig de hand te schudden. 'Ja. Heel aangenaam. Wat gebeurt er allemaal? Hebben de honden hem gevonden?'

'Ja. Maar het is niet goed.' Het zweet stond op het gezicht van de man. Zilver en Goud zouden bij een operatie als deze op het hoofdbureau zitten en alles organiseren vanuit hun veilige stoel, terwijl deze arme schooier, Brons, onder aan de ladder stond. Als tactisch commandant, de man in het veld, moest hij de bevelen van Zilver en Goud opvolgen en vertalen naar actie. Caffery zou in zijn plaats ook gezweet hebben. 'We weten waar hij is, maar we hebben nog geen arrestatie kunnen verrichten. Het is geen goede plek. Overal zijn schachten die de Sapperton Tunnel van lucht voorzien.'

'Dat weet ik.'

'Nou, in een daarvan had hij een touw hangen. Hij is verdomme als een konijn het hol in gedoken.'

Caffery blies de lucht in één keer uit. Flea had gelijk gehad. Ze had al die tijd gelijk gehad. En opeens voelde hij haar – alsof hij een kreet in de duisternis hoorde. Zijn instinct roerde zich. Alsof ze vlak bij hem was. Hij keek om zich heen, naar de lege ruimte tussen de bomen. Er was nog geen bericht van de agent uit Bath, die naar haar huis was gestuurd. Flea was beslist hier in de buurt.

'Meneer?'

Hij draaide zich om en daar, alsof Caffery hem door de kracht van zijn bezorgdheid om Flea op magische wijze had opgeroepen, stond Wellard. Ook in een donkerblauwe werkbroek en met een helm op. Hij hijgde, zijn adem wit in de vrieskoude lucht. Hij had blauwe kringen onder zijn ogen en Caffery zag aan zijn gezicht dat de man precies hetzelfde dacht als hij. 'Je hebt nog niets van haar gehoord?' vroeg Wellard.

Caffery schudde zijn hoofd. 'Jullie?'

'Nee.'

'Wat moeten we daarvan denken?'

'Dat weet ik niet.' Wellard legde een vinger tegen zijn hals. Slikte. 'Maar eh... hoor eens, waar ik wel iets van weet, is van de tunnel. Ik ken die tunnel. Ik ben er eerder in geweest. Ik heb de tekeningen. De schacht waarin hij is verdwenen, bevindt zich tussen twee ingestorte stukken. Hij zit daar als een rat in de val. Echt. Geen weg naar buiten.'

Ze draaiden zich vol verwachting om naar Brons. Die maakte zijn helm los en veegde met zijn mouw het zweet van zijn voorhoofd.

'Ik weet het niet, hoor. Hij reageert niet op onze oproepen.'

Caffery lachte. 'Wat? Die hem door iemand met een megafoon worden toegeschreeuwd? Natuurlijk niet.'

'Het is altijd het beste om eerst het gesprek op gang te brengen. Om een bemiddelaar in te schakelen. Zijn vrouw is onderweg, niet-waar?'

'Loop naar de hel met je onderhandelingen. Stuur nu meteen een team naar beneden.'

'Dat kan ik niet doen. Zo eenvoudig is het niet. Eerst moeten we de risico's inschatten.'

'De risico's inschatten? Doe me een lol, zeg. De verdachte kent het gebied – we denken dat hij een van de slachtoffers hierheen heeft gebracht. Ze zou nog in leven kunnen zijn. Zeg dat maar tegen Zilver en Goud. Gebruik de woorden "ernstig en onmiddellijk gevaar". Dan snappen ze het wel.'

Hij schoof de commandant opzij en liep verder over het pad, en zijn voeten maakten zuigende geluiden in de modder en trapten het ijs in de plassen kapot. Hij was een paar meter gevorderd toen er vanonder zijn voeten een geluid omhoogkwam dat luider was dan de helikopter, de honden en de megafoon bij elkaar. De grond leek onder hem te bewegen. De kale takken trilden door de schok en er dwarrelden een paar droge bladeren naar beneden. Een zwerm roeken vloog krassend op.

In de stilte die volgde bleven de mannen staan, hun blik gericht op de luchtschacht. Toen begonnen er honden te janken tussen de bomen. Een hoog, angstig geluid.

'Wat was dat in godsnaam?' Caffery draaide zich om en keek achterom naar Wellard en de commandant. 'Wat was dat, verdomme?'

76

Janice zette de motor van de Audi af en keek naar het parkeerterrein van de pub. Het stond vol auto's en busjes van specialisten.

Overal liepen mensen rond met grimmige gezichten en witte adem-wolken. Ergens boven het bos klonk het geratel van een helikopter.

'Het team zal willen dat we hier blijven.' Nick keek door de voor-ruit naar een pad dat het bos in liep. 'Ze willen ons niet dichterbij hebben dan hier.'

'O, nee?' Janice haalde de sleutels uit het contact en deed ze in haar zak. 'Is dat zo?'

'Janice,' zei Nick waarschuwend. 'Ik word geacht je tegen te hou-den. Je wordt nog gearresteerd.'

'Nick,' zei Janice geduldig, 'je bent een schat. Je bent een van de grootste schatten die ik ooit heb ontmoet, maar je hebt geen idee hoe dit is. Wat voor opleiding je ook gehad hebt, je weet er de helft nog niet van. Dat kan ook niet als je het niet zelf hebt meegemaakt. Nou,' ze keek haar strak aan, met opgetrokken wenkbrauwen, 'ga je ons helpen of moeten we het alleen doen?'

'Ik raak mijn baan kwijt.'

'Blijf dan maar in de auto. Lieg. Zeg maar dat we ontsnapt zijn. Wat dan ook. Wij dekken je wel.'

'Dat doen we,' zei Rose. 'Blijf maar hier. Wij redden ons wel.'

Even zei niemand iets. Nick keek afwisselend naar Rose en Janice. Toen ritste ze haar regenjack dicht en sloeg een sjaal om haar hals. 'Stelletje mormels. Jullie hebben me nodig als jullie dit fat-soenlijk willen aanpakken. Kom op.'

De drie vrouwen liepen het pad af en het oorverdovende geklet-ter van de helikopter boven de bomen overstemde het geluid van hun rennende voeten. Janice had die morgen pumps aangedaan in een vage poging om er presentabel uit te zien voor de bijeenkomst bij haar zus. Voor dit terrein waren ze volkomen ongeschikt en ze hobbelde over het pad in een wanhopige poging Nick bij te hou-den, die platte wandelschoenen droeg, alsof ze hier al die tijd al op voorbereid was geweest. Naast Janice liep een puffende Rose, die zich voortbewoog als een stevig karrenpaard, met haar handen in de zakken van haar nette wollen jasje en een grimmig en oud ge-zicht. Het roze sjaaltje hobbelde mee om haar nek.

Ze kwamen bij een bocht in het pad en zagen de eerste afzetting

– een lint dat over het pad was gehangen. Daarachter leidden oranje loopplaten op de grond het bos in. Er stond een man met een logboek bij het lint. Nick liep gewoon door. Ze draaide zich om naar Rose en Janice en riep achteruitlopend boven het lawaai van de helikopter uit: 'Luister. Wat er ook gebeurt, laat mij maar praten. Goed?'

'Ja,' riepen ze terug. 'Oké.'

Ze vertraagden tot een snelle wandelpas. Nick haalde haar identiteitskaart voor de dag en hield die op gezichtshoogte. 'Rechercheur Hollis, afdeling Zware Misdrijven,' riep ze toen ze naderden. 'Dit zijn verwanten. Mevrouw Bradley, mevrouw Costello.' De agent deed een stap naar voren en keek fronsend naar haar kaart. 'Het logboek, alsjeblieft,' Nick klikte met haar vingers. 'We hebben haast.'

Hij haalde snel het klembord voor de dag, maakte de pen los en stak hem haar toe. 'Niemand heeft me gewaarschuwd,' begon hij, terwijl de vrouwen om hem heen gingen staan om te tekenen. 'Mij is verteld dat ik niemand door mocht laten. Ik bedoel, we laten normaal gesproken geen verwanten...'

'Bevel van inspecteur Caffery.' Nick gaf de pen terug en duwde hem het klembord in handen. 'Als ik ze niet binnen vijf minuten daar heb, rolt mijn kop.'

'Ze laten jullie zeker niet langs de binnenste afzetting,' riep hij hen na toen ze wegrenden. 'Er is een explosie geweest. Jullie kunnen echt niet langs...'

De helikopter maakte een bocht en ratelde weg, verliet het bos... en het werd stil. Het enige geluid kwam van hun voetstappen en hun ademhaling. Ze liepen verder over het pad, langzamer omdat ze moeite hadden hun evenwicht te bewaren op de ongelijke loopplaten. Janice' longen deden pijn van de inspanning. Het pad leidde hen langs de technisch rechercheurs, die niet opkeken van het werk met kwastjes en tape aan Skye Stephensons auto zodat ze de drie vrouwen niet zagen passeren. Toen ze verder in het bos kwamen, werd Janice zich bewust van zwarte vlokjes die uit de bomen omlaag dwarrelden, als donkere feeën. Ze bleef steeds opkijken onder het lopen. Een explosie? Wat voor explosie?

Ver weg zwol het lawaai van de helikopter weer aan. Hij kwam terug, laag over de bomen. De vrouwen bleven staan. Ze hielden hun handen boven hun ogen om ze te beschutten voor het licht en zagen hoe de donkere kraaiengestalte de hemel boven hen verduisterde.

'Wat betekent dat?' riep Janice. 'Betekent dat dat ze hem kwijt zijn? Loopt hij hier ergens in het bos rond?'

'Nee,' schreeuwde Nick. 'Het is niet dezelfde helikopter. Geen toestel van de luchtondersteuning. Deze is zwart met geel, niet blauw met geel.'

'En dat betekent?'

'Het is waarschijnlijk de HEMS-helikopter uit Filton.'

'Wat is HEMS?' riep Rose.

'De Helicopter Emergency Medical Services. Het is een traumahelikopter. Er is een gewonde.'

'Is hij het? Is hij het?'

'Dat weet ik toch niet.'

Janice zette een drafje in en liet de anderen achter zich. Haar hart bonsde en haar schoenen bleven steeds achter de loopplaten steken, dus bleef ze staan, schopte ze uit en ging op haar kousen verder. Ze passeerde stukken met nieuwe aanplant, in plastic buizen tegen de konijnen. Ze rende door zachte oranje bedden zaagsel tot ze bij een plek kwam waar de bomen verder uit elkaar stonden en er stukken hemel te zien waren. Voor haar lag een open plek. Ze kon het blauw met witte politielint zien. Dat moest de binnenste afzetting zijn. En ze zag weer een man met een logboek, die met zijn zijkant naar haar toe naar de helikopter stond te kijken. Hij zag er anders uit dan de eerste man. Groter en strenger. Hij droeg een ME-uitrusting en stond met zijn voeten uit elkaar en zijn armen over elkaar geslagen.

Ze stopte. Hijgend.

Hij draaide zijn hoofd en keek haar met een als uit steen gehouwen gezicht aan. 'U mag hier niet zijn. Wie bent u?'

'Alstublieft,' begon ze. 'Alstublieft...'

Hij kwam op haar af. Toen hij bijna bij haar was, dook Nick hijgend achter haar op. 'Het is oké. Ik ben van de afdeling Zware Misdrijven. Dit zijn verwanten.'

Hij schudde zijn hoofd. 'Jullie horen hier niet te zijn. Hier mogen alleen geautoriseerde politiemensen komen en jullie staan niet op mijn heel korte lijstje.'

Rose deed een stap naar voren. Ze was helemaal niet bang voor hem. Ze hijgde en elke centimeter van haar huid was rood en glanzend aangelopen. 'Ik ben Rose Bradley. Dit is Janice Costello. Het zijn onze kleine meisjes die hij heeft meegenomen. Alstublieft – we zullen geen problemen veroorzaken. We willen alleen weten wat er gebeurt.'

De agent keek haar lang en bedachtzaam aan. Hij keek naar de stretchbroek en het sjaaltje om haar nek. Hij keek naar het wollen jasje en het slordige haar, dat nat was van het zweet. Toen keek hij naar Janice – voorzichtig, behoedzaam, alsof ze van een andere planeet kwam.

'Alstublieft,' smeekte Rose. 'Stuur ons niet terug.'

'Stuur ze niet terug,' zei Nick met eveneens een smekende klank in haar stem. 'Doe het niet. Alsjeblieft. Ze verdienen het niet na wat ze hebben doorgemaakt.'

De agent hield zijn hoofd schuin en bestudeerde de takken boven hem. Hij haalde langzaam adem, alsof hij ingewikkelde sommen uitrekende in zijn hoofd. 'Hiernaartoe.' Na een paar tellen liet hij zijn hoofd zakken en stak hij een hand uit naar een wirwar van braamstruiken die een natuurlijke schuilplek hadden gevormd. Een plek waar iemand ineengedoken kon blijven staan zonder gezien te worden. 'Jullie zouden hierdoor kunnen zijn gelopen en dan had ik jullie nooit gezien. Maar,' hij stak een vinger op en keek Nick strak aan, 'ik ben niet verantwoordelijk, oké? Verraad me niet en maak geen misbruik van mijn vriendelijkheid. Want ik ben een betere leugenaar dan jij, wat je ook mag denken. En wees stil. Houd je in godsnaam stil.'

77

De schachten die de tunnel van lucht voorzagen, waren op sommige plekken wel dertig meter diep. Ongeveer de hoogte van een kantoorgebouw van tien verdiepingen. De achttiende-eeuwse ingenieurs hadden de uitgegraven aarde rond de schachten laten liggen, zodat ze op enorme mierenhopen leken – vreemde trechters die uit de aarde staken, met een gat in het midden. Ze waren vaak begroeid met bomen en struikgewas, zodat ze niet erg opvielen. Maar deze ene luchtschacht viel wel degelijk op.

Hij bevond zich in een natuurlijke open plek, omringd door beuken en eiken die het laatste restje van hun herfsttooi droegen. Op de kale takken krasten kraaien en eronder lag een diepe laag koperbruine bladeren. Boven aan een lichte helling gaapte een gat, waarvan de binnenkant was bedekt met de teerachtige zwarte sporen van de explosie. Er kwamen nog steeds vlokken uit de schacht, die naar de hemel oprezen als stofjes die uit een convectorput worden geblazen, een punt boven de bomen bereikten waar de lucht afkoelde en langzaam weer neerdwarrelden op de bomen en in het gras. Ze bedekten alles, zelfs het witte busje van het team dat in de schacht moest afdalen.

Het berijpte gras werd vertrapt door meer dan twintig personen: rechercheurs in burger, mensen in ME-uitrusting, mensen met helmen op en ingewikkelde klimgordels aan. Een hondenbegeleider zette een Duitse herder in een busje, die nog steeds aan zijn riem trok. Caffery zag dat niemand lang bij de schacht leek te willen blijven, wat zijn functie ook was. De twee agenten die een draadschaar hadden gebracht om het gaas eromheen weg te halen, hadden zich snel van hun taak gekweten en waren meteen weer weggegaan, zonder iemand aan te kijken. Het lag niet alleen aan de onbehaaglijke wetenschap dat de schacht recht de aarde in liep, maar ook aan het geluid dat eruit kwam. Nu de traumahelikopter was geland en zijn rotors had uitgezet, weergalmde het geluid op akelige wijze uit de gapende schacht. Het joeg iedereen angst aan. Een vaag, hees hijgen als van een dier dat in de val zat. Niemand leek het gat graag de rug toe te draaien.

Caffery naderde met vijf andere mannen. Brons, iemand die een roestvrij stalen karretje voor zich uit duwde waarop zich een ingewikkeld systeem bevond met een camera in een flexibele slang, en waarnemend hoofdagent Wellard, die twee van zijn mannen had meegebracht. Niemand zei iets toen ze knisperend door de bevroren bladeren liepen. Gesloten gezichten, concentratie. Ze gingen op een rij aan de rand van het gat staan en keken naar beneden. De schacht had een diameter van ongeveer drie meter. Er liep een enkele versterkingsbalk door, die inmiddels bijna helemaal was weggerot. Een eikenboom die aan de rand van het gat stond, met een enkele wortel over de balk om er God mocht weten wat voor vocht en voeding uit te trekken. Caffery legde zijn hand tegen de boom en boog voorover. Hij zag een witte laag kalksteen. Daaronder donkerder rots. En daarna niets meer. Alleen koude schaduwen. En toen klonk dat onaardse geluid weer. Een ademhaling. In en uit.

De cameraman rolde de gele slang af en liet de camera in het gat zakken. Caffery keek toe hoe hij de elektriciteitssnoeren uitrolde en een monitor klaarzette. Het leek een eeuwigheid te duren en Caffery moest absoluut stil blijven staan, hoewel er naast zijn oog een zenuw begon te trekken, want hij had het liefst tegen die vent willen roepen dat hij verdomme moest opschieten. Naast hem had Wellard een abseilgordel omgedaan en zich vastgemaakt aan een andere boom, en nu knielde hij met een hand tegen de wortel van de eik, zodat hij zich over het gat kon buigen en voorzichtig de gasdetector aan een kabel kon laten zakken. Aan de andere kant van de schacht maakten Wellards mannen zich klaar; ze maakten kernmanteltouwen vast aan de omringende bomen, controleerden veiligheidsvoorzieningen, maakten gordels vast en zetten zelfremmende afdaalvoorzieningen op hun lijnen.

Brons stond alles van een paar passen afstand te bekijken met een benauwde uitdrukking op zijn gezicht. Ook hij werd zenuwachtig van het geluid. Niemand wist met zekerheid wat de ontploffing had veroorzaakt, of het een ongeluk was of dat Prody had geprobeerd zichzelf op te blazen, maar niemand wilde de vraag onder ogen zien wat het voor de meisjes betekende. Of voor hoofdagent Marley. Als iemand van hen zich ook in de tunnel bevond.

'Oké.' De man had de camera helemaal in de schacht laten zakken en zette de monitor op het karretje aan. Caffery, Wellard en Brons kwamen eromheen staan om naar de beelden te kijken. 'Het is een fisheye-objectief, dus je krijgt een verwrongen beeld. Maar ik denk dat die vormen die je hier ziet de wand van de tunnel zijn...' Hij beet op zijn lip, geheel geconcentreerd, en speelde met de scherpstelling. 'Zo, dan. Is dat beter?'

Langzaam werd het beeld duidelijk. De lamp op de camera wierp een schokkerige lichtkring voor zich uit, die alles verlichtte waar hij bij in de buurt kwam. Als eerste verscheen er een druipende muur in beeld, oud en begroeid met mos. Toen draaide de camera iets, zodat het licht weerkaatste tegen het zwarte water in het kanaal en een paar vormen daarin oppikte. Iedereen zweeg. Ze verwachtten allemaal dat een van die vormen Martha of Emily zou zijn. Er gingen minuten voorbij terwijl de camera het kanaal afzocht. Vijf. Tien. De zon verdween achter de wolken. Een zwerm kraaien vloog op uit de takken boven hun hoofd en hun zwarte vleugels strekten zich als handen uit over de hemel. Uiteindelijk schudde de cameraman zijn hoofd.

'Niets. Zo te zien is die tunnel leeg.'

'Leeg? Waar komt dat vervloekte geluid dan vandaan?'

'Niet van het kanaal zelf. Niets op de vloer of in het kanaal. De ruimte is leeg.'

'Hij is niet leeg.'

De cameraman haalde zijn schouders op. Hij prutste nog wat met de camera. Zoomde in op het eind van het kanaal, waar het beeld donker werd.

'Dat, bijvoorbeeld,' zei Caffery. 'Ik bedoel, wat is dat?'

'Geen idee.' De cameraman legde zijn hand boven de monitor om hem af te schermen en keek naar de onduidelijke beelden. 'Oké,' zei hij onwillig. 'Dat is zo te zien wel wat.'

'Wat dan?'

'Een... ik weet het niet goed. Een romp? Van een boot misschien? Jezus – kijk eens hoe die is opengebarsten. Dat zal de plek zijn waar de explosie was.'

'Kun je erin komen?'

Hij ging staan. Met zijn blik op de monitor sleepte hij de kabels een paar meter langs de rand van de schacht. Toen ging hij weer even zitten, met zijn hand op de spoel en zijn blik op het lcd-scherm. Uiteindelijk begon hij te spreken. 'Ik geloof... Ja. Ik heb iets.'

Hij draaide het scherm naar de mannen toe. Caffery en Brons bogen zich ernaartoe om te kijken en durfden amper adem te halen. Caffery kon niets van het beeld maken; het enige wat hij zag, was het uiteengerukte metaal van de romp van de schuit.

De cameraman zoomde in. 'Daar.' Hij wees naar iets in de modder en het vuil onder in het beeld, dat licht bewoog. 'Daar is iets. Zie je dat?'

Caffery spande zijn ogen in. Het leek op teerachtige belletjes die in het kanaal dreven. Er was een flits toen het kanaalwater het licht weerkaatste omdat wat het ook was weer bewoog. Toen werd iets in de vorm even wit. En weer donker. En weer wit. Het duurde een paar tellen voor Caffery besefte waar hij naar keek. Een paar ogen. Ze knipperden. Die ogen bliezen als een orkaan door hem heen. 'Godverdomme.'

'Daar is ze.' Wellard klikte de karabiner aan zijn middel vast aan het Petzl-afdaalapparaatje, schuifelde achterwaarts naar de schacht en leunde achterover over de rand om het touw te testen. Zijn gezicht was hard en geconcentreerd. 'Verdomme, zij is het en ik vermoord haar.'

'Hé. Wat denk jij dat je aan het doen bent?' Brons kwam naar voren. 'Je gaat nog niet naar beneden.'

'De gastest is negatief. Wat er ook ontploft is, het is er nu niet meer. En ik ga naar beneden.'

'Maar ons doelwit is daar.'

'Dat geeft niet.' Hij klopte op de zakken van zijn kogelvrije vest. 'We hebben tasers.'

'En dit is mijn operatie en ik zeg je dat je niet naar beneden gaat.

We moeten er eerst achter zien te komen wat dat geluid maakt. Dat is een bevel.'

Wellard klemde zijn tanden op elkaar en keek de commandant strak aan. Maar hij deed een paar passen naar voren, weg van de rand van het gat, en bleef zwijgend staan terwijl hij onbewust zijn hand om het afdaalapparaatje klemde en hem weer ontspande.

'Zoek dat geluid,' zei de commandant tegen de cameraman. 'Zoek uit wat dat godvergeten geluid maakt. Dat doet zij niet.'

'Oké.' Het gezicht van de cameraman stond gespannen. 'Ik doe mijn best. Ik heb alleen even... Jezus!' Hij boog zich over de monitor. 'Jezus, ja, ik denk dat dat het is. Dit is wat jullie willen zien.'

Iedereen kwam om hem heen staan. Ze keken naar iets onmenselijks. Iets wat verbrand en bebloed was. Nu begrepen ze waarom ze niets in het water van het kanaal hadden gezien. Prody bevond zich helemaal niet op de grond. Hij was door de explosie opgetild en aan een stuk metaal hoog in de kanaalmuur gespietst. Alsof hij gekruisigd was. Hij bewoog niet toen de camera naar hem toe bewoog. Hij kon alleen maar in de lens staren en met uitpuilende ogen naar adem happen.

'Godverdomme,' fluisterde Brons vol ontzag. 'Godverdomme. Die is er geweest, dat zeg ik je.'

Caffery staarde met bonzend hart naar het scherm. Hij snapte niet hoe Prody het voor elkaar kreeg. Hij was hen telkens weer te slim af geweest. Hij had hen zover gekregen dat ze al hun aandacht op deze tunnel richtten terwijl de meisjes zich heel ergens anders bevonden en nog slechts uren of minuten te leven hadden. En de laatste truc, de laatste opgestoken vinger naar het korps, zou zijn dat hij nu doodging. Zonder de politie ook maar iets te vertellen.

Hij kwam overeind. Wendde zich tot Wellard. 'Zorg dat je met je mensen beneden komt,' mompelde hij. 'En ik bedoel nu meteen.'

78

De zon was ondergegaan en de vallei lag er stil en geschokt bij. Het laatste gerommel van de donder rolde weg tussen de heuvels. De aswolken hingen laag in de lucht. Vogels van zwarte olie verzamelden zich aan de rand van de horizon.

Pa keek verbaasd naar de hemel. 'Dat noem ik nou eens een storm,' mompelde hij.

Flea bevond zich een paar meter van hem af. Ze had het bitter koud. Ze voelde zich zieker dan ze zich ooit in haar leven gevoeld had. De storm had een stank meegebracht die haar maag deed omdraaien. Hij rook naar water en elektriciteit en gebraden vlees. De wormen in haar ingewanden, die zich hadden gevoed en waren opgezwollen tot ze alles verstopten, drukten tegen haar longen en gaven haar een strak gevoel in haar borst.

In de pas ingetreden stilte begon ze andere geluiden te horen. Een hees, haperend happen naar adem. Alsof iets zich enorm inspande om in leven te blijven. En nog een gedempter geluid. Gejammer? Ze kwam overeind en liep de helling af. Het gejammer kwam uit een bosje achter in de tuin. Toen Flea dichterbij kwam, besefte ze dat het een kind was. Een jammerend en huilend kind.

'Martha?'

Ze ging dichter naar het bosje toe en zag iets lichts dat uit de geblakerde aarde stak.

'Martha?' zei ze voorzichtig. 'Martha? Ben jij dat?'

Het huilen hield even op. Flea deed nog een stap naar voren. Ze zag dat de witte vlek tegen de aarde een kindervoet was. Met Martha's schoen eraan.

'Alsjeblieft?' Het was een lieve stem. Rustig. 'Help me alsjeblieft.'

Flea duwde de struik langzaam uit elkaar. Er keek een glimlachend gezicht naar haar omhoog. Ze liet de tak los en deed een stap naar achteren. Het was niet Martha, maar Thom. Flea's broer. Een volwassen Thom, gekleed in een kleurige meisjesjurk, die ondeugend naar haar grijnsde. Met een strik in zijn haar en een lappen-

pop onder zijn arm. Flea struikelde en viel op haar rug. Ze probeerde zich weg te schoppen van het bosje en schoof op haar rug over
het gras.

'Ga niet weg, Flea.'

Thom trok zijn schoen uit. Zijn voet kwam mee. Hij bracht hem
omhoog om ermee te gooien.

'Nee!' Ze duwde haar voeten in de aarde. 'Nee!'

'Heb je ooit een lijk gezien? Heb je ooit een lijk gezien, Flea?
Heb je ooit een in stukken gesneden lijk gezien?'

'Flea?' Ze draaide zich om. Er stond iemand achter haar. Een
donkere gestalte. Het zou pa kunnen zijn, maar ook best iemand
anders. Ze reikte naar hem, maar terwijl ze dat deed, besefte ze dat
ze zich niet meer op de heuvel bevond. Ze stond in een volle bar
en om haar heen verdrongen de mensen zich. 'Politie,' zei iemand
naast haar nadrukkelijk. 'Wij zijn van de politie.' Ze voelde handen
die haar probeerden mee te nemen. Boven haar hing een enorme
hanglamp aan een dikke ketting, met een kapotte glazen kap. Iemand met stijgijzers en een klimgordel was erin geklommen en
zwaaide heen en weer. Bij elke zwaai ging hij iets sneller en kwam
hij iets lager, tot hij zo dicht bij haar gezicht was en ze zo verblind
werd dat ze haar hand moest uitsteken om hem weg te duwen.

'Neeeee,' hoorde ze zichzelf kreunen. 'Neeee. Niet doen.'

'Pupillen normaal,' zei iemand heel dichtbij. 'Flea?' Iemand stak
iets in haar oorlelletje. Nagels. Van een duim en een wijsvinger.
'Hoor je me?'

'Unnhhh.' Ze sloeg naar de hand aan haar oor. Het lawaai van de
bar was weg. Ze was ergens op een donkere plek. Waar mensen snel
en weergalmend ademden. 'Ssstop daarmee.'

'Het komt goed. Ik moet een infuus aanbrengen. Daar.' Ze voelde hoe iemand op haar arm klopte. Er flitste licht in haar ogen. En
ze zag vormen. Ze zoog haar longen vol. 'Je voelt het even, maar
dat duurt niet lang. Goed zo, houd maar even stil. Brave meid. Het
komt wel goed met je.'

Ze voelde een hand op haar hoofd. 'Dat gaat goed, baas. Je doet
het fantastisch.' Wellards stem. Luid, alsof hij het tegen een kind

370

had. Wat deed Wellard hier in deze bar? Ze probeerde zich naar hem om te draaien, maar hij hield haar vast. 'Stil blijven liggen.'

'Nee.' Haar gezicht vertrok toen de naald naar binnen schoof. Ze probeerde haar arm weg te trekken. 'Nee! Het doet pijn.'

'Gewoon stilliggen. We zijn er bijna.'

'Het doet pijn, verdomme. Niet doen. Je doet me pijn.'

'Daar. Het is al gebeurd. Je zult je zo wel beter voelen.'

Ze probeerde onvast de arm te pakken, maar een hand hield haar tegen, hield haar arm omlaag.

'Waar is de aluminium deken?' zei iemand anders. 'Ze lijkt wel een klomp ijs.'

Er werd iets om haar vinger geklemd. Er ging een hand langs haar rug, die haar nek aanraakte. De deken ritselde om haar heen. Ze voelde handen onder haar nek, ze werd verplaatst. Iets hards en warms achter haar. Ze wist wat ze deden – ze legden haar op een rugplank voor het geval ze rugletsel had. Ze wilde er commentaar op geven, een grapje maken, maar haar mond voelde als verlamd en ze kon de woorden er niet uit krijgen.

'O, nee,' wist ze uit te brengen. 'Niet doen. Niet trekken. Dat doet pijn.'

'We proberen haar alleen hier doorheen te krijgen,' zei een onstoffelijke stem. 'Hoe is ze er in godsnaam in gekomen? Het lijkt verdomme *Das Boot* wel.'

Iemand lachte. Maakte een grappig ping-ping-geluidje. Als de sonar van een onderzeeër.

'Het is verdomme niet grappig. De boel kan hier elk moment instorten. Moet je die scheuren zien.'

'Oké, oké. Geef me wat meer ruimte aan deze kant.' Een schok. Een trilling. Waterspetters. 'Daar. Mooi, zo gaat het goed.'

Toen Wellards stem weer: 'Je doet het goed, baas. Het duurt niet lang meer. Ontspan je. Doe je ogen dicht.'

Ze gehoorzaamde. Liet dankbaar iets steels voor haar ogen schuiven, als een derde ooglid, en gleed met haar hoofd vooruit een zilveren scherm vol beelden in. Thom, Wellard, Misty Kitson. Een katje dat ze als kind had gehad. Toen stond pa naast haar. Hij stak haar zijn hand toe en glimlachte.

'Het werkte, Flea.'

'Wat werkte?'

'Het snoepje. Het werkte. Het ging van boem, toch?'

'Ja. Het werkte.'

'Het laatste stukje nu, Flea. Je hebt het zó goed gedaan.'

Ze deed haar ogen open. Ongeveer dertig centimeter van haar af zag ze een muur langsgaan. Kalksteen, met varens en groen slijm erop. Het licht dat van boven kwam, was enorm fel, verblindend. Haar voeten staken naar beneden, haar hoofd naar boven. Ze probeerde haar handen uit te steken om zich vast te houden, maar ze waren langs haar lichaam vastgemaakt. Naast haar zag ze het gezicht van een man met een helm op, verlicht alsof er een zoeklicht op hem was gericht, met levendige kleuren, elke porie en lijn duizelingwekkend helder, de modder en het roet om zijn mond. Hij keek niet naar haar. Hij keek naar beneden en concentreerde zich op hun weg naar boven.

'Korfbrancard,' zei ze onduidelijk. 'Ik lig op een korfbrancard.'

De man keek licht verbaasd naar haar op. 'Wat zeg je?'

'Martha,' zei ze. 'Ik weet waar hij haar begraven heeft. In een kuil. Onder de grond.'

'Wat was dat?' klonk een stem van boven. 'Wat bazelt ze nu weer?'

'Ik weet niet. Dat ze moet huilen?' De man tuurde in haar gezicht. 'Alles goed?' Hij glimlachte. 'Je doet het fantastisch. Het geeft niet als je moet huilen. We hebben je vast.'

Ze deed haar ogen dicht. Lachte zwakjes. 'Ze ligt in een kuil,' herhaalde ze. 'Hij heeft haar lichaam in een kuil begraven. Maar je begrijpt niet wat ik zeg. Toch?'

'Je moet huilen, dat weet ik,' kwam het antwoord. 'Maak je daar maar geen zorgen over. We hebben je al iets gegeven. Je zult je zo wel beter voelen.'

79

'Wat zei ze? Waar heeft ze het over?' Caffery moest schreeuwen om boven het lawaai van de tweede traumahelikopter uit te komen, die honderd meter verderop aan het landen was op een open plek aan het eind van het pad. 'Zei ze "schuilen"?'

De ziekenbroeder klom uit het gat en Wellard en twee andere mannen trokken de brancard uit de schacht. 'Ze zegt dat ze moet huilen,' riep hij. 'Huilen.'

'Huilen? Niet schuilen?'

'Ze zegt het al sinds ze haar omhoog hebben getrokken. Dat ze bang is dat ze zal moeten huilen.' Hij en Wellard legden de korfbrancard op een brancard uit de ambulance. De dokter van de traumahelikopter – een kleine man met een hoekig gezicht en donker haar en een huid met de kleur van walnotenhout – kwam naar voren om haar te onderzoeken. Hij tilde de draagbare monitor op en bestudeerde die, drukte haar vingernagel tussen zijn duim en wijsvinger in en keek hoe lang het duurde voor het bloed weer terugvloeide. Flea kreunde toen hij dat deed. Ze probeerde te verschuiven op de rugplank en haar hand uit te steken. In haar gescheurde overlevingspak zag ze eruit als iemand die bij het surfen in Cornwall een ongeluk had gehad. Haar gezicht was schoon, op de twee zwarte vegen onder haar neusgaten na van het inademen van roet na de explosie. Haar haar zat vol modder en bladeren en haar handen en vingernagels waren overdekt met bloed. Caffery probeerde niet bij haar in de buurt te komen. Of zijn hand naar de hare uit te steken. Hij liet de dokter zijn werk doen.

'Alles goed?'

Caffery keek op. De dokter hielp de ziekenbroeder de korfbrancard vast te zetten op de ambulancebrancard. Maar hij keek intussen naar Caffery.

'Wat zeg je?'

'Ik vroeg of alles goed met je was.'

'Natuurlijk. Hoezo?'

'Het komt wel in orde met haar,' zei hij. 'Je hoeft je geen zorgen te maken.'

'Ik maak me geen zorgen.'

'Nee.' De dokter schopte de rem van de brancard omhoog. 'Natuurlijk niet.'

Caffery keek hen dof na toen ze haar de helling af reden en de brancard het pad op stuurden dat naar de open plek liep waar de eerste helikopter stond, met draaiende motoren en rotors die alleen nog op aandrijving wachtten. Langzaam drong het enorme gewicht van deze wetenschap tot hem door – dat alles goed kwam met haar. 'Dank je,' zei hij zachtjes tegen de ruggen van de ziekenbroeders en de dokter. 'Dank je.'

Hij was er het liefst bij gaan zitten. Gaan zitten om dat gevoel vast te houden en de rest van de dag helemaal niets meer te doen. Maar dat ging niet. Een radio in het gras bij de schacht liet horen wat de reddingswerkers in de tunnel aan het doen waren. De ziekenbroeder uit de helikopter had een helm op gekregen en een korte cursus in klimtechnieken gehad en was de tunnel in gegaan, waar hij één blik had geworpen op de vastgespietste Prody en meteen snijwerktuigen had laten aanrukken. Prody kon niet gewoon van de muur worden getild – hij zou binnen een paar seconden doodbloeden. Hij moest worden losgesneden, met het stuk van de kolenschuit nog in zijn bovenlichaam. De laatste tien minuten had de radio geknetterd van Prody's moeizame ademhaling en het gejank van de hydraulische schaar die door het ijzer sneed. Nu was het apparaat stilgevallen en zei een stem duidelijk boven het geluid dat Prody maakte uit: 'We gaan takelen.'

Caffery draaide zich om. De takel kwam in beweging en de man die aan de rand van de schacht stond hield toezicht op het oprollen van de lijn. Wellard was al uit de tunnel gekomen en stond zich een eindje verderop van zijn klimgordel te ontdoen. Hij zag eruit als een duivel uit de hel met zijn smerige hoofd. Er liep een streep bloed over zijn gezicht die afkomstig kon zijn van een kras over zijn slaap of van iemand anders.

'Wat doen ze?' riep Caffery.

'Ze halen hem naar boven,' riep hij terug. 'Ze hebben gewerkt als idioten.'

'En de meisjes?'

Hij schudde zijn hoofd. Grimmig. 'Niets. We hebben de ruimte centimeter voor centimeter afgezocht. Ook de schuit en het deel van de tunnel daarachter. Het is daar zo onstabiel als de hel – ik kan het team geen minuut langer beneden laten dan nodig is.'

'En Prody? Zegt hij iets?'

'Nee. Alleen dat hij zal praten als hij boven is. Hij wil het je in je gezicht vertellen.'

'Nou?' riep Caffery. 'Geloven we hem of is hij tijd aan het rekken?'

'Ik weet het niet. Hoe lang is een draad?'

Caffery zoog door zijn tanden lucht naar binnen. Hij legde zijn handen plat op zijn buik om de woelende angst te bedwingen. Hij keek naar de rand van de schacht. Naar het ingewikkelde takelsysteem dat er nijver op los hees. De touwen aan de driepoot sloegen tegen de struiken die uit de zijkant van de schacht groeiden en sneden groeven in de zachte aarde van de rand.

'En trekken,' kwam de stem uit de radio. 'Trekken.'

Vijftig meter verderop, achter de bomen, werd Flea in de helikopter geschoven. De rotors werden ingeschakeld, maakten snelheid en het bos werd weer overspoeld door een golf van lawaai. Het team van de tweede helikopter arriveerde aan de rand van de schacht. Twee ziekenbroeders en een vrouw die door had kunnen gaan voor een paaldanseres die haar beste tijd had gehad als er geen 'dokter' op de rug van haar groene vliegoverall had gestaan. Een klein, lelijk vrouwtje met gesprongen adertjes op haar neus, een humeurige mond en blond gebleekt haar. Ze had de houding van een aanvallende rugbyspeler, met brede, vierkante schouders en iets uit elkaar staande voeten, alsof de spieren aan de binnenkant van haar bovenbenen het onmogelijk maakten haar voeten bij elkaar te brengen.

Hij ging naast haar staan. Heel dicht naast haar. 'Inspecteur Caffery,' mompelde hij, en hij stak haar zijn hand toe.

'Echt?' Ze pakte zijn hand niet en keek hem ook niet aan. Ze zette haar handen in haar zij en keek in de schacht, waar de gele helmen van de eerste reddingswerkers zichtbaar waren, die hortend en stotend uit de duisternis omhoogkwamen.

'Ik wil praten met de gewonde.'

'Dan moet je geluk hebben. Zodra hij uit dit gat is, brengen we hem naar de benzinepomp daar. Zijn verwondingen zijn zo ernstig dat we ter plekke niets kunnen doen.'

'Weet je wie hij is?'

'Het maakt niet uit wie hij is.'

'Ja, dat maakt wel uit. Hij weet waar die twee kleine meisjes zijn. En dat gaat hij me vertellen voordat jullie hem in de helikopter leggen.'

'Als we tijd verspillen, raken we hem kwijt. Dat kan ik je garanderen.'

'Hij ademt nog.'

Ze knikte. 'Dat hoor ik. Hij ademt heel snel. Dat zegt mij dat hij zoveel bloed heeft verloren dat we van geluk mogen spreken als we hem levend in het ziekenhuis weten te krijgen. Zodra hij boven is, gaat hij die heli in.'

'Dan ga ik mee.'

Ze wierp hem een lange blik toe. Toen glimlachte ze. Bijna medelijdend. 'Laten we eerst maar eens zien hoe hij eraan toe is als hij boven komt, ja?' Ze keek naar de agenten. 'Als hij eruit komt, moet er meteen gehandeld worden, dus dit is het protocol. Jullie,' ze wees naar twee van de mannen, 'nemen de bovenste twee punten van de brancard en de rest tilt de onderkant op. Ik geef een waarschuwing, "klaar om te tillen" en dan het bevel "tillen". We gaan rechtstreeks naar de helikopter. Gesnapt?'

Iedereen knikte en keek aarzelend naar de schacht. Het gepiep van de takel was aan de andere kant van de open plek te horen. Caffery schreeuwde naar de technisch rechercheur die de laatste twintig minuten naast de luchtschacht had staan filmen: 'Neemt dat ding ook geluid op?'

De man haalde zijn blik niet van de monitor. Hij stak een duim op. Knikte.

'Jij rent met me mee naar de helikopter. Zo dichtbij als je kunt. Ik wil elke piep en elke scheet horen. Trap die sukkels maar op de tenen als je moet.'

'Met een beetje respect voor ons werk kom je verder,' schreeuwde de dokter.

Caffery luisterde niet. Hij ging bij de rand van de schacht staan. De touwen over de driepoot kraakten. Het gepiep van de hartmonitor en Prody's ademhaling werden luider. Het eerste lid van het team kwam tevoorschijn. Geholpen door iemand die boven stond kroop hij op de rand van het gat en beide mannen draaiden zich om om te helpen de brancard omhoog te trekken. Het zweet stond Caffery in de handen. Hij veegde ze af aan de voorkant van zijn kogelvrije vest.

'En trekken.'

De brancard kwam half naar buiten en bleef even schuin tegen de rand rusten. 'Tachycardie.' De begeleidende ziekenbroeder klauterde naar buiten. Hij zat helemaal onder het bloed en hield een infuuszak omhoog, en hij riep informatie naar de dokter terwijl hij overeind kwam. 'Honderdtwintig slagen per minuut, ademhaling achtentwintig tot dertig en de grafiek van de pulse-oxymeter is van het scherm verdwenen tijdens de tocht omhoog, ongeveer vier minuten geleden. Geen pijnbestrijding, niet in de toestand waarin hij verkeert, maar ik heb vijfhonderd milliliter kristalloïden gegeven.'

De mannen die boven stonden pakten de touwen en met nog één ruk kwam de brancard op de harde, koude grond terecht, waardoor er een paar stenen loskwamen en in het weergalmende donkere gat vielen. Prody's ogen waren dicht. Zijn door zuurstoftekort blauw aangelopen gezicht tussen de zijkanten van de nekspalk, die net als de gezichtsbeschermer van een bokser het vlees aan weerszijden van zijn neus naar voren duwde, vertoonde geen enkele uitdrukking. Hij was overdekt met vuil en opgedroogd bloed. Het nylon trainingsjasje dat hij droeg, had bij de explosie vlam gevat en was gesmolten, zodat er lange stukken geblakerde huid aan zijn nek en handen bungelden. Onder de aluminium deken was de brancard donkerrood en nat.

De teamleden namen hun positie op de hoeken van de brancard in en gingen op de hurken zitten, klaar om hem op te tillen. Toen ze dat deden, begon Prody te trillen.

'Wacht. Dit gaat mis.' De dokter ging op haar hurken naast de brancard zitten en keek naar de draagbare monitor. 'Hij zakt weg...'

'Wat?' zei Caffery. 'Wat gebeurt er?' Onder het kunstmatige bruin was het gezicht van de dokter hard en geconcentreerd. Caffery had een droge mond. 'Een seconde geleden ging alles nog prima met hem. Wat gebeurde er?'

'Het ging helemaal niet prima met hem,' schreeuwde de dokter. 'Dat heb ik je al gezegd. Hij heeft een hartslag van vijfenveertig per minuut, veertig, ja, we zijn hem kwijt, die hartslag is abnormaal laag, en voor je het weet, is hij...'

De monitor stootte een lange, aanhoudende piep uit.

'Verdomme. Hartstilstand. Hartmassage, iemand. Ik ga intuberen.'

Een ziekenbroeder boog zich over de brancard en startte de hartmassage. Caffery wrong zich tussen de twee broeders door en ging op zijn knieën in het gras zitten, dat nat was van het bloed. 'Paul,' riep hij. 'Stuk ongeluk. Paul? Zeg verdomme wat tegen me, hoor je. Zeg verdomme wat tegen me.'

'Aan de kant.' Het zweet stond de dokter op het gezicht toen ze de endotracheale tube in Prody's slappe mond liet glijden en er een ballon op aansloot. 'Ik zei, aan de kant. Laat me mijn werk doen.'

Caffery helde naar achteren, drukte een vinger en duim tegen zijn slapen en haalde diep adem. Verdomme verdomme verdomme. Dit ging niet lukken. Hij werd verslagen, niet door die teef van een dokter, maar door Prody zelf. De schoft. Die sluwe schoft had het niet beter kunnen spelen.

De dokter kneep in de ballon en de ziekenbroeder ging door met de hartmassage, hardop tellend. De streep op de monitor bleef vlak en het gepiep weerkaatste tussen de bomen. Op de open plek verroerde niemand zich. Elke agent stond ontzet en als versteend te kijken terwijl de ziekenbroeder bleef pompen.

'Nee.' Na nog geen minuut hield de dokter op met in de ballon knijpen en legde ze hem op Prody's borst. Ze legde haar hand op de arm van de ziekenbroeder om hem tegen te houden. 'Asystolie. Zijn vaten vullen zich niet meer met bloed. Echt, dit heeft geen zin. Zijn we het eens dat we ermee stoppen?'

'Dit kun je niet menen.' Caffery kon zijn mond niet houden. 'Laten jullie hem gewoon doodgaan?'

'Hij is al dood. Hij zou het nooit gered hebben. Hij heeft te veel bloed verloren.'

'Dit is toch godverdomme niet te geloven. Doe iets. Defibrilleer hem of zoiets, godsamme.'

'Het heeft geen zin. Hij heeft geen bloed meer over. Alles heeft het begeven. We kunnen zijn hart stimuleren tot we een ons wegen, maar als er geen bloed meer is om rond te pompen...'

'Dóe verdomme iets, zei ik.'

Ze keek hem lang en indringend aan. Toen haalde ze haar schouders op. 'Goed dan.' Met een strak en geïrriteerd gezicht ritste ze haar groene noodrugzak open, haalde er een stel dozen uit en schudde daar weer twee in folie verpakte pakketjes uit. 'Ik zal je laten zien hoe nutteloos dit is. Adrenaline, een milliliter op tienduizend. Daar zou je de *Titanic* nog mee aan de praat krijgen.' Ze trok met haar tanden de eerste verpakking los en haalde er een reeds gevulde injectiespuit uit, die ze aan de ziekenbroeder gaf. 'Daarna komt deze – drie milligram atropine, en dat laten we doorlopen met vijfentwintig milliliter zoutoplossing.'

De ziekenbroeder spoot via de zijopening van de Venflon de medicijnen naar binnen en liet het infuus doorlopen om ervoor te zorgen dat ze het hart bereikten. Caffery staarde naar de monitor. De lijn bleef vlak. Aan de andere kant van de brancard keek de dokter niet naar de monitor, maar strak naar hem. 'Nou,' zei ze, 'daar is de defibrillator. Wil jij hem aanzetten om hem als een pop op en neer te zien springen? Of ben je er inmiddels van overtuigd dat ik weet waar ik het over heb?'

Caffery liet zijn handen zakken en ging hulpeloos in het gras naar Prody's slappe, geel wordende lichaam zitten staren. Naar het wassen masker van de dood dat stilletjes over het gezicht kroop. Naar de onverzettelijk rechte lijn op de hartslagmonitor. De dokter keek op haar horloge om het tijdstip van overlijden te noteren en toen hij haar dat zag doen, sprong Caffery overeind en keerde haar zo snel mogelijk de rug toe. Hij stak zijn handen in zijn zakken en liep twintig meter weg, door het krakende, bevroren gras. Aan de rand van de open plek, waar een hoop omgehakte zilverberken zijn pad blokkeerde, bleef hij staan. Hij hief zijn kin en probeerde zich te concentreren op de hemel achter de takken. Op de wolken.

Hij bad dat er iets natuurlijks en rustigs zou komen dat koel tegen zijn gedachten zou gaan liggen. Hij voelde hoe Rose en Janice toekeken tussen de bomen. Hij wist al een halfuur dat ze er waren, had hun blikken in de zijkant van zijn hoofd voelen boren, maar had niet laten merken dat hij hen gezien had en had hen ook niet laten verwijderen. Ze wachtten tot hij de zinloze, verspreide feiten bij elkaar haalde en er een rustig, doordacht actieplan van maakte. En hoe ging hij dat doen nu de enige die hem een aanwijzing kon geven over de verblijfplaats van Martha en Emily dood op een brancard in het gras lag?

80

De mannen die Emily en Martha uit het gat trokken, glimlachten. Ze lachten en riepen tegen elkaar, en staken zegevierend hun armen in de lucht. Beide meisjes hadden helderwitte lakens om zich heen. Martha zag bleek, maar Emily had roze blosjes en was blij. Ze had blijkbaar niets aan de ervaring overgehouden en zat voorovergebogen en met uitgestoken hals op de brancard om te zien of Janice zich tussen de mensen bevond. De open plek werd overspoeld door een gouden licht. Licht en gelach en mensen die zich omdraaiden om naar haar te lachen, en in de droom van Janice droeg niemand een jas, fronste niemand zijn hoofd en hoefde niemand met zijn rug naar haar toe te gaan staan om zijn gezicht voor haar te verbergen. In Janice' droom zweefde iedereen in een zomerse nevel en er groeiden polletjes grasklokjes onder haar voeten toen ze naar Emily liep om haar hand te pakken.

Maar de harde realiteit die ze voor zich zag, was dat de open plek bijna leeg was. De helikopters waren allang weggevlogen, de teams hadden hun spullen gepakt, de gordels waren afgedaan en de uitrusting was in de busjes opgeborgen. De man die de leiding had, had naam en adres genoteerd van elke politieman die erbij betrokken was geweest en had hen toen laten gaan. Midden op de open plek werd Prody's lichaam op een brancard in de wagen van de lijkschouwer geschoven. Er liep een dokter naast, die het laken optilde zodat hij Prody's gezicht kon bekijken.

Janice had het ijskoud. Ze had kramp in haar benen omdat ze zo lang op haar hurken had gezeten en de spieren waren verzwakt door de adrenaline die er voortdurend doorheen was gestroomd. Er waren doornen door haar gescheurde panty gedrongen, zodat er streepjes bloed op zowel haar knieën als haar voeten waren verschenen. De meisjes waren niet in de tunnel, Prody was dood en te oordelen naar de lichaamstaal van Caffery en Nick – ze stonden ongeveer zes meter verderop tussen de bomen met hun rug naar haar toe met zachte, dringende stemmen tegen elkaar te praten – had hij de politie helemaal niets verteld. Maar op de een of andere manier was Janice rustig. Ergens had ze de kracht gevonden overeind te blijven, roerloos te blijven staan en gewoon te wachten tot ze iets zou horen.

Rose stond echter compleet op instorten. Ze ijsbeerde een eindje verderop over een kleine open plek tussen jonge essen, die zich over haar heen leken te buigen alsof ze haar bestudeerden of beschermden. Haar broek was modderig en zat vol bladeren en zwarte vegen van de verdroogde braamstruiken waartussen ze hadden gezeten; ze schudde haar hoofd en mompelde in de roze sjaal, die ze met één hand tegen haar mond gedrukt hield. Het was vreemd, maar hoe waanzinniger ze leek en hoe dichter ze bij de rand van de afgrond kwam, hoe kalmer en beheerster Janice werd. Toen Nick met onheilspellend hangend hoofd over de open plek op hen af liep, was Janice in staat rustig te blijven wachten, terwijl Rose onmiddellijk begon te praten en Nick bij de mouw greep. 'Wat zei hij? Wat gebeurt er?'

'We doen wat we kunnen. We hebben een paar aanwijzingen. Prody's vrouw heeft ons verscheidene...'

'Hij moet toch íets hebben gezegd.' Rose begon meteen bitter te huilen. Met haar handen langs haar lichaam en haar mond open in een stijve o, haar gezicht naakt als dat van een hulpeloos meisje in een speeltuin. 'Hij moet gezegd hebben waar ze zijn. Wat dan ook, alsjeblieft, wat dan ook.'

'Zijn vrouw heeft ons verscheidene aanwijzingen gegeven, en er zaten wat sleutels in zijn zakken die eruitzien alsof ze van een garage zijn. Die gaan we doorzoeken. En...'

'Nee!' Plotseling begon Rose te gillen, een hoog, stotterend geluid waardoor iedereen die zich nog op de open plek bevond zich naar haar omdraaide. Ze tastte blind naar Nicks jasje en probeerde ander nieuws uit haar te schudden. 'Doorzoek de tunnel nog eens. *Doorzoek de tunnel.*'

'Rose! Stil nou maar. Ze hebben de tunnel al doorzocht. Hij is leeg.'

Maar Rose had zich omgedraaid en gilde met zwaaiende armen naar de paar agenten op de open plek: 'Doorzoek hem nog eens! Doorzoek hem nog eens!'

'Rose, luister. Rose!' Nick probeerde de rondmaaiende armen vast te pakken. Probeerde ze tegen Rose' lichaam te klemmen. Ze moest haar hoofd naar achteren houden en haar ogen half dichtdoen om te voorkomen dat ze een mep kreeg van een van die dolgeworden handen. 'Ze kunnen niet meer naar beneden – het is te gevaarlijk. Rose! Luister! Ze kunnen niet meer naar beneden – *Rose!*'

Rose trok zich los, nog steeds gillend, en haar handen bewogen sneller, als gewonde vogels die probeerden de lucht in te komen. Ze deed een paar wankele stappen naar voren, merkte dat ze voor een boom was beland, draaide zich half om alsof ze een andere kant uit wilde, draaide zich weer om, leek een beetje op haar benen te zwaaien en viel toen op de grond alsof ze een schot door de knieën had gehad. Haar hele lichaam vouwde in elkaar tot haar voorhoofd de aarde raakte. Haar handen kwamen omhoog en ze legde ze in haar nek alsof ze haar gezicht in de grond wilde duwen. Ze wiegde heen en weer, brulde in de bevroren bodem en een lange sliert speeksel droop uit haar mond en bevochtigde de aarde.

Janice ging naar haar toe en knielde tussen de braamstruiken. Haar eigen hart bonsde, maar haar zelfbeheersing groeide. Groeide en werd harder. 'Rose.' Ze legde een hand op de rug van de oudere vrouw. 'Luister.'

Toen ze haar stem hoorde, hield Rose op met wiegen en werd ze stil.

'Luister. We moeten verder. We zijn op de verkeerde plek, maar er is een andere. Zijn vrouw helpt ons nu. We zullen ze vinden.'

Langzaam hief Rose haar hoofd. Boven het sjaaltje was haar gezicht een strakke knoop van rood vlees en speeksel.

'Echt, Rose, ik beloof het je. We vinden ze wel. Zijn vrouw is een goed mens. Echt, en ze gaat ons helpen.'

Rose wreef langs haar neus. 'Denk je dat echt?' fluisterde ze met een klein stemmetje. 'Denk je dat echt?'

Janice haalde adem en keek achterom naar de open plek. De wagen van de lijkschouwer reed weg, de man die de leiding had liep terug naar het parkeerterrein en het laatste teamlid deed de portieren van het busje dicht. Er welde iets dwars door de kalmte heen op, iets hards en bitters en wanhopigs, dat zich uit het gat wilde worstelen dat nooit opgevuld zou worden. Maar ze slikte het weg en knikte. 'Echt. Sta op. Zo, ja. Sta op, dan gaan we.'

81

Flea wist niet goed wat ze in het infuus hadden gedaan, maar ze wist wel dat ze een half jaarsalaris over zou hebben voor nog een dosis. Dat probeerde ze te zeggen tegen de ziekenbroeder die haar brancard in de helikopter vastzette, ze probeerde het hem toe te schreeuwen toen de rotors gingen draaien. Misschien had hij het al eens eerder gehoord of misschien kon nog steeds niemand er een touw aan vastknopen als ze iets zei, want hij glimlachte alleen, knikte en gebaarde dat ze rustig moest blijven liggen. Dus staakte ze haar pogingen. Ze bleef liggen en keek hoe de bekleding van het dak van de helikopter trilde en één geheel werd. Ze rook de frisse blauwe lucht die door het luik naar binnen kwam. Kerosine en zonlicht.

Haar ogen gingen dicht. Ze dreef de droom weer in. Liet hem zich ontvouwen en haar als witte vleugels omgeven. Ze was maar een stipje in de lucht. Een wervelend paardenbloemzaadje. Boven haar was er geen wolkje aan de hemel te zien. Onder haar spreidde het land zich uit met zijn Engelse lappendeken van kleuren. Geen schaduwen. Alleen droomloze groene en bruine tinten. Ze zag een bos. Dicht en weelderig. Kleine open plekken waar herten graasden. Ze zag mensen daar beneden. Sommigen picknickten. Anderen stonden in groepjes bij elkaar. Tussen de gebarsten groenige stammen van de essenbomen langs een pad zag ze drie vrouwen naar een parkeerterrein lopen; een in een regenjack, een met een roze sjaal en een in een groene jas. De vrouw in de groene jas had geen schoenen aan. Ze had haar arm rond de vrouw met de sjaal geslagen. Ze liepen allebei met hun hoofd zo ver naar beneden dat ze elk moment om leken te kunnen vallen.

Flea wendde haar hoofd af. Ze dreef over de toppen van de bomen. Ze zag de bovenkant van de luchtschacht, waar roetvlokken omheen dwarrelden. Vanaf deze hoogte kon ze de tunnel helemaal in kijken. Ze hoorde geluiden. Een huilend kind. En toen viel het haar weer in. Martha's lichaam. In de kuil. Ze was er nog. Er moest iets aan gedaan worden.

Ze hief haar hoofd. Keek om zich heen – zag de politiewagens en andere voertuigen wegrijden. Zag de kilometerslange wegen zich uitstrekken in de verte als een gebleekt geel spinnenweb dat over het winterse land lag. Op de weg die naar de grote snelweg in het zuiden kronkelde weerkaatste het dak van een auto het kille winterse zonlicht. Heel klein, als een speelgoedautootje. Ze richtte haar blik erop en draaide haar gezicht ernaartoe, wachtend tot er een elementaire kracht zou komen en haar mee zou nemen. Hij pakte haar bij de schouders en schoof haar met haar hoofd vooruit door de lucht, door de wolken. De velden en de bomen schoten onder haar langs, ze zag de weg, kwam dichterbij tot ze de structuur ervan kon zien, en bewoog snel verder. Voor zich zag ze het dak van de auto. De wind was zichtbaar als kwikzilver en golfde om het autodak toen ze naderde. Het was een gewone zilverkleurige Mondeo. Van het soort dat sommige specialistische eenheden gebruikte. Ze vertraagde, kwam op gelijke hoogte met de auto en zweefde naar beneden. Ze bleef naast het raam aan de passagierskant hangen, met haar hand op de zijspiegel.

Er zaten twee mannen in, gekleed in pakken. De man die reed herkende ze vaag, maar het was de man die het dichtst bij haar zat, met een afwezige uitdrukking op zijn gezicht, die haar aandacht trok. Jack. Jack Caffery. De enige man op de wereld die met een blik haar hart in stukken kon laten springen.

'Jack?' Ze bracht haar gezicht bij het raam. Klopte erop. Hij keek niet om. Hij zat maar voor zich uit te staren, en zijn hoofd bewoog licht mee met de bewegingen van de auto. '*Jack.*'

Hij reageerde niet. Zijn gezicht stond verslagen en miste elke energie of hoop, zodat hij eruitzag alsof hij elk moment kon gaan huilen. Hij droeg een kogelwerend vest over een overhemd en das en er zat bloed op zijn mouwen. Hij moest hebben geprobeerd het weg te vegen, maar hij had een paar plekken gemist. Over zijn polsen liepen dunne roestige strepen. Ze duwde haar gezicht door het glas. Drong voorzichtig door de smeltende, melkwitte, doorzichtige massa heen tot ze zich in de auto zelf bevond en de muffe, oververhitte lucht rook. De combinatie van aftershave, zweet en uitputting. Ze legde haar lippen tegen zijn oor. Voelde de zwakke kriebel van zijn haar tegen haar neus. 'Ze ligt onder de vloer van de tunnel,' fluisterde ze. 'Hij heeft een graf gegraven. Hij heeft haar in een kuil gelegd. Een kuil, Jack. Een kuil.'

Caffery duwde zijn vinger in zijn oor. Bewoog hem heen en weer. 'Een kuil, dat zei ik. Een kuil in de bodem van het kanaal.'

Caffery kon het geluid van Prody's piepende ademhaling niet uit zijn hoofd zetten. Zijn doodsreutel. Het wilde niet weggaan. Het bleef in zijn rechteroor zoemen. Hij stak zijn vinger in zijn oor, bewoog ermee. Schudde zijn hoofd. Maar het was alsof iemand heel dicht bij hem zat en tegen hem siste.

'Kuil.' Het woord viel hem opeens in. 'Een kuil.'

Turner keek hem van opzij aan. 'Wat, baas?'

'Een kuil. Een kuil. Een vervloekte kuil.'

'Wat is daarmee?'

'Dat weet ik niet.' Hij boog voorover en keek door het raampje naar de wegmarkering die onder hem door schoot. De zon flitste verblindend in zijn ogen. Er bewoog weer iets in zijn hoofd. Snel, dit keer. Heel snel. Kuil. Hij proefde het woord op zijn tong. Vroeg zich af waarom het kant en klaar in zijn hoofd was opgekomen. *Kuil.* Een gat in de grond. Een plek om dingen te verstoppen. Zoekteams waren erop getraind driehonderdzestig graden om zich heen te kijken. Dat was hem al eerder opgebroken. Ze keken alle kanten uit, behalve omhoog. Ze hadden niet naar boven gekeken en Prody dus niet gevonden in de tunnel. Maar *naar beneden* kijken. Verder kijken dan de grond onder je voeten, erdoorheen kijken. Dat was iets waar hij nooit aan had gedacht.

'Baas?'

Caffery trommelde met zijn vingers op het dashboard. 'Clare zei dat haar zoons doodsbang waren voor de politie.'

'Wat?

'Op de een of andere manier had hij ze het idee ingeprent dat de politie de vijand was. De laatste mensen tot wie je je zou willen wenden.'

'Wat wil je daarmee zeggen?'

'Wat was het eerste dat het team riep toen het de tunnel in ging?'

'Het eerste dat het riep? Geen idee. Waarschijnlijk "politie", ja. Dat hoort het toch ook te doen?'

'Waar was Prody toen de teams de tunnel afzochten?'

Turner keek Caffery vreemd aan, alsof hij opeens twee hoofden had. 'Hij was in de tunnel, baas. Hij was erbij.'

'Ja. En wat deed hij al die tijd?'

'Hij was...' Turner schudde zijn hoofd. 'Ik weet het niet. Waar wil je heen? Hij was dood aan het gaan, neem ik aan.'

'Denk er eens over na. Hij ademde. En luid ook. Je hebt het gehoord. Niemand kon dat geluid missen. Het hield niet op, vanaf het moment van de explosie tot het moment dat ze naar buiten kwamen. Je zou daar beneden verder niets meer hebben kunnen horen.'

'Ze hebben de tunnel doorzocht, baas. En goed ook. De meisjes waren er niet. Wat je ook denkt, ik snap niet hoe je erop komt.'

'Dat snap ik ook niet, Turner, maar het wordt tijd dat je de wagen draait.'

82

Janice wist niet hoe haar lichaam dit volhield. Haar botten en spieren leken wel van water. Ze dacht dat haar hoofd uit elkaar zou barsten van de druk. Ze stond met haar rug tegen de stam van een zilverberk en hield Rose' hand vast, en ze staarden allebei naar de open plek. Alles was anders. Het was niet langer de sombere, stille plek die ze een halfuur geleden verlaten hadden. Nu krioelde het rond de schacht van de mensen; politiemensen schreeuwden tegen elkaar, spullen die waren opgeruimd werden haastig weer voor de dag gehaald. Er was nog een traumahelikopter geland en die stond met roerloze rotors op de open plek. Inmiddels waren er weer twee driepoten met katrollen opgesteld en twee mannen hadden zich in de schacht laten zakken. Janice wist dat er dertig meter lager in het donker gegraven en paniekerig geroepen werd, maar wat ze niet kon verdragen, waren de bezorgde gezichten boven de grond. Die afschuwelijke, verdomde bezorgdheid. Nick stond een eindje voor

Rose en Janice, met haar handen in haar zakken en een ernstig gezicht. Het was Nick geweest die Janice' Audi over de A419 terug had gereden en de auto's snel in de andere richting had zien rijden, de zon blikkerend in hun voorruiten. Ze had gezien dat het auto's van de eenheid waren en wist wat dat betekende. Ze had de Audi een parkeerplek opgereden, een driepuntsdraai over twee rijstroken met verkeer gemaakt en was in volle vaart achter de auto's aan teruggereden. Dit keer had niemand de vrouwen tegengehouden. Niemand scheen er tijd voor te hebben.

'Brancards,' zei Nick opeens. 'Twee brancards.'

Janice verstijfde. Zij en Rose keken met een ruk naar de vier ziekenbroeders die over de open plek draafden. Hun gezichten waren effen en geconcentreerd. Er was niets van af te lezen. 'Brancards?' Haar hart begon oorverdovend te bonzen. 'Nick? Wat betekent dat? Brancards? Wat betekent dat?'

'Ik weet het niet.'

'Wil dat niet zeggen dat ze nog leven? Ze zouden toch geen brancards laten komen als ze dood waren? Of wel?'

'Ik weet het niet. Echt niet.'

'Er gaan nog meer ziekenbroeders de schacht in,' siste ze. 'Wat betekent dat? Zeg me wat het betekent.'

'Ik weet het niet, Janice – echt niet. Put er alsjeblieft niet te veel hoop uit. Het zou voor iemand van het reddingsteam kunnen zijn.'

De harde kern die Janice tot op dat moment intact had gehouden, bezweek met een zachte, uitgeputte plof. 'O, God,' fluisterde ze, en ze draaide zich met een dichtgeknepen keel om naar Rose. 'Rose. Ik kan dit niet.'

Nu was het de beurt van Rose om sterk te zijn. Ze greep Janice bij haar middel en steunde haar toen ze zwaar tegen haar aanleunde.

'Het spijt me, Rose, het spijt me.'

'Het geeft niet.' Rose hield haar vast en tilde Janice' armen over haar eigen schouders. Ze liet haar voorhoofd tegen dat van de andere vrouw zakken. 'Het is goed. Ik heb je vast. Blijf ademen. Zo, ja. Langzaam. Blijf ademen.'

Janice deed wat haar gezegd werd en voelde de koude lucht door haar neus naar haar longen stromen. De tranen liepen over haar gezicht. Ze probeerde ze niet tegen te houden en liet ze gewoon van haar kin en op de dode bladeren aan haar voeten druppelen. Nick kwam achter de twee vrouwen staan en legde haar handen op hun rug. 'God, Janice,' mompelde ze. 'Ik wou dat ik meer kon doen. Ik wou echt dat ik meer voor jullie kon doen.'

Janice gaf geen antwoord. Ze rook Nicks parfum en de rijke, houtige geur van haar regenjack. Ze rook Rose' adem en hoorde haar hart bonzen. Dat hart voelt hetzelfde als het mijne, dacht ze. Twee mensenharten, tegen elkaar aangedrukt. Met allebei dezelfde pijn. Er zaten bloemen op Rose' trui geborduurd. Rozen. Rozen voor Rose. Er hadden ook rozen op het behang in het huis op Russell Road gestaan. Ze wist nog dat ze als kind in bed had gelegen en strak naar het patroon had gekeken, hopend dat het haar in slaap zou doen vallen. Goddank dat jij er bent, Rose, dacht ze. Goddank.

Iemand riep iets.

'Oké,' zei Nick. 'Er gebeurt iets.'

Janice' hoofd schoot naar boven, met open mond. De katrollen draaiden. Caffery stond erbij, een meter of vijftig verderop, met zijn rug naar hen toe. Dicht naast hem stond een man met een blauwe koptelefoon, waarvan hij één kant optilde, en Caffery boog zich ernaar toe en luisterde naar wat er gezegd werd. Alle anderen stonden in de schacht te kijken. Ze trokken iets omhoog. Daar bestond geen twijfel aan. Caffery verstrakte – ze zag het zelfs van achteren. Dit was het. Nu gebeurde het. Haar handen klemden zich om Rose' schouders.

Caffery trok met een asgrauw gezicht zijn hoofd weg van dat van de andere man. Hij keek even over zijn schouder naar de vrouwen, zag ze kijken en keek haastig weer de andere kant uit, zodat ze de uitdrukking op zijn gezicht niet konden zien. Janice voelde hoe haar ingewanden het begaven en haar knieën knikten. Er ging een ademloos gevoel door haar borstkas, alsof ze in een vrije val was geraakt en met grote snelheid uit de blauwe hemel viel. Dit was het dan. Ze waren dood. Ze wist het. Caffery nam even de tijd om zijn das recht te trekken. Hij knoopte zijn jasje dicht, streek het met zijn handen glad, haalde diep adem, trok zijn schouders op en draaide zich naar hen om. Hij liep stijfjes, en toen hij dicht bij hen was, zag Janice dat de huid onder zijn ogen grauw was. 'Laten we er even bij gaan zitten.'

Ze gingen in een provisorische kring zitten, de drie vrouwen op de stam van een omgevallen boom en Caffery op de stronk tegenover hen. Janice zat klappertandend met haar handen in haar haar. Caffery zette zijn ellebogen op zijn knieën en keek de vrouwen diep in de ogen. Nick kon het ook niet meer aan – ze sloeg haar ogen neer.

'Het spijt me dat het zo lang geduurd heeft voor we jullie meisjes hebben gevonden. Het spijt me dat jullie zo lang hebben moeten wachten.'

'Zeg het,' zei Janice. 'Alsjeblieft. Zeg het nou maar gewoon.'

'Ja.' Hij schraapte zijn keel. 'Prody heeft een kuil gegraven. Aan de zijkant van het kanaal. Hij is heel klein en bedekt met ijzeren golfplaten, en we hebben er een hutkoffer in gevonden. Hij heeft ze daarin gedaan, allebei, en ze...'

'*Alsjeblieft, God,*' fluisterde Janice. '*Alsjeblieft, God.*'

Hij keek haar even verontschuldigend aan. 'Ze zijn allebei heel verdrietig. Ze zijn bang en hebben een enorme honger. En ze willen vooral hun moeder bij zich hebben.'

Janice sprong op. Haar hart ging tekeer als een dolle.

'Janice, wacht. Laat de dokters...'

Maar ze duwde hem opzij, en ook Nick, die was opgesprongen om haar tegen te houden, en rende met open, wapperende jas de open plek op. Ook Rose brak los en rende huilend en met open mond onhandig achter haar aan de helling op. Rechts van hen lachte iemand. Een luid, gelukkig, opgetogen geluid. Drie mannen sloegen elkaar op de schouders. Twee agenten bij de schacht zagen de vrouwen komen en staken hun handen uit om hen een eindje van de rand tegen te houden, maar dit keer waren hun gezichten niet de afschuwelijke, gesloten, geconcentreerde maskers van een uur geleden; dit keer glimlachten ze bijna toen de twee vrouwen hijgend en naar adem happend tegen hen aanbotsten.

'Wacht hier. U kunt alles zien, maar wacht hier.'

De katrollen op beide driepoten draaiden. Er verscheen een hoofd met een helm en een man kroop op zijn knieën uit het gat, met een infuuszak boven zijn hoofd. Hij draaide zich om naar de rand van de schacht en wachtte tot het oppervlakteteam de brancard naar boven had getrokken en een eindje van het gat op de grond had gezet. Het was Martha, toegedekt met een aluminium deken, die met een verstard gezicht om zich heen keek, verschrikt door de geluiden en het licht. Een vrouw in een groene broek en een groot regenjack riep iets en uit het niets kwamen overal ziekenbroeders vandaan. Rose maakte een hard geluid, alsof ze stikte, en wurmde zich langs de twee mannen zonder acht te slaan op de handen die haar tegen probeerden te houden. Ze liet zich op haar knieën naast de brancard vallen en boog zich pratend en huilend over Martha heen.

In de schacht riep nog iemand. Het tweede oppervlakteteam boog zich over het gat. Er verscheen weer een hoofd met een rode helm.

'En *trekken*,' riep iemand. 'Zo, ja – *trekken*.'

Het hoofd van de man kwam met een ruk een eindje naar boven. Janice kreeg geen lucht. Hij keek naar beneden, concentreerde zich op wat er onder hem gebeurde, en het zweet droop langs zijn nek. Nog een ruk aan de touwen en toen verscheen de achterkant van een brancard, die tegen de rand van de schacht botste en draaide. Een man stak zijn hand uit om het gewicht over te nemen. Toen hij dat deed, draaide de brancard nog iets en was opeens Emily's gezicht te zien.

De harde knoop van verdriet en angst die tegen Janice' hart had gezeten, brak weg. Hij schoot door haar lichaam. Ze moest een hand uitsteken om haar evenwicht te bewaren en niet op haar knieën te vallen. Emily's haar was nat en naar achteren gestreken, en haar gezicht was bleek. Maar haar ogen waren helder en levendig. Ze schoten heen en weer, naar boven en naar beneden, en namen alles wat er gebeurde in zich op; de diepte onder haar, de mensen aan de rand van de schacht. De man die naast haar bij de driepoot stond zei iets tegen haar, een goedmoedig grapje. Ze draaide zich om, keek naar hem en glimlachte.

Ze glimlachte. Emily *glimlachte*.

Janice stond op het gras en voelde een warme gloed over haar ruggengraat en door haar hoofd trekken. Ze voelde hoe de warmte haar borstkas losmaakte, zodat haar hart omhoog kon en ze kon ademen. Net als in de droom die ze had gehad. Emily keek naar haar, recht in haar ogen.

'Mama,' zei ze eenvoudig.

Janice stak haar hand op en glimlachte terug. 'Hallo, schat,' zei ze. 'We hebben je gemist.'

83

De farmaceutische fabriek stond in een ondiepe laagte op het dorre plateau van zuidelijk Gloucestershire – een industriële enclave, klein naast de koninklijke jachthuizen die hooghartig het grootste deel van het graafschap in beslag namen. De politie-eenheden hadden GPR – bodemradar – gebruikt en lijkenhonden, die ze helemaal uit Londen hadden laten komen. Ze hadden de hele dag gewerkt, het terrein met lasertheodolieten gerasterd en methodisch elke vierkante centimeter afgezocht, zonodig machinerie verplaatst en zo langs de muur van het pakhuis gewerkt.

De kleine groepjes bomen die er stonden werden hier geen bosjes genoemd, maar aangeduid met de eigenaardige negentiende-eeuwse term 'covert', wat zoveel betekent als 'akkermaalshout'. Het dichtstbijzijnde lag iets hoger en stond bekend onder de naam Pine Covert, en die avond werd het goud en rood verlicht door de ondergaande zon, maar was het vanaf de fabriek niet te zien. Twee mannen stonden in de beschutting van de bomen en keken zwijgend naar de vorderingen van het team. Inspecteur Caffery en de man die ze de Wandelaar noemden.

'Wie denken ze dat ze zoeken?' vroeg de Wandelaar. 'Niet mijn dochter. Ze zouden niet zo zorgvuldig te werk gaan als ze dachten dat het om mijn dochter ging.'

'Nee. Ik heb gezegd dat ze Misty Kitson zochten.'

'O, ja. Die knappe.'

'Die beroemde. Dat blok aan het been van mijn eenheid.'

De hele middag was de zon schuin langs de hemel getrokken en had de aarde verlicht, maar niet verwarmd, en nu hij onderging, begon het team op te breken na de debriefing. Een voor een kwamen de leden door de toegangspoort onder de grote booglampen, terug naar de wachtende busjes en auto's. Caffery en de Wandelaar konden niet horen wat ze zeiden, maar ze konden er wel naar raden.

'Ze hebben niets gevonden.' De Wandelaar streek peinzend over zijn baard. 'Ze is er niet.'

Caffery stond schouder aan schouder met hem. 'Ik heb mijn best gedaan.'

'Ja. Dat weet ik.'

De laatste leden van de zoekteams reden het weggetje af dat naar de fabriek leidde en nu was het veilig om het vuur aan te steken. De Wandelaar wendde zich af en ging een paar passen het bosje in, waar hij een houtstapeltje had gemaakt. Hij haalde wat vloeibare brandstof onder een houtblok vandaan en sprenkelde het op de takken. Toen gooide hij er een lucifer op. Een korte stilte, en toen een luid 'woemf'. Een oranje vlam groeide uit tot een bal, kromp weer en rolde op naar de takken om er een roodgloeiende, rokende vinger door te halen. De Wandelaar liep naar een andere boomstam en begon er dingen onder vandaan te trekken – slaapmatjes, blikken eten, zijn gebruikelijke fles cider.

Caffery keek afwezig toe en dacht aan de kaart aan de muur van zijn kantoor. De Wandelaar had altijd voorraden klaarliggen, waar hij ook zijn kamp opzette. Op de een of andere manier was dit allemaal – deze gigantische onderneming, de nooit eindigende zoektocht naar zijn dochter – tot in de puntjes gepland. Hoe kon het ook anders? De zoektocht naar een kind: die ging eeuwig door. Een zoektocht zonder einde. Caffery dacht aan de gezichten van Rose en Janice toen ze hun verloren kinderen zagen terugkomen. Die trek zou misschien nooit op zijn eigen gezicht te lezen zijn. En ook niet op dat van de Wandelaar.

'We hebben die kinderlokker gevonden. Dat weet je. Degene die de brief heeft geschreven.'

De Wandelaar schonk cider in plastic bekers en gaf er een aan Caffery. 'Ja. Dat zag ik aan je gezicht zodra je over dat veld kwam aanlopen. Maar het ging niet zo gemakkelijk als je had gehoopt.'

Caffery zuchtte. Hij keek over de velden naar de oranje gloed die de stad Tetbury tegen de wolken wierp. Achter die stad, in de onverlichte velden, lag de Sapperton Tunnel. Hij zag voor zich hoe de twee meisjes naar de helikopter waren gebracht. Twee brancards, twee kleine meisjes. En tussen de brancards een brug. Een bleke, roze brug, gevormd door de armen van de meisjes toen Martha, de oudste, haar hand had uitgestoken en die van Emily had gepakt. Ze hadden bijna veertig uur naast elkaar in een hutkoffer gelegen die onder de vloer van de tunnel begraven was. Ze hadden elkaar omhelsd als tweelingen in de baarmoeder en hun angsten en geheimen in elkaars gezicht geademd. Toen ze naar het ziekenhuis waren gebracht en waren onderzocht, bleken ze er beter aan toe dan verwacht kon worden. Prody had hen niet aangeraakt. Hij had Martha haar ondergoed laten uittrekken en had haar een joggingbroek van zijn oudste zoon gegeven om te dragen. Hij had pakjes appelsap in de kist gezet en verteld dat hij van de politie was – dat dit een ultrageheime operatie was om hen te verbergen voor de echte ontvoerder. Want de echte ontvoerder was de gevaarlijkste man die ze zich konden indenken. Een bedrieger die alles kon en zich voor iedereen kon uitgeven. De meisjes mochten onder geen beding geluid maken in de kist als ze zichzelf niet wilden verraden, wat voor vermomming hij ook mocht aannemen.

Het had even geduurd voor Martha hem geloofde. Emily, die Prody in het safehouse had leren kennen als politieman, had het verhaal meteen geslikt. Hij had hen snoep gegeven toen hij hen dit allemaal vertelde. Hij was aardig geweest. Hij was knap en sterk en geloofwaardig. Zo ging dat als er een kind werd ontvoerd.

'Ga zitten.' De Wandelaar haalde borden onder de boomstam vandaan. 'Maak het je gemakkelijk.'

Caffery liet zich op een dun slaapmatje zakken. De grond was ijskoud. De Wandelaar zette de blikken en de borden bij het vuur om te kunnen gaan koken zodra het vuur daar klaar voor was. Hij schonk zichzelf nog een beker cider in en ging ook zitten.

'Dus...' Hij wuifde naar het terrein dat het team had afgezocht. 'Hiervoor? Omdat je dit voor me gedaan hebt? Wat geef ik je daarvoor? Niet mijn woede, dat staat vast. Ik moet mijn woede terugnemen en inslikken.'

'Wat kun je me geven?'

'Ik kan je niet je broer teruggeven. Ik weet dat je dat hoopt. Maar ik kan je niets over hem vertellen.'

'Kun je dat niet, of wil je dat niet?'

De Wandelaar lachte. 'Ik heb het je al zo vaak gezegd, Jack Caffery, tot ik zo'n beetje blauw zie; ik ben een mens, geen superheld. Geloof je nou echt dat een ex-bajesklant die zijn zielige leven verbeuzelt op de weggetjes van West Country kan weten wat er dertig jaar geleden en meer dan vijftienhonderd kilometer ver weg in Londen met een jongen is gebeurd?'

De Wandelaar had gelijk. Ergens in zijn achterhoofd had Caffery echt geloofd dat deze schimmige zwerver met zijn zachte stem iets zou kunnen weten over wat er al die jaren geleden gebeurd was. Hij stak zijn handen uit naar het vuur. Zijn auto stond honderd meter verderop en was vanuit het bosje net niet te zien. Myrtle zat er niet meer in; ze was weer bij de Bradleys. Gek, maar hij miste die stomme hond.

'Vertel me dan eens over de cirkel. Die mooie kleine cirkel. Dat het feit dat ik de vrouw bescherm een cirkel vormt.'

De Wandelaar glimlachte. 'Het is tegen mijn principes om je iets voor niets te geven. Maar dit is een uitzondering, omdat je me geholpen hebt. Dus geef ik het je vrijuit en zal ik je openlijk vertellen wat ik die avond heb zien gebeuren.'

Caffery staarde hem aan.

De Wandelaar knikte. 'Dat zogenaamde blok aan het been van

de eenheid? Die knappe? Ik heb haar zien sterven.'

'Hoe dan? Hoe heb jij in godsnaam...'

'Gemakkelijk. Ik was erbij.' Hij wuifde met een knokige vinger naar het zuiden, in de richting van Wiltshire. 'Op die heuvel, waar ik gewoon mijn gangetje ging. Ik heb je al gezegd – je hoeft alleen maar je geest open te stellen; als je dat doet, zit je hoofd opeens vol waarheden die je nooit had verwacht.'

'Waarheden? Jezus, waar heb je het over? Wat voor waarheden?'

'De waarheid dat het niet de vrouw was die dat blok aan het been heeft gedood.' Het gezicht van de Wandelaar werd rood verlicht door het vuur. Zijn ogen glansden. 'Het was een man.'

Caffery bleef in- en uitademen. Langzaam. Zonder enige emotie te tonen. Een man. Alles in zijn hoofd begon naar beneden te komen, zich te schikken in wat ineens een duidelijk en eenvoudig patroon leek, dat lang op dit moment had gewacht. Was Misty door een man vermoord? En had Flea hem beschermd? Dan moest het om die sukkel van een broer van haar gaan. Daar kon geen twijfel over bestaan. Caffery kwam zo gemakkelijk en zeker tot deze conclusie dat het was alsof die daar de hele tijd al geweest was en alleen had gewacht tot hij uit de puinhoop zou worden geschud.

'Nou, meneer Caffery, mijn aardige politieman.' De Wandelaar keek op naar de takken, die rood en oranje gloeiden door het vuur. 'Wat geeft deze waarheid je?' Hij keek hem glimlachend aan. 'Vaste grond onder je voeten? Of een startpunt?'

Caffery zei lange tijd niets. Hij dacht aan wat dit betekende. Het was al die tijd die vervloekte broer van Flea geweest. Hij dacht aan zijn boosheid. Hij dacht aan alle dingen die hij tegen haar wilde zeggen. Hij stond op, ging naar de rand van het bosje en bleef naar de hemel staan kijken. In de verte, bij de lang vergeten Wor Well, waar de oude rivier de Avon ontstond, liep het plateau licht naar beneden. De flanken van de diepte waren bezaaid met de verre gebouwen aan de rand van Tetbury. Huizen en garages en bedrijfspanden. Een ziekenhuis. De plek waar Flea Marley met de helikopter naartoe was gebracht. In de meeste gebouwen was het licht aan, zodat ze het donkere plateau verlichtten als vuurvliegjes in bomen.

Een daarvan was de kamer waarin ze lag.

'Nou? Is het vaste grond onder je voeten of een startpunt?'

'Daar weet je het antwoord op.' Caffery voelde zijn voet naar voren schuiven. Voelde een lange, enorme kracht door zijn lichaam stromen. Alsof hij klaar was om het op een rennen te zetten. 'Het is een startpunt.'

84

De rook van het vuur van de Wandelaar steeg recht en kalm op in de nachtlucht. Hij klom hoog boven de donkere bomen uit, onverstoord door wind of bries, een rechte grijze vinger in de vrieskoude nachtlucht. Hij was kilometers in het rond zichtbaar, vanaf de straten van Tetbury, de boerderijen die het dal omzoomden, de landbouwschuren in Long Newnton en de weggetjes bij Wor Well. In een eenpersoonskamer in het ziekenhuis van Tetbury sliep Flea Marley. Ze was binnengebracht met een zware hersenschudding, bloedverlies, sluipende onderkoeling en uitdroging. Maar de CT-scans waren goed. Ze zou beter worden. Toen ze eenmaal van de afdeling Spoedeisende Hulp af was, had ze bezoek gekregen van Wellard, die een bos lelies in cellofaan met paarse linten bij zich had gehad. 'Ik heb grafbloemen meegenomen. Want als je echt begraven wordt nadat je stomme gedrag je fataal is geworden, zit ik niet in de kerk.' Hij had nors op de plastic stoel gezeten en had haar verteld wat er allemaal was gebeurd. Hij had haar verteld over de dood van Prody. Hij had haar verteld dat niet alleen Martha in het gat in de grond had gezeten, maar ook Emily Costello, dat het prima ging met allebei de meisjes en dat ze ergens in ditzelfde ziekenhuis lagen en door hun families bedolven werden onder lekkernijen en speelgoed en kaarten. En de eenheid – nou, daar kon hij een hele lofzang over afsteken, want Flea werd gewoon bejubeld en oogstte alom bewondering, en ze kon maar beter zorgen dat ze ergens een schone pyjama vandaan haalde, want de korpschef in eigen persoon was van plan de volgende morgen langs te komen om haar op te zoeken voordat ze werd ontslagen.

In haar dromen was ze nu thuis. De storm en de wolken waren verdwenen. Thom was weg en zij was jonger. Misschien nog maar drie of vier. Ze zat in het grind voor de garage te spelen met de carbidlamp en probeerde hem met haar mollige kindervingertjes aan te krijgen. De huiskat was nog maar een kitten en stond naast haar, met beide voorpoten vlakbij Flea's handen en zijn staart hoog in de lucht, al zijn aandacht gericht op wat zij aan het doen was. Een eindje verderop was pa aan het graven en harken en graszaad aan het strooien. 'Zo.' Hij gaf de zaadjes water met een ouderwetse gieter. 'Dat is gebeurd. Het is klaar.'

Flea zette de lamp neer. Ze stond op, ging naar hem toe en keek naar de grond. Sommige zaadjes waren al gaan groeien. Kleine, smaragdgroene scheuten. 'Pap? Wat is dit? Waar kijk ik naar?'

'Naar je plek. Jouw plek op de wereld.' Hij hief een hand om haar uit te nodigen het uitzicht in zich op te nemen: de hoge wolken in het westen. De rijen bomen die de tuinen begrensden. Een pijlpunt van overvliegende vogels. 'Dit is jouw plek en als je hier lang genoeg blijft wachten, als je geduld hebt, komt er iets goeds naar je toe. Wie weet? Misschien is het al onderweg. Nu al.'

Flea voelde de grond onder haar voeten trillen. Ze hief haar mollige peuterarmpjes naar de horizon en voelde de opwinding in zich opborrelen. Ze deed een stap naar voren om dat wat kwam gretig te verwelkomen. Ze opende haar mond om iets te zeggen – en werd opeens wakker in het ziekenhuisbed, happend naar adem.

Het was stil in de kamer. De tv stond uit en er was maar weinig licht. De gordijnen waren open en ze zag haar vage omtrek in de ruit. Een gezicht, wit en onduidelijk. De veeg van een ziekenhuishemd. En daarachter de wolkeloze lucht. De sterren, de maan – en een dunne, bijna bijbels rechte zuil rook.

Ze staarde met tollende gedachten naar de rook, voelde de kracht ervan door de hemel komen, tegen het glas duwen, de kamer binnengaan en haar borst binnendringen. Ze kon hem bijna ruiken.

Hier – alsof er iets smeulde in de kamer. Vol ontzag duwde ze zich met grote ogen op haar ellebogen omhoog, en de druk in haar borst was groot genoeg om haar mond open te laten gaan om te ademen. Misschien kwam het doordat ze pa zo duidelijk gezien had in haar droom, misschien kwam het door de hersenschudding, of de medicijnen die ze gekregen had, maar die rook leek haar een boodschap te sturen.

Er komt iets aan, zei die rook. *Er is iets naar je onderweg.*

'Pa?' fluisterde ze. 'Wat komt er dan?'

Rustig maar, kwam het antwoord. *Het duurt niet lang meer.*

Dankwoord

Dank aan iedereen die me heeft geholpen dit boek af te maken: mijn agent Jane Gregory en haar fantastische team bij Hammersmith, en ook Selina Walker en alle anderen van Transworld Publishers, dat al tien jaar mijn boeken uitgeeft (idioten). Frank Wood van Elizabeth Francis (MediCall) heeft me geholpen om de ziekenbroeders in de laatste hoofdstukken enigszins levensecht te maken en een heel leger van vakmensen van de politie van Avon and Somerset heeft me met raad en daad bijgestaan als het om de details van politie-procedures ging (de fouten zijn allemaal van mij en van niemand anders), onder anderen inspecteur Steven Lawrence, CID-opleider, agent Kenny Marsh van de afdeling Jeugdzaken, agent Andy Hennys van de hondenbrigade en agent Steve Marsh van het duikteam. Bijzondere dank aan hoofdagent Bob Randall, die bij dit boek weer net zo waardevol, begrijpend en hulpvaardig is geweest als bij de hele serie.